CUISINER AU GOÛT DU CŒUR

BONNIE STERN

CUISINER AU GOÛT DU CŒUR

Traduit de l'anglais (Canada) par
Nathalie Guillet

TRÉCARRÉ
Ⓜ QUEBECOR MEDIA

FONDATION
DES MALADIES
DU CŒUR
DU CANADA

À la conquête de solutions.

Catalogage avant publication de Bibliothèque et Archives Canada

Stern, Bonnie, 1947-

    Cuisiner au goût du cœur

    Traduction de : HeartSmart.

    ISBN 978-2-89568-314-8

    1. Cœur – Maladies – Diétothérapie – Recettes. 2. Régimes hypolipidiques – Recettes. I. Titre.

RC684.D5S714 2007   641.5'6311   C2006-942262-1

Remerciements

Les Éditions du Trécarré reconnaissent l'aide financière du gouvernement du Canada par l'entremise du Programme d'aide au développement de l'industrie de l'édition (PADIÉ) pour ses activités d'édition. Gouvernement du Québec – Programme de crédit d'impôt pour l'édition de livres – gestion SODEC.

Titre original :
HeartSmart: The Best of HeartSmart Cooking

Traduction : Nathalie Guillet

Révision : Anik Charbonneau

Correction d'épreuves : Céline Bouchard

Photographies intérieures : Robert Wigington

Stylisme culinaire : Olga Truchan

Couverture : Infoscan Collette

Mise en pages : Édiscript enr.

ISBN : 978-2-89568-314-8

Dépôt légal – Bibliothèque et Archives nationales du Québec, 2007

Imprimé au Canada

Éditions du Trécarré
Groupe Librex
La Tourelle
1055, boul. René-Lévesque Est
Bureau 800
Montréal (Québec) H2L 4S5
Tél. : 514 849-5259
Téléc. : 514 849-1388

Distribution au Canada
Messageries ADP
2315, rue de la Province
Longueuil (Québec) J4G 1G4
Téléphone : 450 640-1234
Sans frais : 1 800 771-3022

À MA FAMILLE,
QUI ME NOURRIT DE SON AMOUR

TABLE DES MATIÈRES

REMERCIEMENTS DE LA FONDATION DES MALADIES DU CŒUR DU CANADA

La Fondation des maladies du cœur du Canada aimerait remercier les personnes suivantes pour leur aide dans la recherche et la vérification des renseignements nutritionnels contenus dans *Cuisiner au goût du cœur*, de Bonnie Stern. Leur expérience et leurs conseils ont été d'une valeur inestimable dans la transformation des plus récentes informations scientifiques sur la saine alimentation en données pratiques accessibles au consommateur.

Fran Berkoff, diététiste professionnelle, pour son travail remarquable dans la présentation de la science de la saine alimentation sous une forme facile à comprendre et à utiliser.

Des remerciements tout particuliers à Bonnie Stern, pour avoir mis à jour ses merveilleuses recettes et en avoir ajouté d'encore plus délicieuses pour votre plus grand plaisir.

Barb Selley, de *Food Intelligence*, pour l'analyse nutritionnelle.

Christine LeGrand, Heather Rourke, Stephen Samis, Mary Elizabeth Harriman et Carol Dombrow, pour avoir coordonné et révisé les renseignements nutritionnels.

Julie Desjardins et Chris Pon, pour la qualité de leur travail dans les coulisses sur les contrats et le parrainage.

Toutes les personnes qui ont travaillé si fort pour que ce livre voie le jour, en particulier Tanya Trafford, Shelley Tanaka, Anne Collins et leur équipe d'employés très compétents.

Nous aimerions également remercier toutes les personnes qui ont travaillé aux autres livres de la série Cœur atout^MC. Leur travail consciencieux a contribué à faire de ce livre un ouvrage extraordinaire.

Le Centre d'information sur le bœuf s'est engagé à partager avec les Canadiens des moyens de faire en sorte que le bœuf continue de faire partie de l'alimentation saine et équilibrée. Le Centre d'information sur le bœuf est heureux d'appuyer les initiatives de la Fondation des maladies du cœur du Canada ainsi que ses efforts pour aider les gens à vivre en meilleure santé et à réduire les risques de maladies du cœur et d'accidents vasculaires cérébraux.

La Fondation des maladies du cœur du Canada remercie chaleureusement le Centre d'information sur le bœuf pour sa participation à la réalisation du présent livre. Le soutien financier que nous avons reçu de notre commanditaire ne constitue pas une recommandation de ses produits par la Fondation des maladies du cœur ou par l'auteure.

REMERCIEMENTS DE L'AUTEURE

Lorsque j'étais à l'université, je croyais que je deviendrais bibliothécaire. J'adorais les livres. J'aimais les choisir, les ouvrir, les lire. La quantité de travail nécessaire pour écrire des livres, pour les réviser, les publier et les vendre ne m'est jamais venue à l'esprit. Je n'avais alors jamais imaginé qu'un jour j'écrirais mon propre livre, et certainement pas une douzaine !

Il faut l'appui de très nombreuses personnes pour publier un livre de recettes, et j'ai eu la chance, au cours des années, de travailler avec un groupe d'individus talentueux et dévoués.

Tous mes collègues, anciens et nouveaux, à mon école de cuisine : Dely Balagtas, Jenny Burke, Rhonda Caplan, Anne Apps, Lorraine Butler, Leonie Eidinger, Lauren Gutter, Letty Lastima, Maureen Lollar, Jennifer Mahoney, Francine Menard et Linda Stephen.

Mon amie et avocate, Marian Hebb.

L'équipe talentueuse que Random House a mise sur pied : Julie Chivers, Anne Collins, Janine Laporte, Brad Martin, John Neale, Shelley Tanaka, Tanya Trafford, Scott Richardson, Scott Sellers, Jennifer Shepherd, Olga Truchan et Robert Wigington.

Le personnel dévoué de la Fondation des maladies du cœur, et leurs experts professionnels : Fran Berkoff, Julie Desjardins, Carol Dombrow, Dominique Mongeon, Chris Pon et Barbara Selley.

Mes amis et collègues du domaine de la nutrition : les fournisseurs qui produisent des ingrédients formidables, les chefs qui enseignent à mon école, les médias et le public qui aiment mes livres.

Finalement, je remercie tout particulièrement mes élèves et mes lecteurs. J'adore savoir que je suis dans leur cuisine avec eux chaque fois qu'ils préparent mes recettes.

PRÉFACE

C'est avec joie que la Fondation des maladies du cœur du Canada vous offre *Cuisiner au goût du cœur,* le dernier-né de notre relation de longue date avec l'auteure à succès Bonnie Stern. Ce livre regroupe les meilleures recettes publiées dans divers ouvrages classiques comme *Cœur atout* ^{MC}, *Nouvelles saveurs au goût du cœur* ^{MC}, *Recevoir au goût du cœur* ^{MC} et *Recettes, menus et conseils pour des réunions de famille et d'amis* ^{MC}, et vous en propose 75 nouvelles.

La Fondation des maladies du cœur du Canada poursuit toujours l'objectif de vous aider à profiter d'une saine alimentation et d'une bonne santé, au moyen d'informations variées et de délicieuses recettes. De nombreux Canadiens ont du mal à maintenir un poids optimal. L'obésité est un problème de santé de plus en plus préoccupant et constitue un facteur de risque relié aux maladies du cœur et aux accidents vasculaires cérébraux. C'est pourquoi, en plus des recettes, nous avons inclus d'importants renseignements nutritionnels. Nous poursuivons ainsi les efforts de la Fondation pour informer les consommateurs des derniers résultats des recherches en ce qui a trait aux choix alimentaires susceptibles de contribuer à réduire les risques de maladies du cœur et d'accidents vasculaires cérébraux.

Nous savons qu'il n'est pas toujours aisé de faire des choix alimentaires sains dans un monde trépidant. C'est pourquoi nous vous offrons aussi *Visez santé* ^{MC}, un programme d'information sur les aliments qui facilite la reconnaissance des choix santé à l'épicerie. Les produits qui affichent le logo *Visez santé* ^{MC} ont été examinés par nos experts nutritionnels et respectent les critères de nutrition fondés sur le *Guide alimentaire canadien pour manger sainement.* Le fait de choisir ces aliments vous aidera à manger sainement.

Vous pouvez jouer un rôle important dans la réduction des risques de maladies du cœur et dans la protection de la santé de votre cœur. L'alimentation saine et équilibrée en est un aspect primordial. En outre, de saines habitudes de vie, y compris l'activité physique régulière, la vie sans fumée, la consommation modérée d'alcool et la gestion du stress vous aideront à profiter pleinement de la vie. Vous trouverez de plus amples renseignements sur notre site Web à l'adresse www.fmcoeur.ca.

Le présent livre démontre concrètement que les « bons » choix ne sont pas ennuyeux. Les recettes qui suivent sont très variées et délicieuses, et je vous invite à les essayer toutes !

Cleve Myers, CA
Président
Fondation des maladies du cœur du Canada

INTRODUCTION DE L'AUTEURE

Beaucoup de choses ont changé depuis que j'ai commencé à travailler avec la Fondation des maladies du cœur du Canada, il y a douze ans. C'est pourquoi le présent projet a soulevé mon enthousiasme. Il s'agissait de regrouper, en un seul volume, nos trois cents recettes préférées des ouvrages *Cœur atout, simple comme tout*^{MC}, *Nouvelles saveurs au goût du cœur*^{MC}, *Recevoir au goût du cœur*^{MC} et *Recettes, menus et conseils pour des réunions de famille et d'amis*^{MC}, ainsi qu'une centaine de nouvelles recettes.

De nombreux cuisiniers savent maintenant comment s'y prendre pour réduire la quantité de matières grasses et de sodium dans leur régime. Nous savons quels ingrédients il faut éviter ou employer modérément, et quels ingrédients nous pouvons utiliser sans restriction. Nous avons pris l'habitude de lire les étiquettes nutritionnelles des produits que nous achetons.

Pourtant, de plus en plus de gens achètent des mets préparés dans les magasins spécialisés, les supermarchés, les comptoirs de mets à emporter et les restaurants, et ces mets sont vendus sans étiquette nutritionnelle. Ces gens croient peut-être bien manger en achetant des sautés à emporter, mais on ne peut en être certain sans connaître la quantité d'huile ou de sodium contenue, ou alors en choisissant des salades prêtes à consommer sans indication quant à la quantité de matières grasses contenue dans la vinaigrette.

Mon objectif est d'amener à nouveau les gens à cuisiner des recettes délicieuses, saines et faciles à préparer. Non seulement saurez-vous exactement ce qu'il y a dans votre assiette, mais vous constaterez qu'il n'y a rien de plus gratifiant que de préparer de bons repas pour les amis et la famille. Je souhaite que chacun éprouve de la joie à nourrir sa famille avec des aliments sains et délicieux.

Il y a des années, lorsque j'ai fait mon stage de chef en cuisine, il était inimaginable de préparer un bon repas sans utiliser du beurre, de la crème, des œufs, du fromage et beaucoup de sel. Aujourd'hui, nous savons que, si nous utilisons de bons ingrédients et si nous évitons de les masquer avec des sauces riches et consistantes, non seulement nous mangeons mieux, mais les aliments ont meilleur goût.

De nos jours, les personnes qui cuisinent disposent d'une grande gamme d'ingrédients à teneur naturellement faible en matières grasses qui rehaussent de beaucoup la saveur. On peut acheter des herbes fraîches toute l'année, pas seulement dans les grandes villes.

Les vinaigres aromatisés, comme le vinaigre balsamique, sont offerts dans toutes les épiceries. On trouve une immense variété d'assaisonnements, de piments et d'épices. Les gens redécouvrent les aliments nutritifs de base, comme les haricots et les produits céréaliers. Les pains, les pâtes, le riz et les pâtisseries de blé entier sont de plus en plus présents sur les étalages, et leur qualité s'améliore. Même les restaurants servent le pain accompagné de trempette aux haricots et aux légumes plutôt qu'avec du beurre. Les champignons sauvages et les fruits exotiques font désormais partie de notre alimentation, alors que les fruits séchés, comme les dattes, les abricots, les figues et les pruneaux font leur apparition dans les hors-d'œuvre, les salades et les produits de boulangerie de toutes sortes. On vend des aliments biologiques dans presque toutes les épiceries, et les marchés font la promotion des produits saisonniers locaux.

De plus, grâce à divers gadgets de cuisine, comme les plateaux à grillade, les yaourtières, les robots culinaires et les poêles antiadhésives, cuisiner sainement n'a jamais été aussi facile.

Souvent, ce qui préoccupe principalement les personnes qui reçoivent un diagnostic de maladie du cœur est de ne plus pouvoir bien manger. Elles ont tort. En plus d'être très bons pour la santé, les aliments sains sont vraiment délicieux. Les fruits et les légumes frais, les grains de céréales, le poisson, le poulet et les viandes maigres, le gâteau des anges, les sorbets et les meringues n'ont pas été inventés par les cuisiniers de *Cœur atout* [MC]. Ils ont toujours existé, mais ils ne retenaient pas l'attention des cuisiniers professionnels et amateurs.

J'ai la chance de recevoir des commentaires d'étudiants et de lecteurs, qui me confient ce dont ils ont besoin pour bien réussir en cuisine et pour offrir à leur famille des repas sains et nourrissants. Ils disent toujours que si un mets n'est pas délicieux, il est inutile de le préparer, parce que personne n'en mangera. Les adjectifs sain et nourrissant en viennent alors à qualifier des aliments qu'on veut éviter, plutôt qu'adopter. Par conséquent, mon premier principe est que les aliments doivent avoir vraiment bon goût.

De nos jours, il est plus facile que jamais de préparer des repas merveilleux qui sont bons pour la santé du cœur. Aucune époque n'a été plus favorable à la cuisine.

Bonnie Stern
Toronto, 2006

LE DERNIER MOT EN MATIÈRE DE SAINE ALIMENTATION, PAR FRAN BERKOFF, NUTRITIONNISTE

La Fondation des maladies du cœur du Canada vous présente *Cuisiner au goût du cœur*, votre guide pour la création de délicieux repas, collations et gâteries contribuant à la santé de votre cœur et à votre bien-être. Il ne s'agit pas que d'un simple livre de recettes. C'est aussi un guide qui vous permet d'adopter pour toujours une alimentation équilibrée en vous fournissant des explications quant aux récentes recherches réalisées dans le domaine de la nutrition.

Parmi les plus importants principes de l'alimentation saine, mentionnons les trois suivants : l'équilibre, la variété et la modération. De plus en plus d'indices démontrent que la combinaison d'aliments et d'ingrédients sains et variés dans un régime complet joue un rôle important dans la réduction des risques de maladies du cœur, d'accidents vasculaires cérébraux et d'autres maladies comme le cancer.

Pour vous aider à faire des choix éclairés, la Fondation des maladies du cœur vous offre également *Visez santé* [MC], un programme d'information sur les aliments. Plus de 400 produits affichent le logo *Visez santé* [MC] signifiant qu'ils respectent les critères retenus par la Fondation sur les choix alimentaires sains, conformément au *Guide alimentaire canadien pour manger sainement*. Pour obtenir de plus amples renseignements, consultez le site www.visezsante.org.

Cuisiner au goût du cœur regroupe de nombreuses recettes d'une remarquable inventivité. Elles combinent des ingrédients sains et délicieux en des plats appétissants que vous aimerez préparer et servir à votre famille et à vos amis.

Vous trouverez également des renseignements utiles sur le type de matières grasses qui sont bonnes pour la santé, sur celles qu'il faut éviter ou éliminer, ainsi que sur la quantité de matières grasses qu'il convient d'intégrer à votre alimentation.

Vous apprendrez quels glucides, ou hydrates de carbone, font partie d'une saine alimentation, lesquels constituent un apport minime à la table, et vous découvrirez comment les fibres alimentaires peuvent contribuer à la santé du cœur.

Nous proposons finalement des conseils et des outils pour faire l'épicerie, choisir les repas au restaurant et maintenir votre poids corporel optimal, tout cela dans le but de protéger votre santé et de réduire vos risques de maladies du cœur.

La Fondation des maladies du cœur du Canada est heureuse de vous offrir *Cuisiner au goût du cœur* et de vous souhaiter un voyage agréable sur le chemin de la santé du cœur.

LA CHASSE AUX MATIÈRES GRASSES

Ne croyez pas que toutes les matières grasses que nous consommons doivent être évitées. Il s'agit de les voir comme des permissions occasionnelles. Les matières grasses sont une source d'acides gras essentiels à la santé. Voici pourquoi.

- Les matières grasses sont nécessaires à la croissance, au développement et à la préservation des cellules.
- Elles produisent des hormones importantes.
- Elles contribuent à transporter les vitamines liposolubles dans tout le corps.
- Elles participent à la formation des membranes cellulaires.
- Elles favorisent l'immunité.

En réalité, les matières grasses – de source favorable et en quantité adéquate – sont bonnes pour la santé et constituent un élément important d'un régime alimentaire sain. Chez les adultes, on recommande que l'apport nutritionnel en matières grasses constitue de 20 à 35 % des calories consommées par jour, ce qui équivaut à environ 45 à 55 grammes pour les femmes et à environ 60 à 105 grammes pour les hommes. En ce qui concerne les enfants de 1 à 3 ans, la recommandation de l'apport nutritionnel en matières grasses se situe entre 30 et 40 % de calories par jour, alors que pour les enfants de 4 à 18 ans, elle est de 25 à 35 %.

Et les mauvais types de matières grasses ? Sont-ils à proscrire ? Autant que possible, il faut réduire sa consommation de matières grasses saturées et éradiquer celle de gras trans que l'on trouve principalement dans de nombreux produits transformés et de restauration rapide.

Alors, comment distinguer les bons gras des mauvais ?

D'ABORD, UN MOT SUR LE CHOLESTÉROL

Le cholestérol est produit par le corps. Il contribue à la sécrétion d'hormones, au bon fonctionnement du cerveau et à l'entretien du système nerveux. Le cholestérol circule dans les cellules et en ressort sous forme de lipoprotéines. Les deux principales lipoprotéines sont la HDL (lipoprotéine de haute densité) et la LDL (lipoprotéine de basse densité). Le cholestérol HDL est communément appelé le « bon cholestérol », parce qu'il ramène l'excès de cholestérol présent dans le sang jusqu'au foie, pour qu'il soit excrété du corps. Le cholestérol LDL est qualifié de « mauvais cholestérol », parce qu'il s'accumule sur les parois artérielles. Un taux élevé de cholestérol LDL dans le sang est associé à une augmentation des risques de maladies du cœur. Idéalement, vous devriez avoir un taux élevé de cholestérol HDL et un taux faible de cholestérol LDL.

Le corps produit du cholestérol, peu importe ce que l'on mange. Le cholestérol présent dans les aliments a moins d'effet sur le taux de cholestérol dans le sang que les matières grasses saturées contenues dans les aliments. Cependant, chez certaines personnes, l'excès d'aliments contenant du cholestérol peut augmenter la concentration de cholestérol dans le sang. Les aliments qui contiennent du cholestérol sont des produits d'origine animale, comme les jaunes d'œufs, le foie et les viandes grasses, ainsi que des produits d'origine marine, tels que les crevettes et les calmars. Si votre taux de cholestérol est élevé, vous devriez modérer votre consommation de ces aliments.

LES TYPES DE GRAS

Il y a divers types de matières grasses que l'on classe en deux catégories : les gras non saturés, qui sont bons pour la santé, et les gras saturés, qui sont néfastes pour la santé.

Les aliments contiennent presque toujours à la fois des gras saturés et des gras non saturés, mais ils sont classés selon le type de gras présent en plus grande quantité.

LES BONS GRAS

Les **matières grasses non saturées** sont liquides à la température ambiante. Elles peuvent contribuer à réduire le cholestérol LDL, lorsqu'elles remplacent les matières grasses saturées dans l'alimentation. Il y a deux types de matières non saturées : les monoinsaturées et les polyinsaturées.

Les **matières grasses monoinsaturées** nous protègent contre les maladies du cœur en réduisant le taux de cholestérol LDL. On les retrouve dans les huiles d'olive, de colza et d'arachide, dans les margarines non hydrogénées, dans les noix, comme les amandes et les noisettes, et dans les avocats.

Les **matières grasses polyinsaturées** sont également liquides à la température ambiante et peuvent abaisser le taux de cholestérol LDL. Il en existe deux groupes : les oméga-3 et les oméga-6.

Les **matières grasses oméga-3** comprennent de l'AEP (acide eicosapentanoïque), de l'ADH (acide docosahexanoïque) et de l'ALA (acide alpha-linolénique). Ce sont les étoiles du monde des matières grasses. Pour trouver des sources d'AEP et d'ADH, il faut aller à la pêche. On les retrouve principalement dans les poissons gras d'eau froide, comme le saumon, le maquereau, le hareng et les sardines. On retrouve l'AAL dans l'huile et les graines de lin, l'huile de colza, l'huile de soya, les œufs oméga-3, les noix, les fèves de soya et, bien qu'en plus petite quantité, dans les légumes à feuilles vert foncé.

Les gras oméga-3 sont importants parce qu'ils contribuent à prévenir la viscosité et la coagulation du sang, ce qui réduit les risques d'accidents vasculaires cérébraux. Ils concourent également à diminuer les triglycérides, la forme sous laquelle le corps emmagasine les graisses, et peuvent réduire les rythmes cardiaques anormaux (les arythmies).

On trouve maintenant sur le marché divers produits contenant des gras oméga-3, dont les œufs oméga-3, le lait et d'autres produits laitiers, ainsi que le pain. La consommation de ces aliments participe à l'intégration d'importants gras oméga-3 à l'alimentation.

Les **gras oméga-6** travaillent de concert avec les gras oméga-3 pour favoriser la santé du cœur en fournissant au corps de l'acide linoléique, ce qui aide à diminuer le cholestérol LDL. Ce type de gras doit toutefois être consommé avec modération, parce que certains indices permettent de croire que, consommé en grande quantité, il peut également réduire le cholestérol HDL. Les meilleures sources de gras oméga-6 sont les noix et les graines, comme les amandes, les pacanes, les noix du Brésil, les graines de tournesol et les graines de sésame. Ils sont également présents dans les huiles végétales, notamment les huiles de carthame, de tournesol, de maïs, de soya et de sésame.

Il est important de maintenir un bon équilibre entre les oméga-3 et les oméga-6, car, bien que les acides gras oméga-3 aident à réduire l'inflammation, la plupart des acides gras oméga-6 ont tendance à la favoriser. Un déséquilibre de ces acides gras essentiels contribue au développement de maladies. En général, le régime alimentaire des Canadiens contient des quantités élevées de gras oméga-6. La meilleure stratégie consiste à mettre l'accent sur une consommation suffisante de gras oméga-3. Il est possible de le faire en mangeant du poisson deux fois par semaine, particulièrement des poissons gras comme le saumon, le maquereau, le hareng, les sardines et la truite.

LES MAUVAIS GRAS

Les **gras saturés** sont solides à la température ambiante. On les retrouve dans les produits d'origine animale comme les viandes grasses, la volaille avec la peau, les produits à base de lait entier et certaines huiles tropicales, par exemple l'huile de noix de coco et l'huile de palme. Une alimentation riche en gras saturés peut augmenter le cholestérol LDL et, par conséquent, les risques de maladies du cœur.

Pour réduire l'apport en gras saturés, il faut consommer des viandes maigres, enlever la peau de la volaille et utiliser des produits laitiers à faible teneur en matières grasses.

Les **gras trans** se comportent comme les gras saturés, mais ils ne sont pas présents dans la nature. Ils résultent d'un processus de transformation de l'huile végétale appelé hydrogénation, qui rend les liquides solides et contribue à prolonger leur durée de conservation. Comme les gras saturés, les gras trans élèvent le cholestérol LDL et abaissent le cholestérol HDL. On retrouve les gras trans dans les huiles végétales partiellement hydrogénées et dans certaines margarines. Ils se faufilent également dans de nombreux aliments, comme les craquelins, les biscuits, les grignotines (croustilles et bretzels, notamment), les produits commerciaux cuits au four, ainsi que dans les frites du commerce et dans de nombreux autres éléments des menus de restauration rapide. Les nouveaux règlements d'étiquetage des aliments de Santé Canada obligent à indiquer la quantité de gras trans contenue dans les produits emballés.

À PROPOS DU POISSON

Le poisson est une excellente source de protéines, de niacine, de vitamine B12, de fer, de sélénium, de zinc et autres. La plupart des poissons contiennent moins de calories et de gras par portion que plusieurs coupes de viande. Il est recommandé de manger du poisson deux fois par semaine.

Les meilleures sources de gras oméga-3 sont les poissons d'eau profonde froide, c'est-à-dire le saumon, le maquereau, le hareng, les sardines, les anchois et la truite. Les deuxièmes meilleures sources comprennent le flétan, la morue noire, la perche de mer, l'achigan, le vivaneau rouge et l'éperlan.

Les poissons maigres comme la sole ou la plie sont pauvres en gras et riches en protéines. Un mélange de poissons riches en gras oméga-3 avec une variété de poissons plus maigres permet d'intégrer au régime alimentaire des huiles spéciales sans augmenter la consommation totale de matières grasses.

Les crustacés sont une source riche de protéines, ainsi que d'importants minéraux et vitamines. Les crustacés contiennent également peu de matières grasses : une portion de 90 g, par exemple, contient moins de 1 g de gras. Les crevettes et les calmars contiennent plus de cholestérol, mais les recherches indiquent que c'est l'excès de matières grasses (particulièrement de gras saturés), et non le cholestérol lui-même, qui a le plus de conséquences sur le taux de cholestérol. Si votre taux de cholestérol est élevé, vous devriez manger des crevettes et des calmars avec modération. Le homard, le crabe et les pétoncles contiennent peu de matières grasses et de calories, en autant qu'ils ne soient pas trempés dans le beurre ou cuits dans une sauce riche et crémeuse.

Si vous mangez dans des établissements de restauration à service rapide, évitez les poissons frits et les sandwiches au poisson frit. La chapelure et la friture les rendent plus gras que les hamburgers. En fait, un sandwich au poisson contient environ 400 calories et 19 grammes de matières grasses, comparé à 260 calories et 9 grammes de matières grasses pour un simple hamburger.

LE RÉGIME MÉDITERRANÉEN

Les peuples de la Méditerranée sont depuis longtemps reconnus pour leur santé robuste. La recherche permet de croire que leur régime alimentaire y est pour beaucoup, et c'est pourquoi le régime méditerranéen est souvent considéré comme un mode d'alimentation sain. Il contient une abondance de produits d'origine végétale (fruits, légumes, légumineuses et grains entiers), et l'huile d'olive et les noix constituent la principale source de matières grasses. Les Méditerranéens consomment du poisson, de la volaille, des œufs et des produits laitiers (surtout du fromage et du yogourt) plusieurs fois par semaine, ainsi que de la viande rouge maigre quelques fois par mois seulement.

Comme ce régime alimentaire met l'accent sur la consommation d'hydrates de carbone plus complexes sous forme de grains entiers, de pâtes, de légumineuses et de haricots, de légumes et de fruits, il présente un apport plus riche en fibres, plus pauvre en matières grasses, souvent faible en calories, et important en minéraux et vitamines. Les bons gras du régime viennent de l'huile d'olive et des noix. Le régime traditionnel se compose d'aliments de saison frais, cultivés dans la région. Il ne contient presque aucun aliment transformé et, par conséquent, peu de gras trans. La plupart des chercheurs croient que c'est le régime global, et non un aliment ou un groupe

LES DIOXINES

L'inquiétude soulevée par la découverte de proportions élevées de dioxines dans le saumon d'élevage est tout à fait légitime. Au Canada, le saumon de l'Atlantique d'élevage contient considérablement plus de dioxines que ses parents sauvages du Pacifique. La quantité de dioxines dans le saumon de l'Atlantique est encore inférieure aux limites de sécurité fixées par le gouvernement. Vous pouvez cependant réduire davantage la quantité de dioxines dans le saumon de l'Atlantique en enlevant la peau et en éliminant les matières grasses blanc crème *avant* de faire cuire le poisson. Il est également bon de faire cuire le poisson sur une grille pour que le gras s'en égoutte. Le saumon en conserve est sauvage, sauf si l'étiquette indique « saumon de l'Atlantique ».

Pour de plus amples renseignements à ce sujet ou pour toute autre préoccupation d'ordre écologique, consultez le site Web de Santé Canada à l'adresse suivante : www.hc-sc.gc.ca.

d'aliments particuliers, qui rend le régime méditerranéen bénéfique pour la santé.

Le style de vie et la culture des peuples méditerranéens jouent également un rôle sur leur bon état de santé. Ils prennent le temps de se détendre au moment des repas, ce qui est une excellente façon de soulager le stress et un grand avantage pour la santé. Ils ont également tendance à être plus actifs physiquement, ce qui représente un autre facteur de réduction des risques. On n'a pas encore de données sur leur consommation de vin rouge, mais certaines recherches indiquent qu'une consommation modérée est bénéfique.

Trop souvent, on isole un élément de régime et on présume qu'il est le facteur salutaire pour la santé. Mais il est plus probable que ce soit la combinaison de divers facteurs relatifs à l'alimentation et au style de vie qui rend ce régime bénéfique pour la santé du cœur.

LA VIANDE ROUGE

Il est indubitable que la viande rouge est un aliment extrêmement nourrissant ; non seulement elle est l'une des principales sources de protéines de bonne qualité, mais une portion de 110 g procure plus de 100 % de la ration alimentaire recommandée (RAR) de vitamine B12, une substance nutritive essentielle présente dans les produits d'origine animale. Le bœuf est une excellente source de vitamine B6, de thiamine, de niacine et de riboflavine, ainsi que de fer et de zinc, des minéraux essentiels.

Si la quantité de matières grasses contenue dans la viande vous préoccupe, choisissez les coupes de bœuf les plus maigres, par exemple la surlonge, la pointe de surlonge, le filet, l'intérieur de ronde, la noix de ronde et l'extérieur de ronde, et enlevez le gras visible autour de la viande. Vous pouvez éliminer encore davantage de gras en faisant griller ou rôtir la viande sur une grille, de sorte que le gras s'en égoutte.

LES NOIX ET LES GRAINES

Les noix et les graines sont des sources riches de vitamine E et de potassium, ainsi que de bonnes sources de fibres et d'autres minéraux, dont le calcium, le fer, le magnésium et le zinc. Plusieurs contiennent également de l'acide folique, de la niacine et d'autres vitamines B. Les noix sont riches en protéines, surtout lorsqu'on les combine à des légumineuses, et elles jouent un rôle important dans les régimes végétariens. Les noix sont en voie de devenir de grandes vedettes de la nutrition parce que les chercheurs leur découvrent constamment de nouveaux bienfaits pour la santé.

La plupart des noix, y compris les amandes, les noisettes, les pacanes, les arachides et les noix de macadam, contiennent des gras monoinsaturés et polyinsaturés qui favorisent la santé du cœur. D'autres recherches ont démontré que la consommation de ces bons gras peut être avantageuse pour les personnes qui souhaitent perdre du poids. Certaines noix renferment des oméga-3, ces gras si bons pour la santé du cœur. D'autres contiennent également des substances chimiques qui protègent contre les cancers. Les noix de Grenoble, par exemple, sont une source particulièrement riche d'acide ellagique, un antioxydant qui peut protéger aussi bien contre le cancer que contre les maladies du cœur.

La plupart des études concernant l'effet bénéfique des noix sur la santé portent sur des portions de 28 à 56 grammes. La consommation de quantités supérieures peut se traduire par une augmentation rapide sur le plan des calories. Alors, mangez des noix... mais avec modération !

LES HYDRATES DE CARBONE : UN CARBURANT À INDICE D'OCTANE ÉLEVÉ

Qu'est-ce qui permet à votre cerveau de demeurer alerte, qui donne de l'énergie à vos muscles et qui maintient votre corps en bon état de marche ? Ce sont les hydrates de carbone. Bien qu'ils aient parfois mauvaise presse, les hydrates de carbone, ou glucides, sont le carburant qui assure le fonctionnement de l'esprit et du corps.

On les trouve dans le pain, les grains entiers, les céréales, les légumes, les fruits et les sucreries. Dans le processus de digestion, ils se transforment en glucose.

L'INCIDENCE SUR LE POIDS
Mythe : Manger des hydrates de carbone fait grossir.

Vérité : Manger trop d'hydrates de carbone ou couvrir le pain, les pommes de terre ou les pâtes de sauces ou de garnitures très riches contribue à la prise de poids.

Triste vérité : Depuis quelques années, les portions d'aliments riches en hydrates de carbone sont devenues non pas énormes, mais monstrueuses. Un bagel ordinaire équivaut maintenant à 4 ou 5 tranches de pain. Une portion de pâtes peut être de 500 ml ou plus, ce qui excède largement la portion normale de 125 ml. Le maïs soufflé est servi en format géant et les muffins ont la taille de certains gâteaux.

Vérité extrêmement importante : Les hydrates de carbone ne sont pas tous identiques. Il est important de distinguer les hydrates de carbone complexes, contenus dans les pains et les céréales de blé entier, les lentilles, les légumineuses et d'autres féculents, des hydrates de carbone hautement transformés qu'on retrouve dans le pain blanc, les pâtisseries, les biscuits et les desserts à forte teneur en sucre. Les hydrates de carbone complexes se digèrent graduellement et fournissent un apport constant en carburant, dont des vitamines, des minéraux et des substances chimiques d'origine végétale nourrissantes pour le corps et l'esprit.

L'INDICE GLYCÉMIQUE

L'indice glycémique (IG) classe les hydrates de carbone selon l'effet que leur consommation et leur digestion produit sur la glycémie. Il peut être un outil commode pour choisir les bons hydrates de carbone.

Les aliments peuvent avoir un IG faible (inférieur à 55), intermédiaire (de 55 à 70) ou élevé (supérieur à 70). À ce jour, on a répertorié la valeur de l'IG de plus de 750 aliments.

Les aliments à IG faible tels que le gruau, le son d'avoine, le riz brun, l'orge, les lentilles, les pains à grains entiers et à haute teneur en fibres, le pain de seigle noir, le boulghour, l'igname, les pommes, les petits fruits, les pois et le yogourt sont plus longs à digérer. Ils sont absorbés plus lentement par le corps, de sorte qu'ils libèrent l'énergie moins vite et font augmenter la glycémie plus lentement, plus graduellement et plus uniformément. Les aliments à IG faible contiennent en général plus de fibres solubles.

Les aliments à IG élevé comme le pain blanc, les pommes de terre en purée, les biscuits, les gâteaux de riz, le panais et le melon d'eau sont absorbés plus vite, ce qui fait augmenter la glycémie rapidement et favorise la surproduction d'insuline. Plusieurs des aliments à IG élevé ont tendance à être plus raffinés que les aliments à IG faible. On devrait donc les consommer moins souvent.

UN HYDRATE DE CARBONE QUI SE DISTINGUE

Il est ici question des grains entiers. Non seulement ils sont une source excellente et constante d'énergie et de fibres, mais ils fournissent de précieux minéraux, vitamines, antioxydants et substances chimiques d'origine végétale associés à la diminution des risques de maladie. Comme dans le cas des fruits et des légumes, c'est probablement l'ensemble des substances nutritives qui est avantageux pour la santé.

Plusieurs études importantes ont démontré que la consommation de grains entiers protège contre le diabète et les maladies du cœur.

La consommation d'aliments composés de grains entiers implique l'absorption de tous les éléments du grain, c'est-à-dire la couche de son extérieure (où se trouve presque toutes les fibres), la couche de germe riche en substances nutritives, et l'endosperme, qui contient l'amidon. Lorsque les grains sont transformés, tout ce qui reste généralement est l'endosperme, qui est beaucoup moins nourrissant que le grain entier. En plus d'enlever les fibres, la transformation élimine d'importantes substances nutritives. Bien que les grains enrichis reprennent un peu des avantages qu'ils détenaient à leur état entier d'origine, ils ne sont jamais aussi nourrissants.

Lorsque vous achetez des pains et des céréales de blé entier, lisez les étiquettes. Le pain de blé peut être composé à 100 % ou à 60 % de blé entier. Le pain de blé entier à 100 % est le meilleur choix.

Lorsqu'un pain est qualifié de « multigrains », vérifiez d'abord la liste d'ingrédients qui apparaît sur l'étiquette. Si vous lisez « farine de blé enrichie », vous n'obtiendrez pas tout le blé entier que vous souhaitez.

Farine de blé ne veut pas dire farine de blé entier, et ce n'est pas parce que le pain est brun ou de couleur foncée qu'il s'agit de blé entier.

L'orge, le riz brun, le gruau de sarrasin (kasha), le boulghour, le kamut, l'épeautre, l'avoine, le son d'avoine, les pâtes de blé entier et le millet sont d'autres exemples de grains entiers.

VIVE LES FIBRES !

Hourra pour les fibres !

Une bonne main d'applaudissements pour ce constituant alimentaire qui contribue tellement à la santé, sans contenir trop de calories.

Voici ce que peuvent faire les régimes à forte teneur en fibres :
- diminuer les risques de maladies du cœur et de certains cancers ;
- contribuer à stabiliser la glycémie chez les personnes qui souffrent de diabète ;

- aider à prévenir la constipation ;
- procurer une sensation de satiété et favoriser le contrôle du poids.

Comment profiter de cet aliment végétal miracle ? C'est simple, il suffit d'adopter un régime alimentaire riche en fibres.

Mangez au moins cinq portions de fruits et légumes et au moins cinq portions de produits de blé entier chaque jour. Essayez d'atteindre un total de 25 à 35 grammes de fibres quotidiennement, bien que cette proportion soit possiblement supérieure à ce que vous consommez actuellement si vous faites partie de la moyenne des Canadiens.

LES FIBRES INSOLUBLES

Il existe deux sortes de fibres : les fibres solubles et les fibres insolubles. On trouve les deux dans la plupart des aliments d'origine végétale, mais certains aliments en contiennent davantage d'une sorte que de l'autre.

Les fibres insolubles peuvent réduire le risque de certains cancers, contribuer au contrôle du poids et prévenir la constipation. Inscrivez ces produits naturellement riches en fibres à votre liste d'épicerie : le son de blé, les produits de blé entier, le riz brun, divers légumes, dont les carottes, le brocoli, les pois, et certains fruits, par exemple les poires.

LES FIBRES SOLUBLES, BÉNÉFIQUES POUR LE CŒUR

Les fibres solubles contribuent à diminuer le cholestérol lorsqu'on les consomme dans le cadre d'un régime alimentaire pauvre en matières grasses. Ils peuvent également aider à stabiliser la glycémie chez les personnes souffrant de diabète. On retrouve les fibres solubles dans les lentilles, les légumineuses, le son d'avoine, le gruau, le lin, le psyllium, l'orge et les fruits riches en pectine, comme les pommes, les fraises et les agrumes.

DIX CONSEILS À SUIVRE POUR CONSOMMER BEAUCOUP DE FIBRES (ET UNE MISE EN GARDE)

1. Mangez des fruits à haute teneur en fibres comme collation, entre autres des pommes, des poires, des fraises ou des framboises, ainsi que des fruits séchés tels que les prunes, les abricots ou les raisins secs. N'enlevez pas la peau, dans la mesure du possible, mais lavez-les soigneusement.

2. Consommez les légumes qui contiennent le plus de fibres, comme le maïs, les pois, les pommes de terre (avec la peau), les patates douces, le brocoli, les choux de Bruxelles, les carottes et le panais. Ajoutez des fibres à vos sandwiches, plus précisément des tomates, des concombres, des poivrons, des carottes râpées ou des légumes à feuilles foncées.

3. Recherchez les produits riches en fibres et lisez les étiquettes. Pour être étiqueté « source de fibres », un produit doit contenir 2 grammes de fibres par portion. Les produits identifiés « source élevée de fibres » doivent contenir 4 grammes de fibres, et ceux qui affichent « source très élevée de fibres » doivent en contenir au moins 6 grammes.

4. Consommez plus de grains entiers. Achetez du pain de blé entier à 100 %.

5. Le petit-déjeuner devrait être l'occasion de manger beaucoup de fibres. Visez de 5 à 10 grammes au petit-déjeuner en mangeant des céréales riches en fibres, des rôties, un pain pita ou un bagel de blé entier, et des fruits frais ou séchés. Vos céréales du petit-déjeuner devraient contenir au moins 2 grammes de fibres par portion.

6. Augmentez votre apport en fibres en ajoutant 15 à 20 ml de son de blé, de son d'avoine ou de lin moulu aux céréales, au yogourt, à la compote de pommes et même aux ragoûts.

7. Choisissez des pâtisseries préparées avec de la farine de blé entier, du son, de l'avoine, des raisins, des graines de pavot ou des graines de sésame.

8. Essayez de manger des soupes et des ragoûts à base de lentilles. Remplacez la viande par des haricots secs cuits dans les ragoûts et les soupes. Ajoutez des pois chiches aux pâtes ou de la salade verte ou des haricots frits dans les tacos et les burritos.

9. Ajoutez une poignée de graines ou de noix dans les salades ou les sautés.

10. Utilisez de la farine de grains entiers pour les crêpes, les muffins ou d'autres aliments de boulangerie.

Lorsque vous commencerez à augmenter votre consommation de fibres, faites-le progressivement. Vous éprouverez des malaises si vous en consommez de trop grandes quantités trop rapidement. Commencez par de petites quantités et espacez-les durant la journée. N'oubliez pas de boire beaucoup d'eau pour aider les fibres à faire leur travail.

QUELQUES CHIFFRES QUI VOUS AIDERONT À ADDITIONNER VOTRE APPORT QUOTIDIEN EN FIBRES

ALIMENT	FIBRES (GRAMMES)
250 ml de haricots noirs	12
125 ml de céréales de son à 100 %	10
250 ml de lentilles, cuites	9
5 figues séchées	8
250 ml de haricots rognons	7
125 ml d'amandes	5
1 poire	5
1 pomme de terre au four (avec la peau)	5
250 ml de son d'avoine	4-5
125 ml de pois	4
2 tranches de pain de blé entier	4
250 ml de brocoli	4
1 pomme (avec la peau)	3-5
125 ml de framboises	3
30 ml de son de blé	2-5

UN TRIO GAGNANT : LES FRUITS ET LÉGUMES, LE SOYA ET LE LIN

Les **fruits et légumes** sont délicieux, polyvalents et extrêmement nourrissants. La plupart sont d'excellentes sources de vitamines C et A, de fibres, d'acide folique et de potassium. De plus, ce sont de puissantes petites usines de composés végétaux phytochimiques qui donnent de la couleur et de la saveur aux aliments. Les phytochimiques font cependant plus qu'ajouter de la couleur et de la saveur dans votre assiette, ils peuvent également contribuer à vous protéger contre les maladies. Plusieurs agissent comme antioxydants et participent à la désactivation des radicaux libres nocifs, ces molécules hautement réactives libérées lorsque le corps utilise de l'oxygène. Les radicaux libres attaquent le cœur sur deux fronts. Ils provoquent des maladies cardiovasculaires en endommageant les structures cellulaires, et ils s'allient à l'oxygène pour former des composés qui accumulent le cholestérol LDL. Les radicaux libres jouent même un rôle dans certains cancers et une partie du processus de vieillissement.

N'est-il pas merveilleux de savoir que vous pouvez contribuer à combattre les radicaux libres et le danger qu'ils représentent pour votre santé simplement en mangeant de délicieux petits fruits, des melons sucrés, des salades vertes et même de la pizza ?

L'armée d'antioxydants comprend les vitamines C et E, le sélénium, les caroténoïdes, dont le bêtacarotène, la lutéine et le lycopène, ainsi que les bioflavonoïdes, y compris les anthocyanines. La plupart des fruits et légumes possèdent plus d'un batailleur antioxydant et phytochimique. En fait, chaque pomme, chaque carotte est une armée entière en elle-même ! Les bleuets, par exemple, sont une excellente source d'anthocyanines qui combattent la maladie. Ils contiennent en outre plusieurs vitamines et minéraux ainsi que des fibres, tandis que les patates douces sont remplies de bêtacarotène, de vitamine C, de potassium, d'acide folique et de fibres. De plus, les légumes et les fruits contiennent peu de matières grasses et généralement peu de calories.

Il n'est pas étonnant que la recherche démontre que les populations consommant plus de fruits et de légumes sont généralement plus en santé.

À l'heure actuelle, aucune preuve concrète ne permet d'appuyer l'usage répandu de suppléments vitaminiques et d'antioxydants pour prévenir les maladies du cœur et les accidents vasculaires cérébraux. C'est le mélange naturel de vitamines, de minéraux, de substances chimiques d'origine végétale et de fibres de source alimentaire qui crée la meilleure équipe de combat contre la maladie, et ce jeu réciproque de substances nutritives n'existe pas encore sous forme de pilule.

LES MEILLEURES SOURCES ALIMENTAIRES D'ANTIOXYDANTS ET DE PHYTOCHIMIQUES

La vitamine C : les agrumes et les jus d'agrumes, le kiwi, les framboises, le brocoli, le chou de Bruxelles, les poivrons, les pommes de terre, le chou.

Le bêtacarotène : les légumes jaune foncé, orange et verts ainsi que les fruits, notamment les abricots, les carottes, les cantaloups, les patates douces, la citrouille, le brocoli, les légumes à feuilles vert foncé, les mangues, les poivrons rouges et la courge.

La lutéine : les légumes à feuilles, les pois, le maïs et les poivrons.

Le lycopène : les tomates, la sauce tomate, les tomates en purée et les pamplemousses roses.

Les anthocyanines : les bleuets, les cerises, les canneberges, les prunes, les graines, les raisins rouges et les mûres.

La vitamine E : les huiles végétales, le germe de blé, les noix, les graines et les avocats.

Le sélénium : les noix du Brésil, les produits à base de grains, le germe de blé, le son de blé, le son d'avoine, le poisson, les crustacés, la viande, la volaille, les œufs et les haricots.

AU MOINS CINQ PORTIONS DE FRUITS ET LÉGUMES PAR JOUR

Actuellement, la plupart des experts du domaine de la santé recommandent la consommation d'au moins cinq portions de fruits et légumes par jour.

Une portion correspond à :
- n'importe quel fruit ou légume de grosseur moyenne (une pomme, une poire, une carotte, etc.)
- 125 ml de jus de fruits ou de légumes
- 125 ml de fruits ou de légumes frais, congelés ou en conserve
- 250 ml de salade
- 50 ml de fruits séchés

Une portion peut correspondre à la sauce tomate sur votre pizza, un bol de soupe aux légumes, les légumes supplémentaires dans votre sous-marin ou les fruits séchés dans votre mélange montagnard.

DIX FAÇONS DE CONSOMMER VOS CINQ PORTIONS OU PLUS

1. Pour des raisons de commodité, achetez des légumes frais lavés, coupés et prêts à manger : un sac de carottes pelées et coupées, des laitues prêtes à mélanger pour les salades, des tomates cerises, des cœurs de céleri, du chou coupé fin, des paquets de brocoli, de chou-fleur et d'autres légumes coupés pour les sautés.

2. Au petit-déjeuner, garnissez vos céréales de tranches de petits fruits, de bananes, de kiwis ou de fruits séchés comme des raisins secs.

3. Apportez au travail des portions individuelles de fruits non sucrés en conserve comme collation.

4. Au restaurant, commandez des fruits comme entrée ou comme dessert.

5. Commencez la journée avec un lait frappé au yogourt et une variété de fruits frais ou congelés.

6. Garnissez vos sandwiches ou vos hamburgers de tomates, de chou émincé, de poivrons, d'oignons ou de légumes vert foncé.

7. Ajoutez des légumes à vos sauces d'accompagnement pour les pâtes, aux chilis, aux soupes ou aux ragoûts.

8. Au restaurant, commandez des portions de légumes supplémentaires comme accompagnement ou des légumes grillés en entrée.

9. Mangez des carottes miniatures comme collation, des tranches de poivrons, des bouquets de brocoli frais ou des quartiers de chou.

10. Essayez un nouveau fruit ou légume chaque semaine.

Le **soya** est l'un des aliments préférés des végétariens – et des scientifiques qui lui découvrent de plus en plus d'effets salutaires pour la santé. Actuellement, les produits de soya semblent avoir un effet bénéfique sur divers troubles de santé, particulièrement sur les maladies du cœur.

La protéine de soya contient tous les acides aminés essentiels, ce qui en fait la seule protéine végétale semblable ou équivalente aux produits d'origine animale comme source complète de protéines. Il n'est donc pas étonnant qu'elle constitue un bon choix pour les personnes qui ont renoncé à la consommation de produits d'origine animale ou qui l'ont considérablement réduite.

Les fèves de soya sont une bonne source de vitamine B, de potassium, de zinc et d'autres minéraux. Le soya est également riche en substances phytochimiques, notamment les isoflavones, les lignanes et les phytostérols, qui ont tous divers effets positifs sur la santé.

La santé du cœur est l'un des domaines où les avantages du soya sont bien connus : remplacer certains produits d'origine animale par des protéines de soya peut contribuer à réduire les risques de maladies du cœur. Selon plusieurs études, c'est parce que le soya contribue à réduire le taux de cholestérol LDL, sans réduire celui du salutaire cholestérol HDL.

Le rôle du soya dans la prévention du cancer est moins clair. Dans toute l'Asie, là où le soya est depuis longtemps un ingrédient de base de l'alimentation, les incidences de cancers du sein et de la prostate sont beaucoup plus faibles que dans les pays occidentaux. Cet effet est attribuable, en partie, aux isoflavones. Certains chercheurs croient toutefois que c'est la consommation de soya en bas âge qui a un effet protecteur. Les recherches sur le soya et son effet sur les taux de cancer ne sont pas encore concluantes et de nombreuses recherches doivent encore être menées sur le sujet. Les personnes qui subissent ou qui ont subi des traitements pour le cancer du sein ou de la prostate devraient consulter leur médecin ou faire preuve de prudence avant d'intégrer le soya dans leur alimentation.

En conclusion, le soya est une excellente source de protéines, surtout pour remplacer les aliments d'origine animale. Il peut contribuer à abaisser le taux de cholestérol LDL et peut atténuer les symptômes de la ménopause chez certaines femmes. La recherche dans d'autres domaines se poursuit et il reste encore beaucoup à apprendre.

CINQ FAÇONS D'AUGMENTER VOTRE CONSOMMATION DE SOYA

1. Buvez quotidiennement un verre de lait de soya, ou utilisez-le dans un lait frappé au yogourt, dans votre café ou avec vos céréales. Il est préférable d'acheter du lait de soya enrichi de calcium et de vitamine D.
2. Utilisez du tofu ferme dans les sautés, faites-en griller sur le barbecue, ou ajoutez-en dans les sauces pour pâtes. Remplacez la mayonnaise par du tofu mou dans les trempettes et les vinaigrettes crémeuses ou ajoutez-en aux œufs brouillés.
3. Mangez des noix de soya comme collation, ou ajoutez-en aux salades vertes. Mangez aussi comme collation des fèves d'edamame en cosse.
4. Ajoutez des protéines de soya en poudre dans vos laits frappés au petit-déjeuner.
5. Essayez les hamburgers de soya ou d'autres viandes au soya. Vous en trouverez à l'épicerie dans les comptoirs de charcuterie ou dans les comptoirs de fruits et légumes frais.

La **graine de lin** est une graine minuscule pleine de constituants sains qui ne demandent qu'à améliorer votre vie. Elle est en voie de devenir rapidement une grande vedette dans le monde de l'alimentation saine et de la nutrition.

Voici une description de cet aliment prometteur, que vous devriez mieux connaître.

- La graine de lin est une importante source de fibres solubles, qui peut abaisser le taux de cholestérol et, par conséquent, les risques associés aux maladies du cœur. Des études ont démontré que l'intégration de graines de lin dans l'alimentation peut réduire le taux de cholestérol de plus de 5 %.
- La graine de lin peut ajouter des fibres alimentaires saines à votre alimentation, ce qui contribue à prévenir la constipation.
- La graine de lin est riche en acides gras oméga-3, un autre facteur de réduction des risques de maladies du cœur.
- La graine de lin contient des phytochimiques, que l'on retrouve à l'état naturel dans des substances chimiques d'origine végétale appelées lignanes. Ces composés agissent comme antioxydants et semblent également contrer certains effets néfastes de l'œstrogène. Des recherches étudient le rôle de la graine de lin dans la réduction des risques de cancers du sein et du côlon.

On peut acheter des graines de lin entières, mais leur utilisation sous forme fraîchement moulue comporte certains avantages sur le plan nutritionnel. La graine de lin entière procure des fibres, mais la mouture libère d'autres ingrédients nutritifs en plus grande quantité. Pour consommer la graine de lin :

- Ajoutez-en dans les céréales, la pâte à muffins, les mélanges à pain, à crêpes et à biscuits.
- Mélangez-en avec du yogourt, du jus ou de la compote de pommes.
- Saupoudrez-en sur les salades ou dans les soupes.
- Incorporez-en dans vos ragoûts ou dans vos pains de viande.

LE RÉGIME DASH POUR L'HYPERTENSION ARTÉRIELLE

Il est important de contrôler la tension artérielle parce que l'hypertension est un facteur de risque relié aux maladies du cœur et aux accidents vasculaires cérébraux. Le contrôle du poids et l'activité physique peuvent être utiles. La réduction du sodium peut l'être aussi.

Le régime DASH (Dietary Approaches to Stop Hypertension) s'est révélé un outil efficace dans la gestion de la tension artérielle. Il est riche en fruits et légumes (au moins huit portions par jour) ainsi qu'en produits laitiers faibles en matières grasses (au moins deux portions par jour) et il est faible en sodium, en matières grasses totales et en gras saturés.

Des recherches démontrent que les personnes qui souffrent d'hypertension légère et qui suivent le régime DASH réduisent leur hypertension autant qu'elles le feraient au moyen de médicaments. Ce régime est particulièrement bénéfique pour les personnes qui souffrent d'hypertension artérielle, en plus d'être conforme au *Guide alimentaire canadien pour manger sainement*. Finalement, c'est un régime favorable à la santé du cœur que n'importe qui peut suivre.

Voici les caractéristiques du régime DASH :

- Fruits, légumes et produits laitiers à faible teneur en matières grasses.
- Aliments entiers plutôt que de simples substances nutritives, et grains entiers plutôt que des grains traités.
- Aliments riches en potassium, magnésium et calcium ; il a été démontré que ces substances nutritives ont un effet sur la tension artérielle.
- Riche en fibres, faible en gras saturés et en matières grasses totales.

Le régime DASH recommande :

- De 8 à 10 portions de fruits et légumes par jour (page 46). Cela peut paraître beaucoup, mais n'oubliez pas qu'il ne s'agit pas forcément de 8 à 10 aliments différents, et que 250 ml de jus, ou 250 ml de fruits ou de légumes cuits (ce qui correspond à la portion habituelle par repas) correspond à deux portions. En consommant deux portions par repas et une ou deux comme collation, vous arriverez facilement à huit. Ce sont ces aliments qui fournissent le potassium, le magnésium et les fibres.
- De 2 à 3 portions de produits laitiers à faible teneur en matières grasses. Une portion correspond à un verre de lait, à 250 ml de yogourt ou à 40 g de fromage faible en gras. Ces aliments constituent d'importantes sources de calcium.
- De 7 à 8 portions de grains entiers. Une portion est une tranche de pain de blé entier, 28 g de céréales sèches, 125 ml de riz, de pâtes ou de céréales cuites. On insiste ici sur les grains entiers.

- La viande, le poisson et la volaille devraient être sans gras, servis en plus petites portions et cuits de manière à réduire la teneur en matières grasses, donc grillés, cuits au four ou rôtis.
- L'utilisation de matières grasses devrait être minimale et se limiter à celles qui sont bonnes pour la santé du cœur, comme l'huile d'olive ou l'huile de colza.
- On recommande aussi de 4 à 5 portions par semaine de noix, de graines et de haricots secs. Une portion correspond à 80 ml ou 40 g de noix, 30 ml de graines, ou 125 ml de haricots secs.

Le régime DASH limite :
- La consommation de sodium : le produit qui se trouve dans la salière. On sait depuis longtemps que la réduction de la consommation de sel est pour certaines personnes un moyen efficace de diminuer l'hypertension.

C'est le sodium dans le sel qui est le coupable. On retrouve également du sodium dans le MSG (glutamate monosodique), le sel d'ail ou d'autres sels aromatisés, le sel de mer, les attendrisseurs de viande, les sauces du commerce et les condiments comme le ketchup, la sauce soya, la sauce chili et la sauce pour bifteck, les cubes de bouillon, les mélanges à soupe en sachets, les soupes instantanées, les aliments fumés, les olives et les marinades. En général, plus un aliment est transformé, plus son contenu en sodium est élevé.

Pour réduire la consommation de sodium :
- Utilisez des assaisonnements qui ne contiennent pas de sodium, comme des herbes fraîches ou séchées, de la poudre d'ail ou de l'ail frais, des oignons en flocons à la place du sel d'oignon, de la moutarde sèche, du citron, des épices comme les graines de coriandre et le cumin moulus, de l'assaisonnement au chili et de la poudre de cari, du gingembre, des piments forts et du poivre.
- Préparez vos propres vinaigrettes plutôt que d'utiliser des vinaigrettes en bouteille et essayez d'utiliser des vinaigres aromatisés plutôt que d'ajouter du sel.
- Mangez plus de fruits et légumes frais ou surgelés. Si vous utilisez des légumes en conserve, achetez les produits qui contiennent moins de sel. Mangez des pommes de terre fraîches plutôt que des pommes de terre instantanées, et des concombres frais à la place des marinades. Évitez de mettre du sel dans l'eau de cuisson lorsque vous faites bouillir des pâtes, du riz ou des légumes.

- Mangez du poisson frais ou congelé plutôt que les variétés en conserve ou séchées ; choisissez du rôti de bœuf ou du poulet tranché plutôt que de la mortadelle, du salami ou d'autres viandes transformées.
- Habituez vos papilles gustatives. Goûtez les aliments avant d'ajouter du sel. Cuisinez vos repas plutôt que de les acheter tout emballés. Essayez d'utiliser la moitié de la quantité de sel indiquée dans vos recettes préférées.

LES VITAMINES B

L'acide folique, les vitamines B6 et B12 jouent un rôle dans la réduction des risques de maladies du cœur en contribuant à réguler les taux d'homocystéine dans le corps. L'homocystéine est une substance protéinique présente dans le sang. Certains indices permettent de croire que des niveaux élevés d'homocystéine détériorent les parois artérielles, ce qui peut entraîner la formation de plaques et l'augmentation des risques de crise cardiaque ou d'accident vasculaire cérébral.

- Les meilleures sources alimentaires d'acide folique sont les légumes à feuilles vert foncé (comme le brocoli, les épinards, la laitue romaine, les pois et les choux de Bruxelles), le jus d'orange, le foie, les pois secs et les haricots. La farine blanche, les pâtes enrichies et la farine de maïs enrichie sont maintenant additionnées d'acide folique.
- La vitamine B6 est abondante dans les grains entiers et les céréales, les bananes, les lentilles, les haricots, la viande, le poisson, la volaille, les noix et le soya.
- On retrouve beaucoup de vitamine B12 dans les produits d'origine animale – la viande, le poisson, la volaille, les produits laitiers et les œufs. Les personnes qui évitent les produits d'origine animale et celles qui souffrent d'une anémie particulière qui empêche l'intestin d'absorber la vitamine B12 peuvent craindre une carence en vitamine B12. En outre, entre 10 et 30 % des adultes d'un certain âge perdent la capacité d'absorber cette vitamine sous sa forme naturelle dans les aliments. Ces personnes devraient respecter l'apport recommandé en consommant de la vitamine B12 synthétique présente dans les aliments enrichis ou les suppléments. Certains produits de soya sont enrichis de vitamine B12, mais la plupart ne le sont pas, de sorte qu'il est important de lire les étiquettes soigneusement. On trouve également cette vitamine dans certaines marques de levure nutritionnelle.

Cela ne signifie pas que vous deviez abandonner votre régime à faible teneur en matières grasses et remplacer ces vitamines pour diminuer les risques de maladies du cœur. Toutefois, certains indices démontrent que les deux stratégies diététiques, c'est-à-dire suivre un régime à faible teneur en matières grasses et riche en fibres avec un apport adéquat des trois vitamines B, travaillent de concert pour vous maintenir sur la voie de la santé du cœur.

LA VITAMINE E

La plupart des gens associent la vitamine E à la réduction des risques de maladies du cœur, mais cette relation n'est peut-être pas aussi fondée qu'on l'imagine. L'étude HOPE (Heart Outcomes Prevention Evaluation) a suivi pendant plus de quatre ans près de 10 000 personnes qui présentaient un risque élevé de maladies cardiovasculaires. Les groupes de sujets à l'étude qui recevaient un supplément de 400 UI de vitamine E quotidiennement, n'ont pas connu moins de maladies du cœur que ceux qui recevaient un placebo. L'étude a été prolongée pour une autre période de quatre ans sous le nom d'étude HOPE-TOO (HOPE-The Ongoing Outcomes). Encore une fois, on a constaté que la vitamine E n'avait aucun effet sur les cancers mortels et non mortels, les incidents cardiovasculaires importants ou la mort.

Selon un éditorial paru dans le *Journal of the American Medical Association*, cela met un terme à la perspective selon laquelle la prise de la vitamine E à long terme, en doses modérément élevées, aurait un effet protecteur important contre les complications associées à l'athérosclérose et aux cancers en général.

Bien que cette recherche permette de croire que la prise de quantités considérables de suppléments de vitamine E ne comporte pas d'avantages, elle ne nie pas l'importance d'inclure des quantités raisonnables d'aliments enrichis de vitamine E dans l'alimentation. Les meilleures sources alimentaires de vitamine E sont les huiles (particulièrement les huiles de carthame, de tournesol, de colza, d'olive et de soya), les amandes, les arachides, les graines de tournesol, les avocats, le germe de blé, l'huile de germe de blé ainsi que le beurre d'arachide.

RÉGIME VÉGÉTARIEN

Selon une étude de l'Université de Toronto, une alimentation faible en matières grasses, ou végétarienne, pourrait être aussi efficace que certains médicaments pour réduire le taux élevé de cholestérol. Un groupe d'adultes dont le taux de cholestérol était élevé a été soumis à un régime faible en gras saturés, avec des médicaments, ou à un régime végétarien strict composé notamment de protéines de soya ; d'aliments à teneur élevée en fibres comme l'avoine, l'orge et le psyllium ; de fruits et légumes comme l'aubergine et l'okra ; de noix, surtout des amandes, et finalement d'une margarine spéciale contenant des stérols d'origine végétale (qu'on trouve également dans les légumes verts à feuilles et les huiles végétales). Les chercheurs ont constaté que les personnes qui suivaient le régime végétarien ont réduit leur cholestérol d'environ 29 %, comparé à une diminution de 30 % chez celles qui suivaient le régime faible en matières grasses avec le médicament durant la même période. Les résultats positifs de cette étude soulignent l'importance de l'alimentation et de l'exercice pour les personnes qui souhaitent diminuer leur taux de cholestérol. Divers facteurs diététiques du régime végétarien contribuent à réduire le taux de cholestérol : la protéine de soya, les stérols d'origine végétale et les fibres solubles des fruits, des légumes et des grains entiers comme l'avoine et l'orge.

Bien que cette recherche soit très prometteuse, cela ne signifie pas que vous deviez renoncer à votre thérapie médicale en faveur du régime végétarien. Discutez de la question avec votre médecin ou votre diététiste pour déterminer ce qui convient le mieux à la santé de votre cœur.

DES PROBLÈMES DE POIDS

L'excès de poids contribue à augmenter le taux de cholestérol, l'hypertension et le diabète, qui sont tous d'importants facteurs de risque en ce qui a trait aux maladies du cœur. Cela ne fait aucun doute.

La grande question est : comment faire pour perdre du poids ?

Personne ne prétend que c'est facile. Tout d'abord, il s'agit de déterminer ce qu'est un poids santé et quelle sensation il procure... parce que le poids n'est pas qu'un chiffre. Un poids santé est un poids que vous pouvez conserver sans mourir de faim, en mangeant des aliments que vous aimez et qui sont bons pour vous.

Pour y arriver, pour maigrir et manger plus sainement, il faut être déterminé.

Vous devez commencer lorsque vous êtes prêt à faire des changements salutaires, et non parce que c'est le début de la nouvelle année ou que vous croyez que cela changera d'autres aspects de votre vie.

Avant tout, il faut s'armer de patience. Perdre du poids est un processus qui peut parfois être long. Il vous a fallu du temps pour prendre ce poids et il vous en faudra pour le perdre. Maigrir de 0,5 à 1 kg par semaine est sain et réaliste.

Commencez lentement. Tartinez seulement une des tranches de pain de votre sandwich. Utilisez de la moutarde plutôt que de la mayonnaise. Enlevez la peau du poulet. Achetez du yogourt à 1 % de matières grasses plutôt que du yogourt à 4 %. Utilisez une poêle à frire à revêtement antiadhésif. Employez du vinaigre aux fines herbes à la place de l'huile dans vos salades.

De petits changements réalistes comme ceux-là s'accumulent et finissent par soustraire des kilos.

Demandez-vous pourquoi vous mangez. Si c'est pour d'autres motifs que pour soulager la faim, posez-vous des questions.

Cherchez des activités et des stratégies qui vous aideront à réprimer votre envie de trop manger. Apprenez à connaître vos cycles de faim et vos déclencheurs émotionnels (le stress, l'ennui, les difficultés au bureau, une dispute avec votre conjoint). Réorganisez votre horaire de repas de manière à manger suffisamment souvent pour éviter la sensation de faim intense, et trouvez des moyens différents de traiter les autres déclencheurs qui vous poussent à trop manger.

Identifiez vos bonnes habitudes : peut-être mangez-vous déjà beaucoup de fruits et de légumes, ou prenez-vous déjà un bon petit-déjeuner chaque matin. Renforcez ces habitudes et ajoutez-en de nouvelles à votre liste.

La vie active est un excellent atout dans le régime d'amaigrissement.

Trouvez une activité que vous aimez. Ça ne doit pas forcément être l'aérobie ou les séances d'entraînement au gymnase.

Pensez à promener votre chien, à danser, à faire du ski de fond, du patin ou même à prendre une pause au travail pour marcher d'un pas vif autour de l'édifice.

Essayez d'augmenter le nombre de fois où vous êtes physiquement actif dans la journée, ou la durée de l'activité.

L'exercice contribue à vous faire sentir mieux physiquement et mentalement.

Pour de plus amples renseignements sur les activités appropriées, consultez le *Guide d'activité physique canadien*, que vous trouverez au bureau de la Fondation des maladies du cœur de votre région, et le site www.phac-aspc.gc.ca/pau-uap/guideap/index.html. Visitez également le site www.fmcoeur.ca.

LE TRAITEMENT DU DIABÈTE

Le nouveau guide de planification de menus compatibles avec une alimentation saine pour la prévention et le traitement du diabète s'intitule *Guide pratique – La planification de repas sains en vue de prévenir ou de traiter le diabète* et est conçu pour aider les professionnels de la santé à conseiller leurs clients soucieux d'intégrer des aliments variés à leurs repas, sans augmenter leur consommation d'hydrates de carbone.

Si vous souffrez de diabète ou si vous êtes une personne à risque, consultez un professionnel de la nutrition (diététiste ou nutritionniste) ou un éducateur agréé en diabète pour élaborer votre programme personnel de saine alimentation.

Servez-vous des étiquettes sur les aliments et de l'analyse des substances nutritives fournie dans les recettes de ce livre afin d'évaluer la quantité adéquate d'un hydrate de carbone.

Vous pouvez obtenir un exemplaire de *Beyond the Basics Meat Planning* auprès du Centre d'enseignement du diabète de votre région, ou par l'entremise d'un professionnel de la santé.

LE DIAGRAMME DE BEYOND THE BASICS PEUT VOUS GUIDER
DANS VOS CHOIX DE MENUS

GROUPES ALIMENTAIRES	PORTIONS	NUTRIMENTS	CALORIES (APPROXIMATIF)
Grains et amidons (dont le maïs, les pommes de terre et l'igname)	1 tranche de pain ou 1/2 muffin anglais ou 1 portion de la taille de votre poing ou moins	15 g d'hydrates de carbone 3 g de protéines 0 g de gras	70
Fruits	1 fruit frais ou 125 ml de fruits en conserve de la taille de votre poing ou moins	15 g d'hydrates de carbone 1 g de protéines 0 g de gras	65
Laits et produits équivalents (dont le lait de soya)	Boire jusqu'à 250 ml de lait à faible teneur en gras au repas	15 g d'hydrates de carbone 8 g de protéines gras variable	Écrémé : 90 1 % : 110 2 % : 130 3,25 % : 140
Autres choix (incluant diverses sucreries et collations)	Voir le tableau *Valeur nutritionnelle*	15 g d'hydrates de carbone protéines et gras variables	Variable
Légumes (panais, pois et potirons donnent 15 g d'hydrates de carbone/250 ml)	Jusqu'à la quantité que vous pouvez tenir dans vos deux mains	< 5 g d'hydrates de carbone* 2 g de protéines 0 g de gras	30
Viandes et produits équivalents	Une quantité équivalent à la taille de la paume de votre main et à l'épaisseur du petit doigt (cela correspond à une portion de 90 à 120 g)	0 g d'hydrates de carbone 7 g de protéines 3-5 g de gras	55-75
Matières grasses	Limiter les matières grasses à une quantité de la taille du bout du pouce	0 g d'hydrates de carbone 0 g de protéines 5 g de gras	50
Suppléments (café, thé, boisson diète, vinaigre, moutarde et autres condiments)		< 5 g d'hydrates de carbone**	< 20

*   L'information sur *Beyond the Basics* a été adaptée à partir des renseignements disponibles sur le site www.diabetes.ca.
** On considère que les aliments dont le taux d'hydrates de carbone est inférieur à 5 g n'en contiennent pas.

Valeur nutritive		
pour 125 ml/87 g		
Teneur	% valeur quotidienne	
Calories 80		
Lipides 0,5 g		1 %
saturés 0 g		
+ trans 0 g		0 %
Cholestérol 0 mg		
Sodium 0 mg		0 %
Glucides 18 g		6 %
Fibres 2 g		8 %
sucres 2 g		
Protéines 3 g		
Vitamine A 2 %	Vitamine C	10 %
Calcium 0 %	Fer	2 %

™HEART AND STROKE
FOUNDATION

ᴹᶜFONDATION DES
MALADIES DU CŒUR

LES ÉTIQUETTES ET LES TABLEAUX

Le Canada a adopté un nouvel étiquetage des aliments qui vous aidera à faire des choix éclairés compatibles avec vos objectifs de santé personnels. L'étiquetage nutritionnel des aliments préemballés est obligatoire. Il est toujours présenté de la même façon, il comprend plus de renseignements sur les substances nutritives et il apparaît sur davantage d'aliments.

QUE CONTIENT L'ÉTIQUETTE ?

La liste des ingrédients énumère les éléments selon le poids en ordre décroissant, en commençant par l'ingrédient présent en plus grande quantité. La liste peut vous avertir de la présence d'ingrédients auxquels vous pourriez être allergique, et elle vous donne des renseignements importants, notamment sur la présence de grains entiers, des sources de sel/sodium et du type de matières grasses que contient le produit.

Le tableau de la valeur nutritive : L'étiquette centrale fournit des renseignements sur les portions, les calories, les matières grasses totales (lipides), les gras saturés, les gras trans, le cholestérol, le sodium, les hydrates de carbone (glucides), les fibres, les sucres, les protéines, la vitamine A, la vitamine C, le calcium et le fer. Les valeurs quotidiennes des vitamines et des minéraux sont basées sur les apports nutritionnels recommandés pour les Canadiens et représentent la recommandation la plus élevée pour chaque groupe d'âge selon le sexe, sans tenir compte des besoins particuliers relatifs à la grossesse et à l'allaitement.

La mention des gras trans sur les étiquettes permet de déterminer plus facilement si un aliment est bon ou non pour la santé du cœur. **Les allégations concernant les valeurs nutritives**, par exemple « hypocalorique » ou « faible teneur en acides gras saturés », soulignent une caractéristique nutritionnelle particulière du produit. Ces allégations sont soumises à des critères stricts. Par exemple, « sans matières grasses » signifie que le produit ne contient aucune matière grasse (moins de 0,5 gramme de gras par quantité de référence et par portion déterminée). L'allégation met généralement en valeur un aspect de l'aliment mais elle est facultative.

Les allégations concernant la santé : En plus de la liste des substances nutritives, les fabricants ont maintenant la possibilité de formuler des allégations relatives à la santé pour certains produits alimentaires. L'allégation peut associer un nutriment contenu dans l'aliment avec une maladie relative à l'alimentation ou à un état de santé. Les allégations suivantes se rapportant à l'alimentation sont autorisées.

- Une alimentation à faible teneur en sodium et riche en potassium peut réduire le risque d'hypertension.
- Une alimentation adéquate en calcium et en vitamine D peut réduire le risque d'ostéoporose.
- Une alimentation à faible teneur en matières grasses saturées et en gras trans peut réduire le risque de maladies du cœur.
- Une alimentation riche en fruits et légumes peut réduire le risque de certains cancers.

Visez Santé ^{MC} est un programme d'information sur les aliments offert par la Fondation des maladies du cœur pour vous aider à faire des choix alimentaires avisés. La présence du logo Visez Santé ^{MC} sur un produit signifie que l'information sur la nutrition relative au produit a été vérifiée et qu'elle répond aux critères nutritionnels établis. Chaque produit alimentaire inclus dans le programme a un message explicatif précisant comment il s'intègre dans une saine alimentation, un tableau de la valeur nutritive et le logo Visez Santé ^{MC} très facilement identifiable. Des critères différents s'appliquent aux diverses catégories d'aliments, selon les constituants nutritionnels importants qui leur sont propres. Par exemple, le critère relatif au bœuf haché maigre met l'accent sur la proportion de matières grasses.

QUELQUES CONSEILS POUR FAIRE L'ÉPICERIE

- Planifiez. Faites vos achats à partir d'une liste que vous avez préparée à un moment où vous n'aviez pas faim.
- Faites participer la famille à la planification des repas en les associant à la préparation de la liste.
- Établissez un calendrier hebdomadaire pour faire l'épicerie, avec de courts arrêts, dans l'intervalle, pour les denrées périssables comme le lait, les fruits, les légumes, la viande, la volaille et le poisson.
- Achetez des produits saisonniers cultivés dans votre région ; ils sont généralement plus frais et moins chers.
- Servez-vous des tableaux de la valeur nutritive pour vous aider à choisir des aliments à faible teneur en matières grasses.
- La valeur nutritive est donnée par portion. Il est donc important de savoir exactement à quelle quantité correspond une portion. Si vous mangez de plus grosses ou de plus petites portions que celle indiquée, n'oubliez pas d'évaluer la quantité de calories, de matières grasses, de fibres et de sodium que vous consommez réellement.

- Surveillez les aubaines et planifiez vos repas en conséquence.
- Pensez à l'importance de la bonne nutrition lorsque vous faites votre épicerie. Par exemple, achetez des pains de grains entiers, du riz brun, des céréales pour le petit-déjeuner à teneur élevée en fibres, des mélanges à muffins à faible teneur en matières grasses, de la farine de blé entier pour vos pâtisseries, des croustilles et des biscuits à faible teneur en matières grasses.
- Passez un certain temps dans la section des fruits et légumes. Choisissez beaucoup de légumes vert foncé et orange, ainsi que des fruits orange.
- Achetez les produits de viande les plus maigres, dont les suivants :
  - Bœuf : œil de ronde, intérieur et extérieur de ronde, pointe de surlonge, rôti et bifteck de surlonge, bifteck de faux-filet, bœuf à ragoût, filet, bifteck de flanc.
  - Porc : jambon, rôti et côtelette de porc, filet de porc, côtelettes et rôti de coupe centrale, épaule picnic et soc de porc.
  - Veau : toutes les coupes.
  - Volaille : toutes les coupes sans la peau.
  - Charcuterie : jambon, roulé ou pastrami de dinde, pastrami de bœuf.
- Rendez-vous au comptoir des poissons et essayez une nouvelle variété.
- Lorsque vous achetez des produits en conserve, choisissez ceux qui indiquent « faible teneur en sodium », « faible teneur en sel », « sans sodium » ou « sans sel ».

AU RESTAURANT

Oui, vous pouvez manger sainement lorsque vous allez au restaurant.

- Posez des questions. Le personnel du restaurant devrait pouvoir répondre à toutes vos questions sur le mode de préparation des aliments et faire des ajustements simples, comme éliminer les sauces et les vinaigrettes.
- Choisissez des aliments qui sont cuits au four, sur le barbecue, sautés, grillés, pochés ou cuits à la vapeur.
- Commandez les sauces et les vinaigrettes à part.
- Choisissez un restaurant où l'on sert un type de nourriture qui convient au régime que vous suivez. Il est plus facile, par exemple, de commander un repas à faible teneur en matières grasses dans un restaurant japonais que dans une grilladerie. Le même repas japonais peut cependant contenir beaucoup plus

de sodium, ce qui n'est pas un choix judicieux pour les personnes qui suivent un régime à faible teneur en sodium.

- Avant de vous y rendre, téléphonez pour connaître le menu du
jour et choisir votre plat avant de partir. Vous aurez moins envie
de céder à la tentation si vous avez déjà fait votre choix. De
même, si vous suivez un régime restrictif, demandez s'il y a des
éléments sur le menu qui vous conviennent. La plupart des
restaurants acceptent ce type de demandes, surtout s'ils sont
prévenus à l'avance.

- Pour éviter de trop manger, ignorez le menu à prix fixe et choisissez un mets à la carte.

- N'oubliez pas que c'est vous le client. Demandez ce que vous
voulez et n'ayez pas peur de renvoyer le plat à la cuisine s'il ne
vous convient pas. Si vous ne savez pas ce que contiennent les
repas au menu, renseignez-vous.

- Si les portions sont grosses, partagez le repas principal avec un
ami ou commandez des portions plus petites. Vous pouvez aussi
demander d'emporter les restes.

- Vérifiez s'il y a des aliments qui ne figurent pas au menu, comme
du lait à teneur plus faible en matières grasses, des fruits frais,
des vinaigrettes pauvres en matières grasses.

LES PORTIONS

On vous dit constamment que vous devriez manger une ou deux
portions de ceci ou de cela, mais si vous êtes comme la moyenne des
gens, vous n'avez aucune idée de ce qui constitue réellement une
portion. Dissipons donc la confusion en utilisant une tasse à mesurer,
votre main et quelques autres accessoires.

- Une portion de fruits ou de légumes correspond à un fruit ou un
légume frais (environ de la taille d'une balle de tennis), donc une
orange, une tomate, une carotte, une pomme ou une poire.

- Une petite pomme de terre au four (une portion) a environ la
taille de votre poing, tout comme 250 ml (ou une portion) de
salade.

- Une portion de légumes ou de fruits cuits (la moitié de votre
poing) ou de jus correspond à 125 ml.

- Une portion de 85 g de viande, de poisson ou de poulet cuits
équivaut environ à la taille de la paume de votre main et à
l'épaisseur du petit doigt ou à un jeu de cartes.

- Une portion correspond également à un ou deux œufs, à une
demi-boîte ou aux deux tiers d'une boîte de poisson, à une petite

cuisse ou poitrine de poulet, à 30 ml de beurre d'arachide (la taille d'une balle de ping-pong), à 80 ml de tofu ou à 125 à 250 ml de haricots.

- Une portion de 125 ml de céréales, de riz, de nouilles ou de pâtes correspond environ à la moitié de votre poing. Deux portions de riz ou de pâtes représentent environ la taille d'une balle de tennis ou d'un poing.

C'est une bonne idée que de mesurer 250 ml de certains aliments, une fois ou deux, pour visualiser la quantité d'une portion. Pendant que vous y êtes, vous pourriez aussi mesurer la quantité que contient votre bol à soupe ou à dessert préféré. Par exemple, si vous mesurez la quantité de céréales que vous versez dans votre bol le matin, vous saurez si vous consommez une, deux ou trois portions. En visualisant ainsi différents aliments, vous découvrirez peut-être que votre portion de pâtes équivaut à quatre ou cinq portions, ou que votre verre habituel contient 250 à 300 ml et que, par conséquent, votre verre de jus matinal est en fait trois portions de fruits.

L'ALCOOL

Il est probable que vous ayez entendu beaucoup de choses sur le rôle protecteur de l'alcool pour le cœur. Vous connaissez également les problèmes personnels et sociaux associés à l'alcool, de même que les dangers de la consommation excessive. Que faut-il en conclure ?

L'excès d'alcool est associé à l'augmentation des triglycérides (un type de lipides dans le sang) et à l'hypertension, qui sont des facteurs de risque des maladies de cœur et des accidents vasculaires cérébraux.

Cependant, certaines preuves indiquent que la consommation d'alcool en quantité modérée réduirait le risque global de maladies du cœur et d'accidents vasculaires cérébraux. Il existe diverses théories pour expliquer cela, dont la capacité de l'alcool d'élever le taux de cholestérol HDL et de diminuer la formation de caillots de sang potentiellement néfastes. Il semble que tous les alcools – le vin rouge, le vin blanc, les spiritueux ou la bière – peuvent avoir cet effet, mais certains chercheurs croient que c'est particulièrement valable dans le cas du vin rouge. Ils attribuent cette propriété aux polyphénols, des éléments aux propriétés antioxydantes qui pourraient prévenir la formation de plaques sur les parois artérielles.

La plupart des experts croient que consommer un verre par jour ne peut faire grand tort, bien que les avantages soient encore sujets à discussion. Dans le cas des adultes en santé qui boivent de l'alcool, la consommation ne devrait pas excéder deux verres par jour, avec une limite hebdomadaire de 14 verres pour les hommes et de 9 verres pour les femmes. Un verre normal équivaut à 341 ml de bière à 5 % d'alcool, à 142 ml de vin et à 43 ml de spiritueux à 40 % d'alcool. Il est assurément préférable de ne pas en consommer plus, et si vous ne buvez pas maintenant, il n'y a aucune raison de commencer. De l'avis des experts, les effets protecteurs, s'il en est, disparaissent avec l'augmentation de la consommation.

PRÉCISIONS SUR L'ANALYSE
DES ALIMENTS NUTRITIFS

Le calcul des valeurs nutritives assisté par ordinateur a été réalisé par Food Intelligence (Toronto, Ontario) et Info Access (1988) (Don Mills, Ontario). Comme base de données primaire, on a utilisé le Fichier canadien sur les éléments nutritifs, lequel a été complété au besoin par des renseignements tirés d'autres sources fiables. Les valeurs sont arrondies aux nombres entiers ; les quantités inférieures à 0,5 sont décrites comme traces (tr).

Les calculs ont été basés sur :
- les mesures impériales, sauf lorsque l'achat ou l'utilisation du produit se fait habituellement en quantité métrique ;
- le plus petit nombre de portions (donc une portion plus grande) lorsqu'il y avait une fourchette de possibilités ;
- la plus petite quantité d'ingrédients lorsqu'il y avait une fourchette de possibilités ;
- le premier ingrédient énuméré lorsqu'un choix était possible.

Nous avons utilisé de l'huile de colza, du lait à 1 % et des bouillons non salés. Les ingrédients facultatifs et ceux dont les quantités n'étaient pas précisées n'ont pas été inclus.

Nous avons appliqué aux portions des recettes les critères d'étiquetage nutritionnel (*Guide d'étiquetage et de publicité sur les aliments 2003*, de l'Agence canadienne d'inspection des aliments) pour identifier les excellentes ou les bonnes sources de vitamine A, thiamine, riboflavine, niacine, vitamine B6, vitamine B12, acide folique, vitamine C, calcium et fer. Une excellente source procure 25 % de la valeur quotidienne d'une substance nutritive (50 % pour la vitamine C), et une bonne source en procure 15 % (30 % pour la vitamine C).

Hoummos aux pois chiches sautés et zhoug
Hoummos aux haricots noirs et au maïs
Hoummos à la courge rôtie
Hoummos au sésame
Trempette à l'oignon caramélisé avec pommes de terre
    rôties
Trempette d'aubergine à l'orientale
Guacamole
Tzatziki
Trempette au chèvre servie avec des pommes de terre
Salsa onctueuse
Tartinade de haricots blancs et d'ail rôti
Tartinade de courge rôtie
Tartinade à la truite fumée
Salsa à la marocaine
Sushis aux crevettes et aux asperges
Sushis de saumon fumé
Bruschetta aux tomates et à l'ail rôti
Bruschetta à la salsa

Bruschetta aux pois chiches
Bruschetta de champignons sauvages avec fromage de
    chèvre
Bruschetta à la ricotta
Tartelettes aux asperges et au fromage de chèvre
Bouchées de tortillas au saumon fumé
Satays de thon grillé et sauce à la mangue
Crêpes de maïs avec salsa
Crevettes grillées à la façon martini
Tartare de thon grillé à l'avocat
Rouleaux de printemps aux crevettes
Satays de poulet et sauce aux arachides
Boulettes de poulet à la sauce aigre-douce
Beignets de poulet au cari

CUISINER AU GOÛT DU CŒUR

LES HORS-D'ŒUVRE ET LES ENTRÉES

HOUMMOS AUX POIS CHICHES SAUTÉS ET ZHOUG

Nul ne peut prétendre connaître l'hoummos avant d'avoir dégusté celui d'Abu Shukri, un petit comptoir établi dans le quartier musulman de la vieille ville de Jérusalem. Il est fait de pois chiches cuits la veille, qui sont ensuite soigneusement pelés et réduits en purée, à la main.

Nous avons quelque peu simplifié la recette, mais elle n'en est pas moins exquise. L'hoummos est composé de pois chiches entiers et de zhoug épicé (une préparation qui ressemble à un pesto à la coriandre), mais rien ne vous empêche d'éliminer la garniture. Servez-le avec du pain pita fait de farine complète ou avec des croustilles de pita (page 62).

Donne 375 ml (1 1/2 tasse)

1	boîte de 540 ml (19 oz) de pois chiches, rincés et égouttés, ou 500 ml (2 tasses) de pois chiches cuits	1
3	gousses d'ail, grossièrement hachées	3
50 ml	jus de citron	1/4 tasse
25 ml	tahini	2 c. à soupe
2 ml	cumin moulu	1/2 c. à thé
2 ml	sel	1/2 c. à thé
75 ml	eau (plus ou moins, selon le cas)	1/3 tasse
1 ml	sauce aux piments rouges (facultatif)	1/4 c. à thé

Pois chiches sautés

50 ml	pois chiches (prélevés des pois chiches servant à faire l'hoummos)	1/4 tasse
5 ml	huile d'olive	1 c. à thé
2	gousses d'ail, hachées finement	2
1 ml	cumin moulu	1/4 c. à thé
1 ml	sel	1/4 c. à thé

Zhoug

1	gousse d'ail, grossièrement hachée	1
1/2	piment jalapeño, épépiné et grossièrement haché	1/2
125 ml	feuilles de coriandre bien tassées	1/2 tasse
2 ml	sel	1/2 c. à thé
1 ml	cardamome moulue	1/4 c. à thé

VALEUR NUTRITIONNELLE POUR 15 ML (1 C. À SOUPE)

Calories	28
Protéines	1 g
Matières grasses	1 g
Saturées	traces
Cholestérol	0 mg
Glucides	3 g
Fibres	1 g
Sodium	69 mg
Potassium	38 mg

| 1 ml | cumin moulu | 1/4 c. à thé |
| 25 ml | huile d'olive | 2 c. à soupe |

1. Réserver environ 50 ml de pois chiches pour la garniture. Dans un robot culinaire, réduire en purée le reste des pois chiches avec l'ail, le jus de citron, le tahini, le cumin et le sel. Ajouter de l'eau jusqu'à ce que la préparation soit lisse et crémeuse, mais assez consistante pour être tartinée. Assaisonner avec la sauce aux piments. Goûter et corriger l'assaisonnement au besoin.

2. Pour la préparation des pois chiches sautés, faire chauffer l'huile à feu moyen dans une petite poêle. Ajouter l'ail, les pois chiches, le cumin et le sel. Cuire 2 minutes.

3. Pour préparer le zhoug, hacher l'ail et le piment jalapeño dans un robot culinaire. Ajouter la coriandre et réduire le tout en purée. Ajouter le sel, la cardamome et le cumin. Incorporer l'huile. Ajouter un peu d'eau si la préparation est trop épaisse pour être versée en fines gouttelettes sur l'hoummos.

4. Verser l'hoummos dans un plat de service. Déposer les pois chiches entiers au centre. Arroser de zhoug (en fines gouttelettes) pour garnir.

HOUMMOS AUX HARICOTS NOIRS ET AU MAÏS

On ne cesse de créer de nouvelles recettes d'hoummos ; en voici une excellente. Passez les restes dans des sandwiches.

Donne de 500 à 625 ml (2 à 2 1/2 tasses)

1	boîte de 540 ml (19 oz) de haricots noirs, rincés et égouttés	1
25 ml	huile d'olive	2 c. à soupe
25 ml	jus de citron	2 c. à soupe
25 ml	fromage de yogourt (page 420) ou mayonnaise	2 c. à soupe
15 ml	purée de piment chipolte (page 206) ou 1 piment jalapeño, haché finement	1 c. à soupe
10 ml	cumin moulu	2 c. à thé
250 ml	maïs en grains, cuit	1 tasse
50 ml	coriandre fraîche, hachée, en deux portions sel et poivre au goût	1/4 tasse
8	tortillas de blé entier ou ordinaires de 25 cm (10 po) de diamètre	8

VALEUR NUTRITIONNELLE POUR 15 ML (1 C. À SOUPE) ET 1/4 DE TORTILLA

Calories	73
Protéines	3 g
Matières grasses	2 g
Saturées	traces
Cholestérol	0 mg
Glucides	11 g
Fibres	2 g
Sodium	77 mg
Potassium	88 mg

1. Réunir les haricots, l'huile d'olive, le jus de citron, le fromage de yogourt, le piment chipolte et le cumin dans un robot culinaire ou un mélangeur. Battre jusqu'au degré d'homogénéité désiré.

2. Incorporer le maïs et la moitié de la coriandre. Battre plus ou moins, au goût. Goûter, puis saler et poivrer au besoin.

3. Faire griller les tortillas des deux côtés jusqu'à ce qu'elles soient légèrement dorées, puis les couper en morceaux.

4. Garnir la trempette du reste de coriandre et la servir accompagnée des croustilles de tortilla grillées.

HOUMMOS À LA COURGE RÔTIE

Voici une délicieuse variation sur le thème de l'hoummos. Vous pouvez remplacer les pois chiches par n'importe quelle autre légumineuse cuite. Les restes d'hoummos font une bonne tartinade à sandwiches. Si le temps presse, prenez 500 ml (2 tasses) de citrouille ou de courge surgelée coupée en dés. Au lieu de faire rôtir, laissez mijoter la courge à petit feu pendant 5 minutes. Vous pouvez aussi utiliser une ou deux gousses d'ail émincées, ou un bulbe d'ail rôti (page 80). Servir avec des tortillas ou du pita (page 62).

Donne environ 750 ml (3 tasses)

500 g	courge musquée, pelée et découpée en morceaux de 5 cm (2 po), soit environ 1l ou 4 tasses	1 lb
5 ml	romarin frais, haché ou 1 ml (1/4 c. à thé) de romarin séché	1 c. à thé
25 ml	huile d'olive, en deux portions	2 c. à soupe
1	boîte de 540 ml (19 oz) de pois chiches, rincés et égouttés ou 500 ml (2 tasses) de pois chiches cuits	1
25 ml	jus de citron	2 c. à soupe
5 ml	cumin moulu	1 c. à thé
1 ml	sauce piquante au piment sel et poivre au goût	1/4 c. à thé

1. Déposer les morceaux de courge dans un grand bol avec le romarin et 15 ml (1 c. à soupe) d'huile d'olive. Mélanger.

2. Étendre les morceaux de courge sur une plaque à pâtisserie tapissée de papier sulfurisé. Cuire la courge dans un four préchauffé à 200 °C

LES POIS CHICHES SÉCHÉS
Ils sont délicieux dans les trempettes, les soupes, les salades et les plats à base de céréales.

Je les mets à tremper toute la nuit au réfrigérateur et je les fais cuire environ 90 minutes, ou jusqu'à ce qu'ils soient tendres. En conserve, ils sont presque aussi bons, puisqu'ils gardent une plus belle texture que la plupart des autres légumineuses en conserve. J'ai toujours une boîte de pois chiches sous la main au cas où j'aurais envie de préparer un hoummos à la dernière minute pour agrémenter une salade, une soupe ou comme hors-d'œuvre.

(400 °F) pendant 40 minutes, ou jusqu'à ce qu'elle soit tendre et dorée. Laisser tiédir.

3. Hacher finement les pois chiches au robot culinaire. Ajouter le jus de citron, le cumin, le reste d'huile d'olive (15 ml [1 c. à soupe]) et la sauce piquante au piment. Bien mélanger.

4. Ajouter la courge et mélanger. Saler et poivrer. (Si la préparation est trop épaisse, diluer en ajoutant un peu de yogourt ou d'eau.)

Hoummos aux poivrons rouges grillés

Plutôt qu'une courge, utiliser deux poivrons rouges grillés, pelés, épépinés et coupés en dés (page 165).

Œufs d'enfer avec hoummos

Utiliser de l'hoummos comme farce pour réaliser des œufs d'enfer. Faire cuire les œufs à la coque, les couper en deux, puis retirer le jaune. Déposer de l'hoummos à la cuillère ou avec une poche à douille de pâtissier dans le creux du blanc d'œuf. Garnir avec des pois chiches entiers et saupoudrer de paprika.

VALEUR NUTRITIONNELLE POUR 15 ML (1 C. À SOUPE)	
Calories	20
Protéine	1 g
Matières grasses	1 g
Saturées	0 g
Cholestérol	0 mg
Glucides	3 g
Fibres	0 g
Sodium	18 mg
Potassium	41 mg

HOUMMOS AU SÉSAME

J'aime beaucoup cette trempette parce qu'elle se prépare en un clin d'œil et parce qu'elle fait appel à des ingrédients d'usage courant. On peut les servir comme trempette avec des pitas ou des craquelins, ou encore en remplacement de la mayonnaise dans les sandwiches.

Donne environ 375 ml (1 1/2 tasse)

1	boîte de 540 ml (19 oz) de pois chiches, rincés et égouttés, ou 500 ml (2 tasses) de pois chiches cuits	1
2	gousses d'ail, grossièrement hachées	2
45 ml	jus de citron	3 c. à soupe
15 ml	huile d'olive (facultatif)	1 c. à soupe
2 ml	sauce piquante au piment	1/2 c. à thé
15 ml	huile de sésame grillée	1 c. à soupe
2 ml	cumin moulu	1/2 c. à thé
25 ml	coriandre fraîche ou persil frais, hachés	2 c. à soupe
	tranches de citron	

VALEUR NUTRITIONNELLE POUR 15 ML (1 C. À SOUPE)	
Calories	27
Protéines	1 g
Matières grasses	1 g
Saturées	traces
Cholestérol	0 mg
Glucides	4 g
Fibres	1 g
Sodium	18 mg
Potassium	41 mg

1. Au robot culinaire ou au mélangeur, réduire les pois chiches en une purée grossière.

2. Ajouter l'ail, le jus de citron, l'huile d'olive, la sauce piquante au piment, l'huile de sésame et le cumin. Réduire le mélange en purée jusqu'à consistance désirée. Rectifier l'assaisonnement au besoin.

3. Garnir de coriandre et de tranches de citron.

TREMPETTE À L'OIGNON CARAMÉLISÉ AVEC POMMES DE TERRE RÔTIES

Voici une version moderne des croustilles de pomme de terre servies avec une trempette à base de mélange pour soupe à l'oignon. Servir la trempette dans un bol et disposer les pommes de terre sur un lit de persil. Piquer un cure-dent au centre de chaque pomme de terre ou une tige de romarin pour plus de fantaisie.

Pour varier, remplacer les pommes de terre par des patates douces. Pour une délicieuse salade, mélanger les restes de pomme de terre et la trempette.

Donne 8 portions

1 kg	pommes de terre Yukon Gold ou à cuire au four, pelées	2 lb
45 ml	huile d'olive, divisée en deux portions	3 c. à soupe
15 ml	romarin frais, haché, ou 2 ml (1/2 c. à thé) de romarin séché	1 c. à soupe
2 ml	sel	1/2 c. à thé
1 ml	poivre	1/4 c. à thé
2	gros oignons d'Espagne, hachés, d'environ 375 g (12 oz) chacun	2
250 ml	fromage de yogourt (page 420) ou yogourt épais, faible en gras	1 tasse

1. Couper les pommes de terre en cubes de 2,5 cm (1 po). (Il est aussi possible d'utiliser des pommes de terre nouvelles, non pelées, entières ou coupées en deux.) Remuer les pommes de terre dans un grand bol avec 25 ml (2 c. à soupe) d'huile, le romarin, le sel et le poivre.

2. Déposer les pommes de terre en une couche simple sur une plaque à pâtisserie tapissée de papier sulfurisé. Faire rôtir dans un four préchauffé à 200 °C (400 °F) de 45 à 50 minutes, ou jusqu'à ce que les pommes de terre soient dorées.

3. Pendant ce temps, faire chauffer le reste d'huile (15 ml [1 c. à soupe]) à feu moyen-vif dans une grande poêle. Y faire sauter les oignons, sans

VALEUR NUTRITIONNELLE PAR PORTION	
Calories	178
Protéines	5 g
Matières grasses	6 g
Saturées	1 g
Cholestérol	3 mg
Glucides	27 g
Fibres	2 g
Sodium	176 mg
Potassium	486 mg
Bonne source : vitamine B6 ; vitamine B12	

remuer, jusqu'à ce qu'ils commencent à dorer. Réduire le feu à moyen, remuer, et laisser reposer jusqu'à ce qu'ils soient dorés à la base. Poursuivre la cuisson en remuant souvent. Si les oignons commencent à brûler ou à coller, ajouter un peu d'eau et poursuivre leur cuisson pendant 20 à 25 minutes, ou jusqu'à ce qu'ils soient très dorés. Laisser bien tiédir.

4. Mélanger les oignons et le fromage de yogourt. Goûter et rectifier l'assaisonnement au besoin. Servir les pommes de terre accompagnées de la trempette.

TREMPETTE D'AUBERGINE À L'ORIENTALE

De nombreuses personnes prétendent ne pas aimer les aubergines, pourtant tout le monde aime cette salsa. Les aubergines orientales, de forme allongée, sont moins amères que les plus grosses.

Servir avec des craquelins de riz ou de sésame.

Donne 500 ml (2 tasses)

750 g	aubergines orientales, soit environ 5 ou 6	1 1/2 lb
25 ml	sauce soya	2 c. à soupe
25 ml	cassonade	2 c. à soupe
25 ml	eau	2 c. à soupe
15 ml	vinaigre de riz	1 c. à soupe
5 ml	huile de sésame grillée	1 c. à thé
2 ml	pâte de piment orientale (page 108)	1/2 c. à thé
10 ml	huile d'olive	2 c. à thé
4	gousses d'ail, hachées finement	4
15 ml	gingembre frais, haché finement	1 c. à soupe
4	oignons verts, hachés	4
45 ml	coriandre fraîche, hachée	3 c. à soupe

VALEUR NUTRITIONNELLE POUR 30 ML (2 C. À SOUPE)	
Calories	29
Protéines	1 g
Matières grasses	1 g
Saturées	0 g
Cholestérol	0 mg
Glucides	5 g
Fibres	1 g
Sodium	139 mg
Potassium	128 mg

1. Parer les aubergines et les couper en dés.

2. Dans un bol, mélanger la sauce soya, la cassonade, l'eau, le vinaigre, l'huile de sésame et la pâte de piment.

3. Dans une grande poêle antiadhésive ou dans un wok, faire chauffer l'huile d'olive à feu moyen. Ajouter l'ail et le gingembre, puis cuire 30 secondes, ou jusqu'à ce que la préparation devienne odorante. Ajouter les dés d'aubergine et cuire quelques minutes.

4. Y verser la préparation de sauce soya et porter à ébullition. Couvrir, réduire le feu et laisser mijoter 10 minutes, en remuant de temps à autre.

5. Poursuivre la cuisson à découvert, en remuant, jusqu'à épaississement. Ajouter les oignons verts et 25 ml (2 c. à soupe) de coriandre. Cuire 1 minute supplémentaire. Garnir avec le reste de la coriandre avant de servir. Servir froid ou à la température ambiante.

GUACAMOLE

Rien ne sert de chercher la « vraie » recette de guacamole, puisqu'il n'existe rien de tel. De fait, il existe de nombreuses et délicieuses versions de la célèbre trempette. Vous le préférez avec de l'ail ? Des tomates ? Des piments jalapeños ? Du jus de citron vert ? À vous de choisir.

Il y a quelques années seulement, l'avocat avait la mauvaise réputation d'être très gras, mais depuis que l'on sait qu'il contient de bons gras, il ne cesse de gagner en popularité. Il suffit de ne pas faire d'excès, car il demeure tout de même un aliment riche.

Servez le guacamole avec des tortillas grillées (page 62) ou avec des tortillas de blé ou de maïs fraîches. Le guacamole est délicieux avec les hamburgers, les burritos, les sandwiches, les salades, la viande et le poisson grillé.

Ajouter l'avocat au moment de servir afin qu'il conserve sa belle couleur verte. Si le guacamole noircit à la surface, grattez celle-ci à l'aide d'un couteau.

Donne environ 500 ml (2 tasses)

1	tomate italienne, épépinée et coupée en dés	1
1	petit piment jalapeño, épépiné et haché finement	1
75 ml	coriandre fraîche ou persil frais, hachés	1/3 tasse
15 ml	jus de lime	1 c. à soupe
2 ml	sel	1/2 c. à thé
1	avocat bien mûr	1

LES AVOCATS

Je préfère les avocats Haas qui sont petits et dont la peau vert foncé est légèrement ridée. Leur texture crémeuse et leur saveur soutenue me plaisent à tout coup.

Il est difficile de trouver des avocats prêts à manger le jour même, aussi, il est préférable de les acheter à l'avance. Conservez les avocats mûrs au réfrigérateur. Vous pouvez laisser ceux qui ne le sont pas encore sur le comptoir, à l'abri de la lumière directe du soleil ; ils mûriront en deux ou trois jours. Delay Balagas, un de mes collègues de l'école de cuisine, place les avocats qui ne sont pas arrivés à maturité dans un sac en papier de riz pour accélérer leur mûrissement : ils seront mûrs en 24 heures.

VALEUR NUTRITIONNELLE POUR 15 ML (1 C. À SOUPE)

Calories	17
Protéines	0 g
Matières grasses	2 g
Saturées	traces
Cholestérol	0 mg
Glucides	1 g
Fibres	1 g
Sodium	75 mg
Potassium	73 mg

1. Mélanger la tomate, le piment jalapeño, la coriandre, le jus de lime et le sel. (Cette étape peut être faite à l'avance.)

2. Juste avant de servir, couper l'avocat en deux. Enlever le noyau, retirer la chair à l'aide d'une cuillère et l'ajouter à la première préparation. Réduire le tout en purée à l'aide d'un pilon à pommes de terre, jusqu'à l'obtention de la texture désirée (grumeleuse ou homogène). Goûter et ajouter du sel ou du jus de lime au goût. Si vous ne servez pas le guacamole immédiatement, déposez une pellicule plastique directement sur la surface du guacamole afin de prévenir l'oxydation (décoloration).

Guacamole crémeux

Ajouter 250 ml (1 tasse) de ricotta à la préparation et réduire en purée.

COMMENT COUPER UN AVOCAT

Coupez l'avocat en deux dans le sens de la longueur. Faites pivoter délicatement les deux moitiés l'une sur l'autre, dans un sens puis dans l'autre, jusqu'à ce que vous puissiez les séparer. Pour retirer le noyau, piquez-y la lame d'un couteau et remuez-le délicatement jusqu'à ce qu'il se détache.

Tenez le demi-avocat dans la paume de la main et découpez-le en cubes sans couper la peau. Retirez ensuite les cubes de chair à la cuillère.

TZATZIKI

Voici une préparation populaire que l'on peut servir comme trempette, tartinade ou sauce d'accompagnement pour le poulet, l'agneau ou le poisson grillé. Si vous n'êtes pas amateur d'ail, réduisez la quantité du tiers ou de la moitié. Pour une trempette moins liquide, épépinez le concombre, salez-le légèrement et faites-le dégorger.

Si vous préférez un tzatziki très dense, placez le fromage de yogourt dans une étamine et laissez-le égoutter toute la nuit.

Donne 500 ml (2 tasses)

1	concombre anglais	1
5 ml	sel	1 c. à thé
375 ml	fromage de yogourt crémeux (page 420) ou yogourt nature ferme	1 1/2 tasse
4	gousses d'ail, émincées	4
25 ml	aneth frais haché	2 c. à soupe
1 ml	sauce aux piments rouges (facultatif)	1/4 c. à thé

1. Râper et saler le concombre. Le mettre dans une passoire placée au-dessus d'un bol et laisser reposer 15 minutes. Le rincer et le déposer dans un linge propre, bien presser la chair pour l'assécher.

2. Mélanger le fromage de yogourt, l'ail, l'aneth et la sauce piquante au piment.

3. Ajouter le concombre en brassant. Rectifier l'assaisonnement au besoin.

Pitas garnis au poulet grillé avec tzatziki

Dans un grand bol, mélanger 15 ml (1 c. à soupe) d'huile d'olive, 2 gousses d'ail émincées, 15 ml (1 c. à soupe) d'origan frais haché, 15 ml (1 c. à soupe) de zeste de citron, 4 ml (3/4 c. à thé) de poivre, 2 ml (1/2 c. à thé) de sel et une pincée de flocons de piment fort. Ajouter 6 poitrines de poulet, désossées, sans peau, aplaties en escalope (page 275). Bien enduire les poitrines de marinade et réfrigérer pour environ 2 heures.

Faire griller le poulet de 3 à 5 minutes de chaque côté, ou jusqu'à ce qu'il soit bien cuit.

Couper 3 pains pitas en deux et garnir chaque moitié d'une poitrine de poulet, de tzatziki, de tranches de tomate et de laitue.

VALEUR NUTRITIONNELLE POUR 15 ML (1 C. À SOUPE)	
Calories	13
Protéines	1 g
Matières grasses	traces
Saturées	traces
Cholestérol	1 mg
Glucides	2 g
Fibres	traces
Sodium	82 mg
Potassium	54 mg

TREMPETTE AU CHÈVRE SERVIE AVEC DES POMMES DE TERRE

Combiné à d'autres ingrédients, le fromage de chèvre acquiert une saveur plus délicate. C'est pourquoi les personnes qui n'apprécient pas particulièrement sa saveur piquante aimeront cette trempette dont le goût délicat et la texture veloutée rehaussent à merveille la saveur des légumes.

Pour varier, remplacer les pommes de terre par des endives, des carottes en bâtonnets, des tranches de concombre, des légumes-feuilles, des haricots, du brocoli et du chou-fleur. Cette trempette n'a pas sa pareille avec des pommes de terre rôties (page 56). Mélanger la trempette et les pommes de terre pour une délicieuse salade.

Donne environ 500 ml (2 tasses)

1 kg	pommes de terre grelots, soit environ 32, non pelées	2 lb
125 g	fromage de chèvre frais	1/4 lb
125 g	fromage ricotta légère	1/4 lb
250 ml	fromage de yogourt (page 420) ou yogourt nature ferme	1 tasse
1	gousse d'ail, émincée	1
25 ml	persil frais haché	2 c. à soupe
25 ml	basilic ou aneth frais, hachés	2 c. à soupe
25 ml	ciboulette ou oignons verts, hachés	2 c. à soupe
5 ml	thym ou romarin frais haché, ou une pincée de thym ou de romarin séché	1 c. à thé
2 ml	sauce aux piments rouges	1/2 c. à thé

1 ml	poivre	1/4 c. à thé
	sel au goût	

1. Dans une grande casserole, faire bouillir les pommes de terre jusqu'à ce qu'elles soient tendres. Les égoutter et les couper en deux.
2. Pendant ce temps, mélanger le fromage de chèvre, la ricotta et le yogourt jusqu'à consistance lisse.
3. Incorporer l'ail, le persil, le basilic, la ciboulette, le thym, la sauce aux piments, le poivre et le sel. Goûter et rectifier l'assaisonnement au besoin. Mettre la trempette dans un bol de service et servir avec les pommes de terre.

Trempette au bleu

Remplacer le fromage de chèvre par du gorgonzola ou du Roquefort et remplacer le basilic par 15 ml (1 c. à soupe) d'estragon frais haché (ou 5 ml [1 c. à thé] d'estragon séché). Omettre le thym.

Trempette au thon

Omettre le fromage de chèvre et la ricotta. Mélanger le fromage de yogourt avec 198 g (7 oz) de thon blanc en conserve dans l'eau, égoutté et émietté.

SALSA ONCTUEUSE

Cette salsa est excellente avec des croustilles de tortillas. Elle accompagne aussi les burritos, les fajitas et les tacos. On peut également la préparer sans yogourt ; il suffit alors de le remplacer par 25 ml (2 c. à soupe) de jus de lime ou de jus de citron.

Donne environ 500 ml (2 tasses)

3	tomates italiennes fraîches, épépinées et coupées en dés	3
1	piment jalapeño, haché	1
1	gousse d'ail, émincée	1
3	oignons verts, hachés	3
125 ml	coriandre fraîche ou persil frais, hachés	1/2 tasse
2 ml	cumin moulu	1/2 c. à thé
175 ml	fromage de yogourt (page 420) ou yogourt nature ferme	3/4 tasse
	sel, poivre et sauce piquante au piment au goût	

1. Dans un bol, mélanger les tomates, le piment jalapeño, l'ail, les oignons verts, la coriandre et le cumin.

2. Incorporer le fromage de yogourt. Goûter et rectifier l'assaisonnement avec du sel, du poivre et de la sauce piquante.

CROUSTILLES DE TORTILLAS ET DE PITAS

Découpez des tortillas de maïs ou de farine blanche en pointes (cela se fait facilement avec des ciseaux) et étalez-les côte à côte sur une plaque à pâtisserie. Dans le cas des pains pitas, séparez-en les deux couches et coupez-les en pointes. Faites cuire dans un four préchauffé à 200 °C (400 °F) pour environ 8 minutes, ou jusqu'à ce que les pointes soient légèrement dorées et croustillantes.

Vous pouvez, si vous le désirez, rehausser la saveur des tortillas et des pitas. Il suffit alors, avant de les découper en pointes, de les badigeonner de blanc d'œuf légèrement battu et de les saupoudrer de fines herbes fraîches ou séchées, de graines de sésame ou de pavot.

VALEUR NUTRITIONNELLE POUR 15 ML (1 C. À SOUPE)	
Calories	8
Protéines	1 g
Matières grasses	traces
Saturées	traces
Cholestérol	1 mg
Glucides	1 g
Fibres	traces
Sodium	6 mg
Potassium	37 mg

TARTINADE DE HARICOTS BLANCS ET D'AIL RÔTI

Pour varier, remplacez les haricots blancs par des haricots noirs ou des pois chiches. Vous pouvez également servir cette préparation chaude en guise de mets d'accompagnement.

Si la préparation est trop épaisse, éclaircissez-la avec un peu de yogourt faible en gras ou avec du fromage de yogourt (page 420). Servez-la avec des pitas ou du pain grillé (page 69).

Donne environ 375 ml (1 1/2 tasse)

1	boîte de 540 ml (19 oz) de haricots blancs, rincés et égouttés, ou 500 ml (2 tasses) de haricots blancs cuits	1	
1	bulbe d'ail rôti (page 80) ou 2 gousses d'ail crues, émincées	1	
25 ml	jus de citron	2 c. à soupe	
15 ml	huile d'olive	1 c. à soupe	
2 ml	sauce piquante au piment	1/2 c. à thé	
2 ml	cumin moulu	1/2 c. à thé	
2 ml	poivre	1/2 c. à thé	
	sel au goût		

VALEUR NUTRITIONNELLE POUR 15 ML (1 C. À SOUPE)	
Calories	26
Protéines	1 g
Matières grasses	1 g
Saturées	traces
Cholestérol	0 mg
Glucides	4 g
Fibres	1 g
Sodium	53 mg
Potassium	45 mg

1. Mettre les haricots dans le robot culinaire. Extraire, par pression, l'ail rôti de sa peau et l'ajouter aux haricots. Mélanger.

2. Incorporer le jus de citron, l'huile, la sauce piquante au piment, le cumin et le poivre.

3. Goûter. Ajouter du sel ou du jus de citron, ou les deux, au besoin.

TARTINADE DE COURGE RÔTIE

Voici une recette originale qui permet d'utiliser la courge déjà cuite. Je l'ai créée fortuitement alors que j'avais un reste de purée de légumes dont je ne savais que faire. Plus tard, par pure coïncidence, j'ai retrouvé la même préparation à la table d'un restaurant chic, servie comme entrée avec du pain. J'imagine que les cuisiniers du restaurant étaient, eux aussi, pris avec des restes !

J'aime bien utiliser la courge musquée, car elle est moins aqueuse que les autres variétés de courges d'hiver.

Donne environ 500 ml (2 tasses)

1 kg	courge musquée	2 lb
10	brins de romarin frais ou 2 ml (1/2 c. à thé) de romarin séché	10
1	bulbe d'ail entier, non pelé	1
15 ml	vinaigre balsamique	1 c. à soupe
5 ml	cassonade	1 c. à thé
5 ml	cumin moulu	1 c. à thé
2 ml	poivre	1/2 c. à thé
	sel au goût	

1. Couper la courge en deux et en extraire les graines à la cuillère. Mettre le romarin dans la cavité et déposer la courge, face coupée orientée vers le bas, sur une plaque à pâtisserie tapissée de papier sulfurisé.

2. Trancher à l'aide d'un couteau environ 5 mm (1/4 po) de la partie supérieure de toutes les gousses (l'extrémité pointue). Retirer toute la peau de l'ail qui se détache facilement et envelopper le bulbe dans du papier d'aluminium. Déposer le bulbe sur la plaque, à côté de la courge.

3. Cuire la courge et l'ail dans un four préchauffé à 190 °C (375 °F jusqu'à ce qu'ils soient tendres, soit de 45 à 50 minutes. Laisser refroidir. Jeter le romarin.

4. Mettre la chair de la courge, qu'on aura prélevée à la cuillère, dans le robot culinaire (on devrait en obtenir environ 500 ml (2 tasses)). Ajouter l'ail, qu'on aura extrait de sa peau par pression. Ajouter le

vinaigre, la cassonade, le cumin et le poivre, puis réduire en purée jusqu'à consistance homogène. Goûter et saler au besoin.

TARTINADE À LA TRUITE FUMÉE

Voici une tartinade délicieuse sur les bagels pour un déjeuner de week-end. On peut aussi en farcir des pitas miniatures et en faire des hors-d'œuvre, ou la servir en tartinade sur des rondelles de baguette, en guise d'entrée. On peut remplacer la truite par du saumon fumé ou par un poisson blanc fumé.

Donne environ 500 ml (2 tasses)

250 g	truite fumée en filets, sans arêtes, soit de 1 1/2 à 2 truites	1/2 lb
250 ml	fromage de yogourt (page 420) ou ricotta légère	1 tasse
25 ml	jus de citron	2 c. à soupe
15 ml	raifort blanc, râpé	1 c. à soupe
25 ml	aneth frais, haché	2 c. à soupe
25 ml	ciboulette fraîche ou oignons verts, hachés	2 c. à soupe
2 ml	poivre	1/2 c. à thé
	sel au goût	

1. Enlever toutes les arêtes de la truite, si possible. Découper les filets et les hacher au robot culinaire ou au couteau.
2. Incorporer le fromage de yogourt, le jus de citron et le raifort.
3. Ajouter l'aneth, la ciboulette et le poivre. Goûter et saler au besoin.

VALEUR NUTRITIONNELLE POUR 15 ML (1 C. À SOUPE)	
Calories	16
Protéines	2 g
Matières grasses	1 g
Saturées	traces
Cholestérol	2 mg
Glucides	1 g
Fibres	0 g
Sodium	63 mg
Potassium	39 mg
Bonne source :	
vitamine B12	

SALSA À LA MAROCAINE

Une de mes collègues de l'école de cuisine, Rhonda Caplan, est à l'origine de cette merveilleuse recette. Rhonda est Montréalaise et elle nous apporte plusieurs idées culinaires de cette ville où se sont établis de nombreux restaurants marocains. On peut servir cette salsa comme trempette avec des croustilles de pitas (page 62) ou avec des crudités en bâtonnets. Elle constitue également une excellente sauce à pâtes et une succulente tartinade à sandwiches. Si le temps vous presse, dispensez-vous de faire griller les poivrons rouges et de les peler.

Même si cette recette se prépare habituellement avec des tomates italiennes en boîte, des tomates fraîches, bien mûres, quand elles sont de saison, feront un effet du tonnerre !

Donne environ 1,25 l (5 tasses)

4	poivrons rouges	4
10 ml	huile d'olive	2 c. à thé
12	gousses d'ail, émincées	12
4	piments jalapeños, épépinés et hachés finement	4
1,5 kg	tomates italiennes fraîches, pelées, épépinées et hachées, ou 3 boîtes de 796 ml (28 oz) de tomates italiennes, égouttées et hachées sel au goût	3 lb

1. Couper les poivrons en deux et les épépiner. Les disposer, face coupée orientée vers le bas, sur une plaque à pâtisserie. Les saisir au four sous le gril jusqu'à ce que la peau noircisse. Laisser refroidir. Peler les poivrons et les couper en dés. Réserver.

2. Faire chauffer l'huile dans une grande poêle antiadhésive profonde. Ajouter l'ail et les piments jalapeños. Cuire à feu doux jusqu'à ce que les piments soient tendres et odorants (ne pas les faire brunir).

3. Ajouter les tomates et poursuivre la cuisson à feu moyen, en remuant fréquemment, jusqu'à ce que la préparation épaississe et que sa consistance soit celle d'une sauce, soit pendant environ 20 minutes.

4. Ajouter les poivrons réservés et saler. Poursuivre la cuisson à feu doux pendant 10 à 15 minutes, en remuant de temps à autre pour empêcher la préparation de coller. Rectifier l'assaisonnement au besoin.

VALEUR NUTRITIONNELLE POUR 15 ML (1 C. À SOUPE)

Calories	6
Protéines	traces
Matières grasses	traces
Saturées	0 g
Cholestérol	0 mg
Glucides	1 g
Fibres	traces
Sodium	1 mg
Potassium	44 mg

SAUCE POUR LES SUSHIS

Mélanger 2 ml (1 c. à thé) de wasabi avec 25 ml (2 c. à soupe) d'eau. Incorporer 50 ml (1/4 tasse) de sauce soya, 25 ml (2 c. à soupe) de vinaigre de riz et 15 ml (1 c. à soupe) de gingembre frais haché.

Donne environ 125 ml (1/2 tasse)

SUSHIS AUX CREVETTES ET AUX ASPERGES

Certains hésitent à manger des sushis, car ils n'aiment pas l'idée de manger du poisson cru. Or, le terme « sushi » fait plutôt référence au vinaigre qui en aromatise le riz, car un sushi est toujours vinaigré. Mis à part le poisson, une foule d'autres ingrédients peuvent entrer dans la composition du sushi, notamment les fruits de mer crus, le tofu et les légumes.

Voici une entrée merveilleuse à servir à l'occasion d'un repas entre amis ou d'une réception. Si vous ne pouvez trouver de crevettes géantes, prenez tout simplement des crevettes plus petites ou remplacez-les par du saumon fumé, de la chair de crabe cuite ou du tofu grillé. Les sushis qui restent après le repas peuvent être défaits, puis mangés en salade. Pour des sushis végétariens, omettez les crevettes ou remplacez-les par du tofu grillé. Pour varier, faites griller les asperges et les crevettes.

Donne 4 rouleaux ou 24 sushis

8	grosses crevettes, décortiquées, d'environ 30 g (1 oz) chacune	8
8	pointes d'asperges, parées et pelées	8
50 ml	moutarde au miel ou 20 ml (4 c. à thé) de wasabi préparé	1/4 tasse
50 ml	fromage de yogourt (page 420) ou de mayonnaise légère	1/4 tasse
4	feuilles de nori, rôties, d'environ 20 cm x 18 cm (8 po x 7 po)	4
1 l	riz à sushi, à grains courts, cuit et assaisonné de vinaigre de riz (page 67)	4 tasses
8	feuilles de laitue d'environ 10 cm x 2,5 cm (4 po x 1 po)	8
8	brins de ciboulette fraîche ou segments d'oignon vert	8

1. Embrocher les crevettes dans le sens de la longueur pour les maintenir bien droites. Cuire les crevettes à l'eau frémissante dans une casserole profonde pendant 3 à 4 minutes, ou jusqu'à ce qu'elles soient roses, opaques et à point. Laisser tiédir. Retirer des brochettes.
2. Cuire les asperges à l'eau bouillante dans une autre casserole pendant 2 à 3 minutes, ou jusqu'à ce qu'elles soient *al dente* et d'un vert brillant. Égoutter, rincer à l'eau très froide et éponger.
3. Couper les pointes d'asperges de la même longueur que les feuilles de nori ; si les crevettes ne sont pas assez longues, les couper en deux dans le sens de la longueur et les mettre bout à bout.
4. Dans un petit bol, mélanger la moutarde (ou le wasabi) et le fromage de yogourt. Rectifier la quantité de moutarde ou de wasabi au goût.
5. Pour rouler un sushi, disposer une feuille de nori sur un tapis de bambou (*sudari*) ou sur un linge. Le côté irrégulier de l'algue doit être orienté vers le haut pour que le riz adhère bien. En tapotant délicatement, étendre 250 ml (1 tasse) de riz sur chaque feuille de nori, en laissant une marge libre d'environ 1 cm (1/2 po) au sommet. Si le riz est trop collant, tremper les doigts dans un peu d'eau froide.

VALEUR NUTRITIONNELLE PAR SUSHI	
Calories	62
Protéines	3 g
Matières grasses	0 g
Saturées	0 g
Cholestérol	15 mg
Glucides	12 g
Fibres	0 g
Sodium	67 mg
Potassium	54 mg

L'ALGUE NORI
Elizabeth Andoh, une chef japonaise, décrit le nori comme une algue marine compactée et séchée en feuille. Essayez de trouver la variété grillée qui en vaut bien le coût. Conservez la nori non utilisée au réfrigérateur.

LE VINAIGRE DE RIZ
Le vinaigre de riz est très doux. Souvent, j'en arrose les salades sans ajouter la moindre goutte d'huile. Si vous ne disposez pas de vinaigre de riz, remplacez-le par du vinaigre de cidre, dont le goût sera un peu plus acide.

Vous pouvez également choisir du vinaigre de riz assaisonné (sushi su) qui contient du sel et du sucre. C'est le vinaigre utilisé pour parfumer le riz des sushis, mais il est également délicieux avec les salades. Si vous ne trouvez pas de sushi su, employez le vinaigre de riz ordinaire en y ajoutant, ou non, un peu de sel et de sucre.

6. Au centre du lit de riz, étendre un peu de mélange à base de moutarde. Déposer un morceau de laitue sur la moutarde et placer deux crevettes bout à bout, une asperge et 2 tiges de ciboulette. Humecter la marge laissée libre et, à l'aide du tapis ou du linge, rouler le sushi. Sceller le rouleau en collant la marge humectée sur l'autre extrémité du rouleau. Procéder de même avec le reste des ingrédients de manière à obtenir 4 cylindres. Si on n'a pas l'intention de servir les sushis immédiatement, protéger les rouleaux avec une pellicule de plastique.

7. Avant de servir, couper ce qui dépasse aux extrémités de chaque rouleau à l'aide d'un couteau trempé dans l'eau froide (voir les suggestions de présentation). Couper chaque rouleau en deux, puis chaque moitié en trois. Tremper le couteau dans l'eau chaque fois ou l'humecter à l'aide d'un linge humide.

Sushis à la mode tex-mex

Mélanger 5 ml (1 c. à thé) de purée de piment chipolte (page 206) avec 75 ml (1/3 tasse)de fromage de yogourt (page 420) ou de mayonnaise et 25 ml (2 c. à soupe) de coriandre fraîche hachée. Étendre sur le riz, pour remplacer le mélange à base de moutarde et de yogourt.

Sushis au saumon fumé

Remplacer les crevettes par 90 g (3 oz) de saumon fumé. Remplacer les asperges par 1/4 de concombre anglais non pelé et coupé en lanières de 20 cm (8 po) de longueur. Ajouter 8 longs brins d'aneth frais en plus des brins de ciboulette.

SUSHIS DE SAUMON FUMÉ

Une variation sur le thème des sushis frits servis dans les restaurants, à ceci près qu'ils ne sont pas frits, mais moulés. Ces sushis sont très faciles à faire. On peut les préparer dans des moules ronds individuels ou en se servant de boîtes vides de thon ou de saumon, dont on a retiré le couvercle et le fond.

Le caviar de poisson volant et le wasabi viendront ajouter une touche d'élégance à vos sushis.

Donne de 36 à 64 sushis

500 ml	riz japonais de préférence, à grains courts	2 tasses
550 ml	eau froide	2 1/4 tasses
50 ml	vinaigre de riz aromatisé	1/4 tasse

36	fines tranches de concombre anglais	36
125 g	saumon fumé, en fines tranches	1/4 lb
25 ml	moutarde au miel	2 c. à soupe
	ou 15 ml (1 c. à soupe) de wasabi	
50 ml	mayonnaise légère ou fromage de yogourt (page 420)	1/4 tasse
1	feuille de nori, rôtie, d'environ 20 cm x 18 cm (8 po x 7 po)	1
50 ml	ciboulette ou oignons verts, hachés	1/4 tasse
15 ml	graines de sésame, grillées	1 c. à soupe

1. Rincer le riz à l'eau froide jusqu'à ce que celle-ci en ressorte limpide. Verser le riz et l'eau froide dans une casserole à fond épais. Bien couvrir et laisser reposer de 15 à 30 minutes.

2. Couvrir et porter à ébullition à feu moyen-vif ; laisser bouillir 1 minute. Réduire le feu et cuire pendant 10 minutes. Laisser reposer 10 minutes supplémentaires hors du feu. Ne pas lever le couvercle durant la cuisson et durant le temps de repos.

3. Déposer le riz cuit dans un bol et l'arroser avec le vinaigre. Goûter pour vérifier si l'assaisonnement est à point, et ajouter un peu de vinaigre parce que celui-ci se dissipe au fur et à mesure que le riz refroidit. Couvrir le riz avec un linge humide si vous ne l'utilisez pas immédiatement.

4. Tapisser un moule carré de 1,5 l (6 tasses) (20 cm x 20 cm/8 po x 8 po) d'une pellicule plastique. Couvrir le fond avec les tranches de concombre (elles se chevaucheront légèrement). Couvrir d'une couche de saumon fumé. Mélanger la moutarde et la mayonnaise et étendre cette préparation sur la couche de saumon.

5. Étendre avec soin la moitié du riz sur le saumon. Se tremper les doigts dans un bol d'eau et presser le riz. Déposer la feuille de nori sur le riz, puis le reste du riz sur la feuille de nori et presser. Déposer des boîtes de conserve ou une brique recouverte de papier d'aluminium sur le dessus. Laisser reposer à la température ambiante pendant 15 à 30 minutes ou réfrigérer.

6. Au moment de servir, retirer la pellicule plastique et démouler sur un plat de service. Garnir avec la ciboulette et les graines de sésame. Couper en carrés.

LE WASABI
Le wasabi est une sorte de raifort vert employé en cuisine japonaise. On s'en sert habituellement pour donner du piquant aux sushis. Vous le trouverez dans les épiceries sous forme de pâte en tube ou en petite boîte de conserve. Si vous disposez de wasabi en poudre, versez une quantité dans un petit bol et délayez-la avec de l'eau jusqu'à l'obtention d'une pâte. Couvrez-la et laissez-la reposer 2 ou 3 minutes.

VALEUR NUTRITIONNELLE PAR MORCEAU

Calories	187
Protéines	5 g
Matières grasses	5 g
Saturées	1 g
Cholestérol	5 mg
Glucides	29 g
Fibres	1 g
Sodium	207 mg
Potassium	90 mg

Excellente source : acide folique
Bonne source : vitamine B12

BRUSCHETTA AUX TOMATES ET À L'AIL RÔTI

Même les fades tomates hivernales retrouvent fraîcheur et saveur lorsqu'elles sont rôties. Mariées avec de l'ail et des fines herbes, elles donnent une garniture magnifique.

Les bruschettas sont délicieuses en hors-d'œuvre ou servies avec une salade ou une soupe. La préparation aux tomates est succulente dans les omelettes, les crêpes et les sandwiches, et comme sauce pour les pâtes, la pizza ou le poisson grillé.

Donne 20 bouchées

Garniture de tomates rôties

8	tomates italiennes mûres, coupées en quatre, dans le sens de la longueur, soit environ 750 g (1 1/2 lb)	8
15 ml	huile d'olive	1 c. à soupe
2 ml	sel	1/2 c. à thé
1 ml	poivre	1/4 c. à thé
2	bulbes d'ail	2
25 ml	basilic frais, haché	2 c. à soupe
25 ml	menthe fraîche ou basilic frais, hachés	2 c. à soupe
25 ml	vinaigre balsamique	2 c. à soupe

Pain grillé

20	tranches de pain de blé entier ou de baguette	20
15 ml	huile d'olive	1 c. à soupe
15 ml	romarin frais, haché, ou 2 ml (1/2 c. à thé) de romarin séché	1 c. à soupe
1 ml	sel	1/4 c. à thé
1 ml	poivre	1/4 c. à thé

VALEUR NUTRITIONNELLE PAR BOUCHÉE	
Calories	69
Protéines	2 g
Matières grasses	2 g
Saturées	0 g
Cholestérol	0 mg
Glucides	11 g
Fibres	1 g
Sodium	172 mg
Potassium	148 mg

1. Déposer les quartiers de tomate, la face coupée vers le haut, sur une plaque à pâtisserie tapissée de papier sulfurisé. Vaporiser ou arroser d'huile d'olive. Saupoudrer de sel et de poivre.

2. Trancher au couteau le quart supérieur de toutes les gousses d'ail (l'extrémité pointue). Retirer toute la peau qui se détache facilement et envelopper les bulbes dans du papier d'aluminium.

3. Faire rôtir les tomates et l'ail (page 80) dans un four préchauffé à 200 °C (400 °F) pendant 40 à 50 minutes, ou jusqu'à ce que la pulpe de l'ail sorte facilement de son enveloppe, que les tomates aient séché un peu et qu'elles soient légèrement dorées en surface. Laisser tiédir.

4. Hacher grossièrement les tomates et mettre dans un bol de taille moyenne. Extraire la pulpe des gousses en exerçant une pression, et ajouter aux tomates. Incorporer le basilic, la menthe et le vinaigre. Bien mélanger. Rectifier l'assaisonnement au besoin.

5. Disposer les tranches de pain sur la plaque à pâtisserie. Badigeonner d'huile d'olive. Saupoudrer de romarin, de sel et de poivre. Faire rôtir sur le gril ou sous l'élément de grillage du four pendant 1 minute de chaque côté, ou jusqu'à ce que l'extérieur soit croustillant mais que le centre soit encore mou.

6. Garnir chaque tranche d'une cuillerée de garniture avant de servir.

BRUSCHETTA À LA SALSA

Bien qu'un grand nombre de salsas commerciales soient maintenant vendues sur le marché, je préfère celles qui sont préparées avec des ingrédients frais et non transformés. Cette variante maison est facile à réaliser et représente un parfait exemple de ce que devrait être une salsa.

Donne 16 bouchées

Salsa

1	poivron rouge grillé (page 165), pelé, épépiné et coupé en dés	1
1	tomate, épépinée et coupée en dés	1
125 ml	basilic frais, haché	1/2 tasse
25 ml	olives noires, hachées	2 c. à soupe
15 ml	huile d'olive	1 c. à soupe
15 ml	vinaigre balsamique	1 c. à soupe
1	gousse d'ail, émincée	1
1 ml	poivre	1/4 c. à thé
	sel au goût	

Pain grillé

15 ml	huile d'olive	1 c. à soupe
5 ml	romarin frais, haché, ou	1 c. à thé
	1 ml (1/4 c. à thé) de romarin séché	
1 ml	poivre	1/4 c. à thé
	une pincée de sel	
16	tranches de pain de blé entier ou de baguette	16

1. Mélanger le poivron rouge et la tomate. Tout en brassant, ajouter le basilic, les olives, l'huile, le vinaigre, l'ail, le poivre et le sel. Laisser

VALEUR NUTRITIONNELLE PAR DEMI-BOUCHÉE	
Calories	57
Protéines	2 g
Matières grasses	2 g
Saturées	traces
Cholestérol	0 mg
Glucides	9 g
Fibres	1g
Sodium	92 mg
Potassium	47 mg

mariner pendant au moins 10 minutes. Rectifier l'assaisonnement au besoin.

2. Dans un petit bol, mélanger l'huile d'olive, le romarin, le poivre et le sel. Badigeonner un côté du pain avec ce mélange.

3. Griller les tranches de pain environ 1 minute de chaque côté, ou jusqu'à ce que l'extérieur soit croustillant, mais que le centre soit encore moelleux.

4. Tartiner le pain de salsa (du côté des fines herbes) et servir.

BRUSCHETTA AUX POIS CHICHES

La bruschetta est tellement populaire qu'il existe maintenant des restaurants en Italie qui en font une spécialité. En voici une version délicieuse facile à réaliser. Passez les restes dans des sandwiches ou diluez-les avec du bouillon ou du yogourt pour en faire une trempette.

Donne 26 bouchées

25 ml	huile d'olive, en deux portions	2 c. à soupe
1	petit oignon, haché	1
3	gousses d'ail, hachées finement	3
1	pincée de flocons de piment fort	1
1	boîte de 540 ml (19 oz) de pois chiches, rincés et égouttés, ou 500 ml (2 tasses) de pois chiches cuits	1
15 ml	jus de citron	1 c. à soupe
25 ml	persil frais, haché	2 c. à soupe
5 ml	romarin frais, haché ou 1 ml (1/4 c. à thé) de romarin séché	1 c. à thé
5 ml	thym frais, haché ou 1 ml (1/4 c. à thé) de thym séché	1 c. à thé
2 ml	poivre	1/2 c. à thé
125 ml	bouillon de légumes maison (page 127), ou eau	1/2 tasse
26	tranches de pain de blé entier ou de baguette	

1. Chauffer 15 ml (1 c. à soupe) d'huile à feu moyen-vif, dans une grande poêle. Y faire revenir l'oignon, l'ail et les flocons de piment. Laisser cuire quelques minutes, jusqu'à ce que les oignons soient tendres.

2. Ajouter les pois chiches, le jus de citron, le persil, le romarin, le thym et le poivre. Laisser cuire quelques minutes. Ajouter le bouillon et porter à ébullition.

3. Réduire le mélange à base de pois chiches au moulin à légumes jusqu'à en faire une pâte tartinable et non une purée lisse. Goûter et rectifier l'assaisonnement au besoin.

4. Badigeonner les tranches de pain d'un seul côté avec le reste d'huile (15 ml [1 c. à soupe]). Griller les tranches de pain environ 1 minute de chaque côté, ou jusqu'à ce que l'extérieur soit croustillant, mais que le centre soit encore moelleux. Tartiner la face huilée des tranches avec environ 15 ml (1 c. à soupe) de la préparation.

BRUSCHETTA DE CHAMPIGNONS SAUVAGES AVEC FROMAGE DE CHÈVRE

Si vous ne pouvez trouver de champignons sauvages (page 322) ou s'ils coûtent trop cher, prenez tout simplement des champignons de couche ordinaires, des oignons caramélisés (page 361) ou de la salsa.

Donne 20 bouchées

10 ml	huile d'olive	2 c. à thé
2	échalotes ou 1 petit oignon, émincés	2
2	gousses d'ail, hachées finement	2
500 g	champignons portobellos ou champignons sauvages, brossés et coupés en tranches	1 lb
10 ml	thym frais, haché, ou 2 ml (1/2 c. à thé) de thym séché	2 c. à thé
5 ml	poivre, divisé en deux portions sel au goût	1 c. à thé
25 ml	persil frais, haché	2 c. à soupe
90 g	fromage de chèvre non affiné ou ricotta légère	3 oz
25 ml	fromage de yogourt (page 420) ou ricotta légère, bien égouttée	2 c. à soupe
1	gousse d'ail, émincée	1
20	tranches de pain de blé ou de baguette	20
20	petites feuilles de basilic ou brins de persil frais	20

1. Chauffer l'huile d'olive dans une grande poêle antiadhésive profonde. Y cuire les échalotes et l'ail haché, à feu doux, pendant 2 minutes.

VALEUR NUTRITIONNELLE PAR BOUCHÉE	
Calories	49
Protéines	2 g
Matières grasses	2 g
Saturées	1 g
Cholestérol	3 mg
Glucides	6 g
Fibres	2 g
Sodium	77 mg
Potassium	100 mg

2. Ajouter les champignons, le thym et 2 ml (1/2 c. à thé) de poivre. Quand les champignons commencent à suer, augmenter le feu et cuire jusqu'à ce que le liquide soit évaporé et que les champignons soient à point, soit pendant 5 à 10 minutes. Goûter et saler. Incorporer le persil.

3. Dans un bol ou au robot culinaire, mélanger le fromage de chèvre, le fromage de yogourt, l'ail émincé et 2 ml (1/2 c. à thé) de poivre. Ajouter encore un peu de fromage de yogourt au besoin pour rendre la préparation plus onctueuse. On devrait obtenir environ 125 ml (1/2 tasse) de tartinade.

4. Faire griller le pain légèrement des deux côtés pour qu'il soit croustillant à l'extérieur, mais encore tendre à l'intérieur. Tartiner 5 ml (1 c. à thé) de la préparation sur chaque tranche de pain. Garnir de champignons et de basilic.

BRUSCHETTA À LA RICOTTA

Vous pouvez varier en servant cette garniture à la ricotta sur des craquelins, dans les sandwiches, ou encore pour farcir des légumes ou de petits pains pitas. On peut également la servir sur des tranches de concombre, de courgette, de pomme, de poire, de radis ou de poivron. Pour une saveur légèrement fumée, faites griller le pain sur le barbecue.

Pour ma part, je préfère la ricotta très ferme ; si la vôtre est très onctueuse, il est préférable de l'égoutter. Déposez-la dans une passoire pendant quelques heures ou toute la nuit au réfrigérateur.

Quant à la menthe, mon mari la déteste dans les plats salés, moi je l'adore. À vous de choisir.

Donne environ 24 bouchées

24	tranches de pain de blé entier ou de baguette	24
500 g	ricotta légère	1 lb
25 ml	persil frais, haché	2 c. à soupe
25 ml	ciboulette fraîche ou oignons verts, hachés	2 c. à soupe
25 ml	basilic ou aneth frais, hachés	2 c. à soupe
15 ml	menthe fraîche, hachée, ou 1 ml (1/4 c. à thé) de menthe séchée	1 c. à soupe
2 ml	poivre	1/2 c. à thé
2	gousses d'ail, émincées	2
1 ml	flocons de piment fort	1/4 c. à thé

25 ml	huile d'olive (facultatif)	2 c. à soupe
	sel au goût	

1. Griller les tranches de pain environ 1 minute de chaque côté, ou jusqu'à ce que l'extérieur soit croustillant mais que le centre soit encore moelleux.

2. Dans un bol, mélanger la ricotta, le persil, la ciboulette, le basilic, la menthe et le poivre. Incorporer l'ail, les flocons de piment fort et l'huile. Goûter et rectifier l'assaisonnement au besoin.

3. Tartiner chaque tranche de pain d'environ 20 ml (4 c. à thé) de mélange de ricotta.

VALEUR NUTRITIONNELLE PAR BOUCHÉE	
Calories	57
Protéines	3 g
Matières grasses	2 g
Saturées	1 g
Cholestérol	6 mg
Glucides	8 g
Fibres	traces
Sodium	96 mg
Potassium	40 mg

TARTELETTES AUX ASPERGES ET AU FROMAGE DE CHÈVRE

C'est au Buffalo Mountain Lodge, à Banff, que j'ai puisé l'inspiration pour ces tartelettes fantaisistes. Elles feront une entrée magnifique dans le cadre d'un repas de réception. Vous pouvez aussi les garnir d'oignons caramélisés (page 56) avec du gorgonzola, ou de champignons sautés et de purée de pommes de terre.

J'utilise de la chapelure panko (chapelure japonaise) dans les recettes avec de la pâte filo ; j'obtiens ainsi un résultat bien croustillant.

Donne 8 portions
Coupes de pâte filo

45 ml	beurre non salé, fondu, ou huile d'olive	3 c. à soupe
45 ml	eau	3 c. à soupe
8	feuilles de pâte filo	8
125 ml	chapelure sèche, grossière	1/2 tasse

Garniture

500 g	asperges	1 lb
10 ml	huile d'olive	2 c. à thé
2	poireaux, parés et coupés en tranches	2
3	échalotes ou 1 petit oignon, hachés finement	3
2	gousses d'ail, hachées finement	2
15 ml	thym frais, haché, ou 2 ml (1/2 c. à thé) de thym séché	1 c. à soupe
5 ml	romarin frais, haché ou	1 c. à thé

une pincée de romarin séché
sel et poivre au goût

90 g	fromage de chèvre non affiné, émietté	3 oz
1	botte de ciboulette fraîche ou d'oignons verts, coupés et émincés dans le sens de la longueur, en tronçons de 10 cm (4 po)	1 botte

1. Pour préparer les coupes de pâte filo, mélanger le beurre et l'eau dans un petit bol.

2. En prenant une seule feuille de pâte filo à la fois (recouvrir les autres d'une pellicule de plastique ou d'un linge propre humide), badigeonner la pâte de beurre et la saupoudrer de chapelure. La découper en six. Déposer les carrés les uns sur les autres, à angle irrégulier, et les enfoncer dans un moule à muffin en laissant dépasser les bords. Répéter avec les autres feuilles de pâte filo.

3. Pour préparer la garniture, parer les asperges et en peler environ 5 cm (2 po) à la base de la tige. Dans une grande poêle remplie d'eau bouillante, faire cuire les asperges pendant 3 à 4 minutes. Couper la pointe des asperges sur une longueur de 5 cm (2 po), puis réserver. Couper les tiges en tronçons de 1 cm (1/2 po).

4. Chauffer l'huile dans une grande poêle antiadhésive profonde. Ajouter les poireaux, les échalotes et l'ail. Cuire à feu doux jusqu'à ce qu'ils soient très tendres (ajouter quelques cuillerées d'eau s'ils commencent à coller). Ajouter les tiges d'asperge, le thym et le romarin. Goûter et ajuster l'assaisonnement, en ajoutant le sel et le poivre, au besoin.

5. Partager la préparation entre les coquilles de pâte filo. Garnir de fromage. Disposer les pointes d'asperges de manière qu'elles émergent de la garniture.

6. Cuire dans un four préchauffé à 190 °C (375 °F) jusqu'à ce que la pâte soit dorée, soit pendant environ 20 minutes. Parsemer la garniture de ciboulette.

Les coupes à dessert en pâte filo

Pour confectionner les coupes, badigeonner les feuilles de pâte filo de beurre fondu, ou d'une huile végétale au goût neutre, et les saupoudrer de sucre cristallisé blanc au lieu de chapelure. Cuire les coupes à vide au four pour les rendre sèches et croustillantes, pendant 15 à 18 minutes. Laisser refroidir et démouler. Remplir les coupes de sorbet aux fruits et garnir de petits fruits frais. Il est aussi intéressant de les

VALEUR NUTRITIONNELLE PAR PORTION

Calories	197
Protéines	6 g
Matières grasses	9 g
Saturées	4 g
Cholestérol	19 mg
Glucides	24 g
Fibres	2 g
Sodium	253 mg
Potassium	154 mg

Excellente source :
acide folique

remplir de fruits caramélisés ou de compote. Saupoudrer le dessert de sucre à glacer avant de servir.

LA PÂTE FILO

- Si votre pâte filo est congelée, faites-la décongeler pendant la nuit au réfrigérateur et laissez l'emballage environ 1 heure à la température ambiante avant d'utiliser la pâte.
- Soyez organisé. Placez vos garnitures et tout l'équipement requis à portée de la main. Aménagez-vous le plus grand espace de travail possible.
- Une fois l'emballage ouvert, couvrez les feuilles dont vous ne vous servez pas d'une grande pellicule de plastique recouverte d'un linge humide (pour garder la pellicule en place).
- Allongez votre beurre d'eau. Ainsi, vous en ferez plus avec la même quantité. Pour réduire les matières grasses, vous pouvez aussi badigeonner les pâtisseries de blanc d'œuf au lieu de beurre ou d'huile.
- Servez-vous d'un large pinceau à pâtisserie pour badigeonner les feuilles d'huile ou de beurre.
- Saupoudrez les feuilles de pâte filo de chapelure, de sucre ou de noix moulues pour obtenir une texture et une saveur plus intéressantes.
- Les feuilles non utilisées se conserveront quelques semaines au réfrigérateur. Vous pouvez aussi les recongeler si vous prenez soin de bien les envelopper.
- Les pâtisseries faites avec de la pâte filo se prêtent très bien à la congélation, que ce soit avant ou après la cuisson. Congelez les petites pâtisseries côte à côte sur une tôle tapissée d'une pellicule de plastique, puis placez-les dans des sacs.

BOUCHÉES DE TORTILLAS AU SAUMON FUMÉ

Un hors-d'œuvre parfait pour un repas en plein air. On peut également servir les tortillas entières, à l'heure du lunch. Les personnes qui souffrent d'intolérance au lactose pourront remplacer le fromage à la crème par du fromage de soya à la crème.

Préparer les tortillas à l'avance et les couper au moment de servir.

Les tortillas de farine entière avec des graines de lin sont excellentes pour cette recette.

Donne 32 bouchées

250 g	fromage cottage léger ou fromage à la crème	1/2 lb

25 ml	moutarde au miel	2 c. à soupe
4	tortillas de blé entier ou ordinaires	4
250 g	saumon fumé, en tranches minces	1/2 lb
25 ml	aneth frais, haché	2 c. à soupe
25 ml	ciboulette fraîche ou oignons verts, hachés	2 c. à soupe
1 ml	poivre	1/4 c. à thé
4	feuilles de laitue Boston	4

1. Au robot culinaire, mélanger le fromage cottage et la moutarde jusqu'à consistance lisse.

2. Déposer les tortillas sur une surface plane et les tartiner de fromage à la crème.

3. Disposer le saumon fumé sur le fromage. (Laisser environ 2,5 cm [1 po] de saumon non garni dans la partie supérieure de chaque tortilla, de façon que les rouleaux soient bien scellés par le fromage.) Parsemer d'aneth, de ciboulette et de poivre, et déposer une feuille de laitue au milieu des tortillas.

4. Rouler les tortillas bien serré et les sceller en pressant fermement à l'endroit où les tortillas se rejoignent. Bien envelopper et réfrigérer jusqu'au moment de servir.

5. Pour les trancher, développer les tortillas, couper les deux extrémités, puis couper chacun des rouleaux légèrement en diagonale, en 8 tranches. Déposer sur un plat de service.

VALEUR NUTRITIONNELLE PAR BOUCHÉE	
Calories	61
Protéines	3 g
Matières grasses	3 g
Saturées	1 g
Cholestérol	7 mg
Glucides	6 g
Fibres	1 g
Sodium	157 mg
Potassium	50 mg

SATAYS DE THON GRILLÉ ET SAUCE À LA MANGUE

Un hors-d'œuvre relevé et délicieux. Je préfère le thon saignant, mais rien ne vous empêche de le cuire davantage. La sauce à la mangue est excellente avec les beignets (dumplings) (page 85) et les rouleaux de printemps aux crevettes (page 83).

Donne 32 brochettes

500 g	thon en darne de 2,5 cm (1 po) d'épaisseur	1 lb
5 ml	huile de sésame grillé	1 c. à thé
15 ml	wasabi en poudre (page 68)	1 c. à soupe
5 ml	poivre noir, grossièrement moulu	1 c. à thé
2 ml	gros sel	1/2 c. à thé
50 ml	gingembre mariné, coupé en fines tranches	1/4 tasse
500 ml	cresson ou légume-feuille de votre choix	2 tasses

Sauce à la mangue

1/2	mangue mûre, pelée	1/2
25 ml	sauce thaïlandaise aigre-douce (page 109)	2 c. à soupe

1. Assécher le thon dans un linge propre et le couper en 4 « bâtonnets » de 12 à 15 cm (5 à 6 po) de longueur. Enrober les morceaux de thon d'huile de sésame.

2. Dans un petit bol, mélanger le wasabi en poudre, le poivre et le sel. Bien enrober les morceaux de thon avec la préparation.

3. Griller le thon à feu très fort sur le barbecue ou dans une poêle striée. Faire dorer les bâtonnets de tous les côtés en prenant soin de ne pas trop les cuire : ils doivent rester saignants au centre (de 2 à 4 minutes).

4. Pour préparer la sauce à la mangue, couper la mangue. La réduire en purée, au robot culinaire, avec la sauce thaïlandaise. Goûter, rectifier l'assaisonnement, ajouter de la sauce thaïlandaise au besoin. Déposer dans un petit bol de service. Vous devriez obtenir environ 125 ml (1/2 tasse) de sauce.

5. Au moment de servir, couper chaque bâtonnet en 8 tranches, sur le sens de la longueur. Enfiler chaque tranche sur un long cure-dent ou sur une brochette avec une tranche de gingembre et des feuilles de cresson. Déposer les brochettes sur un lit de cresson. Servir avec la sauce à la mangue.

VALEUR NUTRITIONNELLE PAR BROCHETTE	
Calories	27
Protéines	3 g
Matières grasses	1 g
Saturées	traces
Cholestérol	5 mg
Glucides	1 g
Fibres	traces
Sodium	77 mg
Potassium	64 mg
Excellente source : vitamine B12	

CRÊPES DE MAÏS AVEC SALSA

Ces crêpes sont très moelleuses, et leur saveur est si douce qu'une garniture relevée est idéale. On peut aussi les accompagner de guacamole (page 58), d'ail rôti, d'une tartinade au fromage de chèvre ou de hoummos (page 45). Vous pouvez également remplacer le maïs en grains et les poivrons de la recette par de la courgette ou du fenouil cuit et coupé en dés. S'il reste des crêpes, passez-les en salade ou dans une soupe, après les avoir tranchées.

Les crêpes nature font un excellent accompagnement. Rien ne vous empêche de faire de toutes petites crêpes avec 5 ml (1 c. à thé de pâte ou des plus grandes, que vous servirez à l'heure du brunch avec du fromage de yogourt (page 420) et du saumon fumé.

Donne environ 24 crêpes

Crêpes de maïs

3	œufs	3
250 ml	babeurre ou lait sur (page 436)	1 tasse
250 ml	farine tout usage	1 tasse
125 ml	semoule de maïs	1/2 tasse
25 ml	sucre cristallisé blanc	2 c. à soupe
5 ml	bicarbonate de soude	1 c. à thé
2 ml	cumin moulu	1/2 c. à thé
2 ml	sel	1/2 c. à thé
2 ml	poivre	1/2 c. à thé
15 ml	huile végétale	1 c. à soupe
175 ml	maïs en grains	3/4 tasse
50 ml	poivron rouge grillé (page 165), coupé en dés	1/4 tasse

Salsa piquante aux tomates

3	tomates italiennes mûres, épépinées et hachées	3
1	piment jalapeño, épépiné et haché finement, ou 15 ml (1 c. à soupe) de purée de piment chipolte (page 206)	1
1	gousse d'ail, émincée	1
15 ml	huile d'olive	1 c. à soupe
15 ml	jus de lime	1 c. à soupe
50 ml	coriandre fraîche, hachée	1/4 tasse
25 ml	ciboulette fraîche, hachée	2 c. à soupe
	sel et poivre au goût	

VALEUR NUTRITIONNELLE PAR CRÊPE ACCOMPAGNÉE DE 15 ML (1 C. À SOUPE) DE SALSA	
Calories	64
Protéines	2 g
Matières grasses	2 g
Saturées	0 g
Cholestérol	27 mg
Glucides	9 g
Fibres	1 g
Sodium	116 mg
Potassium	63 mg

1. Mélanger les œufs et le babeurre dans un grand bol.

2. Dans un autre bol, bien mélanger la farine, la semoule de maïs, le sucre, le bicarbonate de soude, le cumin, le sel et le poivre.

3. En fouettant, incorporer les ingrédients secs dans le mélange à base d'œuf. En remuant, incorporer l'huile, le maïs et le poivron rouge.

4. Chauffer à feu moyen-vif une grande poêle antiadhésive badigeonnée d'huile végétale. Y verser de la pâte, utiliser 25 ml (2 c. à soupe) de pâte par crêpe, chacune devant avoir 5 cm (2 po) de diamètre. Cuire jusqu'à ce que la surface de la crêpe perde son luisant. Retourner. Dès que l'autre côté de la crêpe est cuit, retirer de la poêle. Procéder de même avec la totalité du mélange à crêpes (disposer les crêpes côte à côte dans une assiette de service).

5. Pour réaliser la salsa, mélanger les tomates, le piment chipolte, l'ail, l'huile d'olive, le jus de lime, la coriandre, la ciboulette, le sel et le poivre dans un petit bol. Goûter et rectifier l'assaisonnement au besoin. Garnir chaque crêpe d'un peu de salsa.

Crêpes de maïs pour le petit-déjeuner

Omettre le poivron rouge et le cumin dans la pâte. Servir les crêpes avec du sirop d'érable pour remplacer la salsa.

L'AIL

Quand j'utilise de l'ail dans un plat non cuit, comme dans une vinaigrette, une sauce à salade, une tartinade ou une trempette, j'aime bien l'émincer ou le presser, de sorte que la préparation ne contienne pas de gros morceaux d'ail cru. Lorsqu'on le fait sauter, l'ail émincé risque de brunir, ce qui lui confère une saveur amère.

C'est pourquoi il est préférable de faire sauter les autres ingrédients d'abord, afin qu'ils absorbent le plus gros de la chaleur, et d'ajouter l'ail une fois que la poêle est légèrement refroidie. Si vous faites sauter l'ail dans une toute petite quantité d'huile, réduisez le feu et tenter de couvrir la poêle. Si, malgré tout, l'ail commence à brunir, ajoutez quelques cuillerées d'eau froide dans la poêle et réduisez le feu. Laissez ensuite cuire à découvert, jusqu'à ce que l'eau soit complètement évaporée.

Soyez prudent avec l'ail cru, car c'est un condiment très puissant. Vous pouvez vous permettre d'être beaucoup plus généreux avec l'ail cuit, puisqu'il perd de sa force en cuisant. Pour un goût d'ail plus prononcé, ajoutez-le à vos soupes ou à vos ragoût en fin de cuisson.

L'AIL RÔTI

L'ail rôti confère une saveur exquise aux plats, et il épaissit les sauces, les trempettes, les vinaigrettes et les soupes sans fournir d'apport en matières grasses. Vous pouvez mettre de l'ail rôti dans les soupes, les salades, les vinaigrettes, les sauces destinées à accompagner les pâtes, les pommes de terre en purée, le riz et les accompagnements à base de légumes. Vous pouvez aussi le tartiner sur du pain grillé avec du fromage de chèvre (une recette simple qui a contribué à la popularité de l'ail rôti).

Pour faire rôtir l'ail, tranchez au couteau le quart supérieur de toutes les gousses (l'extrémité pointue). Enlevez la peau de l'ail qui se détache facilement. Enveloppez le bulbe de papier d'aluminium et faites cuire au four chauffé à 200 °C (400 °F) pendant 40 à 45 minutes, ou jusqu'à ce qu'il soit tendre. Une fois le bulbe refroidi, extraire la pulpe de l'enveloppe en pressant délicatement au-dessus d'un bol.

L'ail rôti se conserve quelques semaines au réfrigérateur ; vous pouvez donc le préparer à l'avance.

CREVETTES GRILLÉES
À LA FAÇON MARTINI

Un hors-d'œuvre très élégant servi dans un verre à martini. Sa texture
et son goût raviront votre palais. Voici une recette qui ne demande
que peu de crevettes.

Déposez-les sur un lit de laitue Boston et servez-les à l'heure du
lunch ou à l'occasion d'un brunch.

Donne de 6 à 8 portions

500 g	crevettes, lavées	1 lb
15 ml	huile d'olive	1 c. à soupe
5 ml	sel, divisé en deux portions	1 c. à thé
2	épis de maïs, épluchés	2
1	petit oignon rouge, coupé en rondelles de 5 mm (1/4 po) d'épaisseur	1
1	poivron rouge, épépiné et coupé en deux	1
1	piment jalapeño, épépiné et coupé en dés	1
75 ml	feuilles de coriandre fraîches, hachées	1/3 tasse
1/2	avocat mûr, coupé en dés (page 59)	1/2
45 ml	jus de citron vert	3 c. à soupe
1	gousse d'ail, émincée	1
2 ml	cumin moulu	1/2 c. à thé
7 ml	purée de piment chipolte (page 206)	1 1/2 c. à thé
25 ml	tequila (facultatif)	2 c. à soupe
250 ml	tortillas de blé ou ordinaires, cuites au four et brisées en morceaux grossiers (page 62)	1 tasse

1. Assécher les crevettes dans un linge propre, les enduire d'huile et
de 2 ml (1/2 c. à thé) de sel. Les faire griller quelques minutes de
chaque côté, jusqu'à ce que leur chair soit rose et qu'elles se mettent
en boucle. Les couper en morceaux de 1 cm (1/2 po) et les déposer
dans un grand bol.

2. Faire griller les épis de maïs, de tous les côtés, jusqu'à ce qu'ils
soient légèrement dorés. Égrainer les épis (page 365), puis déposer le
maïs dans le bol de crevettes.

3. Faire griller les tranches d'oignons quelques minutes de chaque
côté. Faire griller ensuite les morceaux de poivron (la peau en contact
avec la surface chaude), jusqu'à ce qu'ils noircissent, et les peler.
Couper l'oignon et le poivron en dés et les ajouter aux crevettes, avec
le piment jalapeño, la coriandre et l'avocat.

VALEUR
NUTRITIONNELLE
PAR PORTION

Calories	204
Protéines	15 g
Matières grasses	7 g
Saturées	1 g
Cholestérol	112 mg
Glucides	21 g
Fibres	4 g
Sodium	371 mg
Potassium	434 mg

Excellente source :
niacine ; vitamine B12 ;
vitamine C

Bonne source :
vitamine B6 ;
acide folique ; fer

4. Dans un petit bol, mélanger le jus de citron vert, l'ail, le cumin, le piment chipotle et le reste du sel. Goûter et rectifier l'assaisonnement au besoin.

5. Arroser les crevettes de vinaigrette et de tequila, puis mélanger. Déposer dans des verres à martini et garnir de quelques morceaux de tortillas.

TARTARE DE THON GRILLÉ À L'AVOCAT

Le Hapa Izakaya est un restaurant très en vogue de Vancouver. On le considère tantôt comme un pub japonais, tantôt comme un bar à tapas où l'on peut déguster une grande variété d'amuse-gueules orientaux, dont une salade au thon et à l'avocat qui a servi d'inspiration à cette recette. Bien que le nom « tartare » soit habituellement réservé à la chair crue, je préfère saisir rapidement la viande ou le poisson. Servez le tartare sur des tranches de concombre ou des craquelins de riz.

Donne environ 48 bouchées

250 g	thon frais en darne de 2,5 cm (1 po) d'épaisseur	1/2 lb
5 ml	huile de sésame grillé	1 c. à thé
2 ml	gros sel	1 c. à thé
2 ml	poivre noir grossièrement moulu	1 c. à thé
15 ml	vinaigre de riz assaisonné	1 c. à soupe
15 ml	sauce soya	1 c. à soupe
25 ml	ciboulette ou oignons verts, hachés	2 c. à soupe
25 ml	coriandre fraîche, hachée finement	2 c. à soupe
1/2	avocat mûr	1/2
48	tranches de concombre bien asséchées, de 5 mm (1/4 po) d'épaisseur	48

1. Assécher le thon avec un linge propre et le badigeonner d'huile de sésame. Mélanger le poivre et le sel dans une assiette creuse. Y déposer la darne de thon et presser pour faire adhérer l'assaisonnement. Faire de même avec l'autre côté.

2. Faire griller le thon à feu très fort sur le barbecue, pendant 1 à 2 minutes de chaque côté. Laisser refroidir. Couper le thon en petits dés et les déposer dans un grand bol.

3. Ajouter le vinaigre, la sauce soya, la ciboulette et la coriandre. Mélanger délicatement.

VALEUR NUTRITIONNELLE PAR BOUCHÉE	
Calories	12
Protéines	1 g
Matières grasses	traces
Saturées	0 g
Cholestérol	2 mg
Glucides	traces
Fibres	traces
Sodium	37 mg
Potassium	36 mg
Bonne source :	
vitamine B12	

4. Au moment de servir, peler l'avocat, le couper en deux et en retirer le noyau. Réduire une moitié de l'avocat en une purée grossière (page 59). (Bien emballer l'autre moitié et réfrigérer.) Incorporer l'avocat au thon avec soin. Goûter et rectifier l'assaisonnement au besoin.

5. Tapisser un bol d'une contenance de 500 ml (2 tasses) de pellicule plastique et y déposer le mélange en pressant fermement pour lui donner la forme du bol. Démouler sur un plat de service et servir avec des tranches de concombre.

ROULEAUX DE PRINTEMPS AUX CREVETTES

Ces rouleaux peuvent être préparés à l'avance, il suffit de les envelopper dans du papier ciré pour prévenir le dessèchement de la feuille de riz. Préparez-les avec des restes de salades orientales ou de sautés.

Pour varier, servez-les avec la sauce Ponzu (page 84).

Donne environ 20 rouleaux

Sauce thaïe

50 ml	vinaigre de riz	1/4 tasse
25 ml	sauce de poisson (nam pla)	2 c. à soupe
25 ml	jus de lime	2 c. à soupe
25 ml	sucre cristallisé blanc	2 c. à soupe
2 ml	pâte de piment orientale (page 108)	1/2 c. à thé

Garniture

20	crevettes géantes, nettoyées	20
60 g	vermicelles de riz	2 oz
20	feuilles de riz (ou plus, au besoin)	20
1	carotte, coupée en lanières	1
1	poivron rouge, épépiné et coupé en lanières	1
1/2	mangue mûre, pelée et coupée en lanières	1/2
20	grandes feuilles de coriandre fraîche	20
20	feuilles de menthe fraîche	20
20	feuilles de laitue Boston	20

1. Pour préparer la sauce, mélanger le vinaigre, la sauce de poisson, le jus de lime, le sucre et la pâte de piment dans un petit bol.

LES ENVELOPPES DE PAPIER DE RIZ

Les enveloppes de papier de riz se présentent sous différentes formes et tailles. Elles entrent dans la préparation de nombreux plats orientaux. On les consomme crues, étuvées, cuites au four ou frites. Trempez-en deux ou trois à la fois dans un grand bol rempli d'eau chaude pour les assouplir, ce qui devrait prendre de 20 à 30 secondes. Disposez-les côte à côte sur un linge humide. Déposez la garniture au milieu de l'enveloppe, rabattez les extrémités et roulez. Les enveloppes humides devraient adhérer d'elles-mêmes.

Les enveloppes de papier de riz s'achètent dans les épiceries orientales. Dans certaines préparations, vous pouvez utiliser des feuilles de laitue en remplacement de la feuille de riz, notamment dans la préparation des rouleaux de printemps.

2. Embrocher les crevettes de la tête à la queue et bien les tendre. Les faire griller quelques minutes de chaque côté (ou les cuire dans l'eau bouillante) jusqu'à ce qu'elles soient presque roses. Laisser refroidir et retirer les crevettes des brochettes.

3. Faire tremper les vermicelles de riz dans l'eau chaude pendant 15 minutes. Bien les égoutter. Ajouter 15 ml (1 c. à soupe) de sauce thaïlandaise et mélanger.

4. Plonger 2 ou 3 feuilles de riz à la fois dans un bol peu profond rempli d'eau très chaude. Laisser reposer de 20 à 30 secondes. Déposer les feuilles de riz sur un linge propre et humide sans les empiler.

5. Déposer une crevette au milieu du bas de chaque feuille de riz. Déposer une ou deux lanières de carottes, de poivron, de mangue ainsi que les nouilles et les herbes sur la crevette, puis recouvrir d'une feuille de laitue. Rouler du bas vers le haut jusqu'à ce que les ingrédients soient enveloppés, replier une extrémité (gauche ou droite), puis continuer de rouler bien serré jusqu'au haut. Répéter l'opération pour les autres rouleaux. Servir avec la sauce thaïlandaise.

VALEUR NUTRITIONNELLE PAR ROULEAU	
Calories	95
Protéines	8 g
Matières grasses	1 g
Saturées	0 g
Cholestérol	67 mg
Glucides	14 g
Fibres	1 g
Sodium	221 mg
Potassium	135 mg

Excellente source :
vitamine B12
Bonne source :
vitamine A ; vitamine C

SATAYS DE POULET ET SAUCE AUX ARACHIDES

Ces brochettes se préparent aussi avec du porc ou de l'agneau, ou encore avec des lanières de tofu très ferme. Servez-les comme entrée ou comme plat principal avec des légumes sautés à l'orientale et du riz. Elles sont délicieuses avec ou sans la sauce.

Le fait d'utiliser des pois chiches dans la sauce aux arachides constitue une excellente façon de réduire la quantité de matières grasses d'une préparation qui en contient normalement beaucoup. De plus, ces légumineuses mettent le beurre d'arachide en valeur. Cette sauce peut aussi servir de trempette à légumes ou accompagner des linguines.

Pour éliminer le problème des brochettes de bois brûlées, embrochez-y les aliments déjà grillés. Pour les satays de poulet, par exemple, griller la poitrine de poulet entière, coupez-la ensuite en lanières et procédez au montage sur les brochettes juste avant de servir.

SAUCE PONZU
Voici une succulente sauce à trempette pour les satays et les petits pains à salade.

Mélanger 25 ml (2 c. à soupe) de sauce soya, 25 ml (2 c. à soupe) de vinaigre de riz et 25 ml (2 c. à soupe) de jus de lime.

Donne environ 75 ml (1/3 tasse) de sauce.

Donne 16 brochettes

5 ml	cari, en poudre ou en pâte	1 c. à thé
1	gousse d'ail, émincée	1
15 ml	sauce soya	1 c. à soupe

15 ml	jus de citron	1 c. à soupe
15 ml	miel	1 c. à soupe
15 ml	eau	1 c. à soupe
500 g	poitrines de poulet, désossées, sans la peau	1 lb

Sauce aux arachides

125 ml	pois chiches cuits	1/2 tasse
15 ml	beurre d'arachide crémeux	1 c. à soupe
25 ml	vin de riz	2 c. à soupe
25 ml	miel	2 c. à soupe
25 ml	sauce soya	2 c. à soupe
25 ml	eau	2 c. à soupe
	un soupçon de sauce au piment rouge	

VALEUR NUTRITIONNELLE PAR BROCHETTE

Calories	60
Protéines	7 g
Matières grasses	1 g
Saturées	traces
Cholestérol	18 mg
Glucides	5 g
Fibres	traces
Sodium	164 mg
Potassium	86 mg

Bonne source : niacine

1. Dans un grand bol, mélanger le cari, l'ail, la sauce soya, le jus de citron, le miel et l'eau. Y ajouter le poulet et remuer. Faire mariner de 10 à 60 minutes au réfrigérateur.

2. Pour préparer la sauce, mélanger dans un robot culinaire les pois chiches, le beurre d'arachide, le vin de riz, le miel, la sauce soya, l'eau et la sauce au piment. Rectifier l'assaisonnement au besoin.

3. Faire griller les poitrines de poulet de 4 à 5 minutes de chaque côté, jusqu'à ce que le poulet soit bien à point. Couper les poitrine en 16 lanières et enfiler chacune d'elles sur une brochette. Napper les brochettes de sauce ou servir la sauce comme trempette.

BOULETTES DE POULET À LA SAUCE AIGRE-DOUCE

Les beignets à l'orientale sont habituellement enrobés d'une mince pâte à la farine de blé ou de riz, mais il est beaucoup plus rapide de préparer des beignets sans enrobage (je les appelle alors simplement des « boulettes » au poulet). On peut servir celles-ci en hors-d'œuvre, piquées sur des cure-dents ou des fourchettes à cocktail, ou encore en faire un plat de résistance en les servant sur des nouilles ou du riz. Une excellente variante consiste à mélanger du poulet avec des crevettes ou du porc, en parts égales.

La sauce aigre-douce a la réputation d'être sucrée et consistante, mais la recette proposée ici est basée sur une authentique version que j'ai apprise à l'école de cuisine Wei-Chuan, à Taïwan. Vous pouvez napper de sauce des morceaux de poulet grillé ou des crevettes cuites, ou vous pouvez l'ajouter à vos viandes et à vos légumes sautés.

Donne environ 32 boulettes

500 g	poitrines de poulet, désossées, sans la peau, hachées	1 lb
1	blanc d'œuf	1
15 ml	fécule de maïs	1 c. à soupe
2 ml	sel	1/2 c. à thé
1 ml	pâte de piment orientale (page 108)	1/4 c. à thé
10 ml	huile d'olive	2 c. à thé

Sauce aigre-douce

75 ml	ketchup	1/3 tasse
45 ml	vinaigre de riz ou vinaigre de cidre	3 c. à soupe
25 ml	sucre cristallisé blanc	2 c. à soupe
125 ml	eau	1/2 tasse
15 ml	sauce soya	1 c. à soupe
5 ml	huile de sésame grillé	1 c. à thé
10 ml	fécule de maïs	2 c. à thé

Garniture

20 ml	graines de sésame grillées (page 414)	4 c. à thé
25 ml	coriandre fraîche ou persil frais, hachés	2 c. à soupe

1. Dans un grand bol, mélanger le poulet haché, le blanc d'œuf, la fécule de maïs, le sel et la pâte de piment.

2. Tapisser le fond d'une plaque à pâtisserie de papier ciré. Avec les mains mouillées, rouler la préparation en boulettes de 2,5 cm (1 po) et les aplatir légèrement. Placer sur la plaque à pâtisserie. Réfrigérer ou congeler jusqu'au moment de cuire.

3. Pour préparer la sauce, mélanger le ketchup, le vinaigre, le sucre, l'eau, la sauce soya, l'huile de sésame grillé et la fécule de maïs dans un petit bol.

4. Chauffer l'huile d'olive à feu moyen-vif dans une grande poêle antiadhésive. Ajouter les boulettes de poulet côte à côte. Faire cuire jusqu'à ce que le dessous soit légèrement doré. Décoller les boulettes et les tourner. Ajouter la sauce et couvrir la poêle. Faire cuire à feu doux, de 3 à 5 minutes, ou jusqu'à ce que le poulet soit ferme. Bien mélanger. La sauce devrait épaissir.

6. Disposer les boulettes de poulet sur un plat de service et parsemer de graines de sésame et de coriandre.

VALEUR NUTRITIONNELLE PAR BOULETTE	
Calories	31
Protéines	4 g
Matières grasses	1 g
Saturées	0 g
Cholestérol	9 mg
Glucides	2 g
Fibres	0 g
Sodium	109 mg
Potassium	60 mg

ASSAISONNEMENTS ASIATIQUES

La sauce aux haricots noirs fermentés

Les haricots noirs utilisés dans la cuisine orientale sont fermentés, salés et employés fréquemment en petite quantité comme condiment plutôt que comme aliment. Ne les confondez pas avec les haricots Black Turtle vendus en conserve et employés dans les plats au chili et les soupes.

S'ils sont vieux et déshydratés, les haricots fermentés peuvent être trempés dans de l'eau bouillante pendant environ 10 minutes avant d'être égouttés et hachés. On peut aussi acheter de la sauce aux haricots noirs, c'est-à-dire des haricots fermentés avec de l'ail, de l'huile, du sucre et du vin de riz. Ma préférée est la sauce aux haricots noirs fermentés et à l'ail de marque Lee Kum Kee. Une fois le contenant ouvert, conservez-le au réfrigérateur.

Pour préparer votre propre sauce aux haricots fermentés, faire chauffer 5 ml (1 c. à thé) d'huile de sésame grillé dans une poêle. Ajouter 2 gousses d'ail hachées finement, 5 ml (1 c. à thé) de gingembre haché finement, et 25 ml (2 c. à soupe) de haricots noirs fermentés. Cuire environ 1 minute, ou jusqu'à ce que la préparation soit odorante. Ajouter de 15 à 25 ml (1 à 2 c. à soupe) d'eau.

La sauce hoisin

La sauce hoisin est une pâte de haricots sucrée vendue dans la plupart des supermarchés. Cette sauce est excellente pour glacer les viandes et pour préparer les sauces barbecue. Elle accompagne les crêpes mandarines au canard de Pékin. J'aime beaucoup la sauce hoisin de marque Koon Chun. Réfrigérez après ouverture.

La sauce aux huîtres

La sauce aux huîtres parfume les plats sans pour autant leur conférer un goût de poisson. Elle remplace agréablement le sel dans les plats orientaux (il existe une version végétarienne de la sauce aux huîtres). Elle se garde indéfiniment au réfrigérateur. Ma préférée est celle de la marque Lee Kum Kee.

BEIGNETS DE POULET AU CARI

Chaque fois que Hugh Carpenter donne un cours à mon école, tous ses élèves, y compris moi-même et les membres de mon personnel, se précipitent par la suite à la maison pour mettre ses idées en pratique. Hugh prépare d'excellents beignets et ceux que nous présentons ici sont le fruit de sa création. Vous pouvez prendre des crevettes ou des pétoncles pour remplacer le poulet – il suffit de les hacher finement au robot culinaire. Je les préfère légèrement glacés, alors si vous êtes comme moi, n'hésitez pas à doubler la recette de sauce.

Servez-les dans des bols individuels en entrée ou dégustez-les à l'heure de l'apéro (piquez un cure-dent au centre et déposez-les dans un joli plat de service).

Transformez vos beignets en pliant la pâte en triangle et en la scellant fermement. Il suffit de faire pocher les beignets dans l'eau bouillante pendant 5 minutes et de les ajouter à votre soupe.

Les beignets peuvent être préparés à l'avance et conservés au congélateur (non cuits). On peut également les cuire à l'avance et les réchauffer en ajoutant un peu d'eau ou de bouillon de poulet dans la casserole.

Donne environ 35 beignets

500 g	poitrines de poulet, sans gras, hachées	1 lb
1	blanc d'œuf	1
15 ml	fécule de maïs	1 c. à soupe
15 ml	sauce soya	1 c. à soupe
5 ml	huile de sésame grillé	1 c. à thé
1 ml	sel	1/4 c. à thé
125 ml	épinards, hachés, cuits et très bien essorés	1/2 tasse
1	petite carotte, hachée finement ou râpée	1
2	oignons verts, hachés	2
5 ml	gingembre frais, haché	1 c. à thé
1 ml	pâte de piment orientale	1/4 c. à thé
35	feuilles de pâte à beignets chinois (quantité approx.)	35
15 ml	huile végétale, divisée en deux portions	1 c. à soupe

Sauce aux tomates et au cari

75 ml	tomates en purée, sauce tomate ou lait de coco léger	1/3 tasse
75 ml	eau	1/3 tasse
15 ml	xérès sec	1 c. à soupe
15 ml	sauce aux huîtres ou sauce hoisin	1 c. à soupe
15 ml	poudre de cari	1 c. à soupe
5 ml	sucre cristallisé blanc	1 c. à thé

Garniture

5 ml	graines de sésame grillées (page 415)	1 c. à thé
50 ml	coriandre fraîche ou ciboulette fraîche, hachées	1/4 tasse

1. Dans un grand bol, mélanger le poulet haché, le blanc d'œuf, la fécule de maïs, la sauce soya, l'huile de sésame et le sel. Incorporer les épinards, la carotte, les oignons verts, le gingembre et la pâte de piment. Bien mélanger.

2. Déposer quelques feuilles de pâte à beignets sur une surface de travail, sans les empiler. Mettre une cuillerée de farce au centre de chaque feuille. Placer une pâte ainsi farcie dans la paume de la main et ramener les bords de la pâte sur la farce, sans refermer complètement. Serrer légèrement la pâte au-dessus de la farce pour donner une « taille » au baluchon. Enfoncer la farce qui serait visible à la surface. Déposer les baluchons, l'ouverture vers le haut, sur une plaque à pâtisserie tapissée de papier ciré et badigeonner d'un peu d'huile végétale. Procéder de même avec le reste des ingrédients, jusqu'à épuisement de la farce.

3. Pour préparer de la sauce, mélanger les tomates en purée, l'eau, le xérès, la sauce aux huîtres, la poudre de cari et le sucre.

4. Faire chauffer le reste de l'huile dans une grande poêle antiadhésive à feu moyen-vif. Y disposer les baluchons, l'ouverture vers le haut. Les cuire à feu moyen-vif jusqu'à ce qu'ils soient légèrement dorés à la base.

5. Verser la sauce sur et entre les baluchons de façon à recouvrir le fond de la poêle. Cuire de 3 à 5 minutes, ou jusqu'à ce que le dessus des baluchons soit ferme et bien cuit. Remuer légèrement la poêle pour éviter que les baluchons n'adhèrent au fond.

6. Secouer les baluchons, puis garnir de graines de sésame et de coriandre.

VALEUR NUTRITIONNELLE PAR BOULETTE	
Calories	42
Protéines	4 g
Matières grasses	1 g
Saturées	0 g
Cholestérol	8 mg
Glucides	5 g
Fibres	0 g
Sodium	71 mg
Potassium	75 mg

Potage aux carottes parfumé au cumin

Potage de chou-fleur dans un verre à liqueur

Potage aux topinambours

Chaudrée de maïs grillé à la coriandre et aux piments
    chipoltes

Soupe à l'oignon gratinée

Potage de poireaux et de pommes de terre

Potage au céleri-rave et aux pommes de terre

Potage aux bettes à carde et aux pignons

Soupe au poulet et aux nouilles à la thaïlandaise

Soupe au poulet et aux nouilles à la japonaise

Décoction de poulet aux boulettes de pain azyme

Velouté de tomates rôties

Potage de courge au cari

Velouté de tomates et de maïs grillé

Soupe aigre-douce

Gaspacho épicé

Pasta e fagioli

Soupe mexicaine aux lentilles

Soupe de lentilles rouges à l'israélienne

Potage de haricots blancs avec salsa de verdure

Soupe de champignons aux haricots et à l'orge

Soupe marocaine aux lentilles et aux pâtes

Soupe de haricots noirs au yogourt et à la salsa épicée

Soupe aux pois cassés à l'aneth

Minestrone vert avec croûtons de fromage

Soupe aux pois chiches et aux épinards

Soupe de fruits de mer au bouillon de gingembre

Bouillabaisse de Malka

Soupe de miso express

Pho express

LES SOUPES

POTAGE AUX CAROTTES PARFUMÉ AU CUMIN

Lorsque je reçois, je prépare mes soupes avec du bouillon de légumes maison, au cas où certains de mes invités seraient végétariens, comme c'est souvent le cas.

Donne de 8 à 10 portions

10 ml	huile d'olive	2 c. à thé
1	oignon, haché	1
2	gousses d'ail, émincées	2
5 ml	cumin moulu	1 c. à thé
1 kg	carottes, soit environ 12, râpées, environ 1,25 l (5 tasses)	2 lb
1,5 l	bouillon de légumes maison (page 127), ou bouillon de poulet maison, ou eau sel et poivre au goût	6 tasses
25 ml	coriandre fraîche, ou menthe fraîche, ou persil frais, hachés	2 c. à soupe

1. Dans une grande casserole, faire chauffer l'huile à feu moyen. Y faire revenir les oignons et l'ail pendant environ 5 minutes, ou jusqu'à ce qu'ils soient odorants. Si le mélange commence à coller ou à brunir, ajouter un peu d'eau.

2. Ajouter le cumin et cuire, en remuant constamment, pendant 30 à 60 secondes, ou jusqu'à ce que le cumin soit odorant.

3. Ajouter les carottes et le bouillon. Porter à ébullition. Réduire le feu et laisser mijoter doucement, jusqu'à ce que les légumes soient tendres (environ 30 minutes).

4. À l'aide du mélangeur, réduire la soupe en purée, puis la remettre dans la casserole et chauffer à nouveau. Ajouter un peu d'eau si la soupe est trop épaisse. Goûter et rectifier l'assaisonnement au besoin. Garnir de coriandre avant de servir.

VALEUR NUTRITIONNELLE PAR PORTION	
Calories	79
Protéines	2 g
Matières grasses	2 g
Saturées	traces
Cholestérol	0 mg
Glucides	16 g
Fibres	3 g
Sodium	618 mg
Potassium	225 mg
Excellente source : vitamine A	

POTAGE DE CHOU-FLEUR DANS UN VERRE À LIQUEUR

Mes employés et moi avons été invités à la célèbre Beard House de New York pour y cuisiner, pour un brunch en l'honneur de la publication de mon livre de recettes *Essentials of Home Cooking*. Après avoir fait les courses toute la journée sous la pluie froide de novembre, nous nous sommes arrêtés chez Heart, un petit restaurant italien très couru

VALEUR NUTRITIONNELLE PAR PORTION	
Calories	29
Protéines	1 g
Matières grasses	1 g
Saturées	traces
Cholestérol	0 mg
Glucides	4 g
Fibres	1 g
Sodium	343 mg
Potassium	79 mg
Bonne source : vitamine C	

dans Greenwich Village. Nous étions trempés, mais aussitôt que nous nous sommes assis, le serveur nous a apporté un verre à liqueur rempli de soupe au chou-fleur. Un vrai régal qui nous réchauffa le corps et le cœur.

Ce potage réconfortant ravira vos invités durant les froides soirées d'hiver. Les potages sont un excellent moyen d'utiliser les restes de légumes qui dorment dans votre frigo. Si vous n'avez pas de petits verres à liqueur (de type shooter), servez la soupe dans des tasses à espresso, avec une petite cuillère.

Les légumes grillés sont très goûteux, ce qui confère à ce potage une saveur inégalée. Garnissez-le de noix rôties, d'oignons verts émincés et d'une fine tranche de gorgonzola.

Donne de 12 à 16 petites portions ou 8 portions ordinaires

1	chou-fleur de 750 g (1 1/2 lb), coupé en bouquets, soit environ 1 l (4 tasses)	1
15 ml	huile d'olive	1 c. à soupe
5 ml	sel	1 c. à thé
5 ml	thym frais, haché, ou une pincée de thym séché	1 c. à thé
1 ml	poivre	1/4 c. à thé
750 ml	bouillon de légumes maison, bouillon de poulet maison (page 127) ou eau	3 tasses

1. Mélanger le chou-fleur avec l'huile, le sel, le thym et le poivre. Étendre les bouquets de chou-fleur sur une plaque à pâtisserie tapissée de papier sulfurisé et les faire griller à 180 °C (350 °F) de 30 à 40 minutes, ou jusqu'à ce qu'ils soient très tendres.

2. Avec le bouillon, réduire le chou-fleur en purée. Verser dans une casserole et porter à ébullition. Réduire le feu et laisser mijoter quelques minutes. La soupe devrait être assez claire pour être bue. Goûter, rectifier l'assaisonnement au besoin. Servir dans des verres à liqueur ou de petites tasses à café.

POTAGE AUX TOPINAMBOURS

Le topinambour est un tubercule qui a longtemps été réservé au bétail ou aux périodes de disette. On redécouvre aujourd'hui sa saveur délicate et unique dans les purées de légumes, les potages ou comme légume d'accompagnement. Certains le préparent cru en salade, mais pour ma part, je le préfère cuit.

Les estomacs sensibles ont parfois du mal à digérer les topinambours ; c'est pourquoi je sers de petites portions. Ils sont toutefois si délicieux que tout le monde en redemande !

J'ai dégusté cette soupe pour la première fois à Jérusalem (elle est très appréciée dans cette ville). La purée de noix est une idée du chef Moshe Basson, de Jérusalem ; elle rehausse agréablement la saveur délicate de ce potage.

Donne de 8 à 10 portions

10 ml	huile d'olive	2 c. à thé
2	oignons, hachés	2
2	gousses d'ail, émincées	2
1 kg	topinambours, brossés, pelés et coupés en tranches	2 lb
1,5 l	bouillon de légumes maison, bouillon de poulet maison (page 127) ou eau une pincée de brins de safran	6 tasses
5 ml	sel	1 c. à thé
1 ml	poivre	1/4 c. à thé
15 ml	jus de citron	1 c. à soupe
50 ml	amandes (facultatif)	1/4 tasse
50 ml	eau (facultatif)	1/4 tasse

1. Dans une grande casserole, faire chauffer l'huile à feu moyen et y faire revenir les oignons et l'ail pendant environ 5 minutes, ou jusqu'à ce qu'ils soient odorants (en évitant de faire brunir l'ail). Ajouter environ 50 ml (1/4 tasse) d'eau si les oignons collent au fond.

2. Ajouter les topinambours et cuire quelques minutes supplémentaires. Verser le bouillon et porter à ébullition.

3. Ajouter le safran, saler et poivrer. Réduire le feu, couvrir et laisser mijoter 30 minutes.

4. À l'aide du mélangeur, réduire la soupe en purée, puis la remettre sur le feu pour quelques minutes. Y verser le jus de citron. Rectifier l'assaisonnement au besoin. Si la soupe est trop épaisse, ajouter un peu d'eau.

VALEUR NUTRITIONNELLE PAR PORTION

Calories	81
Protéines	2 g
Matières grasses	1 g
Saturées	traces
Cholestérol	0 mg
Glucides	16 g
Fibres	2 g
Sodium	302 mg
Potassium	381 mg

Bonne source : thiamine ; fer

- En ce qui a trait aux bouillons congelés, la plupart sont dégraissés et ne contiennent pas de sel. Ils sont souvent assez chers, c'est pourquoi il vaut mieux les diluer avec de l'eau.
- Les bouillons en conserve, en cubes ou déshydratés sont généralement très salés et peuvent contenir du MSG, du gras et des colorants alimentaires. Optez pour des produits à teneur réduite en sodium et en matières grasses. Réfrigérez le bouillon en conserve avant de l'utiliser : le gras se solidifiera et vous pourrez le retirer aisément. J'ajoute un peu plus d'eau au bouillon concentré et, le cas échéant, je conserve le reste au congélateur.
- Il est possible de remplacer le bouillon par de l'eau, dans les soupes parfumées qui se composent d'ingrédients dont la saveur est intense.

5. Réduire les amandes et l'eau en une purée lisse et verser dans la soupe.

CHAUDRÉE DE MAÏS GRILLÉ À LA CORIANDRE ET AUX PIMENTS CHIPOLTES

Cette chaudrée à la délicate saveur fumée est particulièrement délicieuse à l'automne, au moment où le maïs est très sucré. Si vous ne disposez pas d'un barbecue, vous pouvez faire griller les épis à la poêle ou, plus simplement, ne pas les griller. Pour plus de saveur et de couleur, ajouter environ 250 ml (1 tasse) de courge musquée coupée en dés aux pommes de terre.

Donne de 6 à 8 portions

6	épis de maïs, épluchés	6
10 ml	huile d'olive	2 c. à thé
1	oignon, coupé en dés	1
5 ml	purée de piment chipolte ou 1 piment jalapeño, épépiné et coupé en dés	1 c. à thé
1	grosse pomme de terre Yukon Gold ou à cuire au four, pelée et coupée en dés	1
750 ml	bouillon de légumes maison (page 127) ou eau	3 tasses
5 ml	sel	1 c. à thé
250 ml	lait ou eau	1 tasse
1	tomate, épépinée et coupée en dés	1
25 ml	coriandre fraîche, hachée	2 c. à soupe
25 ml	pignons rôtis	2 c. à soupe

1. Détacher les grains de 4 des 6 épis de maïs (page 365) et réserver. Vous devriez obtenir environ 750 ml (3 tasses) de maïs en grains.

2. Faire cuire les 2 épis qui restent directement sur le gril en les tournant fréquemment, pendant environ 5 minutes, ou jusqu'à ce que les grains soient bien dorés. Laisser refroidir, détacher les grains des épis et réserver.

3. Dans une grande casserole, faire chauffer l'huile à feu moyen. Y faire revenir les oignons pendant 5 à 8 minutes, ou jusqu'à ce qu'ils soient tendres (ne pas les dorer). Ajouter le piment chipolte et les pommes de terre, et laisser cuire environ 2 minutes.

4. Ajouter le bouillon et le sel. Porter à ébullition. Ajouter les grains de maïs crus. Réduire le feu et laisser mijoter 15 minutes, ou jusqu'à ce que les pommes de terre soient tendres.

5. Réduire partiellement la soupe en purée (il doit rester des morceaux de légumes et de maïs), puis la remettre sur le feu.

6. Y verser le lait et porter à ébullition. Rectifier l'assaisonnement au besoin.

7. Au moment de servir, saupoudrer la soupe de maïs grillé, de tomates en dés, de coriandre hachée et de pignons.

SOUPE À L'OIGNON GRATINÉE

Cette soupe est délicieuse, avec ou sans croûtons et fromage. La quantité d'oignons tranchés peut sembler impressionnante, mais ne vous en faites pas, ils réduiront de moitié à la cuisson. Si vous avez des restes de croûtons et de soupe, placez tout dans un plat allant au four et faites-les cuire à 180 °C (350 °F), jusqu'à ce que le pain ait absorbé le liquide.

Si vous préférez le fromage filant, remplacez le parmesan par de la mozzarella. Pour une soupe végétarienne, remplacez le bouillon de viande par du bouillon de légumes maison (page 127).

Si vous n'avez pas de bols à soupe à l'oignon allant au four, enfournez vos croûtons de pain garnis de fromage pendant environ 15 minutes, ou jusqu'à ce que le fromage soit fondu. Déposez les croûtons sur la soupe au moment de servir.

Donne 8 portions

10 ml	huile d'olive	2 c. à thé
1,5 kg	oignons, soit environ 9, tranchés finement	3 lb
250 ml	vin blanc sec ou bouillon	1 tasse
15 ml	vinaigre de vin rouge ou vinaigre de xérès	1 c. à soupe
2 l	bouillon de poulet maison, bouillon de bœuf maison (page 127) ou bouillon de viande en conserve ou en cubes à teneur réduite en sodium sel et poivre au goût	8 tasses

Croûtons

8	tranches rondes de pain de blé entier, de baguette ou de pain italien, d'environ 7,5 cm (3 po) de diamètre et 1 cm (1/2 po) d'épaisseur	8

VALEUR NUTRITIONNELLE PAR PORTION	
Calories	188
Protéines	6 g
Matières grasses	5 g
Saturées	1 g
Cholestérol	2 mg
Glucides	35 g
Fibres	5 g
Sodium	730 mg
Potassium	496 mg

Bonne source : thiamine ; acide folique

VALEUR NUTRITIONNELLE PAR PORTION

Calories	181
Protéines	6 g
Matières grasses	6 g
Saturées	2 g
Cholestérol	6 mg
Glucides	27 g
Fibres	3 g
Sodium	311 mg
Potassium	494 mg

Excellente source : niacine
Bonne source :
vitamine B12

LES POIREAUX

Je n'utilise que le blanc des poireaux (ce qui inclut la partie qui est vert tendre), à moins d'avoir des poireaux très jeunes et très tendres. Comme ils retiennent le sable, ils doivent être nettoyés avec soin. Pour ce faire, taillez l'extrémité de la racine et enlevez les couches vert foncé. Coupez ensuite le poireau en rondelles et déposez-les dans un bol rempli d'eau. Agitez-les. Les rondelles remonteront à la surface, tandis que les saletés et le sable tomberont au fond. Récupérez délicatement les rondelles de poireau et asséchez-les bien.

15 ml	huile d'olive	1 c. à soupe
1	gousse d'ail, émincée	1
5 ml	thym frais, haché ou une pincée de thym séché	1 c. à thé
1 ml	sel	1/4 c. à thé
1 ml	poivre	1/4 c. à thé
125 ml	fromage parmesan, fontina ou suisse, râpé	1/2 tasse

1. Chauffer l'huile à feu vif dans une grande casserole ou dans un faitout. Y faire caraméliser les oignons sans remuer. Quand les oignons commencent à dorer, réduire le feu à moyen et cuire de 15 à 20 minutes, ou jusqu'à ce qu'ils soient tendres et complètement dorés.

2. Verser le vin et porter à ébullition. Réduire le feu de nouveau et cuire lentement, jusqu'à ce que le vin se soit évaporé, durant environ 15 minutes. Ajouter le vinaigre et poursuivre la cuisson pendant quelques minutes.

3. Ajouter le bouillon, porter à ébullition, réduire le feu et laisser mijoter pendant 20 minutes. Saler et poivrer.

4. Entre-temps, disposer les tranches de pain, sans qu'elles se touchent, sur une plaque à pâtisserie. Dans un petit bol, mélanger l'huile, l'ail, le thym, le sel et le poivre. Badigeonner la face supérieure des tranches de pain de ce liquide. Les cuire dans un four préchauffé à 200 °C (400 °F) pendant 10 minutes, ou jusqu'à ce qu'elles soient légèrement dorées.

5. Pour servir, verser la soupe dans huit bols à soupe à l'oignon résistant à la chaleur. Déposer une tranche de pain grillé sur chaque portion. Garnir uniformément de fromage. Cuire au four pendant 10 minutes. Laisser reposer 5 minutes avant de servir.

POTAGE DE POIREAUX ET DE POMMES DE TERRE

Dans les débuts de mon école de cuisine, ce potage chaud avait déjà un succès fou. Vingt ans plus tard, il est toujours aussi populaire. (Servi froid, c'est en fait la vichyssoise traditionnelle.)

On peut aussi bien le servir réduit en purée qu'avec ses légumes en morceaux, et on peut le préparer en remplaçant la moitié du bouillon par du lait. Pour une soupe très tendance, arrosez le potage de quelques gouttes de vinaigre balsamique au moment de servir.

Donne 8 portions

15 ml	huile d'olive	1 c. à soupe
3	gros poireaux, parés et hachés	3
1	gousse d'ail, hachée finement	1
3	grosses pommes de terre jaunes (ou pour cuire au four), pelées et coupées en dés	3
1,25 l	bouillon de légumes maison (page 127), bouillon de poulet maison ou eau	5 tasses
5 ml	thym frais, haché, ou une pincée de thym séché	1 c. à thé
2 ml	poivre sel au goût	1/2 c. à thé
50 ml	ciboulette fraîche ou oignons verts, hachés	1/4 tasse

1. Chauffer l'huile dans une grande casserole ou dans un faitout. Ajouter les poireaux et l'ail. Faire revenir à feu doux, de 5 à 7 minutes, ou jusqu'à ce que les poireaux soient fondus. Ajouter les pommes de terre et bien mélanger.

2. Ajouter le bouillon et porter à ébullition. Ajouter le thym, le poivre et le sel. Réduire le feu et laisser cuire à feu doux pendant 20 minutes, ou jusqu'à ce que les pommes de terre soient tendres.

3. Réduire la soupe en purée. La remettre sur le feu et bien la réchauffer. Goûter et rectifier l'assaisonnement au besoin. Parsemer de ciboulette au moment de servir.

Soupe aux pommes de terre et à l'ail rôti

Remplacer les poireaux par l'oignon haché, et l'ail cru par 3 bulbes d'ail rôti (page 80). Extraire par pression la pulpe des gousses d'ail et la mettre en purée.

VALEUR NUTRITIONNELLE PAR PORTION	
Calories	101
Protéines	2 g
Matières grasses	2 g
Saturées	1 g
Cholestérol	1 mg
Glucides	20 g
Fibres	1 g
Sodium	28 mg
Potassium	253 mg

POTAGE AU CÉLERI-RAVE ET AUX POMMES DE TERRE

Le céleri-rave est vendu dans la plupart des supermarchés et des marchands de fruits et légumes. Mes enfants le comparent à un petit cerveau chevelu, mais sous cette étrange apparence se cache une saveur intense qui rappelle celle du céleri. Je prépare le céleri-rave grillé avec d'autres légumes, en purée avec des pommes de terre ou dans les soupes et les potages. Demandez à vos invités de découvrir l'ingrédient secret dans votre soupe.

Pour peler le céleri-rave, coupez une mince tranche à chaque extrémité et déposez-le à plat sur une planche. Retirez ensuite la pelure, de haut en bas, à l'aide d'un couteau bien affûté.

Donne de 6 à 8 portions

15 ml	huile d'olive	1 c. à soupe
1	oignon, haché	1
1	gousse d'ail, émincée	1
500 g	céleri-rave, pelé et coupé en dés	1 lb
500 g	pommes de terre jaunes (ou pour cuisson au four), pelées et coupées en dés	1 lb
1,5 l	bouillon de légume maison, bouillon de poulet maison (page 127) ou eau	6 tasses
15 ml	thym frais, haché, ou 2 ml (1/2 c. à thé) de thym séché sel et poivre au goût	1 c. à soupe

1. Chauffer l'huile à feu moyen-vif dans une grande casserole, faire revenir l'ail et les oignons pendant quelques minutes ou jusqu'à ce qu'ils soient tendres.

2. Ajouter le céleri-rave et les pommes de terre. Cuire quelques minutes. Verser le bouillon et ajouter le thym. Porter à ébullition, réduire le feu et laisser mijoter doucement, à découvert, pendant 20 à 25 minutes, ou jusqu'à ce que les légumes soient très tendres.

3. Prélever environ 125 ml (1/2 tasse) de légumes en dés. Réserver.

4. Réduire la soupe en purée en ajoutant un peu de liquide si elle est trop épaisse. Rectifier l'assaisonnement au besoin. Garnir le potage avec les légumes en dés réservés.

Potage au céleri et aux pommes de terre

Il est possible de remplacer le céleri-rave par du céleri. Le potage aura une saveur plus douce et une texture un peu moins lisse, mais il sera tout de même délicieux. Pour varier, remplacer le céleri-rave par du navet ou du rutabaga.

VALEUR NUTRITIONNELLE PAR PORTION	
Calories	130
Protéines	2 g
Matières grasses	3 g
Saturées	1 g
Cholestérol	1 mg
Glucides	24 g
Fibres	2 g
Sodium	97 mg
Potassium	585 mg
Bonne source : vitamine B6	

POTAGE AUX BETTES À CARDES ET AUX PIGNONS

Cette recette s'inspire d'une soupe aux orties du chef israélien Moshe Basson, qui cueille lui-même ses orties sur les collines de Jérusalem. Il remplace le lait ou la crème par de la purée de pignons, ce qui confère au potage une texture et une saveur exquises.

Basson, chef de renommée internationale, était propriétaire de l'Eucalyptus, l'un des meilleurs restaurants de Jérusalem. Comme de nombreux autres chefs de la ville, il a dû fermer ses portes après l'Intifida, en raison d'une importante baisse du tourisme. Il a alors décidé d'aider la communauté en ouvrant un petit comptoir de soupe au cœur de la cité de Jérusalem, où chacun paie en fonction de ses moyens. À la nuit tombée, on y sert des banquets bibliques (directement inspirés des plats dont on parle dans la Bible) pour financer les activités caritatives se déroulant au restaurant durant la journée.

Donne 8 portions

10 ml	huile d'olive	2 c. à thé
1	oignon, haché	1
2	gousses d'ail, hachées	2
1	grosse botte de bettes à cardes, feuilles et tiges hachées séparément, soit environ 750 g (1 1/2 lb)	1
1 l	bouillon de légumes maison, bouillon de poulet maison (page 127) ou eau	4 tasses
125 g	pousses d'épinards fraîches	1/4 lb
50 ml	pignons (préférablement rôtis)	1/4 tasse
50 ml	eau	1/4 tasse
	sel et poivre au goût	

1. Dans une grande casserole, faire chauffer l'huile à feu moyen. Y faire revenir l'ail et l'oignon pendant 5 à 8 minutes, ou jusqu'à ce qu'ils soient tendres (ne pas les dorer). Ajouter les tiges des bettes à cardes et cuire 5 minutes.

2. Verser le bouillon et porter à ébullition. Cuire 10 minutes.

3. Ajouter les feuilles des bettes à cardes et les épinards, puis laisser cuire 5 minutes.

4. Pendant ce temps, réduire les pignons et l'eau en une purée lisse au robot culinaire. Réduire la soupe en purée, puis la remettre dans la casserole avec la purée de pignons, et bien réchauffer le potage. Saler et poivrer au goût.

VALEUR NUTRITIONNELLE PAR PORTION	
Calories	69
Protéines	3 g
Matières grasses	3 g
Saturées	1 g
Cholestérol	0 mg
Glucides	8 g
Fibres	2 g
Sodium	165 mg
Potassium	500 mg

Excellente source : vitamine A
Bonne source : fer

SOUPE AU POULET ET AUX NOUILLES À LA THAÏLANDAISE

Cette soupe est savoureusement ensoleillée. Si vous désirez la servir en guise de plat principal, doublez la quantité de poulet. Vous pouvez

LA CITRONNELLE
La citronnelle, comme son nom l'indique, possède un arôme de citron. Le centre des tiges devrait être humide et facile à couper. Si elle est sèche et dure, jetez-la dans la soupe en gros morceaux que vous retirerez avant de servir. Si vous ne pouvez dénicher de la citronnelle, remplacez-la par 5 ml (1 c. à thé) de zeste de citron râpé.

faire mariner le poulet dans 25 ml (2 c. à soupe) de sauce aux huîtres et le faire griller 5 minutes de chaque côté avant de le découper et de le mettre dans la soupe.

Donne 6 portions

125 g	vermicelles de riz fins, ou vermicelles de blé	1/4 lb
5 ml	huile végétale	1 c. à thé
15 ml	citronnelle, hachée finement	1 c. à soupe
5 ml	zeste de lime, râpé finement	1 c. à thé
5 ml	gingembre frais, haché finement	1 c. à thé
	une pincée de flocons de piment fort	
1,5 l	bouillon de poulet maison (page 127), bouillon de poulet en conserve ou déshydraté à teneur réduite en sodium	6 tasses
250 g	poitrines de poulet, désossées, sans la peau, hachées finement	1/2 lb
1	carotte, râpée	1
1	poivron rouge, coupé en dés	1
15 ml	sauce de poisson (nam pla), ou sauce soya	1 c. à soupe
2 ml	pâte de piment orientale (page 108)	1/2 c. à thé
50 ml	jus de lime	1/4 tasse
50 ml	coriandre fraîche ou persil frais, hachés grossièrement	1/4 tasse
	sel au goût	

VALEUR NUTRITIONNELLE PAR PORTION

Calories	172
Protéines	16 g
Matières grasses	3 g
Saturées	1 g
Cholestérol	23 mg
Glucides	19 g
Fibres	1 g
Sodium	326 mg
Potassium	395 mg

Excellente source :
vitamine A ; vitamine C ; niacine
Bonne source :
vitamine B6 ; vitamine B12

1. Mettre les vermicelles de riz dans un bol et les recouvrir d'eau chaude. Laisser reposer 15 minutes. Bien égoutter et réserver. Si l'on utilise des cheveux d'ange, les cuire à l'eau bouillante.

2. Chauffer l'huile dans une grande casserole ou dans un faitout. Y mettre la citronnelle, le zeste de lime, le gingembre et les flocons de piment fort. Cuire à feu doux, jusqu'à ce que le tout soit odorant, environ 30 secondes.

3. Verser le bouillon de poulet et porter à ébullition.

4. Ajouter le poulet, la carotte, le poivron, la sauce de poisson et la pâte de piment. Réduire le feu et laisser mijoter 5 minutes. Ajouter les nouilles égouttées et poursuivre la cuisson 2 minutes de plus, jusqu'à ce que le tout soit bien chaud.

5. Incorporer le jus de lime et la coriandre. Rectifier l'assaisonnement au besoin.

SOUPE AU POULET
ET AUX NOUILLES À LA JAPONAISE

Voici une soupe très réconfortante aux parfums de l'Orient, dont un grand bol constitue un repas très nourrissant. Vous pouvez aussi la servir en portion plus petite, en guise d'entrée. Utilisez les baguettes pour manger les nouilles, le poulet et les légumes et buvez le liquide directement du bol, ou proposez des cuillères aux invités qui craindraient de faire du bruit !

Quand je sers une soupe claire dans laquelle baignent des pâtes, je fais cuire celles-ci à part afin que le bouillon ne perde rien de sa transparence.

Pour une soupe végétarienne, remplacer le bouillon de poulet par du bouillon de légumes et le poulet par du tofu.

Donne de 6 à 8 portions

2 l	bouillon de poulet maison (page 93), bouillon de poulet en conserve ou déshydraté	8 tasses
2	morceaux de 2,5 cm (1 po) de gingembre, écrasés	2
50 ml	vin de riz	1/4 tasse
25 ml	sauce soya	2 c. à soupe
375 g	nouilles japonaises Udon ou Soba, ou spaghettis de blé entier	3/4 lb
250 g	poitrines de poulet désossées, sans la peau, coupées en morceaux de 1 cm (1/2 po)	1/2 lb
8	champignons shiitakes frais, sans les tiges et tranchés	8
175 g	épinards frais, déchirés en morceaux	6 oz
250 ml	petits pois	1 tasse
2	carottes, râpées	2
125 g	tofu ferme ou tofu soyeux (page 213), coupé en cubes de 1 cm (1/2 po)	1/4 lb
8	oignons verts, tranchés en diagonale	8
50 ml	coriandre fraîche, hachée grossièrement	1/4 tasse

1. Mettre le bouillon, le gingembre, le vin de riz et la sauce soya dans une grande casserole ou dans un faitout. Porter à ébullition, réduire le feu et laisser mijoter lentement pendant 10 minutes. Retirer les morceaux de gingembre et les jeter.

VALEUR NUTRITIONNELLE PAR PORTION

Calories	350
Protéines	31 g
Matières grasses	5 g
Saturées	1 g
Cholestérol	24 mg
Glucides	50 g
Fibres	4 g
Sodium	798 mg
Potassium	828 mg

Excellente source :
vitamine A ; niacine ; acide folique ; fer
Bonne source :
riboflavine ; vitamine B6 ; vitamine B12

2. Entre-temps, cuire les nouilles à l'eau bouillante, de 5 à 6 minutes, ou jusqu'à ce qu'elles soient tendres. Les rincer à l'eau froide pour éviter qu'elles n'adhèrent les unes aux autres. Bien égoutter.

3. Ajouter le poulet et les champignons au bouillon, et cuire pendant 2 minutes. Ajouter les épinards, les pois, les carottes, le tofu, les oignons verts et les nouilles. Bien chauffer pendant environ 5 minutes. Goûter et rectifier l'assaisonnement en ajoutant un peu de sauce soya au besoin. Garnir de coriandre.

DÉCOCTION DE POULET AUX BOULETTES DE PAIN AZYME

> **LE PAIN AZYME**
> Le pain azyme est un pain plat, sans levain, habituellement servi à la Pâque juive. La levure azyme est tout simplement du pain azyme moulu. Le pain ainsi que la farine peuvent être achetés dans les épiceries et les charcuteries juives, de même que dans de nombreux supermarchés.

Cette décoction de poulet garni de boulettes de chapelure de pain azyme est presque devenue un symbole juif. Cependant, les boulettes de chapelure de pain azyme profitent d'une appréciation sans frontières, car elles plaisent à tous les peuples.

Sur le plan de la texture, on distingue deux types de boulettes de chapelure de pain azyme : les compactes et les légères. J'ai toujours eu un faible pour ces dernières, mais je ne réussissais pas à maîtriser suffisamment leur fabrication pour pouvoir affirmer que j'obtenais des boulettes compactes ou des boulettes légères. Un bon jour, Rhonda Caplan, qui travaille avec moi à la télé, m'a confié le secret de sa mère. C'est alors que j'ai été en mesure de créer des boulettes ultralégères et que j'ai résolu mon problème.

Pour ce qui est de la décoction proprement dite, il est essentiel d'utiliser le meilleur poulet qui soit. Si le poulet n'est pas cascher, il devrait au moins être d'élevage biologique ou fermier. Le reste de décoction peut être utilisé comme bouillon de poulet ; je le dilue alors un peu.

J'aime préparer les décoctions et les bouillons la veille, car leur réfrigération, durant la nuit, permet de solidifier le gras en surface. Il est alors facile à retirer.

Donne de 8 à 10 portions

1	poulet de 2 kg (4 lb)	1
3 l	eau froide (quantité approximative)	12 tasses
2	oignons, coupés en quatre	2
2	branches de céleri avec les feuilles, tranchées	2
2	carottes, tranchées	2
2	panais, pelés et tranchés	2
1	feuille de laurier	1

1	botte de persil frais	1	
5 ml	sel	1 c. à thé	
1 ml	poivre	1/4 c. à thé	

Boulettes de chapelure de pain azyme

1	œuf	1	
2	blancs d'œufs	2	
125 ml	farine de matsa	1/2 tasse	
7 ml	sel	1 1/2 c. à thé	
25 ml	décoction de poulet	2 c. à soupe	
25 ml	persil frais, haché	2 c. à soupe	

1. Couper le poulet en huit. Enlever et jeter tout le gras visible. Déposer le poulet dans une grande casserole et y verser juste assez d'eau froide pour immerger la volaille. Porter à ébullition, puis écumer le bouillon.

2. Ajouter les oignons, le céleri, les carottes, le panais, la feuille de laurier, le persil, le sel et le poivre. Porter de nouveau à ébullition, réduire le feu et laisser mijoter très lentement, à découvert, pendant 2 heures. Garder le poulet immergé dans l'eau.

3. Filtrer la soupe et la récupérer dans une autre casserole. Désosser le poulet et utiliser la chair pour faire une soupe ou des sandwiches. Si la décoction est servie aussitôt, la dégraisser préalablement.

4. Entre-temps, pour préparer les boulettes de chapelure de pain azyme, battre l'œuf avec les blancs d'œufs dans un bol de taille moyenne. Ajouter la farine de matsa, le sel, 25 ml (2 c. à soupe) de la décoction de poulet et le persil. Couvrir et garder au réfrigérateur pendant 30 minutes.

5. S'humecter les mains d'eau froide et former une douzaine de boulettes à partir de la préparation.

6. Remplir une grande casserole d'eau et porter à ébullition. Y cuire les boulettes en laissant mijoter 40 minutes. Retirer les boulettes de l'eau et servir avec la décoction au poulet.

Soupe végétarienne aux boulettes de pain azyme

Préparer la soupe et les boulettes avec du bouillon de légumes maison (page 127), tout en prenant soin de bien assaisonner le bouillon. Essayer les boulettes de pain azyme avec la soupe aux lentilles (page 113) ou le potage aux carottes parfumé au cumin (page 92).

VALEUR NUTRITIONNELLE PAR PORTION

Calories	104
Protéines	10 g
Matières grasses	3 g
Saturées	1 g
Cholestérol	29 mg
Glucides	8 g
Fibres	0 g
Sodium	715 mg
Potassium	338 mg

Excellente source : niacine

Bonne source : vitamine B12

UNE CASSEROLE POUR LE BOUILLON

Vous aurez besoin d'une grande casserole pour préparer le bouillon. Les casseroles pour les pâtes sont idéales ; leur passoire intégrée permet d'égoutter les os facilement, simplement en la soulevant de la casserole. C'est un accessoire parfait pour la préparation du bouillon.

LA CONGÉLATION DU BOUILLON

Si votre congélateur est petit, il est possible de préparer un concentré de bouillon maison. Faire réduire le bouillon à un huitième de son volume original. Verser le concentré dans des moules à glaçons. Faire congeler, démouler, puis remettre au congélateur dans un sac de plastique, en indiquant bien la date de congélation. Vous pouvez aussi verser le bouillon directement dans des sacs hermétiques pour congélateur (page 335), que vous déposerez bien à plat dans le congélateur. Il suffira de diluer le concentré congelé avec de l'eau bouillante pour obtenir du bouillon.

DIX SUGGESTIONS DE GARNITURE

- Herbes fraîches hachées
- Fromage de yogourt nature ou assaisonné (page 420)
- Croustilles de tortillas (page 62)
- Croûtons (page 138)
- Graines de sésame, de pavot, de cumin ou de carvi
- Un peu de fromage faible en gras râpé
- Quelques noix rôties, hachées finement
- Laitue hachée finement ou salsa
- Pelures de pommes de terre tranchées minces, cuites au four (page 373)
- Pois chiches hachés ou entiers

VELOUTÉ DE TOMATES RÔTIES

Le rôtissage transforme une banale soupe aux tomates en un mets spectaculaire. J'aime bien utiliser un moulin à légumes (page 481), car il débarrasse la soupe des peaux et des graines de tomates et de poivrons. Si vous vous servez d'un robot culinaire ou d'un mélangeur, ces parties seront tout simplement broyées en fines particules.

Pour remplacer les tomates rôties, vous pouvez prendre 2 boîtes de 796 ml (28 oz) de tomates italiennes. Il suffit de les égoutter et de les jeter dans la casserole contenant les poivrons et les oignons rôtis. Après l'ajout du bouillon, laissez cuire la soupe pendant 15 minutes.

Utilisez les restes comme sauce d'accompagnement des pâtes alimentaires, ou faites-en une sauce à salade en y incorporant du vinaigre et de l'huile d'olive.

Vous pouvez omettre de garnir avec la ciboulette et le fromage de chèvre et simplement déposer une cuillerée de yogourt nature au centre de chaque assiette creuse. Vous pouvez également garnir avec une cuillerée de salsa ou avec des pignons rôtis.

Donne de 6 à 8 portions

1,5 kg	tomates italiennes mûres (12 à 15), coupées en quatre dans le sens de la longueur	3 lb
3	poivrons rouges, coupés en deux et épépinés	3
1	piment jalapeño, coupé en deux et épépiné, ou 15 ml (1 c. à soupe) de purée de piment chipolte (page 206)	1
1	oignon, coupé en morceaux	1
15 ml	huile d'olive	1 c. à soupe

15 ml	thym frais, haché,	1 c. à soupe
	ou 2 ml (1/2 c. à thé) de thym séché	
15 ml	romarin frais, haché,	1 c. à soupe
	ou 2 ml (1/2 c. à thé) de romarin séché	
2 ml	sel	1/2 c. à thé
1 ml	poivre	1/4 c. à thé
4	bulbes d'ail	4
625 ml	bouillon de légumes maison,	2 1/2 tasses
	bouillon de poulet maison (page 127) ou eau	
25 ml	vinaigre balsamique	2 c. à soupe
50 ml	fromage de chèvre non affiné, émietté	1/4 tasse
1	botte de ciboulette fraîche	1

1. Disposer les tomates, la face coupée vers le haut, sur des plaques à pâtisserie recouvertes de papier sulfurisé. Disposer les poivrons et le piment jalapeño, côté peau vers le haut, près des tomates (si on utilise de la purée de piment chipotle, l'ajouter à la soupe à l'étape 3). Défaire l'oignon et l'étendre sur les légumes. Arroser d'huile et saupoudrer de thym, de romarin, de sel et de poivre.

2. Trancher au couteau le quart supérieur de toutes les gousses d'ail (l'extrémité pointue). Retirer la peau de l'ail qui se détache facilement, puis envelopper les bulbes dans du papier d'aluminium. Rôtir les légumes et l'ail dans un four préchauffé à 200 °C (400 °F) pendant 30 à 45 minutes, ou jusqu'à ce que les légumes soient dorés et que la pulpe de l'ail soit très molle. Peler les poivrons si la peau s'enlève facilement ; sinon, la laisser tout simplement en place.

3. Mettre les tomates, les poivrons et les oignons rôtis dans une grande casserole ou dans un faitout. Extraire par pression la pulpe des gousses d'ail et l'ajouter dans la casserole. Verser le bouillon et porter à ébullition. Cuire à découvert pendant 5 minutes.

4. Réduire la soupe en purée. Si elle est trop épaisse, la diluer avec un peu de bouillon. Si elle est trop fluide, la cuire à découvert jusqu'à ce qu'elle épaississe en réduisant.

5. Ajouter le vinaigre et laisser mijoter pendant quelques minutes. Goûter et rectifier l'assaisonnement au besoin.

6. Verser la soupe dans de grands bols peu profonds. Garnir chaque bol d'un peu de fromage de chèvre émietté. Décorer la soupe de ciboulette hachée ou la garnir de segments de ciboulette de 5 cm (2 po) coupés aux ciseaux, et dispersés sur le velouté à la manière des bâtons de mikado.

VALEUR NUTRITIONNELLE PAR PORTION

Calories	151
Protéines	6 g
Matières grasses	5 g
Saturées	1 g
Cholestérol	3 mg
Glucides	26 g
Fibres	5 g
Sodium	253 mg
Potassium	719 mg

Excellente source : vitamine A ; vitamine C ; vitamine B6

Bonne source : thiamine ; fer

POTAGE DE COURGE AU CARI

Cela fait plus de 20 ans que je travaille avec Shelley Tanaka, ma réviseure. Elle m'a adressé ce compliment des plus flatteurs : elle cuisine souvent mes recettes au fur et à mesure qu'elle les révise, ne pouvant résister à la tentation de les essayer. C'est elle qui, il y a quelque temps, alors que je lui rendais visite à la campagne, m'a inspirée pour ce délicieux potage.

J'aime bien utiliser une courge d'hiver (comme la musquée) pour préparer ce potage, mais vous pouvez, si vous le préférez, vous servir de la courgette ou de toute autre courge d'été.

Donne de 6 à 8 portions

10 ml	huile d'olive	2 c. à thé
1	oignon, haché	1
3	gousses d'ail, émincées	3
15 ml	pâte de cari, ou poudre de cari	1 c. à soupe
1 l	courge, pelée et coupée en dés, soit 750 g (1 1/2 lb)	4 tasses
1 l	bouillon de légumes maison, bouillon de poulet maison (page 127) ou eau sel et poivre au goût	4 tasses
25 ml	amandes émincées, grillées (facultatif) (page 216)	2 c. à soupe

VALEUR NUTRITIONNELLE PAR PORTION

Calories	95
Protéines	2 g
Matières grasses	3 g
Saturées	traces
Cholestérol	0 mg
Glucides	17 g
Fibres	2 g
Sodium	461 mg
Potassium	334 mg

Excellente source : vitamine A
Bonne source : vitamine C

1. Chauffer l'huile, à feu moyen, dans une grande casserole ou dans un faitout. Y faire revenir les oignons et l'ail pendant 5 à 8 minutes, jusqu'à ce qu'ils soient tendres et odorants. Si les légumes commencent à brunir ou s'ils deviennent secs ou quasi croustillants, ajouter un peu d'eau.

2. Incorporer la pâte de cari. Cuire 30 secondes, en remuant constamment.

3. Ajouter la courge et cuire quelques minutes. Verser le bouillon et porter à ébullition. Réduire le feu et laisser mijoter 30 minutes.

4. Réduire la soupe en purée. La remettre sur le feu et ajouter un peu d'eau si elle est trop épaisse. Saler et poivrer au goût. Servir la soupe parsemée d'amandes émincées rôties.

VELOUTÉ DE TOMATES ET DE MAÏS GRILLÉ

J'aime présenter cette recette dans le cadre de mon cours sur les grillades en plein air. Les élèves ont alors l'occasion d'apprendre comment on peut conférer une magnifique saveur de grillade aux soupes, aux salades, aux pâtes et aux sandwiches.

Les restes peuvent être utilisés comme sauce avec des pâtes alimentaires ou se transformer en ragoût par l'ajout de poulet, de crevettes, de viande ou de pois chiches.

Donne 8 portions

1,5 kg	tomates italiennes mûres (12 à 15), coupées en deux et épépinées	3 lb
2	oignons, coupés en tranches de 1 cm (1/2 po)	2
3	épis de maïs, épluchés	3
15 ml	huile d'olive	1 c. à soupe
4	gousses d'ail, hachées finement	4
15 ml	de purée de piment chipolte, ou 1 piment jalapeño, haché finement (page 206)	1 c. à soupe
1 l	bouillon de poulet maison, bouillon de légumes (page 93) ou eau	4 tasses
15 ml	vinaigre balsamique sel et poivre au goût	1 c. à soupe
50 ml	basilic frais, haché	1/4 tasse

1. Déposer les tomates sur le barbecue et cuire pendant quelques minutes, de chaque côté, jusqu'à ce qu'elles soient tendres et dorées. Réserver.

2. Griller les tranches d'oignon, jusqu'à ce qu'elles soient dorées des deux côtés. Couper en dés et réserver.

3. Cuire les épis de maïs directement sur le barbecue, en les retournant de tous les côtés, jusqu'à ce qu'il soient dorés. Couper ou casser les épis en deux et poser chaque tronçon debout, sur une planche à découper. Égrainer les épis de maïs avec un couteau bien affûté.

4. Chauffer l'huile d'olive, à feu moyen, dans une grande casserole ou dans un faitout. Y faire sauter l'ail et cuire jusqu'à ce qu'il soit tendre et odorant. Ajouter le piment chipolte et les tomates. Remuer et cuire jusqu'à ce que la préparation soit chaude.

5. Verser le bouillon et porter à ébullition. Réduire le feu et laisser mijoter environ 15 minutes.

LA PÂTE DE PIMENT ORIENTALE

Ce condiment très relevé se compose de piment et d'ail ; il est piquant et délicieux ! Bien qu'il s'agisse d'une préparation d'origine orientale, je l'utilise dans la sauce, les trempettes et les tartinades. Celle que je préfère est la pâte vietnamienne dont le pot est orné d'un coq.

VALEUR NUTRITIONNELLE PAR PORTION

Calories	122
Protéines	4 g
Matières grasses	2 g
Saturées	1 g
Cholestérol	1 mg
Glucides	25 g
Fibres	4 g
Sodium	38 mg
Potassium	611 mg

Excellente source :
vitamine C

Bonne source :
vitamine A ; thiamine ; acide folique

6. Réduire la soupe en purée et remettre dans la casserole. Ajouter les oignons et les grains de maïs grillés. Laisser cuire pendant 5 minutes.

7. Ajouter le vinaigre, puis saler et poivrer au goût. Servir la soupe garnie de basilic haché.

SOUPE AIGRE-DOUCE

Le vinaigre chinois noir, obtenu par la fermentation de certaines céréales, confère une riche saveur de fumée à cette soupe fort populaire et facile à réaliser.

LA SAUCE THAÏLANDAISE AIGRE-DOUCE

Elle se compose de piment rouge, de sucre, d'ail, de vinaigre et de sel. Elle entre dans la préparation des sauces orientales, mais elle fait merveille dans les trempettes et les marinades. Elle est vendue dans les épiceries asiatiques (pour ma part, je préfère la sauce thaïlandaise de marque Mae Ploy).

Donne de 6 à 8 portions

10	champignons shiitakes frais ou déshydratés	10
25 ml	fécule de maïs	2 c. à soupe
50 ml	eau	1/4 tasse
1,5 l	bouillon de légumes maison, bouillon de poulet maison (page 127) ou eau	6 tasses
3	poireaux, parés et coupés en rondelles, ou 1 oignon, tranché finement	3
250 ml	pousses de bambou, tranchées finement	1 tasse
250 g	tofu extra ferme, coupé en fines lanières	1/2 lb
45 ml	vinaigre chinois noir, ou vinaigre balsamique, ou sauce Worcestershire	3 c. à soupe
25 ml	sauce soya	2 c. à soupe
25 ml	gingembre frais, émincé	2 c. à soupe
5 ml	huile de sésame grillé	1 c. à thé
2 ml	poivre	1/2 c. à thé
2 ml	pâte de piment orientale (page 108)	1/2 c. à thé
2	blancs d'œufs, ou 1 œuf entier, battus	2
3	oignons verts, tranchés finement	3

VALEUR NUTRITIONNELLE PAR PORTION

Calories	139
Protéines	10 g
Matières grasses	2 g
Saturées	traces
Cholestérol	1 mg
Glucides	23 g
Fibres	3 g
Sodium	428 mg
Potassium	384 mg

1. Si l'on utilise des champignons déshydratés, les couvrir d'eau chaude et les laisser attendrir pendant 20 minutes. Égoutter et rincer. Retirer les pieds et couper les chapeaux en tranches.

2. Dans un petit bol, délayer la fécule de maïs dans l'eau.

3. Dans une grande casserole, verser le bouillon et ajouter les champignons, les poireaux, les pousses de bambou et le tofu. Porter à ébullition. Écumer au besoin et cuire pendant environ 3 minutes.

4. Ajouter le vinaigre, la sauce soya, le gingembre, l'huile de sésame, le poivre et la pâte de piment. Rectifier l'assaisonnement au besoin.

5. Brasser le mélange de fécule de maïs et l'ajouter à la soupe. Cuire quelques minutes, jusqu'à léger épaississement, en brassant pour éviter la formation de grumeaux.

6. Retirer du feu et ajouter lentement les blancs d'œufs battus en brassant sans arrêt, pour que les œufs forment des fils et cuisent parfaitement. Ajouter les oignons verts. Servir chaud.

GASPACHO ÉPICÉ

Le gaspacho est ni plus ni moins qu'une salade servie dans un bol à soupe. Il doit être frais et rafraîchissant. Personnellement, je l'aime bien relevé. Pour varier, on peut le garnir de maïs en grain, de crevettes hachées, de crabe ou de homard.

Donne 6 portions

3	grosses tomates bien mûres, épépinées et hachées grossièrement	3
1	poivron vert, épépiné et haché grossièrement	1
1	poivron rouge, épépiné et haché grossièrement	1
1	branche de céleri, hachée grossièrement	1
1	concombre anglais, pelé et haché grossièrement	1
3	oignons verts, hachés grossièrement	3
2	gousses d'ail, hachées grossièrement	2
375 ml	jus de légumes, ou jus de tomate	1 1/2 tasse
250 ml	eau	1 tasse
15 ml	huile d'olive	1 c. à soupe
15 ml	sauce Worcestershire	1 c. à soupe
15 ml	vinaigre de xérès, ou vinaigre balsamique	1 c. à soupe
2 ml	sauce piquante au piment	1/2 c. à thé
	sel et poivre au goût	

Garniture

1	tomate, épépinée et coupée en dés	1
250 ml	concombre anglais, coupé en dés	1 tasse
25 ml	ciboulette fraîche, ou oignon vert, hachés	2 c. à soupe
25 ml	persil frais, haché	2 c. à soupe
25 ml	basilic frais, coupé, ou persil frais, haché	2 c. à soupe
375 ml	croûtons (page 138)	1 1/2 tasse

VALEUR NUTRITIONNELLE PAR PORTION

Calories	133
Protéines	4 g
Matières grasses	3 g
Saturées	1 g
Cholestérol	0 mg
Glucides	24 g
Fibres	4 g
Sodium	368 mg
Potassium	627 mg

Excellente source : vitamine A ; vitamine C ; acide folique

Bonne source : thiamine ; vitamine B6

1. Au mélangeur ou au robot culinaire, mélanger les tomates, le poivron vert, le poivron rouge, le céleri, le concombre, les oignons verts et l'ail. Hacher finement.

2. Ajouter le jus de légumes, l'eau, l'huile, la sauce Worcestershire, le vinaigre et la sauce au piment. Réduire en purée homogène. Goûter et rectifier l'assaisonnement en ajoutant, au besoin, du sel, du poivre, du vinaigre et de la sauce piquante.

3. Pour garnir, mélanger la tomate, le concombre, la ciboulette, le persil et le basilic dans un petit bol. Déposer sur la soupe. Ajouter les croûtons et servir.

PASTA E FAGIOLI

Cette soupe est délicieusement réconfortante. Servez-la en petites portions, en guise d'entrée, ou dans des bols plus grands, accompagnée de pain croûté et de salade, en tant que plat de résistance. Pour une soupe végétarienne, remplacez le bouillon de poulet par du bouillon de légumes et omettez le jambon. Les restes seront très épais, il vous faudra les éclaircir avec un peu de liquide au moment de les réchauffer. Ou encore, vous pouvez ajouter des cubes de pain et du fromage, puis cuire la préparation dans une cocotte au four préchauffé à 180 °C (350 °F) pendant environ 30 minutes. On parle alors de *ribollita* (page 220), un plat fait à partir de restes de minestrone.

Donne 8 portions

15 ml	huile d'olive	1 c. à soupe
2	oignons, hachés	2
3	gousses d'ail, hachées finement	3
1	carotte, hachée	1
1 ml	flocons de piment fort (facultatif)	1/4 c. à thé
1	boîte de 796 ml (28 oz) de tomates italiennes, non égouttées	1
1 l	bouillon de poulet maison (page 127), bouillon en conserve ou déshydraté à teneur réduite en sodium	4 tasses
60 g	jambon fumé en un seul morceau, débarrassé de toute matière grasse (facultatif)	2 oz
1	boîte de 540 g (19 oz) de haricots blancs, rincés et égouttés	1

250 ml	petits macaronis de blé entier, ou de pâtes à soupe	1 tasse
	sel et poivre au goût	
25 ml	parmesan, râpé	2 c. à soupe

1. Chauffer l'huile, à feu moyen-vif, dans une grande casserole ou dans un faitout. Y faire sauter les oignons, l'ail, la carotte et cuire de 5 à 7 minutes, ou jusqu'à ce que les légumes soient tendres. Ajouter les flocons de piment fort.

2. Ajouter les tomates avec leur jus, et les défaire à la cuillère en bois. Verser le bouillon et porter à ébullition. Ajouter le morceau de jambon, si on en utilise. Réduire le feu et laisser mijoter lentement pendant environ 30 minutes.

3. Ajouter les haricots et cuire pendant 10 minutes. Retirer le jambon (il peut être coupé en dés et utilisé comme garniture).

4. Réduire la moitié de la soupe en purée, puis remettre la purée dans la soupe, dans la casserole. Porter à ébullition.

5. Ajouter les pâtes et cuire pendant environ 10 minutes, ou jusqu'à ce qu'elles soient très tendres. Remuer souvent pour éviter que les pâtes adhèrent au fond de la casserole. Si la soupe est trop épaisse, ajouter un peu d'eau. Goûter, saler et poivrer au besoin. Servir la soupe garnie de parmesan.

VALEUR NUTRITIONNELLE PAR PORTION	
Calories	181
Protéines	10 g
Matières grasses	4 g
Saturées	1 g
Cholestérol	2 mg
Glucides	29 g
Fibres	7 g
Sodium	371 mg
Potassium	516 mg

Excellente source : vitamine A
Bonne source : niacine ; acide folique

SOUPE MEXICAINE AUX LENTILLES

Il existe bien des types de soupes aux lentilles. J'aime particulièrement celle-ci, que je reproduis d'après une soupe goûtée dans un restaurant de Banff, le Coyotes Deli and Grill. Les lentilles qui entrent dans la composition de cette soupe sont les vertes, car elles conservent leur forme et leur texture. Mes préférées, parmi toute la variété de lentilles vertes, sont les minuscules lentilles françaises du Puy.

Donne de 8 à 10 portions

15 ml	huile d'olive	1 c. à soupe
2	oignons, hachés	2
2	gousses d'ail, hachées finement	2
15 ml	cumin moulu	1 c. à soupe
15 ml	purée de piment chipolte (page 206) ou 1 piment jalapeño, épépiné et haché finement	1 c. à soupe
2	carottes, coupées en dés	2

VALEUR NUTRITIONNELLE PAR PORTION	
Calories	323
Protéines	17 g
Matières grasses	5 g
Saturées	2 g
Cholestérol	5 mg
Glucides	55 g
Fibres	9 g
Sodium	127 mg
Potassium	889 mg

Excellente source : vitamine A ; thiamine ; vitamine B6 ; acide folique ; fer
Bonne source : niacine

LES LENTILLES

Il existe de nombreuses variétés de lentilles. Les petites lentilles rouges ou orange sont souvent utilisées dans les soupes, car elles ramollissent rapidement et épaississent la préparation. Les grosses lentilles brun verdâtre ou les petites lentilles françaises vertes sont habituellement utilisées quand on souhaite que la légumineuse conserve sa forme, par exemple dans les salades et les plats cuits au four. Pour ma part, je préfère les petites lentilles vertes du Puy pour leur goût délicat et leur texture.

Il est inutile de faire tremper les lentilles, puisqu'elles cuisent rapidement. Personnellement, je trouve que les lentilles vertes en conserve sont trop cuites, ce qui nuit à leur texture.

2	branches de céleri, coupées en dés	2
2	panais, pelés et coupés en dés	2
1	pomme de terre, pelée et coupée en dés	1
500 ml	lentilles vertes sèches, bien rincées et triées	2 tasses
2 l	bouillon de légumes maison, bouillon de poulet maison (page 127) ou eau	8 tasses
375 ml	maïs en grains	1 1/2 tasse
25 ml	jus de citron	2 c. à soupe
	sel et poivre au goût	
90 g	fromage de chèvre non affiné	3 oz
45 ml	lait	3 c. à soupe
50 ml	coriandre fraîche ou basilic frais, hachés	1/4 tasse

1. Chauffer l'huile à feu moyen-vif dans une grande casserole ou dans un faitout. Y faire sauter les oignons et l'ail, puis cuire jusqu'à ce qu'ils soient tendres. Ajouter le cumin et le piment chipolte et poursuivre la cuisson pendant 30 secondes.

2. Ajouter les carottes, le céleri, le panais et la pomme de terre. Cuire pendant environ 5 minutes. Incorporer les lentilles et le bouillon. Porter à ébullition. Réduire le feu et laisser mijoter lentement, à découvert, pendant environ 30 minutes, ou jusqu'à ce que les lentilles soient très tendres.

3. Ajouter le maïs en grains. Cuire pendant 3 minutes. Ajouter le jus de citron. Saler et poivrer au goût.

4. Dans un petit bol, délayer le fromage de chèvre dans le lait pour obtenir un mélange onctueux et homogène. Décorer la soupe d'un filet de ce liquide et garnir de coriandre.

SOUPE DE LENTILLES ROUGES À L'ISRAÉLIENNE

Tout bon chef moyen-oriental a sa recette de soupe de lentilles préférée. Cette version, au goût citronné, est facile à réaliser. Elle est aussi plus épaisse que la soupe de lentilles traditionnelle. Ce sont les lentilles rouges qui, en cuisant, se défont et épaississent la préparation (au contraire des vertes, qui gardent leur forme).

Cette soupe de tous les jours ravira les petits et les grands. Réduisez toutefois la quantité de piment si vous la préparez pour des enfants.

Donne de 6 à 8 portions

250 ml	lentilles rouges sèches	1 tasse
10 ml	huile végétale	2 c. à thé
1	gros oignon, haché	1
3	gousses d'ail, émincées	3
1	piment jalapeño, épépiné et haché	1
5 ml	cumin moulu	1 c. à thé
2 l	bouillon de légumes maison, bouillon de poulet maison (page 127) ou eau	8 tasses
5 ml	sel	1 c. à thé
1 ml	poivre	1/4 c. à thé
25 ml	jus de citron	2 c. à soupe
75 ml	coriandre fraîche, hachée	1/3 tasse

1. Déposer les lentilles dans une passoire et bien les rincer. Les étendre sur une plaque à pâtisserie et les trier.

2. Dans une grande casserole, faire chauffer l'huile à feu moyen. Ajouter l'oignon, l'ail et le piment jalapeño ; laisser cuire doucement de 5 à 10 minutes, ou jusqu'à ce que les légumes soient tendres et odorants. Ajouter le cumin et cuire 30 secondes, jusqu'à ce qu'il dégage son parfum.

3. Ajouter les lentilles rincées et le bouillon et porter à ébullition. Réduire le feu et laisser mijoter doucement, à découvert, pendant 30 minutes, ou jusqu'à ce que les lentilles soient très tendres et que la soupe soit consistante (si la soupe est trop épaisse, ajoutez un peu de bouillon ou d'eau).

4. Ajouter le sel, le poivre et le jus de citron. Goûter et rectifier l'assaisonnement au besoin. Garnir de coriandre avant de servir.

VALEUR NUTRITIONNELLE PAR PORTION	
Calories	167
Protéines	9 g
Matières grasses	2 g
Saturées	traces
Cholestérol	0 mg
Glucides	29 g
Fibres	5 g
Sodium	468 mg
Potassium	414 mg

Excellente source : acide folique ; fer
Bonne source : vitamine A ; thiamine

POTAGE DE HARICOTS BLANCS AVEC SALSA DE VERDURE

Si vous désirez préparer une variante rapide de cette soupe, utilisez deux boîtes de 540 ml (19 oz) de haricots blancs, rincés et égouttés, et les cuire avec les pommes de terre de 15 à 20 minutes, ou jusqu'à ce qu'elles soient tendres.

Donne de 8 à 10 portions

375 ml	haricots blancs ou petits haricots blancs secs (navy)	1 1/2 tasse
10 ml	huile d'olive	2 c. à thé

1	oignon, haché finement	1
3	gousses d'ail, hachées finement	3
1 ml	flocons de piment fort	1/4 c. à thé
2 l	bouillon de légumes maison, bouillon de poulet maison (page 127) ou eau	8 tasses
125 ml	macaronis de blé entier ou ordinaires, ou pâtes à soupe	1/2 tasse
2 ml	poivre	1/2 c. à thé
	sel au goût	

Salsa de verdure

2	grosses tomates, épépinées et hachées	2
125 ml	roquette fraîche ou cresson frais, hachés	1/2 tasse
25 ml	ciboulette fraîche ou oignons verts, hachés	2 c. à soupe
25 ml	basilic frais, haché	2 c. à soupe
25 ml	persil frais, haché	2 c. à soupe
1	petite gousse d'ail, émincée	1
2 ml	poivre	1/2 c. à thé
	sel au goût	

1. Faire tremper les haricots dans une grande quantité d'eau pendant 3 heures, à la température ambiante, ou toute la nuit au réfrigérateur. Bien rincer et égoutter.

2. Chauffer l'huile à feu moyen dans une grande casserole ou dans un faitout. Ajouter l'oignon, l'ail et les flocons de piment fort et faire revenir à feu doux, quelques minutes, sans laisser brunir.

3. Ajouter les haricots et le bouillon. Porter à ébullition, réduire le feu, couvrir et laisser mijoter, à feu doux, pendant 1 heure, ou jusqu'à ce que les haricots soient tendres.

4. Réduire en purée la totalité ou la moitié du potage. Remettre dans la casserole et, au besoin, allonger de bouillon additionnel ou d'eau.

5. Ajouter les pâtes et faire cuire pendant 10 minutes. Les pâtes vont épaissir légèrement le potage ; allonger de nouveau si désiré. Ajouter le poivre. Goûter et rectifier l'assaisonnement en ajoutant du sel au besoin.

6. Pendant ce temps, mélanger tous les ingrédients de la salsa. Rectifier l'assaisonnement en ajoutant du sel au besoin. Servir la soupe et déposer une grosse cuillerée de salsa au centre de chaque bol.

VALEUR NUTRITIONNELLE PAR PORTION

Calories	191
Protéines	10 g
Matières grasses	2 g
Saturées	traces
Cholestérol	0 mg
Glucides	35 g
Fibres	10 g
Sodium	65 mg
Potassium	547 mg

Excellente source : acide folique ; fer

Bonne source : vitamine A ; thiamine

SOUPE DE CHAMPIGNONS AUX HARICOTS ET À L'ORGE

Cette section n'aurait pas été complète si je n'y avais pas inclus ce classique nourrissant. J'en fais toujours plus pour en avoir pendant quelques jours. Comme elle a tendance à épaissir au réfrigérateur, il faut souvent l'éclaircir avec un peu d'eau en la réchauffant. On peut utiliser une boîte de 540 ml (19 oz) de haricots blancs rincés et égouttés pour remplacer les haricots secs ; mais ajoutez-les à l'étape 4, alors que la soupe a cuit 30 minutes.

Donne de 12 à 14 portions

250 ml	haricots blancs, ou petits haricots blancs secs	1 tasse
15 g	champignons sauvages déshydratés	1/2 oz
150 ml	orge perlé, rincé	2/3 tasse
2,5 l	bouillon de légumes maison, bouillon de poulet maison (page 127) ou eau	10 tasses
1	oignon, haché	1
2	carottes, coupées en dés	2
2	branches de céleri, coupées en dés	2
3	gousses d'ail, émincées	3
250 g	champignons frais, tranchés	1/2 lb
2 ml	poivre	1/2 c. à thé
	sel au goût	
50 ml	persil frais, haché	1/4 tasse

1. Couvrir les haricots d'une généreuse quantité d'eau et laisser tremper pendant quelques heures, à la température ambiante, ou toute la nuit au réfrigérateur. Rincer et égoutter.

2. Couvrir les champignons sauvages déshydratés de 250 ml (1 tasse) d'eau chaude et laisser reposer 30 minutes. Passer le liquide de trempage dans un tamis tapissé d'une serviette en papier et réserver. Rincer les champignons frais un par un pour retirer tout le sable qu'ils pourraient contenir. Hacher les champignons réhydratés et réserver.

3. Mettre l'orge, les haricots, le jus de champignon réservé et le bouillon dans une grande casserole. Porter à ébullition. Écumer avec soin.

4. Ajouter l'oignon, les carottes, le céleri, l'ail, les champignons frais et les champignons réhydratés. Faire cuire pendant 1 heure, ou jusqu'à ce que les haricots soient tendres et que la soupe épaississe. Brasser de temps à autre. Si la soupe est trop épaisse, ajouter de l'eau. Ajouter le poivre. Goûter et rectifier l'assaisonnement en ajoutant du sel, au besoin. Parsemer de persil au moment de servir.

VALEUR NUTRITIONNELLE PAR PORTION	
Calories	140
Protéines	6 g
Matières grasses	1 g
Saturées	traces
Cholestérol	0 mg
Glucides	30 g
Fibres	8 g
Sodium	43 mg
Potassium	338 mg

Excellente source : vitamine A ; acide folique
Bonne source : niacine ; fer

GARAM MASALA

Mélanger 15 ml (1 c. à soupe) de cardamome moulue, de cannelle moulue et de coriandre moulue avec 5 ml (1 c. à thé) de clou de girofle, de poivre noir et de muscade moulue.

SOUPE MAROCAINE AUX LENTILLES ET AUX PÂTES

Cette soupe au goût exotique est facile à préparer. Le garam masala est un mélange d'épices qu'on trouve dans le commerce, spécialement dans les épiceries d'importation spécialisées ou les marchés indonésiens. Cependant, si vous n'en trouvez pas, vous pouvez aisément le préparer ou le remplacer tout simplement par du cumin.

Donne de 8 à 10 portions

15 ml	huile d'olive	1 c. à soupe
2	oignons, hachés	2
2	gousses d'ail, hachées finement	2
15 ml	gingembre frais, haché finement	1 c. à soupe
5 ml	garam masala	1 c. à thé
2 ml	curcuma	1/2 c. à thé
1 ml	poivre de Cayenne	1/4 c. à thé
175 ml	lentilles rouges sèches, rincées	3/4 tasse
1	boîte de 796 ml (28 oz) de tomates italiennes, non égouttées	1
2 l	bouillon de légumes maison, bouillon de poulet maison (page 127) ou eau	8 tasses
1	boîte de 540 ml (19 oz) de pois chiches, rincés et égouttés, ou 500 ml (2 tasses) de pois chiches cuits	1
1	boîte de 540 ml (19 oz) de haricots blancs, rincés et égouttés, ou 500 ml (2 tasses) de haricots blancs, cuits	1
125 ml	spaghettinis de blé entier ou ordinaires, cassés	1/2 tasse
45 ml	jus de citron	3 c. à soupe
1 ml	poivre	1/4 c. à thé
	sel au goût	
75 ml	coriandre fraîche ou persil frais, hachés	1/3 tasse

VALEUR NUTRITIONNELLE PAR PORTION

Calories	284
Protéines	14 g
Matières grasses	4 g
Saturées	1 g
Cholestérol	1 mg
Glucides	51 g
Fibres	10 g
Sodium	407 mg
Potassium	725 mg

Excellente source :
vitamine B6 ;
acide folique ; fer
Bonne source : thiamine ;
niacine

1. Chauffer l'huile à feu moyen dans une grande casserole ou dans un faitout. Ajouter les oignons, l'ail et le gingembre. Cuire à feu doux quelques minutes, jusqu'à ce que les oignons ramollissent.

2. Ajouter le garam masala, le curcuma et le poivre de Cayenne. Cuire pendant 3 minutes. Si le mélange commence à coller ou à brûler, ajouter 125 ml (1/2 tasse) d'eau.

3. Ajouter les lentilles, les tomates et le bouillon en brassant. Porter à ébullition, réduire le feu et laisser mijoter, à feu doux, pendant 20 minutes.

4. Ajouter les pois chiches et les haricots, et laisser mijoter pendant 20 minutes.

5. Réduire environ le tiers de la soupe en purée, puis remettre le tout dans la casserole. Si la soupe est trop épaisse, ajouter un peu d'eau.

6. Ajouter les spaghettinis et laisser cuire pendant 15 minutes, ou jusqu'à ce qu'ils soient très tendres. Ajouter en brassant le jus de citron et le poivre. Goûter et rectifier l'assaisonnement en ajoutant du sel, au besoin. Parsemer de coriandre au moment de servir.

SOUPE DE HARICOTS NOIRS AU YOGOURT ET À LA SALSA ÉPICÉE

La soupe de haricots noirs se sert aussi bien comme plat de résistance qu'en entrée. Assurez-vous d'avoir en main les haricots noirs secs et non les haricots noirs fermentés que l'on utilise en cuisine orientale. Les haricots noirs en conserve conviennent également pour cette soupe ; dans ce cas, utilisez deux boîtes de 540 ml (19 oz) de haricots, rincés et égouttés, et faites cuire la soupe 30 minutes après les avoir ajoutés.

Donne de 8 à 10 portions

500 g	haricots noirs secs, soit environ 500 ml (2 tasses)	1 lb
10 ml	huile d'olive	2 c. à thé
1	oignon, haché	1
6	gousses d'ail, hachées finement	6
15 ml	cumin moulu	1 c. à soupe
15 ml	paprika	1 c. à soupe
2 ml	poivre de Cayenne	1/2 c. à thé
2 l	bouillon de légumes maison, bouillon de poulet maison (page 127) ou eau	8 tasses
15 ml	purée de piment chipolte (page 206), ou 1 piment jalapeño, épépiné et haché (facultatif) sel au goût	1 c. à soupe

Salsa épicée

25 ml	oignon, rouge de préférence, haché	2 c. à soupe
1	tomate, épépinée et coupée en dés	1

**VALEUR
NUTRITIONNELLE
PAR PORTION**

Calories   257
Protéines   15 g
Matières grasses 3 g
  Saturées   1 g
  Cholestérol   2 mg
Glucides   45 g
  Fibres   10 g
Sodium   48 mg
Potassium   665 mg
Excellente source :
**thiamine ; acide folique ;
fer**
Bonne source : **niacine ;
vitamine B12**

1	piment jalapeño, haché	1
1	petite gousse d'ail, émincée	1
50 ml	coriandre fraîche ou persil frais, hachés	1/4 tasse
125 ml	yogourt faible en gras	1/2 tasse

1. Couvrir les haricots d'eau et laisser tremper pendant quelques heures à la température ambiante, ou toute la nuit au réfrigérateur. Rincer et égoutter. Réserver.

2. Chauffer l'huile à feu moyen dans une grande casserole ou dans un faitout. Ajouter l'oignon et l'ail et faire revenir à feu doux, jusqu'à ce que les parfums de cuisson soient bien odorants. Ajouter le cumin, le paprika et le poivre de Cayenne. Faire cuire environ 30 secondes.

3. Ajouter le bouillon, le piment chipolte et les haricots. Porter à ébullition. Couvrir, réduire le feu et laisser mijoter 1 1/2 heure, ou jusqu'à ce que les haricots soient très tendres.

4. Réduire en purée jusqu'à l'obtention d'une consistance lisse. Rectifier l'assaisonnement en ajoutant du sel, au besoin.

5. Pour préparer la salsa, mélanger l'oignon, la tomate, le piment jalapeño, l'ail et la coriandre.

6. Servir dans des assiettes creuses. Déposer sur chaque portion une cuillerée de yogourt puis une cuillerée de salsa.

SOUPE AUX POIS CASSÉS À L'ANETH

Voici l'une des soupes préférées de ma famille. Les pois cassés ne requièrent pas de trempage ; cette soupe se prépare donc plus rapidement que la plupart des soupes à base de légumineuses. Si vous la préparez une journée à l'avance, elle épaissira davantage. Au besoin, allongez-la simplement, d'un peu d'eau, au moment de la réchauffer.

Donne de 8 à 10 portions

15 ml	huile végétale	1 c. à soupe
2	oignons, coupés en dés	2
2	gousses d'ail, hachées finement	2
2	carottes, coupées en dés	2
2	panais, pelés et coupés en dés	2
1	grosse pomme de terre, pelée et coupée en dés	1
250 ml	pois verts cassés, rincés	1 tasse
2 l	bouillon de légumes maison, bouillon de poulet maison (page 127) ou eau	8 tasses

250 ml	spaghettis de blé entier ou ordinaires, cassés	1 tasse
25 ml	aneth frais, haché	2 c. à soupe
1 ml	poivre	1/4 c. à thé
	sel au goût	

1. Chauffer l'huile, à feu moyen, dans une grande casserole ou dans un faitout. Ajouter les oignons et l'ail et faire revenir pendant 5 minutes, ou jusqu'à ce que le tout soit tendre et odorant. Ne pas laisser brunir.

2. Ajouter les carottes, les panais et la pomme de terre, et bien incorporer. Poursuivre la cuisson pendant 5 minutes.

3. Ajouter les pois et le bouillon. Porter à ébullition, réduire le feu, couvrir et laisser cuire à feu doux pendant 1 heure, ou jusqu'à ce que les pois soient tendres et que la soupe soit très épaisse. (Il ne sera probablement pas nécessaire de réduire la soupe en purée.) Allonger avec un peu d'eau au besoin.

4. Ajouter les spaghettis et faire cuire de 10 à 15 minutes, jusqu'à ce qu'ils soient très tendres. Éclaircir de nouveau la soupe au besoin.

5. Ajouter l'aneth et le poivre en brassant. Rectifier l'assaisonnement en ajoutant du sel, au besoin.

MINESTRONE VERT AVEC CROÛTONS DE FROMAGE

Voici un minestrone sans tomate, mais dont la couleur est irrésistible et la saveur bien fraîche. Les croûtons de fromage (appelés « chico ») peuvent se préparer à l'avance. Pour un minestrone aux tomates, voir la recette de ribollita (page 220).

Donne de 8 à 10 portions

10 ml	huile d'olive	2 c. à thé
1	oignon, haché	1
2	poireaux, parés et hachés	2
3	gousses d'ail, hachées finement	3
1	botte de bettes à cardes, de rapini ou de brocoli, hachés	1
2	courgettes, tranchées	2
2 l	bouillon de légumes maison, bouillon de poulet maison (page 127) ou eau	8 tasses
125 ml	macaronis de blé entier, ou pâtes à soupe	1/2 tasse
250 g	haricots verts, coupés en tronçons de 1 cm (1/2 po)	1/2 lb

VALEUR NUTRITIONNELLE PAR PORTION

Calories	252
Protéines	10 g
Matières grasses	3 g
Saturées	1 g
Cholestérol	1 mg
Glucides	46 g
Fibres	7 g
Sodium	51 mg
Potassium	554 mg

Excellente source : vitamine A ; acide folique
Bonne source : thiamine ; niacine ; fer

500 ml	petits pois	2 tasses
50 ml	persil frais, haché	1/4 tasse
25 ml	basilic frais, haché	2 c. à soupe
1 ml	poivre	1/4 c. à thé
	sel au goût	
175 ml	parmesan, râpé	3/4 tasse
50 ml	pesto (page 188) (facultatif)	1/4 tasse

1. Chauffer l'huile à feu moyen dans une grande casserole ou dans un faitout. Ajouter l'oignon, les poireaux et l'ail. Faire revenir à feu doux pendant 5 minutes sans laisser brunir.

2. Ajouter les bettes à cardes, les courgettes et le bouillon. Porter à ébullition. Ajouter les macaronis et faire cuire pendant 5 minutes.

3. Ajouter les haricots et les petits pois, et poursuivre la cuisson pendant 3 minutes. Ajouter le persil, le basilic et le poivre. Rectifier l'assaisonnement en ajoutant du sel, au besoin.

4. Pour préparer les croûtons de parmesan, parsemer une plaque à pâtisserie antiadhésive d'une mince couche de parmesan. Faire cuire au four préchauffé à 180 °C (350 °F) pendant 2 à 5 minutes, ou jusqu'à ce que le fromage soit fondu et doré. Laisser refroidir jusqu'à consistance croustillante. Retirer de la plaque à pâtisserie et briser grossièrement.

5. Ajouter le pesto en remuant et servir avec les croûtons.

SOUPE AUX POIS CHICHES ET AUX ÉPINARDS

Voici une soupe riche en fibres qui obtient beaucoup de succès auprès de mes étudiants. Si vous la préparez à l'avance, ajoutez les épinards juste avant de la servir, pour qu'ils conservent leur belle couleur verte.

Donne 6 portions

10 ml	huile d'olive	2 c. à thé
1	oignon, haché	1
2	gousses d'ail, hachées finement	2
5 ml	cumin moulu, ou poudre de cari	1 c. à thé
	une pincée de flocons de piment fort	
1	boîte de 540 ml (19 oz) de pois chiches, rincés et égouttés, ou 500 ml (2 tasses) de pois chiches cuits	1
1 l	bouillon de légumes maison, bouillon de poulet (page 127) ou eau	4 tasses

125 ml	macaronis de blé entier, ou petites pâtes à soupe	1/2 tasse
300 g	pousses d'épinards fraîches, hachées	10 oz
1 ml	poivre	1/4 c. à thé
	sel au goût	
25 ml	persil frais, haché	2 c. à soupe

1. Chauffer l'huile à feu moyen dans une grande casserole ou dans un faitout. Ajouter l'oignon, l'ail, le cumin et les flocons de piment. Faire revenir à feu doux environ 5 minutes, ou jusqu'à ce que les oignons soient tendres.

2. Ajouter les pois chiches et le bouillon, et porter à ébullition. Réduire à nouveau le feu et laisser mijoter pendant 10 minutes. Mettre en purée la moitié de la soupe et la remettre dans la casserole.

3. Ajouter les pâtes et faire cuire pendant 8 à 10 minutes, ou jusqu'à ce qu'elles soient presque tendres.

4. Ajouter les épinards et le poivre et cuire environ 3 minutes. Goûter et rectifier l'assaisonnement en ajoutant du sel, au besoin. Parsemer de persil.

VALEUR NUTRITIONNELLE PAR PORTION	
Calories	220
Protéines	10 g
Matières grasses	3 g
Saturées	1 g
Cholestérol	1 mg
Glucides	39 g
Fibres	5 g
Sodium	191 mg
Potassium	378 mg
Excellente source :	
vitamine A ; acide folique	
Bonne source :	
vitamine B6 ; fer	

SOUPE DE FRUITS DE MER AU BOUILLON DE GINGEMBRE

Cette soupe au goût frais et léger contient peu de matières grasses. On peut y remplacer les fruits de mer par du blanc de poulet coupé en dés.

Donne 8 portions

5 ml	huile végétale	1 c. à thé
2	gousses d'ail, hachées finement	2
15 ml	gingembre frais, haché finement	1 c. à soupe
5 ml	zeste de citron, râpé	1 c. à thé
1 ml	flocons de piment fort	1/4 c. à thé
1 l	bouillon de poulet maison, fumet de poisson maison (page 127), ou bouillon de poulet en conserve ou déshydraté à teneur réduite en sodium	4 tasses
25 ml	sauce de poisson (nam pla), ou sauce soya	2 c. à soupe
15 ml	jus de citron	1 c. à soupe
3	carottes, coupées en rondelles	3
125 g	pétoncles, coupés en dés	1/4 lb

LE SAFRAN
Le safran est l'aromate le plus cher au monde. Les stigmates séchés du crocus sont cueillis à la main, ce qui explique les coûts de main-d'œuvre élevés. Le safran confère une couleur et une saveur sublime aux plats ; habituellement, on l'emploie avec le riz, les pains, les sauces et les soupes. Toutefois, un excès conférera un goût de médicament aux aliments.

Recherchez le safran en brins ; le safran moulu est souvent coupé de curcuma, une épice bon marché. Les brins de safran s'utilisent entiers ou broyés au mortier. On peut également les faire rôtir (mais prenez soin de ne pas les brûler).

125 g	crevettes, décortiquées et coupées en dés	1/4 lb
5 ml	huile de sésame grillé	1 c. à thé
4	oignons verts, hachés finement	4
25 ml	coriandre fraîche ou persil frais, hachés	2 c. à soupe

1. Chauffer l'huile à feu moyen dans une grande casserole ou dans un faitout. Ajouter l'ail, le gingembre, le zeste de citron et les flocons de piment fort. Faire revenir à feu doux, jusqu'à ce que le tout soit très odorant.
2. Ajouter le bouillon, la sauce de poisson et le jus de citron et porter à ébullition.
3. Ajouter les carottes. Laisser cuire à feu doux pendant 15 minutes.
4. Ajouter les pétoncles, les crevettes, l'huile de sésame et les oignons verts. Faire cuire quelques minutes seulement, ou jusqu'à ce que les fruits de mer soient à peine cuits. Goûter et ajuster l'assaisonnement en ajoutant du sel au besoin. Parsemer de coriandre au moment de servir.

BOUILLABAISSE DE MALKA

Ma grande amie Malka Marom est une chanteuse, communicatrice et auteure de talent.

Alors qu'elle me recevait chez elle et que, pour l'occasion, elle avait préparé cette bouillabaisse, Malka m'a confié que le secret d'un bon repas résidait dans la qualité des ingrédients qui le composent, des amis qui nous accompagnent, du vin qu'on boit, de l'amour qu'on partage et d'une foule d'autres choses merveilleuses !

Donne 8 grosses portions

500 ml	vin blanc sec ou eau, divisés en deux portions	2 tasses
500 g	palourdes, soit environ 16, nettoyées	1 lb
500 g	moules, soit environ 16, nettoyées	1 lb
15 ml	huile d'olive	1 c. à soupe
3	poireaux, parés et tranchés finement	3
1	oignon, haché	1
25 ml	farine tout usage	2 c. à soupe
1	boîte de 796 ml (28 oz) de tomates italiennes, non égouttées, réduites en purée ou broyées	1
3	tomates fraîches, hachées	3
50 ml	thym frais, haché, ou 5 ml (1 c. à thé) de thym séché	1/4 tasse

2	feuilles de laurier	2
750 ml	fumet de poisson maison (page 127), ou eau	3 tasses
50 ml	persil frais, haché, divisé en deux portions sel et poivre au goût	1/4 tasse
15 ml	brins de safran	1 c. à soupe
375 g	crevettes, soit environ 16, décortiquées	3/4 lb
1 kg	filets de poisson frais à chair blanche ferme (flétan, morue), sans la peau, coupés en morceaux de 7,5 cm (3 po)	2 lb
1	baguette de blé entier, ou ordinaire, coupée en morceaux	1

1. Porter 250 ml (1 tasse) de vin à ébullition dans un faitout. Ajouter les palourdes. Couvrir et laisser cuire 3 minutes. Ajouter les moules et couvrir. Poursuivre la cuisson pendant 3 à 5 minutes, ou jusqu'à ce que les moules s'ouvrent. Laisser les moules et les palourdes dans leur coquille, égoutter et réserver le liquide. Jeter tout mollusque qui ne se serait pas ouvert.

2. Chauffer l'huile à feu moyen dans le faitout. Y ajouter les poireaux et l'oignon. Cuire à feu doux, à couvert, jusqu'à ce que les légumes soient très tendres, ce qui devrait prendre environ 10 minutes. Incorporer la farine en remuant, et poursuivre la cuisson pendant encore quelques minutes, toujours en brassant.

3. Ajouter les tomates en boîte, les tomates fraîches, le thym, les feuilles de laurier, le fumet, le reste du vin et la moitié du persil. Porter à ébullition et cuire 25 minutes. Saler et poivrer.

4. Écraser le safran au mortier et au pilon, ou avec le dos d'une cuillère. Mettre dans la soupe et cuire environ 5 minutes.

5. Ajouter les crevettes et le poisson. Cuire 5 minutes. Ajouter les palourdes, les moules et le liquide réservés, et poursuivre la cuisson encore 5 minutes, en prenant soin cependant de ne pas trop cuire !

6. Présenter dans de grands bols et parsemer du reste du persil. Servir avec du pain.

VALEUR NUTRITIONNELLE PAR PORTION	
Calories	360
Protéines	42 g
Matières grasses	6 g
Saturées	1 g
Cholestérol	129 mg
Glucides	31 g
Fibres	3 g
Sodium	520 mg
Potassium	1230 mg

Excellente source :
thiamine ; niacine ; vitamine B6 ; vitamine B12 ; fer
Bonne source :
vitamine A ; riboflavine ; vitamine C ; acide folique

SOUPE MISO EXPRESS

Cette soupe végétarienne se prépare en un éclair. L'edamame est le haricot de soya que l'on consomme frais. Il est de plus en plus populaire en Occident. On le vend surgelé dans la cosse (il suffit de la faire cuire dans l'eau bouillante 5 minutes, de l'égoutter et de le saler en hors-d'œuvre), ou écossé (ajoutez-le, sans le faire dégeler, à vos

---

LE MISO

Le miso est une pâte de soya fermenté qui connaît une popularité grandissante depuis la vague de l'engouement pour la cuisine japonaise. Il existe plusieurs variétés de miso, mais le jaune est le plus doux et le plus courant.

Pour dissoudre le miso dans la soupe, déposez-le dans une passoire et immergez celle-ci dans le bouillon, ou dissolvez le miso dans un peu de bouillon chaud avant de l'ajouter à un plat.

---

soupes, vos sautés et vos ragoûts ou faites-le cuire de 3 à 4 minutes et égouttez-le avant de l'inclure dans une salade).

Donne de 4 à 6 portions

1 l	bouillon de légumes maison (page 127)	4 tasses
4	champignons shiitakes frais, sans les queues, tranchés finement	4
125 g	pousses d'épinards fraîches	1/4 lb
250 ml	edamame, sans les cosses	1 tasse
250 ml	tofu, coupé en dés	1 tasse
25 ml	miso jaune	2 c. à soupe
2	oignons verts, hachés finement en diagonale	2

1. Dans une casserole, amener le bouillon et les champignons à ébullition. Cuire 5 minutes.
2. Ajouter les épinards, l'edamame et le tofu. Cuire 2 minutes.
3. Déposer le miso dans une passoire et l'amollir à la fourchette. Déposer la passoire dans le bouillon et dissoudre le miso dans le bouillon.
4. Ajouter les oignons verts et cuire 1 minute.

VALEUR NUTRITIONNELLE PAR PORTION

Calories	179
Protéines	14 g
Matières grasses	6 g
Saturées	1 g
Cholestérol	0 mg
Glucides	19 g
Fibres	5 g
Sodium	407 mg
Potassium	586 mg

Excellente source : vitamine A ; acide folique ; fer
Bonne source : thiamine

PHO EXPRESS

La soupe pho est un plat vietnamien très parfumé qui se compose de nouilles de riz et de viande. Il existe de nombreuses versions du pho ; j'ai eu l'occasion d'en déguster plusieurs lors d'un voyage au Vietnam. Les Vietnamiens posent tous les ingrédients sur la table et leurs invités composent leur soupe selon leurs goûts. Vous pouvez faire comme eux, mais vous pouvez également ajouter les ingrédients au bouillon juste avant de servir. La recette que nous vous présentons ici est très facile et rapide à faire, mais elle n'en est pas moins délicieuse.

Il est possible de remplacer le filet par de la pointe de poitrine cuite et coupée en tranches (page 318). Il suffit de mettre la viande dans la soupe à la fin de l'étape 1 et de la faire cuire pendant 5 minutes.

Donne de 6 à 8 portions

2 l	bouillon de poulet maison, bouillon de bœuf maison (page 127) ou bouillon en conserve ou déshydraté à teneur réduite en sodium	8 tasses
4	tranches fines de gingembre, non pelées	4
1	bâton de cannelle, brisé en deux	1
4	graines d'anis étoilé	4
1	tige de citronnelle, coupée en tronçons de 5 cm (2 po)	1
4	échalotes, émincées	4
175 g	vermicelles de riz (d'une largeur de 5 mm [1/4 po])	6 oz
500 ml	germes de soya très frais	2 tasses
45 ml	sauce de poisson (nam pla), ou sauce soya	3 c. à soupe
250 g	filet de bœuf, ou surlonge, ou bifteck de flanc, partiellement congelé, coupé en tranches très fines	1/2 lb
1	piment jalapeño, épépiné et coupé en tranches minces	1
8	quartiers de lime	8
16	feuilles de basilic thaïlandais frais, grossièrement hachées	16
16	feuilles de coriandre fraîche, grossièrement hachées	16
16	feuilles de menthe fraîche, grossièrement hachées	16

1. Dans une grande casserole, porter à ébullition le bouillon, le gingembre, le bâton de cannelle, l'anis étoilé, la citronnelle et l'échalote. Réduire le feu et laisser mijoter pendant 15 minutes. Passer le bouillon.
2. Pendant ce temps, faire tremper les nouilles dans de l'eau chaude 15 minutes.
3. Ajouter les nouilles, les germes de soya et la sauce de poisson dans la soupe et la réchauffer pendant quelques minutes.
4. Déposer des tranches de bœuf dans chaque bol. Ajouter des nouilles et couvrir de bouillon. Laisser ensuite les convives garnir eux-mêmes leur soupe de piment jalapeño, de jus de lime et de fines herbes, ou ajouter vous-même ces condiments dans la casserole quelques minutes avant de servir.

LES VERMICELLES DE RIZ

On trouve des vermicelles de riz très fins et d'autres, plus larges. On les cuit simplement en les plongeant dans de l'eau chaude (hors feu) pendant 15 minutes. Il suffit de bien les égoutter et de les réchauffer dans une sauce ou une soupe, ou encore de les utiliser froids dans des rouleaux aux légumes, par exemple.

Si vous n'utilisez pas la totalité du paquet, rangez les vermicelles non cuits dans un sac de plastique et brisez-les en morceaux alors qu'ils sont dans le sac, ce qui vous évitera de ramasser des éclats de nouilles partout dans la cuisine !

VALEUR NUTRITIONNELLE PAR PORTION

Calories	213
Protéines	13 g
Matières grasses	3 g
Saturées	1 g
Cholestérol	18 mg
Glucides	32 g
Fibres	3 g
Sodium	768 mg
Potassium	468 mg

Excellente source :
vitamine B12 ; vitamine C
Bonne source :
acide folique ; fer

LES BOUILLONS MAISON

Bouillon de poulet maison

Je retire toujours tout le gras visible du poulet avant de préparer un bouillon, mais je laisse la peau parce qu'elle a beaucoup de goût. (Même si la peau contient du gras, celui-ci remonte à la surface quand le bouillon refroidit ; on peut alors dégraisser parfaitement.)

Mettre 2 kg (4 lb) de morceaux de poulet dans une grande marmite. Ajouter suffisamment d'eau froide pour couvrir, plus environ 5 cm (2 po). Porter à ébullition et écumer.

Ajouter deux oignons, deux carottes, deux branches de céleri et deux poireaux, tous coupés grossièrement. Porter à ébullition et écumer de nouveau, au besoin. Ajouter une feuille de laurier, 2 ml (1/2 c. à thé) de thym séché, six grains de poivre et un petit bouquet de persil frais. Réduire le feu et faire cuire à découvert environ 1 1/2 heure. Ajouter de l'eau, au besoin, pour que le poulet en soit toujours recouvert. Passer le bouillon. Le poulet bouilli est moins savoureux que le poulet grillé, mais il est tout de même délicieux dans les salades, les quesadillas et les sandwiches.

Donne environ 3 l (12 tasses) de bouillon.

Bouillon de bœuf maison

Placer 1,5 kg (3 lb) d'os de bœuf, 1,5 kg (3 lb) d'os de veau et 1,5 kg (3 lb) de poulet en morceaux dans une grande rôtissoire. Faire rôtir dans un four chauffé à 220 °C (425 °F) pendant 1 heure, ou jusqu'à ce que le tout soit doré. Ajouter quatre gros oignons, quatre grosses carottes, trois branches de céleri et deux poireaux, tous coupés grossièrement, et faire dorer pendant encore 30 minutes.

Transférer la viande et les légumes dans une grande casserole. Ajouter un peu d'eau bouillante dans la rôtissoire pour déglacer et transférer le liquide dans la grande casserole.

Couvrir les légumes et les os d'eau froide. Porter à ébullition et écumer. Ajouter deux feuilles de laurier, 2 ml (1/2 c. à thé) de thym séché et six grains de poivre. Laisser mijoter de 8 à 10 heures ou toute la nuit. Ajouter de l'eau au besoin.

Passer le bouillon et le récupérer dans une casserole propre. Laisser cuire jusqu'à réduction à 4 l (16 tasses). Réfrigérer et dégraisser.

Donne 4 l (16 tasses)

Bouillon de légumes maison

Mettre dans une grande marmite deux oignons, deux carottes, deux branches de céleri, deux poireaux et 125 g (1/4 lb) de champignons, tous coupés grossièrement. Ajouter 3 l (12 tasses) d'eau froide, une feuille de laurier, 2 ml (1/2 c. à thé) de thym séché, quatre gousses d'ail pelées, six grains de poivre et un bouquet de persil frais. Porter à ébullition et écumer. Couvrir et laisser mijoter à feu doux pendant 1 1/2 heure. Passer le bouillon.

Pour un bouillon plus corsé, déposer les légumes dans un plat à rôtir huilé et saupoudrer 15 ml (1 c. à soupe) de sucre blanc. Rôtir les légumes au four à 220 °C (425 °F) de 30 à 45 minutes, ou jusqu'à ce qu'ils soient bien dorés (ils ne doivent pas être brûlés). Ajouter les légumes (en raclant bien le fond du plat) dans le bouillon.

Donne environ 3 l (12 tasses).

Fumet de poisson

Il est difficile de trouver un bon fumet de poisson ; il est donc avantageux de le faire soi-même. Il ne faut utiliser que du poisson maigre à chair blanche.

Mettre 1,5 kg (3 lb) d'arêtes, de queues et de têtes de poissons dans une grande marmite, ainsi que deux oignons, deux carottes, deux branches de céleri et un poireau, tous coupés grossièrement. Ajouter un petit bouquet de persil frais, une feuille de laurier, 2 ml (1/2 c. à thé) de thym séché, six grains de poivre et 250 ml (1 tasse) de vin blanc sec ou d'eau. Couvrir d'environ 3 l (12 tasses) d'eau froide, porter à ébullition et écumer. Réduire la chaleur et laisser mijoter pendant 30 minutes. Passer. Donne environ 3 l (12 tasses).

Salade de courges rôties, de pousses d'épinards et de
    bocconcini
Salade de chou-fleur grillé
Tomates cerises grillées et roquette
Salade de chou à l'orientale au gingembre mariné
Salade de tomates grillées
Légumes grillés et vinaigrette au citron grillé
Raïta à la tomate et au concombre
Salade de pâtes aux légumes rôtis
Salade de maïs grillé
Salade césar et vinaigrette onctueuse à l'ail rôti
Salade de carottes à la marocaine
Salade hachée orientale
Salade de poulet grillé, sauce aux arachides
Salade de blé et de féta parfumée à l'aneth
Salade de blé et de maïs grillé
Taboulé aux fines herbes
Salade de haricots noirs, de maïs et de riz
Salade de poulet grillé haché

Salade sushi
Salade de spaghettis au thon
Salade de spaghettis avec salsa à l'ail rôti et tomates
Salade thaïlandaise au poulet et aux nouilles
Spaghettinis verde
Salade niçoise au saumon rôti
Salade de roquette avec grillades de crevettes,
    d'asperges et de fenouil
Salade de bifteck grillé à l'orientale
Salade de thon
Salade grecque au poulet grillé
Vinaigrette spa au vinaigre balsamique
Vinaigrette à la moutarde et au poivre
Vinaigrette crémeuse à l'ail
Vinaigrette aux agrumes
Vinaigrette au sésame et au gingembre
Vinaigrette aux poivrons rouges grillés
Vinaigrette au miel et à la lime

CUISINER
AU GOÛT
DU CŒUR

LES SALADES
ET LES
VINAIGRETTES

SALADE DE COURGES RÔTIES, DE POUSSES D'ÉPINARDS ET DE BOCCONCINI

J'ai interviewé Jamie Oliver pour ma chronique dans le *National Post* et j'ai été si impressionnée que j'ai décidé de suivre ses conseils à la lettre. C'est pourquoi, lorsque j'ai vu qu'il grillait ses courges musquées avec leur pelure, j'ai décidé de l'imiter. Et ma foi, il a raison, c'est délicieux !

Cette salade colorée est aussi belle que bonne.

Donne 6 portions

1 kg	courge musquée, tranchée en deux dans le sens de la longueur, épépinée et coupée en 8 à 12 morceaux	2 lb
500 ml	tomates cerises	2 tasses
15 ml	thym frais, haché, ou 2 ml (1/2 c. à thé) de thym séché	1 c. à soupe
5 ml	sel	1 c. à thé
2 ml	poivre	1/2 c. à thé
150 g	pousses d'épinards fraîches	5 oz
90 g	bocconcini (mozzarella fraîche), coupé en dés	3 oz
25 ml	vinaigre balsamique	2 c. à soupe
25 ml	huile d'olive	2 c. à soupe

1. Sur une plaque à pâtisserie tapissée de papier sulfurisé, déposer les morceaux de courge, côté peau en dessous. Déposer les tomates cerises sur une autre plaque tapissée de papier sulfurisé. Saupoudrer la courge et les tomates avec le thym ainsi qu'avec la moitié du sel et du poivre.

2. Faire griller les morceaux de courge dans un four préchauffé à 200 °C (400 °F) de 45 à 55 minutes, ou jusqu'à ce qu'ils soient tendres et dorés. Faire griller les tomates cerises de 12 à 15 minutes, ou jusqu'à ce que leur pelure commence à se fendre.

3. Tapisser les bols à salade de feuilles d'épinards. Déposer quelques morceaux de courge et une pleine cuillerée de tomates dans chaque bol. Garnir de fromage.

4. Mélanger le vinaigre, l'huile, le reste du sel (2 ml [1/2 c. à thé]), le reste du poivre (1 ml [1/4 c. à thé]). Verser la vinaigrette sur les salades.

VALEUR NUTRITIONNELLE PAR PORTION

Calories	163
Protéines	5 g
Matières grasses	8 g
Saturées	2 g
Cholestérol	9 mg
Glucides	23 g
Fibres	4 g
Sodium	439 mg
Potassium	739 mg

Excellente source :
vitamine A ; vitamine C ; acide folique

Bonne source : thiamine ; vitamine B6 ; calcium ; fer

SALADE DE CHOU-FLEUR GRILLÉ

Une salade à déguster durant les longs mois d'hiver lorsque la laitue est hors de prix et qu'elle n'est pas toujours très bonne. J'ai mangé cette salade en Israël ; elle était préparée avec du chou-fleur frit, mais elle est tout aussi délicieuse avec du chou-fleur grillé.

Donne 6 portions

1	chou-fleur	1
45 ml	huile d'olive, divisée en deux portions	3 c. à soupe
5 ml	thym frais, haché, ou 1 ml (1/4 c. à thé) de thym séché	1 c. à thé
5 ml	sel, divisé en deux portions	1 c. à thé
15 ml	vinaigre de vin blanc	1 c. à soupe
15 ml	jus de citron	1 c. à soupe
2 ml	moutarde de Dijon	1/2 c. à thé
5 ml	miel	1 c. à thé
50 ml	ciboulette fraîche, hachée	1/4 tasse

VALEUR NUTRITIONNELLE PAR PORTION	
Calories	91
Protéines	2 g
Matières grasses	7 g
Saturées	1 g
Cholestérol	0 mg
Glucides	6 g
Fibres	2 g
Sodium	415 mg
Potassium	184 mg

Excellente source :
vitamine C ; acide folique

1. Couper le chou-fleur en bouquets (ce qui devrait donner environ 1,5 l [6 tasses] de bouquets).
2. Dans un grand bol, mélanger le chou-fleur avec 15 ml (1 c. à soupe) d'huile, le thym, et 2 ml (1/2 c. à thé) de sel. Étendre les bouquets sur une plaque à pâtisserie tapissée de papier sulfurisé et cuire au four préchauffé à 200 °C (400 °F) de 25 à 30 minutes, ou jusqu'à ce que le chou-fleur commence à dorer.
3. Pour préparer la vinaigrette, battre le vinaigre, le jus de citron, la moutarde, le miel, le reste du sel, et le reste de l'huile dans un petit bol. Goûter et ajouter du miel au besoin.
4. Arroser le chou-fleur de vinaigrette et mélanger. Saupoudrer de ciboulette et servir à la température ambiante.

TOMATES CERISES GRILLÉES ET ROQUETTE

Les tomates cerises sont succulentes tout au long de l'année, mais elles sont à leur meilleur lorsqu'on les fait griller. La cuisson sur le gril concentre les sucres et les saveurs, tout en leur conférant une texture croustillante. Comme elles sont petites, elles ont peu de pulpe et beaucoup de pelure ; or, c'est dans la pelure que se trouve le lycopène.

Déposer les tomates grillées et leur jus sur un lit de verdure ou dégustez-les avec des pâtes, du risotto, de la pizza ou un steak grillé.

Donne 6 portions

500 ml	tomates cerises rouges	2 tasses
500 ml	tomates cerises jaunes ou rouges	2 tasses
15 ml	huile d'olive	1 c. à soupe
15 ml	vinaigre balsamique	1 c. à soupe
15 ml	thym frais, haché, ou 2 ml (1/2 c. à thé) de thym séché	1 c. à soupe
1	gousse d'ail, émincée	1
2 ml	sel	1/2 c. à thé
1 ml	poivre	1/4 c. à thé

1. Dans un grand bol, mélanger les tomates cerises, l'huile, le vinaigre, le thym, l'ail, le sel et le poivre. Étendre les tomates sur une plaque à pâtisserie tapissée de papier sulfurisé.

2. Faire griller au four à 200 °C (400 °F) de 10 à 12 minutes, ou jusqu'à ce que la pelure des tomates commence à se fendiller. Goûter et rectifier l'assaisonnement au besoin.

Salade hivernale aux câpres

Briser en morceaux 250 g (1/2 lb) de bocconcini (mozzarella fraîche). Mélanger les tomates cerises grillées avec le bocconcini. Verser 75 ml (1/3 tasse) de vinaigrette au vinaigre balsamique (page 161) et remuer. Donne 6 portions.

VALEUR NUTRITIONNELLE PAR PORTION	
Calories	47
Protéines	1 g
Matières grasses	3 g
Saturées	traces
Cholestérol	0 mg
Glucides	6 g
Fibres	1 g
Sodium	206 mg
Potassium	256 mg
Bonne source : vitamine C	

SALADE DE CHOU À L'ORIENTALE AU GINGEMBRE MARINÉ

Cette salade de chou est délicieuse dans un sandwich ou un hamburger. C'est aussi un accompagnement idéal pour les barbecues ou les plats orientaux.

Donne de 6 à 8 portions

2 l	chou nappa, soit environ 1/2 chou, émincé	8 tasses
4	carottes, râpées grossièrement, soit environ 500 ml (2 tasses)	4
50 ml	gingembre mariné, en tranches fines	1/4 tasse
4	oignons verts, émincés	4
50 ml	coriandre fraîche, hachée	1/4 tasse
2	gousses d'ail, émincées	2
50 ml	vinaigre de riz assaisonné	1/4 tasse
25 ml	sauce soya	2 c. à soupe

VALEUR NUTRITIONNELLE PAR PORTION	
Calories	77
Protéines	2 g
Matières grasses	1 g
Saturées	0 g
Cholestérol	0 mg
Glucides	15 g
Fibres	3 g
Sodium	625 mg
Potassium	172 mg
Excellente source : vitamine A ; vitamine C	

| 15 ml | miel | 1 c. à soupe |
| 5 ml | huile de sésame grillé | 1 c. à thé |

1. Dans un grand bol, mélanger le chou, les carottes, le gingembre mariné, les oignons verts et la coriandre.
2. Dans un petit bol, battre l'ail, le vinaigre, la sauce soya, le miel et l'huile de sésame.
3. Arroser la salade de chou de vinaigrette et bien mélanger.

SALADE DE TOMATES GRILLÉES

Cette salade est spectaculaire lorsque la récolte des tomates arrive. Il vaut la peine ici d'employer un vinaigre balsamique de qualité, car cela permet d'utiliser moins d'huile. Plutôt que de faire griller les tomates sur le barbecue, vous pouvez les griller dans une poêle cannelée ou sous l'élément de grillage du four.

Utilisez les restes comme sauce avec des pâtes alimentaires, comme garniture à sandwich ou à bruschetta, ou comme assaisonnement pour napper les aliments grillés. Vous pouvez aussi réduire la salade en purée, l'allonger de bouillon et la servir en soupe.

Donne 8 portions

6	grosses tomates, coupées en tranches de 2,5 cm (1 po), soit environ 1,5 kg (3 lb)	6
2	gros oignons, coupés en tranches de 1 cm (1/4 po)	2
25 ml	huile d'olive, divisée en deux portions	2 c. à soupe
250 ml	feuilles de basilic frais, déchiquetées en morceaux	1 tasse
50 ml	vinaigre balsamique	1/4 tasse
1	gousse d'ail, émincée sel et poivre au goût	1

VALEUR NUTRITIONNELLE PAR PORTION	
Calories	86
Protéines	2 g
Matières grasses	4 g
Saturées	1 g
Cholestérol	0 mg
Glucides	13 g
Fibres	3 g
Sodium	15 mg
Potassium	424 mg
Bonne source : vitamine A ; vitamine C	

1. Badigeonner les tomates et les oignons d'un peu d'huile d'olive. Griller légèrement les tomates de chaque côté, jusqu'à ce qu'elles soient chaudes et commencent à rôtir. Griller les oignons, jusqu'à ce qu'ils soient tendres et dorés. Les oignons mettent plus de temps à griller que les tomates.
2. Dans un bol de service, mélanger les tomates et les oignons gardés entiers ou coupés. Ajouter les feuilles de basilic.

3. Dans un petit bol, mélanger le vinaigre, l'ail, le reste de l'huile, le sel et le poivre au goût.

4. Mélanger la vinaigrette avec les tomates. Goûter et rectifier l'assaisonnement au besoin.

LÉGUMES GRILLÉS ET VINAIGRETTE AU CITRON GRILLÉ

C'est à mon école de cuisine que le chef Mark McEwan de Toronto nous a appris à faire griller les citrons. Leur goût devient alors plus doux. Essayez la vinaigrette au citron grillé avec des pommes de terre, de l'aneth, des oignons verts et de la menthe.

Donne 8 portions

Vinaigrette au citron grillé

1	citron	1
1	gousse d'ail, émincée	1
5 ml	sel	1 c. à thé
50 ml	huile d'olive	1/4 tasse
5 ml	thym frais, haché, ou	1 c. à thé
	1 ml (1/4 c. à thé) de thym séché	

Légumes grillés

1	bulbe de fenouil, coupé en quartiers	1
2	courgettes, tranchées dans le sens de la longueur	2
250 g	asperges, coupées en tronçons	1/2 lb
2	champignons portobellos, tiges et lamelles séparées	2
25 ml	huile d'olive (facultatif)	2 c. à soupe
2 ml	sel	1/2 c. à thé
1	poivron rouge	1
25 ml	basilic frais, haché	2 c. à soupe

1. Pour préparer la vinaigrette, couper le citron en deux et déposer les deux moitiés, face coupée vers le bas, sur la grille d'un barbecue chaud. Laisser griller environ 5 minutes, ou jusqu'à ce que le citron soit bien doré. Laisser refroidir.

2. Presser le jus du citron dans un bol. Vous devriez obtenir environ 50 ml (1/4 tasse) de jus. Y ajouter l'ail et le sel, mélanger. Incorporer

VALEUR NUTRITIONNELLE PAR PORTION

Calories	92
Protéines	2 g
Matières grasses	7 g
Saturées	1 g
Cholestérol	0 mg
Glucides	7 g
Fibres	3 g
Sodium	457 mg
Potassium	368 mg

Excellente source :
vitamine C
Bonne source :
acide folique

l'huile et le thym. Goûter et rectifier l'assaisonnement au goût, ajouter plus d'huile au besoin.

3. Pour préparer les légumes, badigeonner d'huile le bulbe de fenouil, les courgettes, les asperges et les champignons. Saler. Faire griller les légumes quelques minutes de chaque côté, jusqu'à ce qu'ils soient légèrement cuits. Couper les champignons en tranches et mettre les légumes dans un plat de service.

4. Pendant ce temps, faire griller le poivron en le retournant souvent, jusqu'à ce que sa pelure soit noircie. Le laisser refroidir avant de le peler. Le séparer en deux, l'épépiner et le couper en tranches. Déposer dans le plat de service avec les autres légumes.

5. Verser la vinaigrette sur les légumes et garnir de basilic haché.

RAÏTA À LA TOMATE ET AU CONCOMBRE

Les raïtas sont des préparations indiennes à base de yogourt. Ils sont habituellement servis en accompagnement et permettent de tempérer le piquant des épices. Les raïtas peuvent compléter les pique-niques ou les repas de grillades en plein air. Le concombre est pelé et épépiné dans la recette originale, mais on peut tout aussi bien préparer le raïta avec un concombre non pelé.

Si vous utilisez du fromage de yogourt, cette salade peut être préparée quelques heures avant le service. Elle ne risque pas de devenir aqueuse, contrairement à ce qui se produit quand on emploie du yogourt ordinaire.

VALEUR NUTRITIONNELLE PAR PORTION	
Calories	41
Protéines	4 g
Matières grasses	1 g
Saturées	1 g
Cholestérol	3 mg
Glucides	5 g
Fibres	1 g
Sodium	173 mg
Potassium	208 mg
Bonne source :	
vitamine B12	

Donne 8 portions

1	concombre anglais, épépiné, pelé et râpé, soit environ 500 ml (2 tasses)	1
2 ml	sel	1/2 c. à thé
250 ml	fromage de yogourt (page 420), yogourt ferme nature	1 tasse
1	oignon vert, haché	1
2 ml	cumin moulu	1/2 c. à thé
	une pincée de poivre de Cayenne moulu	
1	grosse tomate, épépinée et coupée en dés, soit environ 375 ml (1 1/2 tasse)	1
25 ml	coriandre fraîche, hachée	2 c. à soupe
25 ml	menthe fraîche, hachée	2 c. à soupe

1. Mettre le concombre dans un tamis ou une passoire et le saler. Le laisser égoutter pendant 20 minutes. Bien rincer. Envelopper la pulpe dans un linge propre et presser pour extraire l'excès de liquide. Jeter ce liquide.

2. Dans un grand bol, remuer le fromage de yogourt jusqu'à onctuosité. Incorporer l'oignon vert, le cumin et le poivre de Cayenne. Ajouter le concombre, la tomate, la coriandre et la menthe. Bien mélanger. Goûter et rectifier l'assaisonnement au besoin.

SALADE DE PÂTES AUX LÉGUMES RÔTIS

Cette recette connaît une popularité intemporelle ! Vous pouvez la servir chaude ou tiède. Utilisez un couteau économe pour peler les poivrons (page 165).

Donne de 6 à 8 portions

8	tomates italiennes, coupées en quartiers, soit environ 1 kg (2 lb)	8
2	poivrons rouges, de préférence pelés, coupés en morceaux	2
2	poivrons jaunes, de préférence pelés, coupés en morceaux	2
4	aubergines orientales, coupées en morceaux de 2,5 cm (1 po), soit environ 500 g (1 lb)	4
1	bulbe de fenouil, paré et coupé en quartiers	1
1	gros oignon, pelé et coupé en quartiers	1
15 ml	huile d'olive	1 c. à soupe
15 ml	romarin frais, haché, ou 2 ml (1/2 c. à thé) de romarin séché	1 c. à soupe
15 ml	thym frais, haché, ou 2 ml (1/2 c. à thé) de thym séché	1 c. à soupe
2 ml	sel	1/2 c. à thé
1 ml	poivre	1/4 c. à thé
2	bulbes d'ail	2
500 g	penne de blé entier ou ordinaires	1 lb
25 ml	menthe fraîche, hachée	2 c. à soupe

Vinaigrette au vinaigre balsamique et au basilic

45 ml	vinaigre balsamique	3 c. à soupe
25 ml	huile d'olive	2 c. à soupe
2 ml	sel	1/2 c. à thé
1 ml	poivre	1/4 c. à thé
50 ml	basilic frais, émincé, ou persil haché	1/4 tasse

1. Disposer les tomates côte à côte, face coupée vers le haut, avec les poivrons, les aubergines, le fenouil et l'oignon sur des plaques à pâtisserie tapissées de papier sulfurisé. Comme les légumes ne doivent pas se superposer, il faudra deux plaques à pâtisserie. Les arroser légèrement d'huile et saupoudrer de romarin, de thym, de sel et de poivre.

2. Couper le quart supérieur des bulbes d'ail (l'extrémité pointue) et envelopper les bulbes dans du papier d'aluminium. Rôtir l'ail et les légumes dans un four préchauffé à 200 °C (400 °F) durant 45 minutes, ou jusqu'à ce qu'ils soient ramollis et dorés et que l'ail soit très tendre.

3. Entre-temps, cuire les pâtes à l'eau bouillante dans une grande casserole. Quand elles sont tout juste tendres, retirer du feu et les égoutter.

4. Dans un grand bol, mélanger les légumes, les pâtes et la menthe. Extraire la pulpe des gousses, l'ajouter aux légumes et remuer.

5. Dans un petit bol, préparer la vinaigrette en fouettant le vinaigre, l'huile, le sel et le poivre. Remuer en ajoutant le basilic. Ajouter la vinaigrette aux légumes et aux pâtes, et bien remuer le tout. Goûter et rectifier l'assaisonnement au besoin. Servir chaud ou à la température ambiante.

VALEUR NUTRITIONNELLE PAR PORTION	
Calories	431
Protéines	15 g
Matières grasses	9 g
Saturées	1 g
Cholestérol	0 mg
Glucides	82 g
Fibres	13 g
Sodium	423 mg
Potassium	983 mg

Excellente source :
vitamine A ; thiamine ; niacine ; vitamine B6 ; vitamine C ; acide folique ; fer

SALADE DE MAÏS GRILLÉ

Cette salade est tellement appréciée de tous, que je ne la cuisine pratiquement plus que pour des groupes de plus de 30 personnes. Je l'ai déjà préparée pour une noce réunissant 75 convives. J'avais obtenu un si bon prix pour un sac de six douzaines d'épis de maïs que j'avais décidé d'en préparer plus qu'il n'en fallait. Cependant, la pluie s'est mise de la partie juste au moment où j'allais commencer à faire griller les aliments. Mon mari et moi avons mis un temps fou à cuire tout ce maïs, et nous étions trempés. Heureusement que les amis pour qui nous nous donnions tout ce mal nous étaient chers, et heureusement aussi qu'ils ont su l'apprécier !

Donne de 6 à 8 portions

8	épis de maïs, parés	8
1	oignon rouge, coupé en rondelles de 1 cm (1/2 po) d'épaisseur	1
2	poivrons rouges	2
125 ml	coriandre fraîche ou persil frais, hachés	1/2 tasse
50 ml	ciboulette fraîche ou oignons verts, hachés	1/4 tasse
75 ml	vinaigre de riz ou de cidre	1/3 tasse
15 ml	concentré de jus d'orange	1 c. à soupe
1	gousse d'ail, émincée	1
7 ml	purée de piment chipolte (page 206)	1 1/2 c. à thé
5 ml	sel	1 c. à thé
2 ml	poivre	1/2 c. à thé
25 ml	huile d'olive	2 c. à soupe

1. Faire griller le maïs, l'oignon et les poivrons directement au barbecue environ 5 minutes, en les retournant de temps à autre, ou jusqu'à ce que les grains présentent des taches noires, que les rondelles d'oignon soient dorées et que les poivrons soient noircis de toutes parts.

2. Retirer les grains de maïs des épis en coupant ces derniers en deux et en les tenant face coupée contre la planche à découper. Couper l'oignon en dés. Peler, épépiner et couper les poivrons en dés.

3. Dans un grand bol, mélanger le maïs, l'oignon, le poivron, la coriandre et la ciboulette.

4. Dans un petit bol, mélanger le vinaigre, le concentré de jus d'orange, l'ail, le piment chipolte, le sel et le poivre. Incorporer l'huile d'olive au fouet.

5. Arroser les légumes de vinaigrette et remuer. Goûter et rectifier l'assaisonnement au besoin.

VALEUR NUTRITIONNELLE PAR PORTION	
Calories	258
Protéines	7 g
Matières grasses	7 g
Saturées	1 g
Cholestérol	0 mg
Glucides	51 g
Fibres	8 g
Sodium	413 mg
Potassium	598 mg

Excellente source :
vitamine C ; thiamine ; acide folique
Bonne source :
vitamine A ; niacine ; vitamine B6

SALADE CÉSAR ET VINAIGRETTE ONCTUEUSE À L'AIL RÔTI

La salade César est plus populaire que jamais, et cette version à faible teneur en matières grasses fera sensation. Je remplace les œufs crus par de l'ail rôti ; j'obtiens ainsi la texture onctueuse souhaitée. Pour une salade César classique, ajoutez quelques anchois. Pour une salade-repas, ajoutez du poulet ou des crevettes. La vinaigrette peut également très bien servir de trempette ou de tartinade pour garnir les sandwiches et les quesadillas.

Donne 8 portions
Sauce à l'ail rôti

1	bulbe d'ail rôti (page 80)	1
5 ml	moutarde de Dijon	1 c. à thé
5 ml	sauce Worcestershire	1 c. à thé
25 ml	vinaigre de xérès	2 c. à soupe
15 ml	jus de citron	1 c. à soupe
2 ml	sel	1/2 c. à thé
50 ml	huile d'olive	1/4 tasse
15 ml	parmesan, râpé	1 c. à soupe
3	tranches de pain croûté complet, ou blanc, coupées en cubes de 2,5 cm (1 po), soit 500 ml (2 tasses)	3
1	grosse laitue romaine, coupée ou déchiquetée en morceaux de 2,5 cm (1 po), soit 2,5 l (10 tasses)	1
2	tomates, coupées en quartiers	2

VALEUR NUTRITIONNELLE POUR 15 ML (1 C. À SOUPE) DE VINAIGRETTE	
Calories	116
Protéines	3 g
Matières grasses	8 g
Saturées	1 g
Cholestérol	1 mg
Glucides	10 g
Fibres	3 g
Sodium	250 mg
Potassium	324 mg

Excellente source:
acide folique
Bonne source:
vitamine A; thiamine; vitamine C

1. Pour préparer la vinaigrette, extraire la pulpe des gousses d'ail rôti et la réduire en purée au robot culinaire.

2. Incorporer à l'ail, en pulvérisant, la moutarde, la sauce Worcestershire, le vinaigre, le jus de citron, le sel, l'huile et le parmesan. Si la préparation est trop épaisse, ajouter un peu d'eau. Goûter et ajuster l'assaisonnement au besoin.

3. Pour réaliser les croûtons, disposer les cubes de pain sur une plaque à pâtisserie. Cuire dans un four préchauffé à 190 °C (375 °F) de 10 à 12 minutes, ou jusqu'à ce qu'ils soient croustillants. Remuer une fois ou deux pendant la cuisson.

4. Immédiatement avant de servir, remuer la laitue avec la quantité désirée de vinaigrette, et garnir de croûtons. Décorer de tomates.

SALADE DE CAROTTES À LA MAROCAINE

Au Maroc, cette salade est fréquemment servie en entrée, avec d'autres salades, mais elle est aussi servie en guise de plat d'accompagnement. Elle est tellement savoureuse qu'on peut la joindre à n'importe quelle viande rôtie ou grillée.

Donne de 6 à 8 portions

1 kg	carottes, tranchées en diagonale de 1 cm (1/2 po)	2 lb
75 ml	jus d'orange	1/3 tasse
25 ml	jus de citron	2 c. à soupe
15 ml	miel	1 c. à soupe
5 ml	huile de sésame grillé	1 c. à thé
5 ml	paprika	1 c. à thé
5 ml	cumin moulu	1 c. à thé
	une pincée de cannelle moulue	
25 ml	menthe fraîche ou persil frais, hachés	2 c. à soupe
25 ml	coriandre fraîche ou persil frais, hachés	2 c. à soupe
5 ml	graines de sésame grillées (page 414) sel et poivre au goût	1 c. à thé

1. Faire bouillir de l'eau dans une grande casserole et y plonger les carottes. Cuire environ 4 minutes. Laisser égoutter, rincer à l'eau froide et éponger.

2. Dans un grand bol, mélanger le jus d'orange, le jus de citron, le miel, l'huile de sésame, le paprika, le cumin et la cannelle. Ajouter les carottes et remuer. Saupoudrer de menthe, de coriandre et de graines de sésame. Assaisonner au goût.

VALEUR NUTRITIONNELLE PAR PORTION	
Calories	87
Protéines	2 g
Matières grasses	1 g
Saturées	traces
Cholestérol	0 mg
Glucides	18 g
Fibres	4 g
Sodium	85 mg
Potassium	337 mg
Excellente source :	
vitamine A	
Bonne source :	
vitamine B6	

SALADE HACHÉE ORIENTALE

La salade orientale présente une grande variété de saveurs et de textures. Voici un excellent plat pour s'initier au tofu, puisque l'on se rend à peine compte de sa présence (on peut le remplacer par du poulet, des crevettes ou du bifteck grillés). Si vous ne disposez pas de tous les ingrédients (ou si l'un ou l'autre ne vous plaît pas), augmentez tout simplement la quantité d'un autre ingrédient ou remplacez-le (tomates grillées ou rôties, fenouil, etc.).

Si vous ne souhaitez pas utiliser le barbecue, déposez les légumes sur une plaque à pâtisserie et grillez-les au four à 200 °C (400 °F) de 30 à 40 minutes, ou jusqu'à ce qu'ils soient dorés. Servez les restes avec du pain pita ou dans des sandwiches (tortillas), ou encore dans des rouleaux de printemps (page 83).

Donne 8 à 10 portions

| 500 g | tofu extra-ferme | 1 lb |
| 45 ml | sauce teriyaki (page 322) | 3 c. à soupe |

1	oignon rouge, pelé et coupé en tranches de 1 cm (0,5 po)	1
2	courgettes, coupées sur le sens de la longueur en tranches de 1 cm (1/2 po) d'épaisseur	2
500 g	asperges, parées	1 lb
2	aubergines orientales, coupées en tranches de 1 cm (1/2 po) d'épaisseur	2
2	épis de maïs, épluchés	2
25 ml	huile d'olive (facultatif)	2 c. à soupe
2	poivrons rouges, coupés en deux et épépinés	2
1 l	laitue romaine, hachée	4 tasses
125 ml	herbes fraîches, hachées (persil, coriandre, basilic, menthe, ciboulette, par exemple)	1/2 tasse

Vinaigrette à l'orange et au sésame

1	gousse d'ail, émincée	1
45 ml	jus d'orange	3 c. à soupe
45 ml	vinaigre balsamique	3 c. à soupe
15 ml	sauce soya	1 c. à soupe
15 ml	miel	1 c. à soupe
15 ml	huile de sésame grillé	1 c. à soupe
2 ml	pâte de piment orientale	1/2 c. à thé

VALEUR NUTRITIONNELLE PAR PORTION

Calories	251
Protéines	12 g
Matières grasses	7 g
Saturées	1 g
Cholestérol	0 mg
Glucides	41 g
Fibres	8 g
Sodium	439 mg
Potassium	895 mg

Excellente source :
vitamine A ; vitamine C ; thiamine ; acide folique
Bonne source :
riboflavine ; niacine ; vitamine B6 ; fer ; zinc

1. Couper le tofu en tranches de 2,5 cm (1 po) d'épaisseur. Le déposer dans un plat peu profond. Arroser avec la sauce teriyaki. Laisser mariner 30 minutes.

2. Badigeonner les oignons, les courgettes, les asperges, les aubergines et le maïs avec l'huile d'olive. Faire griller les légumes des deux côtés, jusqu'à ce qu'ils soient dorés. Déposer les poivrons, côté peau en dessous, et les laisser griller jusqu'à ce que leur peau soit carbonisée. Assécher le tofu dans un linge propre, le badigeonner d'huile ou le vaporiser d'enduit végétal. Mettre les tranches à griller quelques minutes de chaque côté.

3. Couper l'oignon, les courgettes, les asperges et les aubergines en cubes de 1 cm (1/2 po) et les déposer dans un grand bol. Égrainer le maïs (page 365). Peler les poivrons et les couper en dés. Couper le tofu en dés. Ajouter le maïs, les poivrons et le tofu aux autres légumes. Réserver la laitue et les herbes.

4. Pour préparer la vinaigrette, battre ensemble dans un petit bol l'ail, le jus d'orange, le vinaigre, la sauce soya, le miel et la pâte de piment.

5. Verser la vinaigrette sur les légumes et bien mélanger. Au moment de servir, ajouter la laitue et les herbes. Goûter et rectifier l'assaisonnement au besoin.

SALADE DE POULET GRILLÉ, SAUCE AUX ARACHIDES

Cette salade est très facile à réaliser. Si vous avez des restes de poulet cuit, utilisez-les ou remplacez le poulet grillé par du poulet fumé (de 750 ml à 1 l [de 3 à 4 tasses] de poulet). Les portions paraissent très généreuses à cause du volume de laitue, mais n'ayez crainte, elles sont raisonnables.

Cette salade peut être servie fraîche et croquante, mais elle est également excellente lorsqu'elle est légèrement ramollie par la sauce. Si vous n'avez pas de tortillas de maïs, remplacez-les par environ 250 ml (1 tasse) de croustilles de maïs commerciales cuites au four, que vous aurez cassées grossièrement.

Donne de 6 à 8 portions

Poulet

15 ml	moutarde au miel	1 c. à soupe
5 ml	huile de sésame grillé	1 c. à thé
1	gousse d'ail, émincée	1
750 g	poitrines de poulet, désossées	1 1/2 lb

Vinaigrette à la lime et au miel

50 ml	jus de lime	1/4 tasse
25 ml	miel	2 c. à soupe
25 ml	huile d'olive	2 c. à soupe
10 ml	moutarde au miel	2 c. à thé
1	petite gousse d'ail, émincée	1
2 ml	poivre	1/2 c. à thé
	sel au goût	

Sauce aux arachides

25 ml	beurre d'arachide	2 c. à soupe
25 ml	miel	2 c. à soupe
25 ml	sauce soya	2 c. à soupe
25 ml	eau chaude	2 c. à soupe

Salade

1	grosse laitue romaine, hachée	1
1	pomme de laitue radicchio	1
	ou 1/2 petit chou rouge, hachés	1
2	carottes râpées	2
1	poivron rouge, grillé de préférence (page 165), pelé, épépiné et coupé en fines lanières	1
4	tortillas de maïs	4
1	botte de coriandre fraîche ou de persil frais, hachés	1

VALEUR NUTRITIONNELLE PAR PORTION

Calories	328
Protéines	31 g
Matières grasses	11 g
Saturées	2 g
Cholestérol	70 mg
Glucides	29 g
Fibres	4 g
Sodium	411 mg
Potassium	865 mg

Excellente source : vitamine A ; vitamine C ; niacine ; vitamine B6 ; acide folique

Bonne source : thiamine ; riboflavine ; fer ; vitamine E

1. Pour préparer le poulet, mélanger dans un petit bol la moutarde, l'huile de sésame et l'ail. Badigeonner le poulet de ce mélange. Cuire le poulet sous le gril du four préchauffé ou au barbecue de 5 à 7 minutes de chaque côté, ou jusqu'à ce qu'il soit à point. Laisser refroidir, puis couper en fines tranches diagonales. Réserver.

2. Pour préparer la vinaigrette, mélanger au fouet le jus de lime, le miel l'huile d'olive, la moutarde, l'ail, le poivre et le sel. Réserver.

3. Pour préparer la sauce aux arachides, mélanger le beurre d'arachide, le miel, la sauce soya et l'eau chaude. Réserver.

4. Dans un grand bol, mélanger la laitue romaine, le radicchio, les carottes et le poivron rouge.

5. Couper les tortillas en languettes minces (facile à réaliser à l'aide de ciseaux). Les disposer côte à côte sur une plaque à pâtisserie. Faire cuire au four préchauffé à 200 °C (400 °F), environ 8 minutes, ou jusqu'à ce que les languettes de tortillas soient croustillantes.

6. Ajouter les tortillas à la salade, ainsi que le poulet et la coriandre. Arroser de vinaigrette à la lime et au miel, et remuer. Verser la sauce aux arachides sur le tout.

FAUSSE SAUCE AUX ARACHIDES

Cette sauce ravira les personnes allergiques aux arachides. Elle remplace très bien la sauce aux arachides dans tous les plats qui en contiennent, car elle se compose de tahini (beurre de sésame). Si vous êtes également allergique au sésame, omettez tout simplement cet ingrédient.

Réduire en purée 125 ml (1/2 tasse) de pois chiches cuits avec 25 ml (2 c. à soupe) de miel, 25 ml (2 c. à soupe) d'eau, 25 ml (2 c. à soupe) de sauce soya, 25 ml (2 c. à soupe) de vinaigre de riz, 15 ml (1 c. à soupe) de tahini et un trait de sauce au piments rouge.

Donne environ 175 ml (3/4 tasse).

SALADE DE BLÉ ET DE FÉTA PARFUMÉE À L'ANETH

Auparavant, j'utilisais des grains d'épeautre (ou farro), une céréale très ancienne, mais j'avais du mal à m'en procurer. Aussi ai-je décidé de les remplacer par des grains de blé. Si vous appréciez cette salade, faites cuire les grains de blé et conservez les restes au congélateur pour une autre salade. (Si vous parvenez à trouver du farro, cuisez-le de la même façon que les grains de blé.) Il est également possible de remplacer le blé par du riz brun ou de l'orzo (une pâte alimentaire en forme de grain de riz).

Servie en accompagnement, elle donne de 6 à 8 portions, mais on peut également la servir à l'heure du lunch (4 portions). C'est une salade rafraîchissante et délicieuse.

Donne 6 portions

250 ml	grains de blé ou farro	1 tasse
125 ml	féta, émietté	1/2 tasse
25 ml	pignons, rôtis (page 245)	2 c. à soupe
45 ml	olives noires, dénoyautées et coupées en deux	3 c. à soupe

Vinaigrette au citron et à l'aneth

25 ml	jus de citron	2 c. à soupe
1	gousse d'ail, émincée	1
2 ml	sel	1/2 c. à thé
1 ml	poivre	1/4 c. à thé
25 ml	huile d'olive	2 c. à soupe
50 ml	aneth frais, haché	1/4 tasse
3	oignons verts (tiges vertes seulement), émincés	3
25 ml	persil frais, haché	2 c. à soupe

1. Rincer les grains de blé. Dans une grande casserole, verser 4 l (16 tasses) d'eau froide et y ajouter les grains de blé. Porter à ébullition et cuire de 60 à 90 minutes, ou jusqu'à ce qu'ils soient tendres. Rincer sous l'eau froide et bien égoutter. La quantité obtenue devrait être d'environ 625 ml (2 1/2 tasses) de grains de blé.

2. Dans un grand bol, mélanger les grains de blé, le féta, les pignons et les olives.

3. Pour préparer la vinaigrette, mélanger le jus de citron, l'ail, le sel, le poivre et l'huile. Ajouter l'aneth, les oignons verts et le persil en brassant.

VALEUR NUTRITIONNELLE PAR PORTION

Calories	176
Protéines	6 g
Matières grasses	9 g
Saturées	3 g
Cholestérol	12 mg
Glucides	20 g
Fibres	3 g
Sodium	376 mg
Potassium	121 mg

4. Verser la vinaigrette sur la salade et remuer avec soin. Goûter et rectifier l'assaisonnement au besoin.

SALADE DE BLÉ ET DE MAÏS GRILLÉ

Voici le plat parfait pour un repas à la bonne franquette. De plus, il plaît à tous à cause de sa saveur magnifique. Cette salade est excellente en guise de plat de résistance végétarien ou comme plat d'accompagnement.

Si vous ne pouvez trouver de blé, remplacez-le par du riz. Si vous n'avez pas le temps de faire griller le maïs, prenez du maïs surgelé. Quoi qu'il en soit, essayez cette salade, elle est délicieuse !

Donne de 8 à 10 portions

500 ml	blé en grains, non cuit	2 tasses
4	épis de maïs, épluchés	4
2	poivrons rouges	2
500 g	asperges ou haricots verts, parés	1 lb
125 ml	vinaigre de riz	1/2 tasse
25 ml	concentré de jus d'orange	2 c. à soupe
15 ml	purée de piment chipolte (page 206), ou 1 piment jalapeño, émincé (facultatif)	1 c. à soupe
2	gousses d'ail, émincées	2
5 ml	sel	1 c. à thé
2 ml	poivre	1/2 c. à thé
45 ml	huile d'olive	3 c. à soupe
125 ml	coriandre fraîche ou basilic frais, hachés	1/2 tasse
50 ml	ciboulette fraîche, hachée	1/4 tasse

1. Rincer le blé. Le mettre dans une grande casserole avec 4 l (16 tasses) d'eau froide. Porter à ébullition et laisser mijoter lentement, de 60 à 90 minutes, ou jusqu'à ce que le blé soit tendre. Rincer à l'eau froide, bien égoutter et mettre dans un grand bol.

2. Entre-temps, griller le maïs de tous les côtés, pendant environ 5 minutes, ou jusqu'à ce qu'il soit légèrement doré. Laisser refroidir. Couper l'épi en deux, le poser face coupée sur une planche à découper et détacher les grains en coupant au couteau de haut en bas. Ajouter le maïs au blé.

3. Griller les poivrons de tous les côtés, jusqu'à ce qu'ils soient noircis. Laisser refroidir. Enlever la peau et épépiner. Couper la chair en dés et l'ajouter au mélange de blé en grains et de maïs.

4. Griller les asperges jusqu'à ce qu'elles soient à peine cuites. Les couper en dés et les ajouter au blé en grains.

5. Dans un petit bol, mélanger le vinaigre, le jus d'orange concentré, le piment chipolte, l'ail, le sel et le poivre. Incorporer l'huile en fouettant.

6. Remuer avec le blé en grains, puis ajouter la coriandre et la ciboulette. Goûter et rectifier l'assaisonnement au besoin.

TABOULÉ AUX FINES HERBES

Cette version du taboulé, qui contient énormément de persil, se rapproche de la version traditionnelle moyen-orientale. Si vous ne pouvez trouver de menthe fraîche, omettez-la tout simplement ; ne tentez pas de la remplacer par de la menthe séchée.

On peut aussi préparer cette salade avec du couscous, du riz ou du quinoa (page 379). Servez-la comme mezze, accompagnée de votre hoummos préféré, d'une salade de carottes (page 139), d'une salade de chou-fleur (page 131) ou du pita grillé, ou comme plat d'accompagnement.

Donne de 6 à 8 portions

175 ml	boulghour	3/4 tasse
175 ml	eau bouillante	3/4 tasse
2	tomates, épépinées et coupées en dés	2
1	petit concombre anglais, coupé en dés	1
3	oignons verts, hachés	3
1 l	persil frais, haché	4 tasses
125 ml	menthe fraîche, hachée	1/2 tasse
1	gousse d'ail, émincée	1
75 ml	jus de citron	1/3 tasse
25 ml	huile d'olive	2 c. à soupe
2 ml	sel	1/2 c. à thé
2 ml	poivre	1/2 c. à thé

VALEUR NUTRITIONNELLE PAR PORTION	
Calories	135
Protéines	4 g
Matières grasses	5 g
Saturées	1 g
Cholestérol	0 mg
Glucides	21 g
Fibres	6 g
Sodium	220 mg
Potassium	462 mg

Excellente source : vitamine A ; vitamine C ; acide folique ; fer

1. Mettre le boulghour dans un plat carré de 20 cm (8 po) et d'une capacité de 1,5 l (6 tasses) allant au four. Recouvrir d'eau bouillante. Couvrir le plat de papier d'aluminium. Laisser reposer 30 minutes. Défaire à la fourchette.

2. Dans un grand bol, mélanger le boulghour, les tomates, le concombre, les oignons verts, le persil et la menthe.

3. Pour préparer la vinaigrette, battre au fouet, dans un petit bol, l'ail, le jus de citron, l'huile, le sel et le poivre. Verser sur la salade et bien remuer. Goûter et rectifier l'assaisonnement au besoin.

SALADE DE HARICOTS NOIRS, DE MAÏS ET DE RIZ

Chaque bouchée de cette magnifique salade est une explosion de saveurs de fines herbes et un merveilleux mélange de textures. Si vous ne trouvez pas de coriandre fraîche, de basilic ou de menthe, ajoutez tout simplement plus de persil et d'oignons verts. Pour une salade express, utilisez des haricots noirs en conserve.

Donne 8 portions

250 ml	haricots noirs secs	1 tasse
250 ml	riz brun ou blanc, à grains longs, basmati de préférence	1 tasse
500 ml	maïs en grains	2 tasses
2	poivrons rouges rôtis (page 165), pelés, épépinés et coupés en dés	2
1	piment jalapeño, épépiné et coupé en dés	1
1	botte de roquette ou de cresson, parés et hachés	1
75 ml	coriandre fraîche ou persil frais, hachés	1/3 tasse
75 ml	basilic frais, haché	1/3 tasse
25 ml	menthe fraîche, hachée	2 c. à soupe
25 ml	ciboulette fraîche ou oignons verts, hachés	2 c. à soupe
45 ml	vinaigre de vin rouge	3 c. à soupe
2 ml	poivre	1/2 c. à thé
1	gousse d'ail, émincée	1
45 ml	huile d'olive sel au goût	3 c. à soupe

VALEUR NUTRITIONNELLE PAR PORTION

Calories	266
Protéines	10 g
Matières grasses	6 g
Saturées	1 g
Cholestérol	0 mg
Glucides	45 g
Fibres	6 g
Sodium	10 mg
Potassium	485 mg

Excellente source : vitamine C ; acide folique
Bonne source : vitamine A ; thiamine ; vitamine B6

1. Faire tremper les haricots dans de l'eau froide pendant plusieurs heures, à la température ambiante, ou toute la nuit au réfrigérateur. Rincer et bien égoutter.

2. Dans une grande marmite, couvrir les haricots d'une généreuse quantité d'eau. Porter à ébullition, réduire le feu et laisser mijoter à feu doux, de 60 à 90 minutes, ou jusqu'à ce que les haricots soient tendres. Rincer et bien égoutter. Réserver dans un grand bol.

3. Pendant ce temps, laver le riz à fond. Porter une grande marmite d'eau à ébullition. Ajouter le riz et cuire pendant 30 à 40 minutes, ou jusqu'à ce qu'il soit tendre (le riz blanc peut prendre seulement de 15 à 20 minutes de cuisson). Bien égoutter. Incorporer aux haricots.

4. Dans un grand bol, ajouter le maïs, les poivrons, le piment jalapeño, la roquette, la coriandre, le basilic, la menthe et la ciboulette.

5. Pour préparer la vinaigrette, battre au fouet le vinaigre, le poivre et l'ail. Incorporer l'huile en battant. Goûter et rectifier l'assaisonnement en ajoutant du sel, au besoin.

6. Verser la vinaigrette sur la salade et remuer.

SALADE DE POULET GRILLÉ HACHÉ

Pour varier, remplacez le poulet par 500 g (1 lb) de crevettes ou 375 g (3/4 lb) de bœuf. Vous pouvez faire rôtir le poulet et les légumes plutôt que de les faire griller.

Cette salade est également sensationnelle lorsqu'elle est apprêtée avec une vinaigrette au sésame et au gingembre (page 163).

Donne de 6 à 8 portions

15 ml	moutarde de Dijon	1 c. à soupe
15 ml	sauce soya	1 c. à soupe
1 ml	poivre	1/4 c. à thé
500 g	poitrines de poulet, désossées	1 lb
2	poivrons jaunes	2
2	poivrons rouges	2
500 g	aubergines orientales, coupées en tranches de 5 mm (1/4 po)	1 lb
2	petites courgettes, coupées en deux dans le sens de la longueur	2
1	gros oignon rouge, coupé en tranches de 2,5 cm (1 po) d'épaisseur	1
2	épis de maïs, parés	2
250 g	asperges, parées	1/2 lb
2	tomates, épépinées et hachées	2
50 ml	olives noires, hachées	1/4 tasse
50 ml	basilic ou persil frais, hachés	1/4 tasse
50 ml	ciboulette fraîche ou oignons verts, hachés	1/4 tasse

Vinaigrette

45 ml	vinaigre de vin rouge	3 c. à soupe
45 ml	vinaigre balsamique	3 c. à soupe
1	gousse d'ail, émincée	1
2 ml	poivre	1/2 c. à thé
45 ml	huile d'olive	3 c. à soupe
	sel au goût	
1,5 l	mélange de laitues et de chicorées, hachées (roquette, radicchio, feuilles de chêne rouge, chicorée frisée, etc.)	6 tasses

1. Dans un plat peu profond, mélanger la moutarde, la sauce soya et le poivre. Recouvrir les morceaux de poulet de ce mélange et laisser mariner au réfrigérateur toute la nuit.

2. Faire griller les poivrons jusqu'à ce que la peau soit carbonisée. Laisser refroidir, peler, épépiner et couper en morceaux de 2,5 cm (1 po).

3. Faire griller le poulet de 6 à 8 minutes de chaque côté, ou jusqu'à ce qu'il soit bien cuit. Couper en morceaux de 2,5 cm (1 po).

4. Faire griller l'aubergine, les courgettes, l'oignon, les épis de maïs et les asperges jusqu'à ce qu'ils soient tout juste cuits. Découper l'aubergine, les courgettes, l'oignon et les asperges en morceaux de 2,5 cm (1 po). Retirer les grains de maïs des épis avec un couteau bien affûté (page 365).

5. Dans un grand bol, mélanger le poulet, les légumes grillés, les tomates, les olives, le basilic et la ciboulette.

6. Dans un petit bol, battre au fouet le vinaigre de vin, le vinaigre balsamique, l'ail et le poivre. Incorporer l'huile en continuant de battre. Rectifier l'assaisonnement en ajoutant du sel au besoin.

7. Ajouter la vinaigrette au mélange de poulet et de légumes, et remuer. Au moment de servir, ajouter le mélange de laitues et de chicorées et remuer de nouveau.

VALEUR NUTRITIONNELLE PAR PORTION	
Calories	295
Protéines	23 g
Matières grasses	10 g
Saturées	1 g
Cholestérol	47 mg
Glucides	34 g
Fibres	8 g
Sodium	232 mg
Potassium	1099 mg

Excellente source :
vitamine A ;
vitamine C ; thiamine ;
niacine ; vitamine B6 ;
acide folique
Bonne source :
riboflavine ; fer

SALADE SUSHI

Voici une version maison des sushis que servent les restaurants japonais. La vinaigrette ne contient absolument aucune matière grasse, et on peut varier la recette de plusieurs façons. Le riz et le vinaigre assaisonné sont les seuls ingrédients essentiels ; vous pouvez donc ajouter des restes de poulet ou des crevettes, du maïs, des courgettes, des haricots verts, des oignons verts, etc.

Donne de 6 à 8 portions

375 ml	riz japonais à grains courts	1 1/2 tasse
425 ml	eau froide	1 3/4 tasse
125 g	pois mange-tout, parés	1/4 lb
50 ml	vinaigre de riz	1/4 tasse
2	grandes feuilles de nori, grillées et brisées grossièrement, d'environ 20 cm x 18 cm (8 po x 7 po)	2
25 ml	gingembre rose mariné, haché	2 c. à soupe
1	carotte, râpée	1
125 ml	petits pois, cuits	1/2 tasse
25 ml	graines de sésame, grillées (page 414)	2 c. à soupe
25 ml	aneth frais, haché	2 c. à soupe
25 ml	ciboulette fraîche ou oignons verts, hachés	2 c. à soupe
25 ml	coriandre fraîche ou persil frais, hachés	2 c. à soupe

1. Déposer le riz dans un tamis et le rincer jusqu'à ce que l'eau soit claire. Mettre le riz dans une casserole de grandeur moyenne et ajouter l'eau froide. Couvrir. Porter à ébullition et faire cuire pendant 1 minute. Réduire le feu et poursuivre la cuisson 10 minutes. Retirer du feu et laisser reposer 15 minutes. Ne pas retirer le couvercle au cours de la cuisson.

2. Blanchir les pois mange-tout en les plongeant dans l'eau bouillante pendant 30 secondes. Égoutter et rincer à l'eau froide. Trancher en diagonale.

3. Transférer le riz dans un grand bol. Remuer délicatement le riz avec une fourchette afin d'éviter qu'il soit trop collant. Tout en remuant délicatement, ajouter graduellement le vinaigre jusqu'à ce qu'il soit absorbé.

4. Ajouter les pois mange-tout, les feuilles de nori, le gingembre, la carotte, les petits pois, les graines de sésame, l'aneth, la ciboulette et la coriandre. Remuer et servir à la température ambiante.

VALEUR NUTRITIONNELLE PAR PORTION	
Calories	226
Protéines	6 g
Matières grasses	2 g
Saturées	traces
Cholestérol	0 mg
Glucides	46 g
Fibres	2 g
Sodium	20 mg
Potassium	189 mg
Excellente source :	
vitamine A	

SALADE DE SPAGHETTIS AU THON

On peut se procurer des poivrons rôtis en pot pour rendre cette salade encore plus simple à réaliser. Si vous ne trouvez pas de basilic frais, ajoutez un peu plus de persil ou d'oignons verts. Et si vous désirez préparer cette recette à l'avance, conservez-la au réfrigérateur ; avant de la servir, laissez-la revenir à la température ambiante.

Donne 6 portions

375 g	spaghettis de blé entier ou ordinaires	3/4 lb
2	gousses d'ail, émincées	2
25 ml	huile d'olive	2 c. à soupe
1 ml	flocons de piment fort (facultatif)	1/4 c. à thé
2 ml	poivre	1/2 c. à thé
	sel au goût	
2	tomates, épépinées et coupées en dés	2
2	poivrons rouges ou jaunes, rôtis de préférence (page 165), pelés, épépinés et coupés en dés	2
2	boîtes de 198 ml (7 oz) de thon blanc dans l'eau, égoutté et émietté	2
25 ml	olives noires, hachées	2 c. à soupe
50 ml	persil frais, haché	1/4 tasse
50 ml	basilic frais, haché	1/4 tasse
2	oignons verts, hachés	2

VALEUR NUTRITIONNELLE PAR PORTION

Calories	331
Protéines	23 g
Matières grasses	7 g
Saturées	1 g
Cholestérol	22 mg
Glucides	47 g
Fibres	6 g
Sodium	237 mg
Potassium	398 mg

Excellente source :
niacine ; vitamine B12 ;
vitamine C
Bonne source :
vitamine A ; vitamine B6 ;
acide folique ; fer

1. Faire cuire les spaghettis dans une grande marmite d'eau bouillante jusqu'à ce qu'ils soient *al dente*.

2. Pendant ce temps, mélanger dans un grand bol l'huile d'olive avec l'ail, les flocons de piment fort, le poivre et le sel. Ajouter les tomates, les poivrons, le thon et les olives, et bien mélanger. Ajouter le persil, le basilic et les oignons verts.

3. Lorsque les spaghettis sont prêts, bien les égoutter. Les ajouter à la préparation et remuer. Goûter et rectifier l'assaisonnement au besoin. Servir tiède ou à la température ambiante.

SALADE DE SPAGHETTIS AVEC SALSA À L'AIL RÔTI ET TOMATES

Voici une salade délicieuse et facile à préparer. Vous pouvez la servir chaude ou à la température ambiante (si vous l'avez préparée à l'avance et réfrigérée, amenez-la à la température ambiante avant de la servir). Elle est à son meilleur quand les tomates sont de saison ; hors saison, j'utilise toujours des tomates italiennes ou des tomates cerises, car leur qualité est constante tout au long de l'année.

Si vous ne souhaitez pas rôtir de l'ail, utilisez trois gousses d'ail émincées. Quelques poivrons rouges ou jaunes rôtis, coupés en cubes, feraient aussi un bel effet.

Donne de 6 à 8 portions

2	bulbes d'ail rôti (page 80)	2
45 ml	huile d'olive	3 c. à soupe
45 ml	vinaigre balsamique	3 c. à soupe
2 ml	sel	1/2 c. à thé
1 ml	poivre	1/4 c. à thé
1 ml	flocons de piment fort (facultatif)	1/4 c. à thé
500 g	tomates bien mûres (4 à 6), épépinées et coupées en dés, ou 500 ml (2 tasses) de tomates cerises, coupées en quartier	1 lb
125 ml	basilic ou persil frais, hachés	1/2 tasse
50 ml	persil frais, haché	1/4 tasse
25 ml	ciboulette fraîche ou oignons verts, hachés	2 c. à soupe
375 g	spaghettis de blé entier ou ordinaires	3/4 lb

1. Extraire l'ail de son enveloppe en pressant le bulbe au-dessus d'un grand plat de service et l'écraser. Y verser l'huile d'olive, en battant au fouet, jusqu'à consistance homogène. Ajouter le vinaigre, le sel, le poivre et les flocons de piment fort.

2. Ajouter les tomates, le basilic, le persil et la ciboulette. Laisser mariner la salsa pendant la préparation des spaghettis.

3. Dans une grande marmite d'eau bouillante, faire cuire les spaghettis jusqu'à ce qu'ils soient *al dente*. Bien les égoutter. Remuer les pâtes dans la salsa. Goûter et rectifier l'assaisonnement au besoin.

VALEUR NUTRITIONNELLE PAR PORTION	
Calories	294
Protéines	10 g
Matières grasses	8 g
Saturées	1 g
Cholestérol	0 mg
Glucides	50 g
Fibres	6 g
Sodium	211 mg
Potassium	322 mg
Bonne source : thiamine ; niacine ; vitamine B6 ; vitamine C ; fer	

SALADE THAÏLANDAISE AU POULET ET AUX NOUILLES

Je prépare cette salade aussi bien avec des nouilles de riz qu'avec des spaghettinis. Si vous ne trouvez pas toutes les herbes fraîches indiquées, augmentez simplement la quantité de persil et d'oignons verts.

Donne de 8 à 10 portions

500 g	poitrines de poulet désossées, sans la peau	1 lb
45 ml	sauce hoisin	3 c. à soupe
15 ml	jus de lime	1 c. à soupe
5 ml	poivre	1 c. à thé
375 g	vermicelles de riz ou spaghettinis	3/4 lb
50 ml	huile végétale	1/4 tasse
6	gousses d'ail, hachées finement	6

VALEUR NUTRITIONNELLE PAR PORTION	
Calories	348
Protéines	22 g
Matières grasses	9 g
Saturées	1 g
Cholestérol	48 mg
Glucides	45 g
Fibres	2 g
Sodium	345 mg
Potassium	382 mg
Excellente source : vitamine C ; niacine ; vitamine B6	

LA SAUCE DE POISSON

La sauce de poisson est une sauce fermentée qui est l'équivalent thaï et vietnamien de la sauce soya. Elle est utilisée dans presque toutes les préparations orientales. Pour fabriquer cette sauce, on superpose des couches successives de poisson (habituellement des anchois, mais parfois aussi du crabe ou des crevettes) et de sel. La variante thaïe s'appelle « nam pla », et la variante vietnamienne, « nuoc nam ». Cette sauce ne coûte pas cher et se conserve longtemps. Cependant, tout comme la sauce soya, sa teneur en sodium est élevée, aussi faut-il l'utiliser avec modération. (Sentez-la et vous comprendrez pourquoi on la combine toujours à d'autres ingrédients !)

1	concombre anglais, coupé en quatre dans le sens de la longueur, tranché finement	1
125 ml	coriandre fraîche ou persil frais, hachés	1/2 tasse
125 ml	menthe fraîche, hachée	1/2 tasse
125 ml	basilic frais, émincé	1/2 tasse
6	oignons verts, hachés	6
1	poivron rouge, grillé de préférence (page 165), pelé, épépiné et coupé en dés	1

Vinaigrette thaïe

50 ml	jus de citron	1/4 tasse
50 ml	jus de lime	1/4 tasse
50 ml	eau	1/4 tasse
25 ml	sauce de poisson (nam pla), ou sauce soya	2 c. à soupe
25 ml	sucre cristallisé blanc	2 c. à soupe
1 ml	flocons de piment fort	1/4 c. à thé
	sel au goût	

1. Incorporer la sauce hoisin, le jus de lime et le poivre, et bien en enduire le poulet. Réfrigérer pendant 6 heures ou toute la nuit.

2. Mettre le poulet à cuire sous le gril du four ou au barbecue, pendant 5 à 7 minutes de chaque côté (selon l'épaisseur), ou jusqu'à ce qu'il soit cuit à point. Laisser refroidir et trancher finement en diagonale.

3. Si vous utilisez des vermicelles de riz, les recouvrir d'eau bouillante et laisser tremper 15 minutes ou jusqu'à ce qu'ils soient tendres. Bien égoutter (ils ne requièrent aucune cuisson additionnelle). Si vous utilisez des spaghettinis, les cuire dans une grande marmite d'eau bouillante jusqu'à ce qu'ils soient *al dente*. Égoutter et refroidir sous le jet du robinet d'eau froide.

4. Pendant ce temps, chauffer l'huile dans une petite poêle, à feu doux. Ajouter l'ail et faire revenir jusqu'à ce qu'il soit tendre et odorant, sans toutefois le laisser brunir. Ajouter le contenu de la poêle aux nouilles.

5. Couper le concombre en quatre dans le sens de la longueur, puis trancher finement.

6. Ajouter le poulet, le concombre, la coriandre, la menthe, le basilic, les oignons verts et le poivron rouge aux nouilles, et bien remuer.

7. Pour préparer la vinaigrette, battre au fouet le jus de citron, le jus de lime, l'eau, la sauce de poisson, les flocons de piment fort et le sucre. Rectifier l'assaisonnement en ajoutant du sel, au besoin.

8. Verser la vinaigrette sur la salade et remuer. Servir sur un lit de laitue.

SPAGHETTINIS VERDE

Ce plat très léger et très frais se sert chaud ou à la température ambiante. Pour ma part, je le prépare avec des pousses de roquettes de culture biologique, mais si vous n'en trouvez pas, utilisez du cresson ou tout autre légume-feuille de votre choix. Vous aurez besoin d'environ 1 l (4 tasses) de laitue hachée.

Donne 8 portions

500 g	spaghettinis de blé entier ou ordinaires	1 lb
5	tomates, épépinées et coupées en dés	5
1	botte de roquette ou de cresson, grossièrement hachés	1
1	radicchio ou laitue frisée, grossièrement hachés	1
2	gousses d'ail, émincées	2
1 ml	flocons de piment fort	1/4 c. à thé
2 ml	poivre	1/2 c. à thé
25 ml	vinaigre balsamique	2 c. à soupe
25 ml	huile d'olive	2 c. à soupe
50 ml	olives noires, hachées	1/4 tasse
	sel au goût	

1. Dans une grande casserole d'eau bouillante, cuire les spaghettinis *al dente*.

2. Pendant ce temps, mélanger les tomates, la roquette et le radicchio dans un grand bol.

3. Mélanger au fouet l'ail, les flocons de piment fort, le poivre, le vinaigre et l'huile.

4. Bien égoutter les pâtes et les déposer dans le bol avec les tomates et les olives. Verser la vinaigrette et remuer. Goûter et rectifier l'assaisonnement en ajoutant du sel au besoin.

VALEUR NUTRITIONNELLE PAR PORTION	
Calories	249
Protéines	11 g
Matières grasses	5 g
Saturées	1 g
Cholestérol	0 mg
Glucides	46 g
Fibres	6 g
Sodium	53 mg
Potassium	387 mg

SALADE NIÇOISE AU SAUMON RÔTI

Cette salade évoque vraiment le printemps. Vous pouvez remplacer le saumon par du bar ou du flétan (cuits comme le saumon), par du thon frais (saignant et coupé en tranches fines), ou encore par le traditionnel thon en boîte. Faites griller du brocoli, des haricots verts, des poivrons rouges ou jaunes que vous ajouterez en remplacement, ou en plus des asperges.

Donne 8 portions

60 ml	huile d'olive, divisée en deux portions	4 c. à soupe
15 ml	romarin frais, haché, ou 2 ml (1/2 c. à thé) de romarin séché	1 c. à soupe
2 ml	sel	1/2 c. à thé
2 ml	poivre	1/2 c. à thé
1 kg	pommes de terre grelots, nettoyées et coupées en deux	2 lb
6	tomates italiennes, coupées en quartiers, ou 500 ml (2 tasses) de tomates cerises	6
2	bulbes d'ail	2
500 g	asperges, parées	1 lb
1 kg	filets de saumon, en un seul morceau, sans la peau	2 lb
75 ml	vinaigre balsamique	1/3 tasse
2 l	laitues assorties	8 tasses
25 ml	estragon frais ou basilic, hachés, ou 2 ml (1/2 c. à thé) d'estragon ou de basilic séchés	2 c. à soupe
4	blancs d'œufs cuits dur, grossièrement hachés	4
1	petite botte de ciboulette	1

VALEUR NUTRITIONNELLE PAR PORTION

Calories	407
Protéines	29 g
Matières grasses	20 g
Saturées	4 g
Cholestérol	64 mg
Glucides	29 g
Fibres	4 g
Sodium	423 mg
Potassium	1173 mg

Excellente source :
thiamine ; niacine ; vitamine B6 ; vitamine B12 ; vitamine C ; acide folique
Bonne source :
vitamine A ; riboflavine ; fer

1. Dans un petit bol, mélanger 25 ml (2 c. à soupe) d'huile d'olive, le romarin, le sel et le poivre. Déposer les pommes de terre dans un grand bol et y verser la moitié de ce mélange. Remuer.

2. Disposer les quartiers de tomates côte à côte, côté peau en dessous, ainsi que les pommes de terre sur une plaque à pâtisserie tapissée de papier sulfurisé. Trancher au couteau le quart supérieur de toutes les gousses (l'extrémité pointue). Retirer la peau de l'ail qui se détache facilement et envelopper les bulbes dans du papier d'aluminium. Faire rôtir les pommes de terre, les tomates et l'ail dans un four préchauffé à 200 °C (400 °F) pendant 40 minutes. Retirer la plaque du four et disperser les asperges sur les pommes de terre et les tomates. Faire rôtir les légumes de 10 à 15 minutes supplémentaires, jusqu'à ce que les pommes de terre et l'ail soient tendres et que les asperges soient d'un beau vert vif. La partie inférieure des tomates devrait être dorée.

3. Entre-temps, enrober le saumon du reste de la marinade à l'huile et au romarin. Placer le saumon sur une autre plaque à pâtisserie tapissée de papier sulfurisé. À environ 20 minutes de la fin de la

cuisson des légumes, enfourner le saumon et le faire rôtir de 15 à 18 minutes, ou jusqu'à ce qu'il soit à point.

4. Pour préparer la vinaigrette, extraire l'ail rôti des gousses et le battre au fouet avec le vinaigre. Toujours en battant au fouet, incorporer le reste de l'huile. Pour obtenir une vinaigrette parfaitement homogène, la battre en purée au robot culinaire ou au mélangeur.

5. Étendre les feuilles de laitue dans une grande assiette. Disposer les pommes de terre au centre, les tomates et les asperges tout autour. À l'aide d'une large spatule, déposer le saumon sur les pommes de terre. Mouiller la salade de vinaigrette. Garnir avec l'estragon et les blancs d'œufs. Couper la ciboulette en tronçons de 5 cm (2 po) et en garnir la salade.

SALADE DE ROQUETTE AVEC GRILLADES DE CREVETTES, D'ASPERGES ET DE FENOUIL

Une salade printanière qui se déguste en entrée ou à l'heure du lunch. La vinaigrette est tout aussi succulente dans les salades de pâtes, de riz et de pommes de terre, ou servie en sauce sur du poulet ou de l'agneau.

Donne 6 portions

2	gousses d'ail	2
1	botte de basilic frais, nettoyé	1
10 ml	sel, divisé en deux portions	2 c. à thé
50 ml	huile d'olive	1/4 tasse
500 g	grosses crevettes (gambas), décortiquées et coupées en papillon	1 lb
1	gros bulbe de fenouil, nettoyé, coupé en quartiers, soit environ 500 g (1 lb)	1
25 ml	vinaigre balsamique	2 c. à soupe
15 ml	jus de citron	1 c. à soupe
1 ml	poivre	1/4 c. à thé
1 l	roquette	4 tasses

1. Au robot culinaire, pulvériser l'ail, le basilic et la moitié du sel. Ajouter l'huile et réduire le mélange en purée. Prélever 25 ml (2 c. à soupe) de cette préparation et en enduire les crevettes. Réserver le reste de la préparation pour la vinaigrette.

VALEUR NUTRITIONNELLE PAR PORTION	
Calories	181
Protéines	15 g
Matières grasses	10 g
Saturées	1 g
Cholestérol	112 mg
Glucides	9 g
Fibres	4 g
Sodium	468 mg
Potassium	604 mg

Excellente source : vitamine B12 ; acide folique

Bonne source : niacine ; fer

2. Griller les crevettes, le fenouil et les asperges jusqu'à ce que les crevettes soient cuites et les légumes bien dorés, soit environ 4 minutes au total. (Si vous manquez d'espace, faites cuire les légumes et les crevettes séparément.)

3. Pour préparer la vinaigrette, battre ensemble le vinaigre, le jus de citron, le reste de la préparation de basilic, le reste du sel et le poivre.

4. Verser la vinaigrette sur les crevettes, le fenouil et les asperges. Bien mélanger et rectifier l'assaisonnement au besoin. Servir sur un lit de roquettes.

SALADE DE BIFTECK GRILLÉ À L'ORIENTALE

Voici une salade-repas étonnante et délicieuse. La sauce, qui ne contient aucune matière grasse, peut servir de trempette pour les crevettes, les rouleaux aux légumes et les satays. On pourrait aussi utiliser, pour réaliser cette salade, des crevettes ou de la poitrine de poulet désossée, sans la peau.

Donne 6 portions

Marinade

1/2	botte de coriandre, avec les racines, les tiges, et les feuilles	1/2
2	gousses d'ail, hachées	2
15 ml	gingembre frais, haché	1 c. à soupe
25 ml	sauce hoisin	2 c. à soupe
25 ml	sauce soya	2 c. à soupe
25 ml	jus de citron	2 c. à soupe
5 ml	pâte de piment orientale	1 c. à thé
500 g	bifteck de flanc	1 lb

Sauce aux agrumes

75 ml	sucre cristallisé blanc	1/3 tasse
75 ml	eau	1/3 tasse
25 ml	vinaigre de riz ou de cidre	2 c. à soupe
25 ml	jus d'orange	2 c. à soupe
15 ml	jus de citron	1 c. à soupe
15 ml	sauce soya	1 c. à soupe
1	gousse d'ail, émincée	1
2 ml	pâte de piment orientale	1/2 c. à thé
1	petite carotte, râpée ou hachée, soit environ 75 ml (1/3 tasse)	1

LES CONCOMBRES

Je préfère utiliser les concombres anglais, car leur peau n'est pas cirée et je peux donc les utiliser non pelés. Par ailleurs, ces concombres contiennent moins de pépins.

Si vous ajoutez du concombre dans une sauce à salade ou dans une trempette, comme le tzatziki (page 59), il est conseillé de les faire dégorger afin qu'ils ne rendent pas leur eau dans la préparation. Il suffit de le trancher, de saler les tranches et de les déposer dans une passoire. Laissez-les dégorger leur eau pendant environ 30 minutes, rincez-les et asséchez-les dans un linge propre.

Salade

2,5 l	laitues assorties	10 tasses
1	gros concombre anglais, tranché finement	1
125 ml	coriandre fraîche ou persil frais, hachés grossièrement	1/2 tasse
50 ml	menthe fraîche, hachée	1/4 tasse
50 ml	ciboulette fraîche ou oignons verts, hachés	1/4 tasse

1. Pour préparer la marinade, réduire en purée au robot culinaire la coriandre, l'ail, le gingembre, la sauce hoisin, la sauce soya, le jus de citron et la pâte de piment.

2. Bien enrober le bifteck de marinade et le laisser mariner 1 heure, ou toute la nuit au réfrigérateur.

3. Faire griller le bifteck 4 ou 5 minutes de chaque côté, ou jusqu'à ce qu'il soit mi-saignant. Laisser refroidir au moins 10 minutes. Trancher finement en diagonale.

4. Entre-temps, pour préparer la sauce, mélanger le sucre et l'eau dans une petite casserole, et chauffer à feu élevé jusqu'à ce que le sucre se soit dissout. Ajouter le vinaigre de riz, le jus d'orange, le jus de citron, la sauce soya, l'ail, la pâte de piment et la carotte. Goûter et rectifier l'assaisonnement au besoin. Laisser refroidir.

5. Pour servir, disposer la laitue dans une assiette. Y placer les tranches de concombre et parsemer de coriandre, de menthe et de ciboulette. Déposer sur le dessus les tranches de bifteck et arroser de sauce.

VALEUR NUTRITIONNELLE PAR PORTION	
Calories	210
Protéines	20 g
Matières grasses	6 g
Saturées	2 g
Cholestérol	29 mg
Glucides	20 g
Fibres	2 g
Sodium	404 mg
Potassium	734 mg

Excellente source :
vitamine A ; niacine ;
acide folique ;
vitamine B12
Bonne source :
vitamine C ; riboflavine ;
fer ; vitamine B6

SALADE DE THON

La salade de thon est un classique apprécié de tous. Cette version, dans laquelle les ingrédients sont hachés, est délicieuse, et chaque bouchée fait découvrir différentes textures et saveurs.

Donne de 4 à 6 portions

500 g	asperges, cuites et coupées en dés	1 lb
750 g	pommes de terre, pelées, cuites et coupées en dés	1 1/2 lb
375 ml	maïs en grains	1 1/2 tasse
2	boîtes de 198 g (7 oz) de thon blanc dans l'eau, égoutté et émietté	2
1 l	laitue rouge ou laitue Boston, grossièrement hachées	4 tasses

75 ml	basilic ou persil frais, hachés	1/3 tasse
4	oignons verts, hachés	4

Vinaigrette

45 ml	vinaigre balsamique	3 c. à soupe
1	gousse d'ail, émincée	1
2 ml	sel	1/2 c. à thé
2 ml	poivre	1/2 c. à thé
25 ml	huile d'olive	2 c. à soupe

1. Dans un bol, mélanger les asperges, les pommes de terre et le maïs.

2. Pour préparer la vinaigrette, mélanger dans un petit bol le vinaigre, l'ail, le sel et le poivre. Incorporer l'huile en battant au fouet.

3. Verser la vinaigrette sur la salade et remuer. Goûter et rectifier l'assaisonnement au besoin.

SALADE GRECQUE AU POULET GRILLÉ

Le zahtar est très utilisé dans la cuisine du Moyen-Orient. Il désigne à la fois une plante et un mélange d'herbes composé d'origan, de thym, de sel et de sésame. On peut le remplacer par de l'origan ou du thym séché.

Donne 8 portions

4	demi-poitrines de poulet, désossées, sans la peau	4
2	pains pitas de blé entier ou ordinaires, de 18 cm (7 po) de diamètre	2
25 ml	huile d'olive	2 c. à soupe
15 ml	zahtar	1 c. à soupe
2	tomates mûres, épépinées et coupées en morceaux	2
1	petit concombre anglais, pelé et coupé en morceaux	1
25 ml	olives noires, épépinées et coupées en deux	2 c. à soupe
60 g	féta, émietté	2 oz
25 ml	persil frais, grossièrement haché	2 c. à soupe
25 ml	oignons verts, grossièrement hachés	2 c. à soupe
25 ml	coriandre fraîche, grossièrement hachée	2 c. à soupe
25 ml	menthe fraîche, grossièrement hachée	2 c. à soupe
1	petite laitue romaine, coupée en morceaux	1

VALEUR NUTRITIONNELLE PAR PORTION

Calories	391
Protéines	29 g
Matières grasses	10 g
Saturées	2 g
Cholestérol	33 mg
Glucides	51 g
Fibres	7 g
Sodium	628 mg
Potassium	1259 mg

Excellente source : vitamine C ; thiamine ; niacine ; fer ; vitamine B6 ; acide folique ; vitamine B12

Bonne source : vitamine A ; riboflavine

Vinaigrette

45 ml	jus de citron	3 c. à soupe
1	gousse d'ail, émincée	1
5 ml	sel	1 c. à thé
1 ml	poivre	1/4 c. à thé
45 ml	huile d'olive	3 c. à soupe

1. Badigeonner le poulet et les pains pitas d'huile d'olive ; les saupoudrer de zahtar. Faire griller le poulet de 5 à 7 minutes de chaque côté, ou jusqu'à ce qu'il soit bien cuit. Le couper en morceaux. Faire griller les pitas de 1 à 2 minutes de chaque côté, ou jusqu'à ce qu'ils soient légèrement dorés. Les couper en morceaux.

2. Dans un grand bol, mélanger le poulet, les tomates, le concombre, les olives, le féta et les herbes. Réserver la laitue et les pains pitas.

3. Pour préparer la vinaigrette, mélanger au fouet le jus de citron, l'ail, le sel, le poivre et l'huile. Verser la vinaigrette sur le poulet et les légumes ; mélanger avec soin.

4. Environ 30 minutes avant de servir, ajouter les morceaux de pitas. Au moment de servir, ajouter la laitue et mélanger. Goûter et rectifier l'assaisonnement au besoin.

VALEUR NUTRITIONNELLE PAR PORTION	
Calories	241
Protéines	20 g
Matières grasses	12 g
Saturées	3 g
Cholestérol	48 mg
Glucides	14 g
Fibres	3 g
Sodium	520 mg
Potassium	534 mg
Excellente source : niacine ; vitamine B6 ; acide folique	
Bonne source : vitamine A ; thiamine ; vitamine B12 ; vitamine C	

VINAIGRETTE SPA AU VINAIGRE BALSAMIQUE

On peut également préparer cette vinaigrette avec des vinaigres doux tels que les vinaigres de framboise, de xérès et de champagne, ou un bon vinaigre de vin rouge.

Donne environ 425 ml (1 3/4 tasse)

125 ml	vinaigre balsamique	1/2 tasse
25 ml	jus de citron	2 c. à soupe
25 ml	huile d'olive	2 c. à soupe
15 ml	moutarde de Dijon	1 c. à soupe
10 ml	sauce Worcestershire	2 c. à thé
1	gousse d'ail, émincée	1
1 ml	poivre	1/4 c. à thé
250 ml	eau	1 tasse
5 ml	miel (facultatif)	1 c. à thé
1 ml	sel (facultatif)	1/4 c. à thé

VALEUR NUTRITIONNELLE POUR 15 ML (1 C. À SOUPE)	
Calories	10
Protéines	traces
Matières grasses	1 g
Saturées	traces
Cholestérol	0 mg
Glucides	traces
Fibres	0 g
Sodium	12 mg
Potassium	8 mg

1. Battre au fouet le vinaigre, le jus de citron, l'huile, la moutarde, la sauce Worcestershire, l'ail et le poivre. Incorporer l'eau au fouet.

2. Goûter et ajouter du miel et du sel si désiré seulement.

LE VINAIGRE BALSAMIQUE

Ce vinaigre fin est fabriqué à partir de jus de raisin Trebbiano vieilli dans diverses essences de bois, qui lui confèrent son goût distinctif.

Il existe trois grands types de vinaigre balsamique. Le vinaigre balsamique authentique a une très longue période de maturation et coûte plus de 250 $ la bouteille. Plus le vinaigre est vieux et plus son taux d'acidité est faible. Ce type de vinaigre ne convient guère à la préparation de vinaigrette ; on le déguste plutôt avec du parmesan ou de la viande et du poisson grillés.

Les vinaigres balsamiques artisanaux sont préparés selon la même méthode, mais leur période de maturation est plus courte. Ils s'emploient dans les vinaigrettes et les marinades, et les meilleurs d'entre eux sont délicieux sur la salade avec un filet d'huile d'olive. Les vinaigres balsamiques bas de gamme ont une saveur robuste et peu raffinée : ils sont faits de vinaigre, de colorant et de saveur ajoutée.

VINAIGRETTE À LA MOUTARDE ET AU POIVRE

Voici une succulente vinaigrette crémeuse tout usage que vous pourrez utiliser dans les salades vertes ou sur les viandes rôties. Faites-en l'essai dans la salade de pommes de terre (page 162).

Donne 175 ml (3/4 tasse)

25 ml	vinaigre de vin rouge	2 c. à soupe
15 ml	moutarde de Dijon	1 c. à soupe
1	gousse d'ail, émincée	1
5 ml	poivre	1 c. à thé
	sel au goût	
10 ml	miel	2 c. à thé
125 ml	fromage de yogourt crémeux (page 420), ou yogourt ferme, ou bouillon de poulet, ou jus de tomate	1/2 tasse
25 ml	huile d'olive	2 c. à soupe

VALEUR NUTRITIONNELLE POUR 15 ML (1 C. À SOUPE)	
Calories	36
Protéines	1 g
Matières grasses	3 g
Saturées	1 g
Cholestérol	1 mg
Glucides	2 g
Fibres	0 g
Sodium	26 mg
Potassium	39 mg

1. Battre au fouet le vinaigre, la moutarde, l'ail, le poivre et le sel.

2. Incorporer, en brassant, le miel, le fromage de yogourt et l'huile d'olive. Goûter et rectifier l'assaisonnement au besoin.

VINAIGRETTE CRÉMEUSE À L'AIL

Cette vinaigrette exceptionnelle est délicieusement douce. La plupart des gens seraient grandement surpris s'ils connaissaient la quantité d'ail qu'elle contient. Utilisez-la sur les salades vertes ou la salade de pommes de terre, comme garniture sur les pommes de terre au four, comme trempette pour les légumes, ou comme sauce sur les viandes, la volaille ou les poissons rôtis. Vous pouvez également servir cette vinaigrette, avec ou sans le fromage de yogourt, sur des bruschettas ou des pitas sur lesquels vous ajouterez un peu de salsa.

Donne environ 125 ml (1/2 tasse)

1	bulbe d'ail, soit environ 12 gousses, pelées	1
250 ml	bouillon de poulet maison (page 127), ou eau	1 tasse
5 ml	miel	1 c. à thé
	une pincée de romarin frais, haché, ou séché	
	une pincée de thym frais, haché, ou séché	
25 ml	vinaigre balsamique	2 c. à soupe
15 ml	huile d'olive	1 c. à soupe
1 ml	poivre	1/4 c. à thé
50 ml	fromage de yogourt crémeux (page 420), ou yogourt ferme, ou bouillon de poulet, ou jus de tomate sel au goût	1/4 tasse

1. Mettre l'ail dans une petite casserole avec le bouillon de poulet, le miel, le romarin et le thym. Porter à ébullition. Réduire le feu et laisser mijoter à feu doux environ 30 minutes, ou jusqu'à ce que l'ail soit très tendre et qu'il ne reste que très peu de liquide de cuisson.

2. Au robot culinaire, réduire l'ail en purée avec ce qui reste du liquide. Tout en pulvérisant, ajouter le vinaigre, l'huile, le poivre et le fromage de yogourt. Goûter et rectifier l'assaisonnement en ajoutant du sel, au besoin.

Salade de pommes de terre

Cuire 1 kg (2 lb) de pommes de terre en cubes. Mélanger avec 125 ml (1/2 tasse) de vinaigrette crémeuse à l'ail, de salsa onctueuse (page 62), de vinaigrette à la moutarde et au poivre (page 161) ou de trempette au chèvre (page 60).

Donne de 4 à 6 portions.

VALEUR NUTRITIONNELLE POUR 15 ML (1 C. À SOUPE)	
Calories	37
Protéines	2 g
Matières grasses	2 g
Saturées	traces
Cholestérol	1 mg
Glucides	3 g
Fibres	traces
Sodium	11 mg
Potassium	71 mg

Salade de pâtes, sauce à la crème et à l'ail

Mélanger 90 g (3 oz) de fromage de chèvre émietté avec 1 l (4 tasses) de pâtes cuites et 50 ml (1/4 tasse) de basilic frais ou de persil haché. Saler et poivrer au goût.

VINAIGRETTE AUX AGRUMES

Voici une vinaigrette qui est non seulement délicieuse dans les salades vertes, mais qui ajoute du prestige au poulet ainsi qu'au saumon pochés ou cuits au four.

Donne environ 250 ml (1 tasse)

1	petite gousse d'ail, hachée finement	1
5 ml	gingembre frais, haché finement	1 c. à thé
15 ml	miel	1 c. à soupe
25 ml	vinaigre de riz	2 c. à soupe
25 ml	jus de citron	2 c. à soupe
25 ml	jus de pamplemousse	2 c. à soupe
50 ml	jus d'orange	1/4 tasse
25 ml	huile d'olive	2 c. à soupe
5 ml	huile de sésame grillé	1 c. à thé
	un trait de sauce au piment rouge	
25 ml	coriandre fraîche ou persil frais, hachés	2 c. à soupe
25 ml	basilic ou persil frais, hachés	2 c. à soupe
25 ml	ciboulette fraîche ou oignons verts, hachés	2 c. à soupe
	sel au goût	

VALEUR NUTRITIONNELLE POUR 15 ML (1 C. À SOUPE)

Calories	25
Protéines	traces
Matières grasses	2 g
Saturées	traces
Cholestérol	0 mg
Glucides	2 g
Fibres	traces
Sodium	1 mg
Potassium	21 mg

1. Battre au fouet l'ail, le gingembre, le miel, le vinaigre de riz, le jus de citron, le jus de pamplemousse et le jus d'orange.

2. Incorporer au mélange, en fouettant, l'huile d'olive, l'huile de sésame et la sauce au piment. Ajouter la coriandre, le basilic et la ciboulette. Mélanger. Goûter et rectifier l'assaisonnement en ajoutant du sel, au besoin.

VINAIGRETTE AU SÉSAME ET AU GINGEMBRE

Cette vinaigrette regorge de parfums d'herbes fraîches. La petite quantité d'huile de sésame qu'elle contient apporte une touche d'exotisme et de mystère, tout en n'introduisant qu'un minimum de matières grasses. On en trouve dans les épiceries orientales, et on doit la conserver au réfrigérateur une fois que la bouteille a été ouverte.

Cette vinaigrette est excellente sur les salades de laitues variées, de céréales de grains entiers, de poulet ou de saumon. Ou encore, essayez-la avec la salade de poulet grillé haché (page 148) à la place de la vinaigrette suggérée.

Donne environ 150 ml (2/3 tasse)

2	gousses d'ail, hachées finement	2
15 ml	gingembre frais, haché finement	1 c. à soupe
10 ml	moutarde au miel	2 c. à thé
10 ml	miel	2 c. à thé
15 ml	sauce soya	1 c. à soupe
25 ml	jus de citron	2 c. à soupe
25 ml	vinaigre balsamique	2 c. à soupe
50 ml	jus d'orange	1/4 tasse
15 ml	huile d'olive	1 c. à soupe
5 ml	huile de sésame grillé	1 c. à thé
1 ml	sauce au piment rouge (facultatif)	1/4 c. à thé
50 ml	coriandre fraîche ou persil frais, hachés	1/4 tasse
50 ml	ciboulette fraîche ou oignons verts, hachés	1/4 tasse

1. Battre au fouet l'ail, le gingembre, la moutarde, le miel, la sauce soya, le jus de citron, le vinaigre, le jus d'orange, l'huile d'olive, l'huile de sésame et la sauce au piment.
2. Incorporer la coriandre et la ciboulette en remuant. Goûter et rectifier l'assaisonnement au besoin.

VALEUR NUTRITIONNELLE POUR 15 ML (1 C. À SOUPE)	
Calories	29
Protéines	traces
Matières grasses	2 g
Saturées	traces
Cholestérol	0 mg
Glucides	3 g
Fibres	traces
Sodium	79 mg
Potassium	37 mg

VINAIGRETTE AUX POIVRONS ROUGES GRILLÉS

Réduit en purée, le poivron rouge donne de la consistance à cette vinaigrette, et le rôtissage en accentue la saveur toute spéciale. Quant au vinaigre balsamique, il lui ajoute une note de douceur acidulée. Cette vinaigrette convient tout spécialement aux salades de pâtes, de céréales et de légumes coupés. Vous l'utiliserez également avec bonheur comme sauce d'accompagnement sur du poisson, du poulet, de l'agneau ou du bifteck grillé.

Réfrigérée, cette vinaigrette a tendance à former une gelée légère ; ajoutez simplement un peu d'eau, au besoin, au moment de servir.

Donne 175 ml (3/4 tasse)

1	poivron rouge	1
1	gousse d'ail, hachée	1
50 ml	vinaigre balsamique	1/4 tasse
2 ml	poivre	1/2 c. à thé
25 ml	basilic ou persil frais, hachés	2 c. à soupe
15 ml	huile d'olive	1 c. à soupe
25 ml	eau	2 c. à soupe
	sel au goût	

VALEUR NUTRITIONNELLE POUR 15 ML (1 C. À SOUPE)

Calories	14
Protéines	traces
Matières grasses	1 g
Saturées	traces
Cholestérol	0 mg
Glucides	1 g
Fibres	traces
Sodium	0 mg
Potassium	25 mg

1. Couper le poivron rouge en deux et retirer les membranes et les graines. Placer les deux moitiés sur une plaque à pâtisserie, le côté coupé en dessous. Glisser sous le gril préchauffé jusqu'à ce que la peau soit noircie et boursouflée. Laisser refroidir complètement et peler.

2. Au robot culinaire, réduire en purée le poivron rouge et l'ail. En maintenant l'appareil en marche, ajouter le vinaigre, le poivre, le basilic et l'huile. Incorporer l'eau au fouet. Goûter et rectifier l'assaisonnement en ajoutant du sel au besoin.

LES POIVRONS GRILLÉS

Le fait de rôtir et de peler des poivrons leur confère une saveur légèrement fumée. Cela les rend aussi plus sucrés et plus digestes. Vous pouvez les rôtir en les déposant entiers sur le barbecue, en prenant soin de les retourner au bout de quelques minutes, jusqu'à ce que leur peau soit entièrement noircie. Laissez-les refroidir avant de les peler, de retirer la tige et de les épépiner.

Vous pouvez également les griller au four : coupez les poivrons en deux, retirez les membranes et les graines, et déposez-les, côté coupé en bas, sur une plaque à pâtisserie. Disposez la plaque sous le gril et laissez griller jusqu'à ce que la peau des poivrons soit noircie. Laissez-les refroidir avant de les peler. Si vous avez une cuisinière au gaz, vous pouvez les griller un à la fois sous la flamme des éléments.

En saison, vous pouvez faire provision de poivrons grillés. Il suffit d'étaler côte à côte les poivrons grillés, pelés, épépinés et coupés en lanières ou en morceaux, sur une plaque à pâtisserie tapissée de papier sulfurisé ou de papier ciré. Placez la plaque au congélateur. Une fois les poivrons congelés, déposez-les dans un sac à congélation ou dans un contenant hermétique. Les morceaux ne colleront pas les uns aux autres et vous pourrez aisément décongeler la quantité de poivrons qu'il vous faut.

Si le plat que vous cuisinez n'exige pas de poivrons cuits, pelez-les tout simplement avec un couteau économe ; vous verrez alors l'avantage d'acheter des poivrons bien carrés, aux surfaces régulières !

VINAIGRETTE AU MIEL ET À LA LIME

Lynn Sanders, l'une de mes bonnes amies, adore cette recette qu'elle prétend tenir de moi. Je dois donner beaucoup de recettes, car j'avoue que je n'en ai aucun souvenir ! Elle la sert avec une salade de fruits de mer et de laitues assorties.

Je la prépare avec un mélange de jus de lime et de citron frais, mais le jus de lime confère à cette salade une saveur incomparable.

Donne 125 ml (1/2 tasse)

50 ml	jus de lime	1/4 tasse
1	gousse d'ail, hachée finement	1
2 ml	sel	1/2 c. à thé
	une pincée de poivre	
15 ml	miel	1 c. à soupe
50 ml	huile d'olive	1/4 tasse
45 ml	coriandre fraîche, hachée	3 c. à soupe

1. Battre au fouet le jus de lime, l'ail, le sel et le poivre. Incorporer le miel et l'huile d'olive. Ajouter la coriandre.

VALEUR NUTRITIONNELLE POUR 15 ML (1 C. À SOUPE)	
Calories	70
Protéines	0 g
Matières grasses	7 g
Saturées	1 g
Cholestérol	0 mg
Glucides	3 g
Fibres	0 g
Sodium	147 mg
Potassium	17 mg

RÉDUIRE LA QUANTITÉ D'HUILE DANS LES VINAIGRETTES

La proportion d'huile contenue dans les vinaigrettes classiques est très élevée. Toutefois, l'utilisation d'un vinaigre de qualité permet de réduire la quantité d'huile. Optez pour des vinaigres peu acides comme le vincotto (vinaigre fabriqué à partir de moût cuit issu de deux variétés de raisins séchés), les vinaigres balsamique, de framboise, de riz ou de xérès. Utilisez de l'huile d'olive (une huile parfumée comme l'huile d'olive permet de réduire la quantité utilisée). Pour une vinaigrette à teneur réduite en matières grasses, remplacez une partie de l'huile par une purée de légumes, du jus d'orange, du babeurre (page 436), du yogourt ou du fromage de yogourt (page 420).

Penne aux tomates cerises grillées et bocconcini

Spaghettis de fiston à la sauce tomate

Lasagne en folie

Spaghettis puttanesca

Pâtes à la sauce tomate et à la ricotta

Pâtes au chou-fleur rôti

Spaghettis avec sauce aux tomates rôties

Pâtes avec sauce aux tomates et aux poivrons rouges

Pâtes aux poivrons rouges et à l'aubergine

Fusillis aux pommes de terre et au rapini

Macaronis au fromage et brocoli grillé

Spaghettis rustiques

Pâtes au saumon grillé et légumes sautés

Penne arrabiata

Spaghettis aux fruits de mer

Pâtes à l'espadon et aux olives

Linguines aux fruits de mer grillés, sauce tomate au pesto

Nouilles au porc à la façon de Shanghai

Lo mein de poulet doux et piquant

Spaghettis aux crevettes et aux tomates cerises

Nouilles piquantes à la façon de Singapour

Spaghettis aux boulettes de poulet

CUISINER
AU GOÛT
DU CŒUR

LES PÂTES

PENNE AUX TOMATES CERISES GRILLÉES ET BOCCONCINI

Pour une salade colorée, préparez-la avec des tomates cerises jaunes et rouges. Servir chaud ou à la température ambiante.

Donne de 6 à 8 portions

1 l	tomates cerises	4 tasses
25 ml	huile d'olive	2 c. à soupe
2	gousses d'ail, émincées	2
5 ml	sel	1 c. à thé
1 ml	poivre	1/4 c. à thé
375 g	penne de blé entier ou ordinaires	3/4 lb
250 g	bocconcini (mozzarella fraîche), rompu en morceaux	1/2 lb
25 ml	olives noires, dénoyautées	2 c. à soupe
75 ml	feuilles de basilic frais, bien tassées et déchiquetées	1/3 tasse

1. Mélanger les tomates, l'huile, l'ail, le sel et le poivre. Étendre les tomates dans un plat peu profond allant au four et mettre à griller à 200 °C (400 °F) dans un four préchauffé, pendant 10 minutes, ou jusqu'à ce que la peau des tomates se fendille.

2. Pendant ce temps, cuire les pâtes *al dente* dans une grande casserole d'eau bouillante.

3. Bien égoutter les pâtes et y ajouter les tomates grillées et leur jus, le fromage, les olives et le basilic. Rectifier l'assaisonnement au besoin.

LE BASILIC ÉMINCÉ

Les feuilles fraîches de basilic se flétrissent rapidement et prennent une coloration noirâtre lorsqu'elles sont hachées. Pour préserver leur belle couleur verte, il suffit d'empiler quelques feuilles ou de les rouler avant de les couper finement avec un couteau bien aiguisé.

VALEUR NUTRITIONNELLE PAR PORTION

Calories	367
Protéines	16 g
Matières grasses	13 g
Saturées	5 g
Cholestérol	24 mg
Glucides	51 g
Fibres	6 g
Sodium	363 mg
Potassium	327 mg

Bonne source : thiamine ; niacine ; vitamine C ; calcium ; fer

L'HUILE D'OLIVE

J'aime cuisiner avec l'huile d'olive pour son merveilleux parfum d'olive et parce qu'elle se compose de gras monoinsaturés (page 21). L'huile d'olive extra vierge est moins acide que l'huile d'olive ordinaire. Elle est préparée avec des olives mûres, pressées à froid, sans produit chimique.

Il est préférable d'acheter l'huile d'olive en petites quantités, puisqu'il est recommandé de la consommer dans les quelques mois suivant l'ouverture de la bouteille. Si vous souhaitez la conserver plus longtemps, gardez-la au réfrigérateur. (L'huile se solidifiera et deviendra trouble, mais elle se liquéfiera à nouveau à la température ambiante.)

Si le goût de l'huile d'olive vous semble inapproprié dans un plat, utilisez de l'huile de tournesol.

SPAGHETTIS DE FISTON À LA SAUCE TOMATE

Mon fils Mark adore les pâtes, mais uniquement avec une sauce tomate, tout ce qu'il y a de plus « nature », mais il a le goût très développé. Voici donc la sauce que je prépare pour lui.

Lorsque je sers cette sauce, je laisse chacun ajouter à sa guise fromage râpé, persil haché et flocons de piment fort. Vous pouvez préparer la sauce à l'avance et la réchauffer. Il est aussi possible de la congeler (je la congèle souvent dans un moule à glaçons ; deux cubes donnent une portion parfaite pour un enfant).

Vous pouvez également ajouter à cette sauce des restes de poulet ou de légumes cuits.

Donne 6 portions

1	boîte de 796 ml (28 oz) de tomates italiennes, non égouttées, réduites en purée	1
1	petit oignon, pelé et coupé en deux	1
2	gousses d'ail, pelées, mais laissées entières	2
15 ml	huile d'olive	1 c. à soupe
	sel et poivre au goût	
500 g	spaghettis de blé entier ou ordinaires	1 lb
50 ml	parmesan, râpé	1/4 tasse
25 ml	basilic ou persil frais, hachés	2 c. à soupe
	une pincée de flocons de piment fort (facultatif)	

1. Mettre les tomates, l'oignon, l'ail et l'huile dans une poêle de grandeur moyenne. Porter à ébullition, réduire le feu et laisser mijoter, à feu doux de 10 à 20 minutes, ou jusqu'à réduction et épaississement de la sauce.
2. Retirer du feu et enlever l'oignon et l'ail. Saler et poivrer.
3. Dans une grande marmite d'eau bouillante, faire cuire les spaghettis jusqu'à ce qu'ils soient *al dente*. Bien égoutter et incorporer à la sauce. Goûter et rectifier l'assaisonnement au besoin. Servir et laisser chacun garnir ses pâtes de fromage, de basilic et de flocons de piment fort à sa guise.

Spaghettis à la sauce tomate et roquette

Ajouter à la sauce quelques poignées de feuilles de roquette ou de pousses d'épinards, quelques minutes avant la fin de la cuisson. Cuire jusqu'à ce que les feuilles se flétrissent. Donne 6 portions.

LASAGNE EN FOLIE

Cette lasagne est beaucoup plus facile à préparer qu'une lasagne traditionnelle et il est très facile de l'adapter à vos goûts. Ainsi, vous pouvez doubler la quantité de courgettes et de champignons et omettre les aubergines, ou la préparer avec vos champignons ou les légumes que vous avez sous la main. Lorsque j'utilise des champignons portobellos, je retire leur lamelle, question d'apparence et de goût.

Préparez-la quelques jours à l'avance et réfrigérez-la, ou conservez-la au congélateur pendant quelques semaines. Elle est tout aussi excellente servie chaude qu'à la température ambiante.

Donne de 8 à 10 portions

1 kg	tomates italiennes, soit environ 8, épépinées et coupées en quatre	2 lb
500 g	aubergines orientales, soit environ 4 (ou 1 grosse aubergine), coupées en tranches de 1 cm (1/4 po)	1 lb
500 g	courgettes, soit environ 2, coupées en rondelles	1 lb
250 g	champignons portobellos ou de Paris, nettoyés et coupés en morceaux	1/2 lb
2	poivrons rouges, épépinés et coupés en morceaux	2
1	gros oignon, pelé et coupé en morceaux	1
25 ml	huile d'olive	2 c. à soupe
5 ml	sel	1 c. à thé
1 ml	poivre	1/4 c. à thé
2	bulbes d'ail	2
375 g	lasagne de blé entier ou ordinaires, brisées	3/4 lb
500 ml	tomates en purée, en boîte, égouttées, ou sauce tomate	2 tasses
500 g	ricotta légère, soit 500 ml (2 tasses)	1 lb
250 g	bocconcini (mozzarella fraîche) râpé, soit environ 500 ml (2 tasses)	1/2 lb
50 ml	basilic ou persil frais, émincés	1/4 tasse
15 ml	origan frais, haché, ou 2 ml (1/2 c. à thé) d'origan séché	1 c. à soupe
25 ml	parmesan, râpé	2 c. à soupe

1. Disposer les tomates, les aubergines, les courgettes, les champignons, les poivrons et l'oignon sur deux plaques à pâtisserie tapissées de papier sulfurisé. Arroser d'un filet d'huile d'olive, saler et poivrer. Trancher au couteau le quart supérieur de toutes les gousses (l'extrémité pointue). Retirer la peau de l'ail qui se détache facilement et envelopper les bulbes dans du papier d'aluminium. Les déposer sur la plaque à pâtisserie. Rôtir les légumes dans un four préchauffé à 200 °C (400 °F) pendant 45 minutes, ou jusqu'à ce qu'ils soient dorés.
2. Entre-temps, cuire les pâtes *al dente* dans une grande casserole d'eau bouillante. Les égoutter et les rincer à l'eau froide.
3. Dans un grand bol, mélanger les pâtes et les légumes rôtis. Ajouter la pulpe extraite des bulbes d'ail. Ajouter les tomates en purée, la ricotta, le bocconcini, le basilic et l'origan. Goûter et rectifier l'assaisonnement au besoin.
4. Mettre la préparation dans un plat légèrement huilé allant au four, d'une capacité de 3,5 l (14 tasses) (33 cm x 23 cm/13 po x 9 po), et saupoudrer de parmesan. Couvrir et cuire dans un four préchauffé à 180 °C (350 °F) pendant 30 minutes. Découvrir la lasagne et poursuivre la cuisson de 20 à 30 minutes, ou jusqu'à ce qu'elle soit légèrement gratinée. Laisser reposer 10 minutes avant de servir.

SPAGHETTIS PUTTANESCA

Ce plat se prépare si rapidement que, selon l'une des légendes qui entourent son origine, les « reines de la nuit », à Rome, pouvaient le préparer en un clin d'œil, entre deux clients. Omettez les anchois, si vous le préparez pour des végétariens.

Donne de 6 à 8 portions

15 ml	huile d'olive	1 c. à soupe
4	gousses d'ail, hachées finement	4
1 ml	flocons de piment fort	1/4 c. à thé
2	anchois, hachés (facultatif)	2
1	boîte de 796 ml (28 oz) de tomates italiennes, égouttées et hachées	1
50 ml	olives noires, coupées en moitiés	1/4 tasse
25 ml	câpres	2 c. à soupe
500 g	spaghettis de blé entier ou ordinaires	1 lb
50 ml	parmesan râpé (facultatif)	1/4 tasse
25 ml	persil frais, haché,	2 c. à soupe

1. Chauffer l'huile dans une grande poêle antiadhésive profonde. Ajouter l'ail et les flocons de piment fort, et faire revenir à feu doux jusqu'à ce qu'ils soient odorants, sans laisser brunir.

2. Incorporer les anchois et les tomates. Porter à ébullition et cuire 5 minutes. Ajouter les olives et les câpres. Prolonger la cuisson de 3 minutes.

3. Pendant ce temps, faire cuire les spaghettis dans une grande marmite d'eau bouillante jusqu'à ce qu'ils soient *al dente*. Bien égoutter et incorporer à la sauce avec le fromage et le persil. Goûter et rectifier l'assaisonnement au besoin.

VALEUR NUTRITIONNELLE PAR PORTION	
Calories	327
Protéines	11 g
Matières grasses	4 g
Saturées	1 g
Cholestérol	0 mg
Glucides	61 g
Fibres	4 g
Sodium	245 mg
Potassium	278 mg
Bonne source : niacine	

PÂTES À LA SAUCE TOMATE ET À LA RICOTTA

Vous pouvez préparer la sauce tomate à l'avance, mais faites cuire les pâtes et mélangez-les avec la sauce et la ricotta seulement au moment de servir. Bien que le bacon et la pancetta (bacon italien non fumé) soient deux aliments riches en matières grasses, de petites quantités donnent au plat une saveur unique. On trouve la pancetta dans les épiceries italiennes. Omettez tout simplement la viande si vous êtes végétarien.

Donne 6 portions

15 ml	huile d'olive	1 c. à soupe
30 g	pancetta ou bacon, coupés en dés (facultatif)	1 oz
1	oignon, haché	1
2	gousses d'ail, hachées finement	2
1 ml	flocons de piment fort	1/4 c. à thé
1	boîte de 796 ml (28 oz) de tomates italiennes, non égouttées, réduites en purée	1
2 ml	poivre	1/2 c. à thé
	sel au goût	
500 g	fusillis, ou penne de blé entier ou ordinaires	1 lb
250 g	ricotta légère, ou fromage cottage, léger, pressé et égoutté, soit environ 250 ml (1 tasse)	1/2 lb
50 ml	parmesan, râpé	1/4 tasse
50 ml	basilic frais, émincé, ou persil frais, haché	1/4 tasse

VALEUR NUTRITIONNELLE PAR PORTION	
Calories	370
Protéines	18 g
Matières grasses	7 g
Saturées	3 g
Cholestérol	7 mg
Glucides	64 g
Fibres	8 g
Sodium	346 mg
Potassium	479 mg
Excellente source : fer	
Bonne source : thiamine ; niacine ; calcium	

1. Chauffer l'huile dans une grande poêle antiadhésive profonde. Ajouter la pancetta et la faire revenir jusqu'à ce qu'elle soit croustillante.

2. Ajouter l'oignon, l'ail et les flocons de piment. Faire revenir à feu doux, pendant 5 minutes.

3. Incorporer les tomates et faire cuire 15 minutes, ou jusqu'à ce que le volume de la sauce diminue et qu'elle épaississe. Saler et poivrer.

4. Pendant ce temps, dans une grande marmite d'eau bouillante, faire cuire les pâtes *al dente*. Bien les égoutter et les incorporer à la sauce. Garnir de ricotta, de parmesan et de basilic. Goûter et rectifier l'assaisonnement au besoin. Bien mélanger avant de servir.

PÂTES AU CHOU-FLEUR RÔTI

La cuisson sur le gril intensifie la saveur des légumes et en améliore la texture. Ces pâtes sont délicieuses comme plat principal ou en salade. Servi sans les pâtes, le chou-fleur grillé constitue un excellent légume d'accompagnement. Essayez ces pâtes avec quatre tomates italiennes fraîches ; coupez-les en quartiers et faites-les rôtir avec le chou-fleur.

Donne de 4 à 6 portions

1	gros chou-fleur, d'environ 1 kg (2 lb)	1
25 ml	huile d'olive, divisée en deux portions	2 c. à soupe
2 ml	sel	1/2 c. à thé
250 g	penne de blé entier ou autres pâtes de taille moyenne	1/2 lb
25 ml	vinaigre de vin rouge, ou vinaigre balsamique	2 c. à soupe
1	gousse d'ail, émincée sel et poivre au goût	1
2	poivrons rouges, grillés (page 165), pelés, épépinés et coupés en dés	2
25 ml	olives noires, hachées	2 c. à soupe
50 ml	basilic frais, émincé, ou persil frais, haché	1/4 tasse

VALEUR NUTRITIONNELLE PAR PORTION

Calories	313
Protéines	12 g
Matières grasses	9 g
Saturées	1 g
Cholestérol	0 mg
Glucides	53 g
Fibres	10 g
Sodium	336 mg
Potassium	727 mg

Excellente source :
vitamine B6 ; vitamine C ; acide folique

1. Parer le chou-fleur et le briser en bouquets. Dans un grand bol, remuer le chou-fleur dans 15 ml (1 c. à soupe) d'huile d'olive et un peu de sel. Disposer les bouquets côte à côte sur une plaque à pâtisserie tapissée de papier sulfurisé. Rôtir le chou-fleur dans un four préchauffé à 200 °C (400 °F) de 25 à 30 minutes, ou jusqu'à ce qu'il soit à point et légèrement doré. Remuer occasionnellement.

2. Entre-temps, dans une grande marmite remplie d'eau bouillante, faire cuire les pâtes jusqu'à ce qu'elles soient *al dente*. Bien les égoutter.

3. Dans un petit bol, fouetter ensemble le vinaigre, l'ail, le sel et le poivre. Incorporer le reste de l'huile.

4. Mélanger le chou-fleur, les poivrons, les olives, le basilic et les pâtes avec la vinaigrette. Goûter et rectifier l'assaisonnement au besoin. Servir à la température ambiante.

SPAGHETTIS AVEC SAUCE AUX TOMATES RÔTIES

Voici une sauce aux tomates facile à préparer et délicieuse. Qui plus est, elle regorge de fibres alimentaires et ne contient pratiquement pas de matières grasses ! Si vous n'aimez pas les mets trop épicés, omettez tout simplement le piment jalapeño.

Donne 6 portions

1 kg	tomates italiennes bien mûres, coupées en quartiers	2 lb
1	oignon, pelé et coupé en quartiers	1
1	piment jalapeño, coupé en deux et épépiné	1
1	bulbe d'ail	1
500 g	spaghettis de blé entier ou ordinaires	1 lb
125 ml	basilic frais, émincé, ou coriandre fraîche, hachée	1/2 tasse
	sel et poivre au goût	

1. Tapisser une plaque à pâtisserie de papier sulfurisé ou de papier d'aluminium. Y disposer les tomates, l'oignon et le piment jalapeño. À l'aide d'un couteau, trancher la partie supérieure de toutes les gousses (l'extrémité pointue), envelopper les bulbes dans du papier d'aluminium et placer sur la plaque. Rôtir dans un four préchauffé à 200 °C (400 °F) de 45 à 50 minutes, ou jusqu'à ce que les légumes soient légèrement dorés.

2. Extraire par pression la pulpe d'ail de sa pelure et la placer dans un robot culinaire. Ajouter les tomates, l'oignon et le piment jalapeño, puis réduire en purée. Si cette sauce a été préparée à l'avance, bien la réchauffer.

3. Entre-temps, dans une marmite remplie d'eau bouillante, faire cuire les spaghettis jusqu'à ce qu'ils soient al dente. Bien laisser égoutter et mélanger à la purée de légumes et au basilic. Goûter, puis saler et poivrer au goût.

VALEUR NUTRITIONNELLE PAR PORTION	
Calories	278
Protéines	14 g
Matières grasses	2 g
Saturées	traces
Cholestérol	0 mg
Glucides	64 g
Fibres	14 g
Sodium	20 mg
Potassium	493 mg

Excellente source : thiamine ; fer

Bonne source : vitamine A ; niacine ; vitamine B6 ; vitamine C

LA CUISSON DES PÂTES

Préparez les pâtes dans une grande marmite pour éviter qu'elles ne collent entre elles ou au fond de la marmite. N'ajoutez pas d'huile à l'eau de cuisson, car non seulement vous ajoutez alors du gras à votre plat, mais ce gras empêche les pâtes de bien absorber la sauce. Même s'il est vrai que le sel relève le goût des pâtes, il n'est pas nécessaire d'en ajouter.

À moins d'une spécification contraire (par exemple, si vous préparez des lasagnes ou des cannellonis à l'avance, ou pour éviter que les pâtes ne collent entre elles), ne rincez pas les pâtes. Le rinçage enlève l'amidon, lequel permet à la sauce d'adhérer aux pâtes.

Les pâtes fraîches maison mettent environ 1 minute à cuire. Les pâtes fraîches achetées à l'épicerie (donc confectionnées depuis un certain temps) prendront quant à elles environ 6 minutes à cuire. Les pâtes sèches commerciales exigeront entre 8 et 12 minutes de cuisson.

Quelle que soit la sorte de pâtes que vous utilisez, ne vous fiez jamais uniquement à une minuterie pour déterminer le moment où elles seront à point. Goûtez-les. Lorsque le centre de la pâte est cuit, elles sont prêtes. Rien ne sert de lancer une pâte sur le mur pour voir si elles sont prêtes, puisqu'elles adhèrent toujours au mur (prêtes ou non). Sans compter qu'une pâte collée au mur risque d'endommager la peinture si elle n'est pas retirée dans les plus brefs délais. Si vous n'êtes toujours pas convaincu, pensez à l'allure prochaine de votre cuisine si vos enfants ont le bonheur de vous voir lancer ainsi des pâtes sur les murs !

PÂTES AVEC SAUCE AUX TOMATES ET AUX POIVRONS ROUGES

Le poivron rouge est un légume sucré qui confère à la sauce tomate un goût délicat et une texture remarquable.

Pour varier, ajoutez à la sauce 250 ml (1 tasse) de dinde ou de poulet cuit ou fumé, ou encore 250 ml (1 tasse) de ricotta à la fin de la préparation pour obtenir une version onctueuse. Remplacez le basilic frais par 15 ml (1 c. à soupe) de pesto (page 188) par portion.

Donne de 6 à 8 portions

15 ml	huile d'olive	1 c. à soupe
1	oignon, haché	1
2	gousses d'ail, hachées finement	2
	une pincée de flocons de piment fort	
750 g	tomates fraîches (6 à 8 tomates italiennes), pelées, épépinées et hachées, ou 1 boîte de 796 ml (28 oz) de tomates italiennes, non égouttées, hachées	1 1/2 lb
4	poivrons rouges, grillés (page 165), pelés et hachés	4
	sel et poivre au goût	
500 g	penne de blé entier ou ordinaires	1 lb

| 50 ml | parmesan, râpé (facultatif) | 1/4 tasse |
| 50 ml | basilic frais, émincé, ou persil frais, haché | 1/4 tasse |

1. Chauffer l'huile dans une poêle antiadhésive profonde. Y mettre l'oignon, l'ail et les flocons de piment fort. Cuire à feu doux de 5 à 8 minutes, ou jusqu'à ce que l'oignon soit tendre et que le tout soit odorant.

2. Ajouter les tomates et les poivrons. Cuire de 5 à 10 minutes, ou jusqu'à ce que les tomates s'affaissent et libèrent leur jus. Saler et poivrer au goût.

3. Entre-temps, dans une grande marmite remplie d'eau bouillante, faire cuire les pâtes jusqu'à ce qu'elles soient *al dente*. Bien les égoutter, les déposer dans la poêle et les enrober de sauce. Incorporer le parmesan et le basilic. Goûter et rectifier l'assaisonnement au besoin.

VALEUR NUTRITIONNELLE PAR PORTION	
Calories	320
Protéines	12 g
Matières grasses	4 g
Saturées	1 g
Cholestérol	0 mg
Glucides	65 g
Fibres	9 g
Sodium	12 mg
Potassium	445 mg

Excellente source : **vitamine A ; vitamine C**

Bonne source : **niacine ; vitamine B6 ; acide folique**

PÂTES AUX POIVRONS ROUGES ET À L'AUBERGINE

Dans cette recette, l'aubergine prend la texture de la viande et donne du corps à la sauce. Vous pouvez préparer la sauce à l'avance et la réchauffer à la dernière minute, mais ne cuisez les pâtes qu'au moment de servir.

Donne 6 portions

15 ml	huile d'olive	1 c. à soupe
1	oignon rouge, haché	1
3	gousses d'ail, hachées finement	3
1 ml	flocons de piment fort	1/4 c. à thé
500 g	aubergines orientales, parées et coupées en dés	1 lb
3	poivrons rouges, coupés en morceaux de 4 cm (1 1/2 po)	3
1	boîte de 796 ml (28 oz) de tomates italiennes, non égouttées sel au goût	1
500 g	rigatonis de blé entier ou autres pâtes tubulaires	1 lb
125 ml	parmesan, râpé	1/2 tasse
50 ml	basilic ou persil frais, hachés	1/4 tasse

VALEUR NUTRITIONNELLE PAR PORTION	
Calories	401
Protéines	17 g
Matières grasses	7 g
Saturées	2 g
Cholestérol	7 mg
Glucides	75 g
Fibres	12 g
Sodium	381 mg
Potassium	778 mg

Excellente source : **vitamine A ; thiamine ; niacine ; vitamine B6 ; vitamine C ; fer**

Bonne source : **acide folique ; calcium**

LES DIFFÉRENTES FORMES DE PÂTES

Bien que le choix d'une pâte ne soit régi par aucune règle stricte, il existe certaines bonnes raisons de préférer un type de pâtes à un autre. Par exemple, une pâte tubulaire retiendra tous les petits ingrédients hachés finement susceptibles d'agrémenter une sauce. Des pâtes comme les rigatonis sont utilisées avec les sauces composées de gros morceaux de légumes, de fruits de mer ou de poulet, de manière que l'on puisse soulever en même temps, et d'un seul coup de fourchette, un morceau de pâte et un autre ingrédient. Les pâtes longues et fines sont utilisées avec les sauces homogènes ou qui contiennent des ingrédients finement coupés (parce que les morceaux volumineux glissent entre les pâtes). Les très petites pâtes sont utilisées pour les soupes, car elles se ramassent bien à la cuillère.

Si vous souhaitez utiliser différentes formes de pâtes dans un seul et même plat, ce qui plaît aux enfants, assurez-vous tout simplement de choisir des pâtes de tailles comparables qui nécessitent toutes le même temps de cuisson.

---

1. Chauffer l'huile dans une poêle antiadhésive grande et profonde. Ajouter l'oignon, l'ail et les flocons de piment fort, et les faire revenir à feu doux 5 minutes, ou jusqu'à ce qu'ils soient très tendres et odorants. Ne pas les laisser brunir.

2. Ajouter l'aubergine et les poivrons rouges. Cuire de 5 à 10 minutes, ou jusqu'à ce que les légumes soient légèrement ramollis.

3. Incorporer les tomates et les défaire à la cuillère. Cuire de 10 à 15 minutes, ou jusqu'à ce que la sauce épaississe légèrement. Saler au goût.

4. Pendant ce temps, dans une grande marmite d'eau bouillante, faire cuire les pâtes jusqu'à ce qu'elles soient *al dente*. Bien les égoutter et les incorporer à la sauce. Goûter et rectifier l'assaisonnement au besoin. Saupoudrer de parmesan râpé et de persil. Bien mélanger et servir immédiatement.

FUSILLIS AUX POMMES DE TERRE ET AU RAPINI

Si, tout comme moi, vous n'aimez pas les anchois nature, essayez-les quand même dans cette recette. Ils donnent du corps et de l'onctuosité à la sauce, sans en devenir l'élément dominant. (Les anchois inutilisés peuvent être congelés.)

Traditionnellement, on préparait ce plat avec des orechiettes, mais je préfère des pâtes un peu plus grandes, comme les penne ou les macaronis.

Donne 6 portions

1	grosse pomme de terre, pelée et coupée en dés	1
375 g	fusillis, macaronis ou penne de blé entier	3/4 lb
1	grosse botte de rapini ou une grosse tige de brocoli, coupé en morceaux, environ 500 g (1 lb)	1
50 ml	huile d'olive	1/4 tasse
3	filets d'anchois, rincés et émincés	3
4	gousses d'ail, hachées finement	4
1 ml	flocons de piment fort	1/4 c. à thé
2 ml	poivre	1/2 c. à thé
125 ml	eau de cuisson des pâtes (chaude)	1/2 tasse

1. Dans une grande marmite d'eau bouillante, faire cuire la pomme de terre pendant 5 minutes. Mettre les pâtes dans la même marmite et cuire 5 minutes supplémentaires.

2. Ajouter le rapini et poursuivre la cuisson jusqu'à ce que les pâtes soient *al dente*. Ne vous en faites pas si la pomme de terre se défait, elle ira dans la sauce. Cela prendra de 7 à 10 minutes supplémentaires.

3. Pendant ce temps, chauffer l'huile à feu moyen dans un poêlon antiadhésif et y ajouter les anchois, l'ail, les flocons de piment fort et le poivre. Verser 125 ml (1/2 tasse) de l'eau de cuisson des pâtes et cuire 3 minutes.

4. Lorsque les pâtes et les légumes sont prêts, bien les égoutter et les incorporer dans la préparation d'ail et d'anchois. Goûter et rectifier l'assaisonnement au besoin.

VALEUR NUTRITIONNELLE PAR PORTION

Calories	328
Protéines	12 g
Matières grasses	11 g
Saturées	2 g
Cholestérol	2 mg
Glucides	50 g
Fibres	7 g
Sodium	125 mg
Potassium	466 mg

Excellente source : vitamine A ; niacine
Bonne source : thiamine ; vitamine B6 ; vitamine C ; acide folique ; fer

MACARONIS AU FROMAGE ET BROCOLI GRILLÉ

Je prépare ces macaronis avec du lait et du fromage sans lactose pour les membres de ma famille qui souffrent d'intolérance au lactose. Faites-en congeler en portions individuelles, vos enfants ne tariront pas d'éloges !

Donne de 8 à 10 portions

500 g	brocoli, paré et coupé en bouquets de 2,5 cm (1 po)	1 lb
250 g	macaronis de blé entier, environ 500 ml (2 tasses)	1/2 lb

45 ml	huile végétale	3 c. à soupe
50 ml	farine tout usage	1/4 tasse
1 l	lait chaud	4 tasses
5 ml	sauce Worcestershire	1 c. à thé
1 ml	sauce au piment rouge	1/4 c. à thé
10 ml	sel	2 c. à thé
5 ml	poivre	1 c. à thé
	une pincée de muscade moulue	
625 ml	cheddar allégé, râpé, divisé en deux portions	2 1/2 tasses
250 ml	chapelure fraîche de blé entier ou ordinaire	1 tasse

1. Disposer le brocoli au fond d'un grand plat allant au four, tapissé de papier sulfurisé. Faire griller à 200 °C (400 °F) pendant 20 minutes, ou jusqu'à ce qu'il soit tendre et légèrement doré. Laisser refroidir.

2. Pendant ce temps, cuire les macaronis *al dente* dans une grande casserole d'eau bouillante. Bien les égoutter et les rincer à l'eau froide.

3. Dans une grande poêle, faire chauffer l'huile à feu moyen. Y ajouter la farine et cuire 3 minutes. Ajouter le lait chaud et porter à ébullition. Ajouter la sauce Worcestershire, la sauce au piment, le sel, le poivre et la muscade. Réduire la chaleur et cuire doucement pendant 5 minutes.

4. Ajouter les macaronis cuits, 500 ml (2 tasses) de fromage et le brocoli grillé. Mélanger avec soin. Goûter et rectifier l'assaisonnement au besoin. Déposer les macaronis dans un plat antiadhésif ou légèrement huilé de 3,5 l (14 tasses) (33 cm x 23 cm/13 po x 9 po) allant au four.

5. Mélanger la chapelure avec le reste du fromage et saupoudrer sur le plat de macaronis. Déposer le plat de macaronis sur une plaque à pâtisserie (pour prévenir les dégâts) et cuire au four préchauffé à 180 °C (350 °F) pendant 30 minutes, ou jusqu'à ce que les macaronis soient bien chauds. Laisser reposer de 5 à 10 minutes avant de servir.

VALEUR NUTRITIONNELLE PAR PORTION

Calories	344
Protéines	19 g
Matières grasses	15 g
Saturées	6 g
Cholestérol	30 mg
Glucides	35 g
Fibres	4 g
Sodium	468 mg
Potassium	288 mg

Excellente source :
calcium ; vitamine C ; riboflavine

Bonne source :
vitamine A ; thiamine ; niacine ; acide folique

SPAGHETTIS RUSTIQUES

J'adore le goût du rapini. Il est légèrement amer et il se trouve en fait à mi-chemin entre le brocoli et les feuilles de rutabaga. Son amertume est atténuée lorsqu'on le sert avec des pâtes. Ce genre de plat constitue une excellente façon d'initier les gens aux légumes verts feuillus. Si vous ne pouvez trouver de champignons sauvages (page 322), utilisez tout simplement des champignons ordinaires.

Donne de 6 à 8 portions

15 ml	huile d'olive	1 c. à soupe
4	gousses d'ail, hachées finement	4
	une pincée de flocons de piment fort	
125 g	champignons sauvages frais, tranchés, environ 375 ml (1 1/2 tasse)	1/4 lb
250 ml	haricots rouges cuits	1 tasse
5 ml	sel	1 c. à thé
1 ml	poivre	1/4 c. à thé
500 g	spaghettis de blé entier ou ordinaires	1 lb
1	botte de rapini ou de brocoli, paré et haché, environ 500 g (1 lb)	1
50 ml	olives noires, dénoyautées et hachées	1/4 tasse
50 ml	persil frais, haché	1/4 tasse

1. Chauffer l'huile à feu moyen dans une grande poêle antiadhésive profonde. Y mettre l'ail et les flocons de piment fort. Cuire à feu doux, jusqu'à ce que l'ail fonde et que le tout soit odorant.

2. Ajouter les champignons au contenu de la poêle et cuire de 5 à 10 minutes, ou jusqu'à ce qu'ils soient ramollis. Ajouter les haricots ; saler et poivrer. Poursuivre la cuisson encore quelques minutes.

3. Entre-temps, dans une grande marmite remplie d'eau bouillante, faire cuire les spaghettis 5 minutes. Ajouter le rapini et poursuivre la cuisson 5 minutes. Bien égoutter, en réservant 125 ml (1/2 tasse) de l'eau de cuisson des spaghettis.

4. Ajouter l'eau de cuisson réservée et les olives au contenu de la poêle. Bien chauffer. Remuer avec les pâtes égouttées, le rapini et le persil.

VALEUR NUTRITIONNELLE PAR PORTION	
Calories	374
Protéines	16 g
Matières grasses	5 g
Saturées	1 g
Cholestérol	0 mg
Glucides	67 g
Fibres	9 g
Sodium	480 mg
Potassium	539 mg

Excellente source :
vitamine A ; thiamine ;
riboflavine ; niacine ;
acide folique ; fer
Bonne source :
vitamine B6 ; vitamine C

PÂTES AU SAUMON GRILLÉ ET LÉGUMES SAUTÉS

Voici un plat principal inusité et élégant, à saveur orientale. Si vous ne pouvez faire griller le saumon au barbecue, faites-le simplement griller au four, cuire dans une poêle antiadhésive ou rôtir (page 252).

Donne 6 portions

Saumon

15 ml	miel	1 c. à soupe
5 ml	huile de sésame grillé	1 c. à thé
2 ml	pâte de piment orientale	1/2 c. à thé

| 500 g | filets de saumon, sans la peau, coupés en 6 morceaux | 1 lb |

Sauce

15 ml	huile d'olive	1 c. à soupe
25 ml	gingembre frais, haché finement	2 c. à soupe
3	gousses d'ail, hachées finement	3
1 ml	flocons de piment fort	1/4 c. à thé
2	poireaux ou petits oignons, parés et coupés en morceaux de 2,5 cm (1 po)	2
1	carotte, coupée en tranches fines ou en diagonale	1
1	poivron rouge, coupé en morceaux de 2,5 cm (1 po)	1
1	botte de pak-choï, d'épinards, ou de bettes à cardes, hachés	1
50 ml	vinaigre de riz	1/4 tasse
15 ml	huile de sésame grillé	1 c. à soupe
15 ml	miel	1 c. à soupe
2 ml	poivre	1/2 c. à thé
	sel au goût	
500 g	penne de blé entier ou ordinaires, ou autres pâtes tubulaires	1 lb
6	oignons verts, coupés en morceaux de 2,5 cm (1 po)	6
50 ml	coriandre fraîche ou persil frais, hachés	1/4 tasse

1. Dans un petit bol, mélanger le miel, l'huile de sésame et la pâte de piment fort. Frotter la chair du saumon de ce mélange pour le faire pénétrer.

2. Pour faire la sauce, chauffer l'huile d'olive à feu moyen dans une grande poêle antiadhésive profonde ou dans un wok. Ajouter le gingembre, l'ail et les flocons de piment fort. Faire revenir à feu doux quelques minutes, jusqu'à ce que le tout soit odorant, mais sans laisser brunir.

3. Ajouter les poireaux et la carotte. Cuire en remuant constamment pendant 5 minutes. Si le mélange semble trop sec, ajouter 50 ml (1/4 tasse) d'eau.

4. Ajouter le poivron rouge et le pak-choï. Cuire 5 minutes, ou jusqu'à ce que le tout soit à peine ramolli. Ajouter le vinaigre, 15 ml (1 c. à soupe) d'huile de sésame, le miel, le poivre et le sel. Prolonger la cuisson de 5 minutes.

5. Faire chauffer le gril du four, le barbecue ou un poêlon antiadhésif. Cuire le saumon de 3 à 5 minutes de chaque côté, ou jusqu'à ce qu'il soit bien cuit.

6. Pendant ce temps, dans une grande marmite d'eau bouillante, faire cuire les pâtes jusqu'à ce qu'elles soient *al dente*. Bien égoutter.

7. Incorporer les oignons verts à la sauce et faire chauffer au besoin. Mélanger les pâtes égouttées à la sauce. Ajouter la coriandre. Rectifier l'assaisonnement. Servir le saumon sur les pâtes.

PENNE ARRABIATA

Cette sauce épicée (*arrabiata* signifie « en colère ») est facile à faire et rapide à préparer. Utilisez plus ou moins de flocons de piment fort, selon votre goût et celui de vos convives.

Donne 6 portions

15 ml	huile d'olive	1 c. à soupe
4	gousses d'ail, hachées finement	4
2 ml	flocons de piment fort (ou au goût)	1/2 c. à thé
1	boîte de 796 ml (28 oz) de tomates italiennes, non égouttées, réduites en purée	1
2 ml	sel	1/2 c. à thé
2 ml	poivre	1/2 c. à thé
75 ml	basilic ou persil frais, hachés	1/3 tasse
500 g	penne de blé entier ou ordinaires, ou autres pâtes tubulaires	1 lb
125 ml	parmesan râpé	1/2 tasse

1. Chauffer l'huile à feu moyen dans une grande poêle antiadhésive profonde. Ajouter l'ail et les flocons de piment fort. Faire revenir à feu doux, jusqu'à ce qu'ils soient odorants, sans laisser brunir.

2. Incorporer les tomates, le sel et le poivre, et cuire de 10 à 15 minutes, ou jusqu'à ce que la sauce épaississe. Ajouter la moitié du basilic.

3. Entre-temps, dans une grande marmite d'eau bouillante, faire cuire les pâtes jusqu'à ce qu'elles soient *al dente*. Bien égoutter et mettre dans un grand bol. Verser la sauce sur les pâtes et saupoudrer avec le restant de basilic et le fromage. Bien mélanger. Rectifier l'assaisonnement au besoin. Servir immédiatement.

LE PARMESAN

Le parmesan est l'un des meilleurs fromages au monde. Je préfère l'acheter en morceaux et le râper moi-même avec une râpe fine, plutôt que de payer plus cher pour du fromage râpé. Le robot culinaire donne aussi de très bons résultats. On peut se procurer du parmesan de bonne qualité dans la plupart des supermarchés. Recherchez le Parmigiano Reggiano et le Grana Padano.

VALEUR NUTRITIONNELLE PAR PORTION

Calories	342
Protéines	15 g
Matières grasses	7 g
Saturées	2 g
Cholestérol	7 mg
Glucides	61 g
Fibres	8 g
Sodium	575 mg
Potassium	419 mg

Bonne source: thiamine; niacine; calcium

SPAGHETTIS AUX FRUITS DE MER

Voici un excellent repas qui se présente en un seul plat. Vous pouvez utiliser d'autres variétés de pâtes, de poissons et d'assaisonnements, selon ce que vous aurez sous la main.

Donne 8 portions

15 ml	huile d'olive	1 c. à soupe
1	oignon, haché finement	1
4	gousses d'ail, hachées finement	4
1 ml	flocons de piment fort	1/4 c. à thé
1	boîte de 796 ml (28 oz) de tomates italiennes, non égouttées, réduites en purée	1
500 g	spaghettis, ou linguines de blé entier ou ordinaires, coupés en tronçons de 5 cm (2 po)	1 lb
1 l	fumet de poisson maison, bouillon de légumes maison (page 127) ou eau	4 tasses
375 g	filets de flétan, ou autre poisson blanc à chair ferme, sans la peau, coupés en cubes de 5 cm (2 po)	3/4 lb
375 g	filets de saumon, sans la peau, coupés en cubes de 5 cm (2 po)	3/4 lb
250 g	crevettes, décortiquées	1/2 lb
250 g	moules, nettoyées	1/2 lb
	sel et poivre au goût	
25 ml	persil frais, haché	2 c. à soupe

1. Chauffer l'huile à feu moyen dans une grande poêle antiadhésive profonde ou dans un faitout. Y faire revenir l'oignon, l'ail et les piments. Cuire pendant 8 minutes, ou jusqu'à ce que les oignons soient tendres.

2. Ajouter les tomates et porter à ébullition. Cuire de 10 à 15 minutes, ou jusqu'à ce que la sauce réduise quelque peu et qu'elle épaississe.

3. Ajouter les pâtes et bien mélanger. Verser le bouillon et porter à ébullition. Cuire 10 minutes en remuant fréquemment.

4. Immerger le flétan et le saumon dans le liquide, couvrir et cuire 3 minutes. Ajouter les crevettes et les moules, couvrir 5 à 10 minutes, ou jusqu'à ce que le poisson soit cuit, que la chair des crevettes soit rose et que les moules se soient ouvertes. Saler et poivrer, et garnir avec le persil.

VALEUR NUTRITIONNELLE PAR PORTION

Calories	406
Protéines	35 g
Matières grasses	10 g
Saturées	2 g
Cholestérol	82 mg
Glucides	47 g
Fibres	5 g
Sodium	294 mg
Potassium	879 mg

Excellente source : thiamine ; niacine ; vitamine B6 ; vitamine B12 ; acide folique ; fer
Bonne source : riboflavine

PÂTES À L'ESPADON ET AUX OLIVES

Une adaptation allégée, facile à réaliser et succulente, d'une délicieuse recette de Giuliano Bugialli (page 244). On pourrait la préparer avec du thon frais, du flétan, de la morue ou avec tout autre poisson charnu. Vous pouvez aussi faire griller l'espadon séparément, le couper en cubes et l'ajouter à la sauce, à la toute fin, seulement pour obtenir ainsi un goût de fumé.

Donne de 6 à 8 portions

15 ml	huile d'olive	1 c. à soupe
1	oignon, haché finement	1
4	gousses d'ail, hachées finement	4
1 ml	flocons de piment fort	1/4 c. à thé
1	carotte, coupée en dés	1
1	branche de céleri, coupée en dés	1
1	boîte de 796 ml (28 oz) de tomates italiennes, non égouttées, en purée, ou hachées grossièrement	1
45 ml	olives vertes ou noires, dénoyautées et hachées grossièrement	3 c. à soupe
25 ml	câpres	2 c. à soupe
750 g	espadon, coupé en morceaux de 4 cm (1 1/2 po)	1 1/2 lb
500 g	penne de blé entier ou ordinaires	1 lb
50 ml	persil frais, haché	1/4 tasse
50 ml	basilic frais, émincé, ou persil frais, haché sel et poivre au goût	1/4 tasse

1. Chauffer l'huile à feu moyen dans une grande poêle antiadhésive profonde. Y mettre l'oignon, l'ail et les flocons de piment fort. Cuire quelques minutes à feu doux.

2. Ajouter la carotte et le céleri, puis poursuivre la cuisson encore 5 minutes. Si les légumes commencent à coller ou à brûler, verser un peu d'eau dans la poêle.

3. Ajouter les tomates et porter à ébullition. Réduire le feu et laisser mijoter 10 minutes, ou jusqu'à ce que le liquide réduise et que la sauce épaississe quelque peu. Ajouter les olives, les câpres et l'espadon. Cuire à feu doux de 5 à 7 minutes, ou jusqu'à ce que le poisson soit à point.

4. Entre-temps, dans une grande marmite remplie d'eau bouillante, faire cuire les pâtes jusqu'à ce qu'elles soient *al dente*. Bien les

VALEUR NUTRITIONNELLE PAR PORTION

Calories	459
Protéines	35 g
Matières grasses	9 g
Saturées	2 g
Cholestérol	44 mg
Glucides	64 g
Fibres	9 g
Sodium	476 mg
Potassium	822 mg

Excellente source :
vitamine A ; niacine ;
vitamine B6 ;
vitamine B12 ; fer
Bonne source :
vitamine C ; acide folique

PESTO AUX TOMATES
Hacher 2 gousses d'ail au robot culinaire. Ajouter 500 ml (2 tasses) de feuilles de basilic frais bien compactées et 15 ml (1 c. à soupe) de pignons rôtis (page 245). Pulvériser le tout. Ajouter 50 ml (1/4 tasse) de jus de légumes ou de jus de tomate et 2 ml (1/2 c. à thé) de poivre. Réduire en purée.

Donne environ 125 ml (1/2 tasse) de pesto.

égoutter, puis les remuer dans la sauce avec le persil et le basilic. Goûter, saler et poivrer au besoin.

LINGUINES AUX FRUITS DE MER GRILLÉS, SAUCE TOMATE AU PESTO

Ce mets est tellement savoureux que chaque bouchée est comme une bouffée de printemps. Ma cousine Barbara, une femme très branchée qui a beaucoup voyagé, a réalisé cette recette alors qu'elle recevait des amis et elle n'en a reçu que de bons mots ! « Tous mes invités ont été littéralement enchantés par les linguines », m'a-t-elle confié dès le lendemain. « J'avais l'impression d'être toi », s'est-elle exclamée, ce qui est plutôt amusant, puisque j'ai toujours souhaité lui ressembler !

Si vous ne voulez pas utiliser de crustacés, prenez du flétan, du saumon, de la baudroie ou du thon frais. La sauce tomate et le pesto peuvent être préparés à l'avance ; mais ne mélangez la sauce et les pâtes qu'au moment de servir. Omettez le poisson pour un plat végétarien.

Donne de 6 à 8 portions

250 g	grosses crevettes, nettoyées et coupées en papillon	1/2 lb
250 g	pétoncles, nettoyés et coupés en deux	1/2 lb
25 ml	huile d'olive, divisée en deux portions	2 c. à soupe
75 ml	pesto aux tomates ou ordinaire, divisé en deux portions	1/3 tasse
1	oignon, haché	1
3	gousses d'ail, hachées finement une pincée de flocons de piment fort	3
1	boîte de 796 ml (28 oz) de tomates italiennes, non égouttées	1
375 g	linguines ou spaghettis de blé entier, ou ordinaires sel et poivre au goût	3/4 lb

VALEUR NUTRITIONNELLE PAR PORTION

Calories	353
Protéines	23 g
Matières grasses	7 g
Saturées	1 g
Cholestérol	66 mg
Glucides	54 g
Fibres	6 g
Sodium	363 mg
Potassium	627 mg

Bonne source : thiamine ; niacine ; vitamine B6 ; vitamine B12 ; fer

1. Dans un grand bol, mélanger les crevettes et les pétoncles avec 15 ml (1 c. à soupe) d'huile, et avec 15 ml (1 c. à soupe) de pesto. Réserver.
2. Chauffer le reste de l'huile à feu moyen dans une grande poêle antiadhésive profonde ou dans un faitout. Ajouter l'oignon, l'ail et les flocons de piment fort, et faire revenir à feu doux quelques minutes, sans laisser brunir.

3. Incorporer les tomates et porter à ébullition. Cuire à feu doux de 10 à 15 minutes, ou jusqu'à épaississement, en défaisant les tomates avec la cuillère. (Réduire la sauce en purée si vous le désirez.)

4. Faire griller les fruits de mer jusqu'à ce qu'ils soient presque cuits. Incorporer les fruits de mer à la sauce tomate et mélanger délicatement. Éviter de trop les cuire. (On peut également cuire les fruits de mer directement dans la sauce sans les griller.)

5. Entre-temps, dans une grande marmite d'eau bouillante, cuire les pâtes jusqu'à ce qu'elles soient *al dente*. Bien les égoutter.

6. Incorporer les pâtes dans la sauce. Rectifier l'assaisonnement au besoin. Garnir chaque portion d'une cuillerée de pesto.

NOUILLES AU PORC À LA FAÇON DE SHANGHAI

Pour varier, remplacez le porc par du poulet ou de la dinde sans la peau. Les végétariens apprécieront les nouilles à la façon de Shanghai avec des dés de tofu.

Donne 6 portions

1 l	spaghettis de blé entier, ou nouilles chinoises (sans œuf) au blé, cuits	4 tasses
15 ml	huile de sésame grillé	1 c. à soupe
25 ml	huile végétale, divisée en deux portions	2 c. à soupe
375 g	filets de porc, coupés en tranches de 5 mm (1/4 po) d'épaisseur, puis coupés en deux	3/4 lb
3	gousses d'ail, finement hachées	3
2 ml	pâte de piment orientale	1/2 c. à thé
125 g	champignons shiitakes, parés et émincés, soit environ 375 ml (1 1/2 tasse)	1/4 lb
2	carottes, coupées en diagonale	2
375 g	pak-choï ou brocoli, parés et hachés grossièrement	3/4 lb
375 ml	bouillon de poulet maison (page 127), ou eau	1 1/2 tasse
50 ml	sauce hoisin, ou sauce aux huîtres	1/4 tasse
15 ml	sauce soya	1 c. à soupe
15 ml	eau	1 c. à soupe
3	oignons verts, coupés en diagonale	3

1. Verser l'huile de sésame sur les pâtes cuites et bien les enrober.

2. Dans une grande poêle antiadhésive ou dans un wok, faire chauffer 15 ml (1 c. à soupe) d'huile végétale à feu moyen-vif. Y faire revenir le

LE PESTO

Ce pesto est très polyvalent, il rehausse la saveur des pizzas, des sandwiches, des vinaigrettes. Mélangé à du fromage de chèvre, il constitue une excellente tartinade.

Au robot culinaire, hacher 2 gousses d'ail avec 25 ml (2 c. à soupe) de pignons rôtis. Ajouter 375 ml (1 1/2 tasse) de feuilles de basilic frais bien compactées, 2 ml (1/2 c. à thé) de sel et 1 ml (1/4 c. à thé) de poivre, puis hacher le tout finement. Ajouter 50 ml (1/4 tasse) d'huile d'olive et réduire en purée.

Donne environ 125 ml (1/2 tasse).

VALEUR NUTRITIONNELLE PAR PORTION

Calories	407
Protéines	25 g
Matières grasses	11 g
Saturées	2 g
Cholestérol	32 mg
Glucides	56 g
Fibres	7 g
Sodium	418 mg
Potassium	628 mg

Excellente source : vitamine A ; thiamine ; niacine ; vitamine B6 ; fer
Bonne source : riboflavine ; vitamine C ; acide folique

porc de 1 à 2 minutes, ou jusqu'à ce qu'il soit doré. Retirer le porc de la poêle et réserver.

3. Faire chauffer le reste de l'huile végétale et y faire revenir l'ail et la pâte de piment et cuire 15 secondes, ou jusqu'à ce que la préparation soit odorante (en évitant de faire brunir l'ail).

4. Ajouter les champignons et les carottes et cuire 2 minutes. Ajouter le pak-choï et faire cuire quelques minutes, soit le temps que les feuilles de chou commencent à cuire. Verser le bouillon, la sauce hoisin, la sauce soya et l'eau. Porter à ébullition.

5. Ajouter les nouilles cuites et le porc. Cuire à feu doux environ 3 minutes en brassant doucement, jusqu'à ce que les nouilles aient absorbé le liquide et qu'elles soient bien chaudes. Si la sauce est trop claire, délayer 15 ml (1 c. à soupe) de fécule de maïs dans 25 ml (2 c. à soupe) d'eau froide et l'ajouter à la sauce. Cuire de 1 à 2 minutes, jusqu'à ce que la sauce épaississe. Incorporer les oignons verts.

LO MEIN DE POULET DOUX ET PIQUANT

Voici un de mes plats préférés. Vous pouvez le préparer à partir de poitrine de dinde, de bifteck de flanc, d'agneau ou de porc. Vous pouvez aussi en créer une version végétarienne, en remplaçant la viande par des lanières de tofu ferme et le bouillon de poulet par de l'eau. Si vous utilisez des restes de viande déjà cuite, ne les ajoutez que vers la fin, avec les nouilles, seulement pour réchauffer le tout.

Donne 6 portions

375 g	linguines de blé entier ou ordinaires, ou nouilles chinoises	3/4 lb
500 g	poitrines de poulet désossées, sans la peau, finement tranchées	1 lb
50 ml	sauce soya, divisée en deux portions	1/4 tasse
25 ml	fécule de maïs, divisée en deux portions	2 c. à soupe
250 ml	bouillon de poulet maison (page 127), ou eau	1 tasse
75 ml	vinaigre de riz	1/3 tasse
25 ml	vin de riz	2 c. à soupe
45 ml	cassonade	3 c. à soupe
25 ml	mélasse	2 c. à soupe
15 ml	huile de sésame grillé	1 c. à soupe
15 ml	huile végétale	1 c. à soupe

15 ml	gingembre frais, haché	1 c. à soupe
5	oignons verts, hachés	5
3	gousses d'ail, hachées finement	3
5 ml	pâte de piment orientale	1 c. à thé
1	poireau ou petit oignon, parés et tranchés finement	1
1	carotte râpée	1
1	poivron rouge, tranché finement	1
125 g	pois mange-tout, tranchés	1/4 lb
50 ml	coriandre fraîche ou persil frais, hachés	1/4 tasse

1. Dans une grande marmite remplie d'eau bouillante, faire cuire les linguines *al dente*. (Cuire les nouilles chinoises 2 minutes dans l'eau bouillante.) Les rincer à l'eau froide et bien laisser égoutter.

2. Entre-temps, mélanger dans un bol le poulet avec 15 ml (1 c. à soupe) de sauce soya et 15 ml (1 c. à soupe) de fécule de maïs. Réserver.

3. Mélanger le bouillon, le vinaigre de riz, le vin de riz, la cassonade, la mélasse, l'huile de sésame, le reste de la sauce soya et le reste de la fécule.

4. Immédiatement avant de servir, chauffer l'huile végétale à feu moyen-vif dans un wok ou dans un grand poêlon antiadhésif profond. Y faire sauter le poulet jusqu'à ce qu'il perde son apparence de chair crue.

5. Ajouter le gingembre, les oignons verts, l'ail et la pâte de piment. Faire sauter 1 minute. Ajouter le poireau, la carotte et le poivron rouge. Cuire 3 ou 4 minutes, ou jusqu'à ce que les légumes ramollissent.

6. Remuer la sauce et la verser dans la poêle. Porter à ébullition. Cuire 1 minute. Ajouter les pois mange-tout et les linguines. Bien remuer pour réchauffer. Ajouter la coriandre. Goûter et rectifier l'assaisonnement au besoin.

VALEUR NUTRITIONNELLE PAR PORTION	
Calories	428
Protéines	30 g
Matières grasses	7 g
Saturées	1 g
Cholestérol	47 mg
Glucides	64 g
Fibres	7 g
Sodium	767 mg
Potassium	681 mg

Excellente source :
vitamine A ; thiamine ; niacine ; vitamine B6 ; vitamine C ; fer
Bonne source :
riboflavine ; acide folique

SPAGHETTIS AUX CREVETTES ET AUX TOMATES CERISES

Une recette tout simplement délicieuse en plus d'être facile à préparer.

Donne de 4 à 6 portions

45 ml	huile d'olive	3 c. à soupe
3	gousses d'ail, émincées	3
	une pincée de flocons de piment fort	
500 ml	tomates cerises	2 tasses

375 g	crevettes décortiquées et coupées en dés	3/4 lb
5 ml	sel	1 c. à thé
375 g	spaghettis de blé entier ou ordinaires	3/4 lb
25 ml	basilic frais, émincé	2 c. à soupe

1. Dans une poêle profonde et antiadhésive, faire chauffer l'huile à feu moyen. Ajouter l'ail et les flocons de piment fort. Cuire quelques minutes en évitant de faire brunir l'ail.

2. Ajouter les tomates et cuire en brassant souvent, de 5 à 8 minutes, ou jusqu'à ce que leur pelure se fendille.

3. Ajouter les crevettes et cuire de 3 à 5 minutes, ou jusqu'à ce que leur chair soit rose et que les tomates rendent leur jus. Ajouter le sel.

4. Pendant ce temps, cuire les spaghettis *al dente* dans une grande casserole d'eau bouillante. Bien les égoutter et les déposer dans la sauce. Cuire de 1 à 2 minutes à feu doux, en remuant doucement, jusqu'à ce que les pâtes aient absorbé la sauce. Ajouter le basilic. Goûter et rectifier l'assaisonnement au besoin.

CUIRE LES PÂTES À L'AVANCE

Bien qu'il soit préférable de cuire les pâtes juste avant de les servir, rien n'interdit de prendre un peu d'avance. Dès qu'elles sont cuites, plongez les pâtes dans l'eau froide, égouttez-les bien et enduisez-les d'un peu d'huile (15 ml [1 c. à soupe]) par 500 g (1 lb) de pâtes. Au moment de servir, réchauffez les pâtes dans l'eau bouillante ou dans la sauce.

NOUILLES PIQUANTES À LA FAÇON DE SINGAPOUR

Voici un plat végétarien épicé contenant du tofu, qu'on peut remplacer par des crevettes ou du poulet si on le désire. Si vous n'aimez pas les mets trop piquants, omettez la pâte de piment et n'utilisez que la moitié de la poudre de cari.

Donne de 4 à 6 portions

250 g	vermicelles de riz fins, cheveux d'ange, ou spaghettinis	1/2 lb
75 ml	bouillon de légumes maison (page 127), ou eau	1/3 tasse
25 ml	sauce soya	2 c. à soupe
15 ml	sucre cristallisé blanc	1 c. à soupe
15 ml	huile de sésame grillé	1 c. à soupe
15 ml	vin de riz	1 c. à soupe
15 ml	huile végétale	1 c. à soupe
125 g	tofu, coupé en bâtonnets et asséché dans un linge	1/4 lb
15 ml	gingembre frais, haché	1 c. à soupe
3	oignons verts, hachés finement	3
2	gousses d'ail, hachées finement	2

15 ml	poudre ou pâte de cari	1 c. à soupe
2 ml	pâte de piment orientale	1/2 c. à thé
2	poireaux, épépinés et tranchés finement	2
1	carotte râpée	1
1	poivron rouge, épépiné et tranché finement	1
125 g	germes de haricots	1/4 lb

1. Mettre les nouilles de riz dans un grand bol, les recouvrir d'eau tiède-chaude et les laisser tremper 15 minutes. (Si vous utilisez des pâtes ordinaires, cuisez-les à l'eau bouillante jusqu'à ce qu'elles soient tendres.) Bien les égoutter.

2. Dans un petit bol, mélanger le bouillon, la sauce soya, le sucre, l'huile de sésame et le vin de riz.

3. Chauffer l'huile végétale dans un grand wok ou dans un poêlon profond à feu moyen-vif. Ajouter le tofu. Faire sauter quelques minutes jusqu'à ce qu'il soit légèrement doré. Retirer de la poêle et réserver.

4. Mettre le gingembre, l'ail et les oignons verts dans le wok. Cuire 30 secondes. Ajouter la poudre de cari et la pâte de piment, et cuire encore de 10 à 20 secondes. Ajouter les poireaux, la carotte et le poivron rouge. Cuire jusqu'à ce que les légumes commencent à ramollir.

5. Ajouter les germes de haricots et la sauce réservée. Porter à ébullition. Ajouter le tofu et les nouilles. Cuire jusqu'à ce que le tout soit très chaud et bien mélangé. Goûter et rectifier l'assaisonnement au besoin.

VALEUR NUTRITIONNELLE PAR PORTION

Calories	364
Protéines	9 g
Matières grasses	9 g
Saturées	1 g
Cholestérol	0 mg
Glucides	62 g
Fibres	4 g
Sodium	451 mg
Potassium	377 mg

Excellente source : vitamine A ; vitamine C ; vitamine B6 ; fer
Bonne source : niacine ; acide folique

SPAGHETTIS AUX BOULETTES DE POULET

Tout le monde apprécie ce plat. Vous pouvez lui ajouter des légumes grillés ou rôtis (page 113), de la sauce piquante ou les deux. Vous pouvez aussi prendre du bœuf, de la dinde ou du veau haché pour confectionner les boulettes.

Servez ces spaghettis accompagnés d'une salade, et l'affaire est dans le sac ! Les restes de la préparation à boulettes donnent une excellente garniture à sandwiches.

Donne 6 portions

15 ml	huile d'olive	1 c. à soupe
1	oignon, haché	1
1	carotte, hachée finement	1

SUSHIS DE SAUMON FUMÉ (PAGE 67)

TARTELETTES AUX ASPERGES
ET AU FROMAGE DE CHÈVRE (PAGE 74)

SALADE DE BIFTECK GRILLÉ À L'ORIENTALE (PAGE 157)

PAELLA AUX LÉGUMES (PAGE 216)

QUESADILLAS AU FROMAGE DE CHÈVRE ET AUX HARICOTS NOIRS (PAGE 221)

FRICADELLES DE THON À L'ORIENTALE (PAGE 244)

MOULES À LA SAUCE DE HARICOTS NOIRS FERMENTÉS (PAGE 263)

1	branche de céleri, hachée finement	1
2	gousses d'ail, hachées finement	2
	une pincée de flocons de piment fort	
1	boîte de 796 ml (28 oz) de tomates italiennes, non égouttées, réduites en purée	1
500 g	poitrines de poulet, sans gras, hachées	1 lb
1	œuf, battu	1
175 ml	chapelure fraîche de blé entier ou ordinaire	3/4 tasse
5 ml	sel	1 c. à thé
1 ml	poivre	1/4 c. à thé
500 g	spaghettis de blé entier ou ordinaires	1 lb
45 ml	persil frais, haché	3 c. à soupe

VALEUR NUTRITIONNELLE PAR PORTION

Calories	427
Protéines	31 g
Matières grasses	6 g
Saturées	1 g
Cholestérol	80 mg
Glucides	66 g
Fibres	9 g
Sodium	699 mg
Potassium	705 mg

Excellente source : vitamine A ; vitamine B6

Bonne source : thiamine ; niacine ; vitamine B12 ; acide folique

1. Chauffer l'huile à feu moyen-vif dans une grande poêle profonde. Y faire sauter l'oignon, la carotte, le céleri, l'ail et les flocons de piment fort. Cuire les légumes pendant environ 5 minutes, ou jusqu'à ce qu'ils soient tendres.

2. Ajouter les tomates et porter à ébullition. Réduire le feu et laisser mijoter à découvert pendant environ 10 minutes.

3. Pendant ce temps, préparer les boulettes en mélangeant le poulet, l'œuf, la chapelure, le sel et le poivre dans un grand bol. Façonner environ 24 petites boulettes.

4. Ajouter les boulettes dans la grande poêle et les recouvrir de sauce. Cuire pendant environ 20 minutes à feu doux et à couvert, puis découvrir et prolonger la cuisson pendant environ 10 minutes. Goûter et rectifier l'assaisonnement.

5. Entre-temps, cuire les spaghettis dans un grand faitout jusqu'à ce qu'ils soient tendres. Bien les égoutter.

6. Verser la sauce sur les pâtes et garnir de persil.

Frittata à la courge musquée

Rösti pizza

Pizza végétarienne grillée

Focaccia verde et hoummos à l'ail rôti

Polenta et ratatouille aux légumes rôtis

Gratin de polenta

Polenta aux champignons sauvages

Vermicelles aux légumes à la thaïlandaise (pad thaï)

Nasi goreng au tofu

Riz frit et tofu grillé

Tofu et brocoli en sauce aigre-douce

Risotto aux tomates et aux haricots

Chili de haricots variés

Hamburgers de champignons portobellos et
    mayonnaise à l'ail rôti

Paella aux légumes

Haricots en sauce barbecue

Tortillas au hoummos et à l'aubergine grillée

Ribollita

Quesadillas au fromage de chèvre et aux haricots noirs

Végéburgers avec salsa aux tomates

CUISINER AU GOÛT DU CŒUR

LES PLATS
DE RÉSISTANCE
VÉGÉTARIENS

FRITTATA À LA COURGE MUSQUÉE

L'idée de préparer une frittata à la courge m'est venue en dégustant une quiche dans un café de Cape Town appelé Melissa's. Une frittata est une quiche sans pâte – un plat tout aussi délicieux, mais beaucoup moins gras qu'une quiche. Elle est parfaite pour le brunch ou à l'heure du lunch avec une salade, ou encore coupée en petites bouchées à l'apéro.

Donne 8 portions

1 kg	courge musquée, ou courge Buttercup, pelée	2 lb
15 ml	romarin frais, haché, ou 2 ml (1/2 c. à thé) de romarin séché, divisé en deux portions	1 c. à soupe
15 ml	thym frais, haché, ou 2 ml (1/2 c. à thé) de thym séché, divisé en deux portions	1 c. à soupe
375 ml	fromage de chèvre frais, émietté ou cheddar allégé, râpé	1 1/2 tasse
6	œufs	6
50 ml	eau	1/4 tasse
2 ml	sel	1/2 c. à thé
1 ml	poivre	1/4 c. à thé
	une pincée de muscade moulue	

1. Couper la courge en morceaux de 2,5 cm (1 po) (vous devriez obtenir environ 1 l (4 tasses). Saupoudrer la courge avec la moitié du romarin et du thym. Étendre les morceaux sur une plaque à pâtisserie tapissée de papier sulfurisé et mettre à griller dans un four préchauffé à 200 °C (400 °F) pendant environ 30 minutes, ou jusqu'à ce que la courge soit légèrement dorée et tendre. Laisser refroidir.

2. Déposer les morceaux de courge dans un plat carré de 2,5 l (10 tasses) (23 cm [9 po]) allant au four. Saupoudrer de fromage.

3. Battre les œufs avec l'eau, le sel, le poivre, le reste du romarin, le reste du thym et la muscade. Verser sur les morceaux de courge.

4. Déposer le plat sur une plaque à pâtisserie et cuire dans un four préchauffé à 180 °C (350 °F) de 30 à 35 minutes, ou jusqu'à ce que le centre soit pris. Laisser refroidir 10 minutes avant de servir.

VALEUR NUTRITIONNELLE PAR PORTION

Calories	209
Protéines	12 g
Matières grasses	12 g
Saturées	7 g
Cholestérol	162 mg
Glucides	15 g
Fibres	2 g
Sodium	342 mg
Potassium	462 mg

Excellente source : vitamine A ; riboflavine ; vitamine B12
Bonne source : niacine ; vitamine C ; acide folique

RÖSTI PIZZA

Quand on travaille dans l'alimentation, il est difficile de mettre son imagination gastronomique en veilleuse, même quand on est en vacances. La pizza à croûte de pommes de terre est une idée prise d'un restaurant de Banff nommé The Bistro.

Les rösti sont des galettes de pommes de terre typiquement suisses, que l'on sert comme légume d'accompagnement ou comme plat principal, s'ils sont agrémentés de lard ou de fromage.

Utilisez les garnitures proposées, essayez les tomates rôties, avec ou sans pesto, ou bien essayez la courgette, l'aubergine ou le fenouil, rôti ou grillé. Servez cette pizza en guise d'entrée ou comme plat de résistance léger ou encore à l'occasion d'un brunch.

Si vous souhaitez une croûte plus épaisse, ajoutez une pomme de terre et augmentez légèrement le temps de cuisson. Pour varier, essayez-la avec de l'ail ou des poivrons grillés.

Il est possible de préparer la croûte de pommes de terre quelques heures à l'avance. Il suffit de la garnir et la mettre au four 15 minutes avant de la servir.

Donne 8 portions

3	grosses pommes de terre Yukon Gold ou à cuire au four, pelées et râpées, soit environ 1 l (4 tasses)	3
5 ml	sel	1 c. à thé
25 ml	huile d'olive	2 c. à soupe
125 ml	sauce tomate maison (page 171)	1/2 tasse
125 ml	mozzarella partiellement écrémée, ou mozzarella fumée, râpée	1/2 tasse
50 ml	fromage de chèvre frais, émietté	1/4 tasse
125 ml	basilic frais, émincé, divisé en deux portions	1/2 tasse

VALEUR NUTRITIONNELLE PAR PORTION

Calories	172
Protéines	6 g
Matières grasses	8 g
Saturées	3 g
Cholestérol	9 mg
Glucides	19 g
Fibres	2 g
Sodium	525 mg
Potassium	412 mg

Bonne source : vitamine B6

1. Éponger les pommes de terre avec un linge propre ou avec des essuie-tout. Les déposer dans un grand bol et les remuer avec le sel.

2. Badigeonner un moule à pizza métallique de 30 cm (12 po) de diamètre avec un peu d'huile. Y déposer les pommes de terre râpées et les presser contre les parois pour qu'elles prennent la forme du moule. Les badigeonner avec l'huile restante. Cuire au four préchauffé à 220 °C (425 °F) pendant 30 minutes, ou jusqu'à ce qu'elles soient à point et croustillantes.

3. Étendre la sauce tomate sur les pommes de terre. Recouvrir de mozzarella râpée, de fromage de chèvre et de 50 ml (1/4 tasse) de basilic.

4. Diminuer la température du four à 190 °C (375 °F) et cuire la pizza 15 minutes, ou jusqu'à ce qu'elle soit très chaude, que sa garniture bouillonne et que le fromage ait fondu. La garnir du basilic restant.

PIZZA VÉGÉTARIENNE GRILLÉE

Oui, il est possible de cuire une pizza en la déposant directement sur le gril du barbecue ! (Vous pourriez également la déposer sur une plaque à pâtisserie huilée, la garnir et la cuire au four à 230 °C (450 °F) de 15 à 20 minutes.) Si vous ne voulez pas préparer la croûte, achetez de la pâte non cuite et garnissez-la d'oignons grillés, de tomates en tranches et de vos légumes préférés.

Donne 8 portions

Croûte

250 ml	eau tiède	1 tasse
15 ml	sucre	1 c. à soupe
1	sachet de levure (15 ml [1 c. à soupe])	1
250 ml	farine tout usage	1 tasse
250 ml	farine de blé entier	1 tasse
25 ml	farine de maïs	2 c. à soupe
5 ml	sel	1 c. à thé
25 ml	huile d'olive	2 c. à soupe

Garniture

250 ml	feuilles de basilic frais, bien compactées, coupées	1 tasse
45 ml	huile d'olive	3 c. à soupe
2 ml	sel	1/2 c. à thé
125 ml	sauce tomate (page 171), ou sauce aux tomates cerises	1/2 tasse
125 g	mozzarella écrémée, ou bocconcini (mozzarella fraîche), tranchée finement	1/4 lb

1. Pour préparer la croûte, mélanger dans un grand bol l'eau tiède et le sucre. Saupoudrer la levure sur l'eau et laisser reposer 10 minutes, ou jusqu'à ce que la levure ait gonflé.

2. Ajouter la farine tout usage, la farine de blé entier, la farine de maïs, le sel et 15 ml (1 c. à soupe) d'huile, et incorporer la levure. Bien mélanger au robot culinaire ou à la main, jusqu'à ce que la pâte soit très souple sans toutefois être collante. Ajouter de la farine tout usage au besoin.

3. Pétrir la pâte de 5 à 8 minutes, la façonner en boule et la déposer dans un grand bol avec le reste de l'huile. Rouler la boule de pâte dans l'huile. Couvrir et laisser lever la pâte de 60 à 90 minutes, ou jusqu'à ce que son volume ait doublé.

VALEUR NUTRITIONNELLE PAR PORTION	
Calories	226
Protéines	8 g
Matières grasses	9 g
Saturées	2 g
Cholestérol	8 mg
Glucides	28 g
Fibres	3 g
Sodium	477 mg
Potassium	199 mg

Bonne source : niacine ; acide folique

SAUCE AUX TOMATES CERISES

Cette sauce est délicieuse avec les pâtes et les omelettes.

Faire chauffer 15 ml (1 c. à soupe) d'huile dans une grande poêle antiadhésive profonde à feu moyen. Y faire revenir 4 gousses d'ail émincées et une pincée de flocons de piment fort durant quelques minutes, ou jusqu'à ce que la préparation soit odorante. Ajouter 1 l (4 tasses de tomates cerises, 5 ml (1 c. à thé) de sel, 1 ml (1/4 c. à thé) de poivre, et 25 ml (2 c. à soupe) de basilic frais émincé, et cuire de 5 à 10 minutes, ou jusqu'à ce que la pelure des tomates soit défaite et que la sauce commence à épaissir. Si la sauce est trop épaisse, ajouter 50 ml (1/4 tasse) d'eau.

Donne environ 750 ml (3 tasses).

4. Pendant ce temps, au robot culinaire, réduire le basilic en purée avec l'huile et le sel.

5. Donner un coup au centre de la pâte et la couper en 8 parts égales. Étendre la pâte, au rouleau ou à la main, en faisant des cercles très minces d'environ 15 cm (6 po) de diamètre. Les cercles n'ont pas à être parfaits. Les vaporiser d'enduit végétal ou les badigeonner d'un peu d'huile d'olive.

6. Déposer les pâtes à pizza sur la grille du barbecue préchauffé et laisser cuire de 1 à 2 minutes de chaque côté. Régler le feu à doux.

7. Garnir les pizzas de sauce tomate et de mozzarella. Fermer le couvercle et laisser cuire 5 minutes, ou jusqu'à ce que le fromage ait fondu et que le fond de la croûte soit cuit (vérifier de temps en temps en cours de cuisson pour éviter de faire brunir le fond des pizzas). Il est également possible de poursuivre la cuisson au four en déposant les pâtes à pizza nature sur une plaque à pâtisserie. Les garnir ensuite de sauce tomate et de fromage et les cuire au four préchauffé à 200 °C (400 °F) pendant 10 minutes. Pour des pizzas entièrement cuites au four, placer les pâtes non cuites et garnies au four préchauffé à 230 °C (450 °F) de 15 à 20 minutes.

8. Garnir chaque pizza de 15 ml (1 c. à soupe) d'huile de basilic frais. (Conservez l'huile de basilic qui reste au congélateur.)

LES SOUPES-REPAS VÉGÉTARIENNES

- Soupe à l'oignon gratinée (page 96)
- Soupe aigre-douce (page 109)
- Pasta e fagioli (page 111)
- Soupe mexicaine aux lentilles (page 113)
- Soupe de lentilles rouges à l'israélienne (page 113)
- Potage de haricots blancs avec salsa de verdure (page 114)
- Soupe de champignons aux haricots et à l'orge (page 116)
- Soupe marocaine aux lentilles et aux pâtes (page 117)
- Soupe de haricots noirs au yogourt et à la salsa épicée (page 118)
- Soupe aux pois cassés et à l'aneth (page 119)
- Minestrone vert aux croûtons de fromage (page 120)
- Soupe aux pois chiches et aux épinards (page 121)
- Soupe de miso express (page 124)

FOCACCIA VERDE
ET HOUMMOS À L'AIL RÔTI

Voici une recette amusante à préparer et délicieuse. Peut-être voudrez-vous la servir avec un couteau et une fourchette, mais les épinards auront tendance à glisser.

L'hoummos à l'ail donne une excellente tartinade. Cette focaccia peut aussi être garnie de ratatouille aux légumes rôtis (page 201 et page 362).

Donne 8 portions

1	focaccia de blé entier ou ordinaire, de 25 cm (10 po)	1
25 ml	huile d'olive	2 c. à soupe
1	gousse d'ail, hachée finement	1
1 ml	sel	1/4 c. à thé
1 ml	poivre	1/4 c. à thé

Hoummos à l'ail rôti

1	boîte de 540 ml (19 oz) de pois chiches, rincés et égouttés, ou 500 ml (2 tasses) de pois chiches cuits	1
1	tête d'ail rôti (page 80), ou 2 gousses d'ail crues, émincées	1
45 ml	jus de citron	3 c. à soupe
15 ml	huile de sésame grillé	1 c. à soupe
2 ml	cumin moulu	1/2 c. à thé
2 ml	sauce au piment rouge	1/2 c. à thé
	sel et poivre au goût	

Salade

500 g	pousses d'épinards fraîches, hachées grossièrement	1 lb
500 g	tomates fraîches, épépinées et coupées en dés, ou 500 ml (2 tasses) de tomates cerises	1 lb
50 ml	basilic frais, émincé (facultatif)	1/4 tasse
45 ml	vinaigre balsamique	3 c. à soupe
1	gousse d'ail, émincée	1
2 ml	sel	1/2 c. à thé
2 ml	poivre	1/2 c. à thé
25 ml	huile d'olive	2 c. à soupe

VALEUR
NUTRITIONNELLE
PAR PORTION

Calories	297
Protéines	10 g
Matières grasses	12 g
Saturées	2 g
Cholestérol	0 mg
Glucides	42 g
Fibres	8 g
Sodium	665 mg
Potassium	683 mg

Excellente source :
vitamine A ; vitamine C ;
acide folique ; fer
Bonne source : thiamine ;
riboflavine ; niacine ;
vitamine B6

1. Trancher la focaccia en deux, horizontalement, et déposer les moitiés, côté coupé vers le haut, sur une plaque à pâtisserie.

2. Dans un petit bol, mélanger l'huile d'olive et l'ail. Badigeonner de ce mélange les surfaces coupées du pain. Saler et poivrer. Cuire 10 minutes dans un four préchauffé à 200 °C (400 °F), ou jusqu'à ce que le pain soit chaud et croûté.

3. Entre-temps, pour préparer le hoummos, mettre les pois chiches dans le robot culinaire. Presser pour extraire l'ail de sa peau et l'ajouter aux pois chiches. Mélanger. Ajouter le jus de citron, le cumin et l'huile de sésame ; mélanger à nouveau. Goûter, puis saler et poivrer au besoin.

4. Dans un grand bol, mélanger les épinards, les tomates et le basilic.

5. Dans un petit bol, mélanger le vinaigre, l'ail, le sel et le poivre. Incorporer l'huile au fouet. Verser la vinaigrette sur la salade et remuer.

6. Étendre le hoummos sur les surfaces coupées de la focaccia rôtie (diluer la préparation avec un peu d'eau si elle est trop consistante). Déposer la salade sur le pain. Couper chaque cercle en 4 pointes et servir.

POLENTA ET RATATOUILLE AUX LÉGUMES RÔTIS

La polenta est une spécialité italienne faite à partir de semoule de maïs cuite ; elle peut être servie avec toutes sortes de sauces. La polenta de style crémeux est servie dans de grands bols à soupe et est garnie immédiatement après la cuisson. On peut également laisser refroidir la polenta, la découper en carrés et la passer sous le gril ou la poêler avant de la servir avec un plat d'accompagnement. Les carrés de polenta peuvent même être utilisés comme hors-d'œuvre, arrosés de pesto ou d'une garniture de votre choix.

La ratatouille est généralement un ragoût de légumes cuit sur la cuisinière, mais si on se donne la peine de faire rôtir préalablement les légumes, leur saveur s'en trouvera vraiment intensifiée. J'ai appris la technique du rôtissage à température élevée malgré moi, dans ma maison de campagne, où le vieux four atteint 650 °F quand on le règle à 350 °F ! Toutefois, après avoir maîtrisé cette chaleur, j'ai commencé à faire du rôtissage aussi à la maison (à des températures moins élevées, il est vrai !).

Si vous voulez servir cette polenta en guise de plat de résistance, accompagnez-la d'une salade et de pain croûté. Servez-la telle quelle comme légume d'accompagnement ou garnie de fromage de chèvre émietté.

LES HARICOTS SECS

Les haricots secs ne cessent de gagner en popularité depuis quelques années, non seulement parce qu'ils sont bons pour la santé, mais aussi parce qu'ils sont délicieux. Ils sont riches en fibres, ils constituent une bonne source de protéines et leur teneur en matières grasses est peu élevée.

- Les haricots cannellinis, les haricots blancs et les haricots Great Northern sont semblables et interchangeables. On les trouve aussi en conserve au supermarché.
- Les petits haricots blancs (ou haricots navy) sont petits et ronds. J'en raffole dans les plats de haricots au four, les potages et les salades de haricots.
- Les haricots rouges sont le plus souvent associés à la préparation des chilis et des salades de haricots. On les trouve aussi en conserve.
- Les haricots noirs (Black Turtle) (page 221) entrent dans la composition de chilis, de soupes et de salades. On en trouve quelquefois en conserve.

Avant de les faire cuire, il faut les réhydrater. Je fais généralement tremper les haricots toute la nuit au réfrigérateur. (Il existe une méthode de trempage accélérée, mais elle fait parfois durcir les légumineuses, c'est pourquoi je préfère la méthode classique.) Rincez et égouttez après trempage, puis placez-les dans une grande casserole et couvrez généreusement d'eau froide. Portez à ébullition, écumez avec soin, réduisez le feu et laissez mijoter jusqu'à ce qu'ils soient tendres. Il faut généralement compter de 1 à 1 1/2 heure pour qu'ils soient tendres, mais le temps de cuisson varie selon l'âge et la variété des haricots. Vous pouvez les cuire à l'avance et les mettre à congeler. Une quantité de 250 ml (1 tasse) de haricots secs donne environ 500 ml (2 tasses) de haricots cuits.

Pour gagner du temps, remplacez les haricots secs par des haricots en conserve, bien que cette substitution se fasse parfois au détriment de la texture. Les haricots en boîte contiennent plus de sodium, il faut donc les rincer avant de les consommer afin de retirer le maximum de sel.

Certaines personnes trouvent les haricots difficiles à digérer. Voici quelques conseils pour les rendre plus digestes.

- Faire tremper les haricots secs dans l'eau froide toute la nuit au réfrigérateur et ne pas les faire cuire dans le liquide de trempage.
- Les haricots *al dente* sont moins digestes, faites-les donc cuire jusqu'à ce qu'ils soient tendres.
- Si vous n'avez pas l'habitude d'en manger, commencez par de petites portions.
- Les comprimés Beano sont faits d'une enzyme qui facilite la digestion des haricots. On peut s'en procurer dans la plupart des supermarchés et dans les pharmacies. Le produit existe aussi sous forme de gouttes. Suivez la posologie inscrite sur l'emballage, car certaines personnes doivent en prendre davantage que d'autres.

Donne 6 portions

Polenta

1 l	eau ou 1,5 l (6 tasses) pour une polenta plus crémeuse	4 tasses
5 ml	sel	1 c. à thé
2 ml	poivre	1/2 c. à thé
250 ml	semoule de maïs ordinaire ou à cuisson rapide	1 tasse
50 ml	pesto (page 188) (facultatif)	1/4 tasse

Ratatouille

1	gros oignon, coupé en 12 quartiers	1
12	gousses d'ail, pelées et entières	12
375 g	aubergines orientales, soit environ 3, coupées en morceaux,	3/4 lb
250 g	courgettes, soit environ 2, coupées en rondelles de 1 cm (1/2 po)	1/2 lb
500 g	tomates italiennes fraîches, coupées en quartiers	1 lb
1	bulbe de fenouil de 500 à 750 g (1 à 1 1/2 lb), paré et coupé en 12 quartiers	1
125 g	champignons shiitakes, sans les pieds, ou champignons portobellos, avec les pieds et coupés en quartiers	1/4 lb
1	poivron rouge, épépiné et coupé en lanières	1
1	poivron jaune, épépiné et coupé en lanières	1
15 ml	romarin frais, haché, ou 2 ml (1/2 c. à thé) de romarin séché	1 c. à soupe
15 ml	thym frais, haché, ou 2 ml (1/2 c. à thé) de thym séché	1 c. à soupe
2 ml	sel	1/2 c. à thé
2 ml	poivre	1/2 c. à thé
50 ml	basilic frais, émincé, ou persil frais, haché	1/4 tasse
15 ml	huile d'olive	1 c. à soupe
15 ml	vinaigre balsamique	1 c. à soupe

VALEUR NUTRITIONNELLE PAR PORTION

Calories	189
Protéines	5 g
Matières grasses	3 g
Saturées	traces
Cholestérol	0 mg
Glucides	38 g
Fibres	7 g
Sodium	619 mg
Potassium	818 mg

Excellente source :
vitamine C

Bonne source :
vitamine A ; niacine ;
vitamine B6 ; acide folique

1. Pour faire la polenta, porter l'eau à ébullition dans une grande casserole. Ajouter le sel et le poivre. Incorporer la semoule de maïs très lentement au fouet. Si l'on utilise de la semoule de maïs ordinaire, cuire à feu doux, en remuant souvent, environ 30 minutes. Si l'on prend de la semoule à cuisson rapide, cuire environ 5 minutes.

2. Quand la polenta est prête, incorporer le pesto. Goûter et rectifier l'assaisonnement au besoin. Étendre la polenta dans un plat allant au four d'une capacité de 3,5 l (14 tasses) (33 cm x 23 cm/13 po x 9 po), tapissé de papier sulfurisé. Laisser refroidir et conserver au réfrigérateur jusqu'à son utilisation.

3. Entre-temps, pour préparer la ratatouille, étendre côte à côte l'oignon, l'ail, l'aubergine, la courgette, les tomates, le fenouil, les

champignons et les poivrons, dans un plat allant au four légèrement huilé. Saupoudrer de romarin, de thym, de sel et de poivre.

4. Rôtir les légumes dans un four préchauffé à 200 °C (400 °F) pendant 45 minutes, ou jusqu'à ce qu'ils soient tendres et dorés. Retirer la peau des poivrons. Remuer à l'occasion. Mélanger avec le basilic, l'huile d'olive et le vinaigre. Goûter et rectifier l'assaisonnement au besoin.

5. Découper la polenta en 12 carrés de 7,5 cm (3 po). Faire griller les carrés ou les faire sauter dans un poêlon antiadhésif légèrement huilé, pour les rendre légèrement dorés. Servir avec les légumes dessus.

GRATIN DE POLENTA

Préparez la polenta et la sauce tomate à l'avance, et montez le plat juste avant de le servir.

Lorsqu'on fait cuire la polenta, il vaut mieux se servir d'une cuillère en bois à long manche parce que la préparation a tendance à éclabousser assez fortement en mijotant. Pour vous protéger davantage des brûlures possibles, enfilez une mitaine isolante.

Donne de 8 à 10 portions

Polenta

1,25 l	eau	5 tasses
2 ml	sel	1/2 c. à thé
1 ml	poivre	1/4 c. à thé
375 ml	semoule de maïs ordinaire ou à cuisson rapide	1 1/2 tasse

Sauce tomate

15 ml	huile d'olive	1 c. à soupe
1	oignon, haché	1
2	gousses d'ail, hachées finement une pincée de flocons de piment fort	2
2	boîtes de 796 ml (28 oz) de tomates italiennes, non égouttées	2
2 ml	poivre sel au goût	1/2 c. à thé
25 ml	persil frais, haché	2 c. à soupe
250 g	fromage ricotta à faible teneur en matières grasses, émietté	1/2 lb
50 ml	pesto aux tomates (page 187)	1/4 tasse

| 175 ml | fromage mozzarella partiellement écrémé, râpé | 3/4 tasse |
| 25 ml | parmesan, râpé | 2 c. à soupe |

1. Dans une grande casserole, porter l'eau à ébullition. Ajouter le sel et le poivre. Verser la semoule très lentement, en un mince filet, tout en remuant sans arrêt à l'aide d'un fouet. Réduire légèrement le feu et cuire 30 minutes (la polenta rapide se cuit en 5 minutes) jusqu'à épaississement (les grains doivent être tendres). Remuer de temps à autre. Goûter et rectifier l'assaisonnement au besoin.

2. Verser la polenta dans un moule à pain de 1,5 l (6 tasses) (20 cm x 10 cm/8 po x 4 po) tapissé de papier ciré. Refroidir pendant quelques heures ou toute la nuit.

3. Pour préparer la sauce, chauffer l'huile à feu moyen dans un faitout. Ajouter l'oignon, l'ail et les flocons de piment fort, et faire revenir à feu doux, de 5 à 8 minutes, ou jusqu'à ce que la préparation soit odorante et que les oignons soient tendres.

4. Ajouter les tomates et faire cuire de 20 à 30 minutes, ou jusqu'à ce que le mélange épaississe. Réduire la sauce en purée. Ajouter le poivre, le sel et le persil. Goûter et rectifier l'assaisonnement au besoin.

5. Pour procéder au montage, démouler la polenta et la couper en tranches de 1 cm (1/2 po) d'épaisseur. Couper ensuite chaque tranche en diagonale. Couvrir le fond d'un plat de 3,5 l (14 tasses) (33 cm x 23 cm/13 po x 9 po) allant au four avec 250 ml (1 tasse) de sauce tomate. Disposer les tranches sur la sauce pour qu'elles se chevauchent. Parsemer de ricotta et de pesto. Étendre le reste de la sauce tomate et recouvrir de mozzarella et de parmesan.

6. Cuire au four préchauffé à 190 °C (375 °F) de 30 à 35 minutes, ou jusqu'à ce que le dessus soit légèrement doré et que la préparation bouillonne. Laisser reposer de 5 à 10 minutes avant de servir.

VALEUR NUTRITIONNELLE PAR PORTION	
Calories	231
Protéines	11 g
Matières grasses	7 g
Saturées	3 g
Cholestérol	16 mg
Glucides	33 g
Fibres	4 g
Sodium	611 mg
Potassium	588 mg

Bonne source : vitamine A ; vitamine C ; niacine ; calcium ; vitamine B6

POLENTA AUX CHAMPIGNONS SAUVAGES

La polenta peut prendre bien des formes. Elle peut se servir plutôt crémeuse, mais la plupart des gens la préfèrent ferme, car cette consistance leur est plus familière. Une fois la polenta bien figée, on peut la griller, la saisir sous le gril du four, la faire frire ou tout simplement la réchauffer.

Les restes de polenta peuvent être découpés en cubes et utilisés à la place de croûtons dans les salades ou comme base pour les

---

LES PIMENTS FRAIS

Bien qu'on affuble souvent les piments des qualificatifs « doux », « moyen » et « fort », ces termes ne donnent qu'une vague indication du piquant de ce légume. (En règle générale, plus le piment est petit, plus son extrémité est pointue et plus il est fort.) La saveur piquante varie en fonction du lieu de croissance du piment, de la quantité de soleil et d'eau qu'il a reçue et de sa position dans la plante. Usez donc de prudence et ne faites jamais tout à fait confiance à un piment !

En général, les poblanos sont doux, les piments jalapeños, les piments bananes et les serranos verts sont légèrement plus piquants, alors que les Scotch bonnets et les habaneros (parfois appelés « cascabels ») sont extrêmement forts. Pour réduire la force d'un piment, retirez ses membranes intérieures ainsi que les graines, ce sont les parties les plus piquantes.

Les piments jalapeños sont de couleur vert foncé et ont la forme d'un pouce. La saveur des piments jalapeños frais, en conserve ou marinés varie. On peut les employer indifféremment sans que cela affecte le goût des plats. Toutefois, certains piments jalapeños sont plus piquants que d'autres, c'est pourquoi il vaut mieux être prudent et les goûter avant de les ajouter dans un plat.

Les chipoltes sont une variété séchée et fumée de piments jalapeños. Ils sont très piquants ; utilisez-les donc avec parcimonie. Si vous ne pouvez en trouver, remplacez-les par des piments jalapeños ou par de la sauce aux piments chipoltes (Tabasco). Les chipoltes séchés doivent être réhydratés dans de l'eau chaude. Les chipoltes en conserve baignent dans une sauce appelée « adobo ». On peut les réduire en purée et les conserver au réfrigérateur, dans un pot de verre, pendant quelques mois. On peut également les mettre à congeler (page 335).

Soyez prudent en manipulant les piments, car il est difficile de déterminer leur force. Si vous avez la peau sensible, portez des gants de plastique et évitez de vous toucher les yeux, les lèvres ou toute autre partie sensible du corps. Il y a plusieurs remèdes aux « doigts pimentés », comme les laver au sel ou les faire tremper dans du lait, mais, en général, le temps et un bon rinçage viendront à bout du problème.

---

canapés ou les pizzas. Utilisez les restes de champignons dans une garniture à pizza, pour préparer des bruschettas ou dans une sauce tomate.

L'huile aux truffes confère à ce plat une saveur inimitable (elle est vendue dans la plupart des épiceries fines).

Donne 8 portions

2,5 l	eau, ou lait, ou un mélange des deux	10 tasses
10 ml	sel	2 c. à thé
2 ml	poivre	1/2 c. à thé
500 ml	semoule de maïs ordinaire ou à cuisson rapide	2 tasses
15 ml	huile de truffes blanches (facultatif)	1 c. à soupe
25 ml	huile d'olive	2 c. à soupe
1	oignon, tranché finement	1
3	gousses d'ail, hachées finement	3

500 g	champignons portobellos, nettoyés et tranchés	1 lb
	sel et poivre au goût	
50 ml	persil frais	1/4 tasse

1. Verser l'eau dans une grande casserole profonde et porter à ébullition. Saler et poivrer. En battant au fouet, incorporer lentement la semoule de maïs. Réduire le feu à doux. Laisser cuire pendant environ 5 minutes, en remuant à la cuillère en bois. Incorporer l'huile de truffes blanches, si on en utilise. Goûter et rectifier l'assaisonnement au besoin.

2. Verser la polenta dans deux plats ronds d'une capacité de 1,5 à 2 l (6 à 8 tasses) (20 à 23 cm/8 à 9 po de diamètre), allant au four, tapissés de papier sulfurisé. Laisser tiédir.

3. Avant de servir, badigeonner la polenta d'un peu d'huile d'olive et réchauffer dans un four préchauffé à 200 °C (400 °F) de 20 à 30 minutes. On peut aussi démouler la polenta, la découper en pointes et la cuire sur le barbecue, dans une poêle à fond cannelé ou dans une poêle antiadhésive, jusqu'à ce qu'elle soit dorée et croustillante.

4. Entre-temps, chauffer dans une grande poêle l'huile d'olive restante à feu moyen-vif. Y faire sauter l'oignon et l'ail. Cuire jusqu'à ce que l'oignon ramollisse. Ajouter les champignons et cuire de 10 à 15 minutes, ou jusqu'à ce que tout le liquide de cuisson se soit évaporé. Saler et poivrer.

5. Déposer les champignons sur la polenta et garnir de persil.

VERMICELLES AUX LÉGUMES À LA THAÏLANDAISE (PAD THAÏ)

Le pad thaï est l'un des plats thaïlandais les plus appréciés. Il est facile à réaliser à la maison et il présente l'immense avantage de plaire autant aux petits qu'aux grands. Bien qu'il se prépare avec des œufs, des arachides et des germes de soya, ma fille le préfère nature, avec seulement des nouilles et de la sauce ! Servez-le comme plat d'accompagnement ou en guise d'entrée dans le cadre d'un repas oriental.

Pour un plat plus consistant, ajoutez du tofu (parfait pour les végétariens), des crevettes ou du poulet grillé. Assurez-vous que vos germes de soya soient très frais.

VALEUR NUTRITIONNELLE PAR PORTION

Calories	177
Protéines	4 g
Matières grasses	4 g
Saturées	1 g
Cholestérol	0 mg
Glucides	31 g
Fibres	3 g
Sodium	597 mg
Potassium	259 mg

Excellente source : acide folique

Bonne source : niacine

Donne 6 portions

250 g	vermicelles de riz, d'environ 5 mm (1/4 po) de largeur	1/2 lb
75 ml	ketchup, ou sauce tomate	1/3 tasse
45 ml	sauce soya, ou sauce de poisson (nam pla)	3 c. à soupe
45 ml	jus de lime	3 c. à soupe
45 ml	vinaigre de riz (page 150)	3 c. à soupe
45 ml	cassonade	3 c. à soupe
2 ml	pâte de piment orientale	1/2 c. à thé
15 ml	huile végétale	1 c. à soupe
1	petit oignon, tranché finement	1
3	gousses d'ail, hachées finement	3
2	œufs, légèrement battus	2
250 ml	germes de haricots	1 tasse
45 ml	arachides, hachées	3 c. à soupe
2	oignons verts, hachés	2
75 ml	coriandre fraîche, hachée	1/3 tasse

1. Dans un grand bol, faire tremper les vermicelles dans de l'eau très chaude pendant environ 15 minutes, ou jusqu'à ce qu'ils soient *al dente*. Bien les égoutter. Si on n'utilise pas les vermicelles sur-le-champ, les rincer à l'eau froide et les égoutter.

2. Dans un petit bol, mélanger le ketchup, la sauce soya, le jus de lime, le vinaigre, la cassonade et la pâte de piment. Réserver.

3. Chauffer l'huile à feu moyen dans une grande poêle antiadhésive ou un wok. Y faire sauter l'oignon et l'ail, jusqu'à ce qu'ils soient légèrement dorés et tendres. Ajouter la sauce réservée et porter à ébullition. Ajouter les œufs. Dès qu'ils commencent à figer, remuer la préparation. Ajouter les vermicelles et bien réchauffer le tout. Ajouter les germes de haricots. Garnir d'arachides, d'oignons verts et de coriandre.

VALEUR NUTRITIONNELLE PAR PORTION	
Calories	270
Protéines	8 g
Matières grasses	7 g
Saturées	1 g
Cholestérol	72 mg
Glucides	46 g
Fibres	2 g
Sodium	728 mg
Potassium	280 mg
Bonne source :	
vitamine B6	

NASI GORENG AU TOFU

Le nasi goreng est un riz frit indonésien. On le sert avec des œufs frits, du concombre et des craquelins aux crevettes (krupuk).

Donne de 4 à 6 portions

250 g	tofu extra-ferme	1/2 lb
50 ml	sauce soya, divisée en deux portions	1/4 tasse
25 ml	vinaigre de riz	2 c. à soupe

15 ml	cassonade	1 c. à soupe
1	œuf	1
15 ml	eau	1 c. à soupe
15 ml	huile végétale, divisée en trois portions	1 c. à soupe
1	gros oignon ou 4 échalotes, hachés	1
3	gousses d'ail, hachées	3
15 ml	gingembre frais, haché finement	1 c. à soupe
15 ml	poudre ou pâte de cari (plus ou moins, au goût)	1 c. à soupe
1,25 l	riz cuit	5 tasses
1/2	concombre anglais, tranché finement	1/2
50 ml	coriandre fraîche, hachée	1/4 tasse
4	oignons verts, hachés	4
250 ml	fromage de yogourt (page 420), ou yogourt épais faible en gras	1 tasse

1. Couper le tofu en tranches de 2,5 cm (1 po). Bien l'assécher dans un linge propre.

2. Dans un petit bol, mélanger 25 ml (2 c. à soupe) de sauce soya avec le vinaigre et la cassonade. Verser sur le tofu et le retourner pour bien l'enrober. Laisser mariner de 10 minutes à quelques heures au réfrigérateur.

3. Dans un petit bol, battre l'œuf avec l'eau.

4. Dans une grande poêle antiadhésive, faire chauffer 5 ml (1 c. à thé) d'huile à feu moyen-vif. Y verser l'œuf et le cuire comme s'il s'agissait d'une crêpe, en soulevant les bords, afin que la partie de l'œuf encore crue puisse entrer en contact avec la poêle. Le retourner et cuire l'autre côté. Le retirer de la poêle, le rouler et le trancher en fins rubans.

5. Dans la même poêle, faire chauffer 5 ml (1 c. à thé) d'huile. Égoutter le tofu, l'éponger et le cuire jusqu'à ce qu'il soit doré des deux côtés. Le retirer de la poêle et le couper en dés.

6. Réunir l'oignon, l'ail, le gingembre et la poudre de cari dans un robot culinaire et réduire en une en pâte homogène.

7. Faire chauffer le reste de l'huile dans la poêle. Y mettre la pâte du robot culinaire et cuire jusqu'à ce qu'un arôme agréable se dégage, soit de 2 à 3 minutes. Ajouter le riz et le cuire 5 minutes, ou jusqu'à ce qu'il soit très chaud. Ajouter le tofu et incorporer le reste de la sauce soya en remuant. Goûter et rectifier l'assaisonnement au besoin.

8. Mettre le riz dans un bol de service et garnir de lanières d'œuf, de concombre, de coriandre et d'oignons verts. Présenter le fromage de yogourt en accompagnement et laisser les invités se servir.

VALEUR NUTRITIONNELLE PAR PORTION

Calories	472
Protéines	21 g
Matières grasses	11 g
Saturées	2 g
Cholestérol	60 mg
Glucides	74 g
Fibres	3 g
Sodium	1118 mg
Potassium	615 mg

Excellente source: niacine ; acide folique ; vitamine B12 ; calcium ; zinc
Bonne source: riboflavine ; fer

RIZ FRIT ET TOFU GRILLÉ

Le tofu et le riz sont excellents pris isolément, mais ensemble, ils constituent un repas végétarien idéal.

Donne de 4 à 6 portions

250 g	tofu extra-ferme	1/2 lb
15 ml	sauce hoisin	1 c. à soupe
5 ml	huile de sésame grillé	1 c. à thé
1 ml	pâte de piment orientale	1/4 c. à thé
15 ml	huile végétale	1 c. à soupe
1	oignon, haché	1
1	poivron rouge, haché	1
1 l	riz cuit	4 tasses
45 ml	vinaigre de riz ou de cidre	3 c. à soupe
25 ml	concentré de jus d'orange	2 c. à soupe
15 ml	sauce soya	1 c. à soupe
50 ml	coriandre fraîche ou persil frais, hachés	1/4 tasse
4	oignons verts, hachés	4

1. Rincer le tofu et l'éponger. Le couper en trois ou quatre morceaux de 2,5 cm (1 po) d'épaisseur.

2. Dans un petit bol, mélanger la sauce hoisin, l'huile de sésame et la pâte de piment. Étendre sur le tofu et faire mariner de 10 à 60 minutes.

3. Cuire le tofu sur une grille très chaude légèrement huilée ou dans une poêle, quelques minutes de chaque côté, ou jusqu'à ce qu'il soit doré. Couper en dés.

4. Entre-temps, chauffer l'huile à feu moyen dans un grand wok antiadhésif ou dans un poêlon. Y mettre l'oignon et le poivron rouge. Cuire quelques minutes jusqu'à ce que ces légumes soient tendres. Ajouter le riz et le défaire à la fourchette. Bien réchauffer en remuant. Incorporer le vinaigre, le concentré de jus d'orange et la sauce soya.

5. Incorporer délicatement le tofu, la coriandre et les oignons verts.

VALEUR NUTRITIONNELLE PAR PORTION	
Calories	398
Protéines	12 g
Matières grasses	8 g
Saturées	1 g
Cholestérol	0 mg
Glucides	70 g
Fibres	3 g
Sodium	306 mg
Potassium	350 mg

Excellente source : vitamine C ; fer

Bonne source : niacine ; vitamine B6 ; acide folique

TOFU ET BROCOLI EN SAUCE AIGRE-DOUCE

Cette recette semble tellement « santé » qu'on se demande si elle peut donner quelque chose de délicieux. Croyez-le ou non, elle a converti bon nombre de personnes aux bienfaits du tofu. On peut ajouter le tofu en fin de cuisson, mais le tofu grillé a une texture et une couleur qui sont plus agréables. Il suffit de le faire griller en gros morceaux et de le couper en dés. Si vous voulez initier progressivement vos proches aux vertus du tofu, remplacez la moitié du tofu par du poulet ou des crevettes.

Donne de 4 à 6 portions

25 ml	sauce hoisin	2 c. à soupe
25 ml	vin de riz	2 c. à soupe
5 ml	pâte de piment orientale	1 c. à thé
375 g	tofu extra-ferme, en cubes de 5 cm (2 po)	3/4 lb
375 ml	tomates fraîches, ou en conserve, hachées ou en purée	1 1/2 tasse
50 ml	ketchup, ou sauce tomate	1/4 tasse
25 ml	vinaigre de riz (page 150), ou vinaigre de cidre	2 c. à soupe
25 ml	miel	2 c. à soupe
25 ml	sauce soya	2 c. à soupe
1 ml	piment de la Jamaïque en poudre (facultatif)	1/4 c. à thé
25 ml	fécule de maïs	2 c. à soupe
25 ml	eau froide	2 c. à soupe
5 ml	huile de sésame grillé	1 c. à thé
15 ml	huile végétale	1 c. à soupe
3	oignons verts, hachés	3
15 ml	gingembre frais, haché finement	1 c. à soupe
3	gousses d'ail, hachées finement	3
250 g	champignons shiitakes frais, sans les tiges et tranchés, soit environ 750 ml (3 tasses)	1/2 lb
1	poivron rouge, tranché finement	1
1	botte de brocoli, paré et coupé en morceaux de 2,5 cm (1 po)	1
50 ml	coriandre fraîche, ou basilic ou persil frais, hachés	1/4 tasse

VALEUR NUTRITIONNELLE PAR PORTION

Calories	287
Protéines	15 g
Matières grasses	11 g
Saturées	1 g
Cholestérol	0 mg
Glucides	38 g
Fibres	6 g
Sodium	905 mg
Potassium	917 mg

Excellente source : vitamine A ; vitamine C ; acide folique ; fer

Bonne source : thiamine ; riboflavine ; niacine ; vitamine B6 ; calcium ; zinc

1. Dans un bol de taille moyenne, mélanger la sauce hoisin, le vin de riz et la pâte de piment. Ajouter le tofu et remuer pour bien l'enrober. Laisser mariner pendant 20 minutes.

2. Dans un grand bol, mélanger les tomates, le ketchup, le vinaigre, le miel, la sauce soya et le piment de la Jamaïque.

3. Dans un petit bol, remuer la fécule de maïs, l'eau froide et l'huile de sésame jusqu'à homogénéité.

4. Pour la cuisson, chauffer l'huile végétale à feu moyen-vif dans une grande poêle antiadhésive ou dans un wok. Faire sauter le tofu et le cuire pendant quelques minutes, ou jusqu'à ce qu'il soit légèrement doré. Le retirer de la poêle et le réserver. Il devrait rester entre 5 et 10 ml d'huile dans la poêle ; en ajouter davantage au besoin.

5. Faire sauter les oignons verts, le gingembre et l'ail. Sauter pendant 30 secondes. Ajouter les champignons et le poivron rouge. Cuire pendant 2 minutes.

6. Ajouter le brocoli, le tofu et le mélange à base de tomates au contenu de la poêle et porter à ébullition. Cuire pendant 3 minutes.

7. En remuant, incorporer la moitié du mélange de fécule de maïs au contenu de la poêle et laisser cuire de 30 à 60 secondes. Si la sauce n'est pas assez épaisse, ajouter un peu de fécule de maïs. Mettre dans une assiette de service et garnir de coriandre.

RISOTTO AUX TOMATES ET AUX HARICOTS

Même si certains vous diront qu'on doit utiliser énormément de beurre ou d'huile pour réussir un bon risotto, je crois que le riz de cette recette est tellement onctueux que vous ne noterez pas l'absence de matières grasses.

Ce risotto très consistant constitue un très bon plat de résistance végétarien. Servez-le accompagné de salade. Comme la moitié des membres de ma famille a une intolérance au lactose, j'ai pris l'habitude de servir le fromage sur la table, mais rien ne vous empêche de l'ajouter directement dans le risotto.

Donne de 6 à 8 portions

15 ml	huile d'olive	1 c. à soupe
1	oignon, haché finement	1
3	gousses d'ail, hachées finement	3
2 ml	flocons de piment fort	1/2 c. à thé
500 ml	riz italien, à grains courts	2 tasses
1	boîte de 796 ml (28 oz) de tomates italiennes, non égouttées, réduites en purée ou broyées, bien chaudes	1
750 ml	bouillon de légumes maison (page 127), ou eau, bien chaud	3 tasses
500 ml	petits haricots blancs, ou haricots ordinaires, cuits	2 tasses

LE PIMENT DE LA JAMAÏQUE
Le piment de la Jamaïque a un léger parfum d'anis ou de réglisse. On peut généralement le remplacer par de la poudre de cari, bien que le goût soit très différent.

Pour préparer votre propre piment de la Jamaïque, moudre finement ensemble, à quantités égales, de l'anis étoilé, des graines fenouil, de la coriandre, de la cannelle, du clou de girofle et des grains de poivre de Szechuan.

LE TOFU

Le tofu est une sorte de fromage fait à partir de lait de soya. Optez pour le tofu vendu en un seul bloc et recouvert d'eau. Vérifiez bien la date d'expiration avant de l'acheter. Lorsque j'ai le choix, j'opte pour le tofu biologique.

Le tofu japonais, de texture soyeuse, est souvent vendu en tube ou en emballage Tetra Pak. Il peut être mou ou ferme, mais il est plus fragile que le tofu chinois. Le plus ferme s'utilise dans les purées et les vinaigrettes et doit être manipulé délicatement. Épongez-le à l'aide de papier absorbant en prenant soin de ne pas l'écraser, car il se brise facilement.

Le tofu chinois est plus élastique et plus ferme que le tofu japonais. Il en existe différentes variétés, plus ou moins fermes. L'extra-ferme est idéal dans les plats sautés et grillés. À défaut de tofu extra-ferme, déposez un bloc de tofu ordinaire ou ferme dans une assiette tapissée de papier absorbant, recouvrez le tofu de plusieurs feuilles d'essuie-tout et pressez-le à l'aide d'une brique, d'une poêle ou d'une boîte de conserve que vous laisserez pendant 30 minutes environ.

Conservez-le au réfrigérateur et changer l'eau tous les jours. Égouttez-le et asséchez-le avec un linge avant de l'utiliser.

---

sel et poivre au goût
50 ml	persil frais, haché	1/4 tasse
125 ml	parmesan, râpé	1/2 tasse

1. Chauffer l'huile à feu moyen dans une grande casserole ou dans un faitout. Y mettre l'oignon, l'ail et les flocons de piment fort. Cuire délicatement jusqu'à ce que le tout soit très odorant et que l'oignon soit tendre.

2. Ajouter le riz au contenu de la poêle et mélanger. Cuire 1 minute.

3. Ajouter 125 ml (1/2 tasse) de tomates bien chaudes et cuire à feu moyen ou moyen-vif, en remuant, jusqu'à absorption ou évaporation complète du liquide. Continuer d'ajouter les tomates, 125 ml (1/2 tasse) à la fois. Cuire en remuant jusqu'à absorption complète du liquide avant de procéder à l'ajout suivant.

4. Une fois toutes les tomates ajoutées, commencer à verser le bouillon. Après avoir ajouté 500 ml (2 tasses) de bouillon, incorporer les haricots. Bien réchauffer. Continuer à ajouter le bouillon, jusqu'à ce que le riz soit tendre, mais encore légèrement ferme.

5. Ajouter le sel, le poivre, le persil et le parmesan.

CHILI DE HARICOTS VARIÉS

Préparée avec une seule variété de haricots, cette recette donne d'excellents résultats. Ma variante préférée est une combinaison de haricots noirs, de petits haricots blancs, de haricots blancs ordinaires et de doliques à œil noir. Vous pouvez également remplacer les haricots secs par 1 l (4 tasses) de haricots cuits ou en conserve.

Je sers ce plat seul ou avec du riz vapeur et une salade. Déposez les garnitures suivantes sur la table : yogourt nature, tomates en dés, fromage cheddar ou Monterey Jack râpé, coriandre hachée, piments jalapeños en dés, et laissez vos invités se servir. Si vous aimez votre chili bien relevé, ajoutez plus de piments chipoltes.

Donne de 8 à 10 portions

500 ml	haricots secs mélangés	2 tasses
15 ml	huile végétale	1 c. à soupe
2	oignons, hachés	2
4	gousses d'ail, hachées finement	4
45 ml	assaisonnement au chili	3 c. à soupe
5 ml	cumin moulu	1 c. à thé
5 ml	paprika	1 c. à thé
5 ml	origan séché	1 c. à thé
1	boîte de 796 ml (28 oz) de tomates italiennes, non égouttées, réduites en purée	1
25 ml	purée de piment chipolte, ou 2 piments jalapeños, épépinés et coupés en dés	2 c. à soupe
2 ml	poivre	1/2 c. à thé
	sel au goût	
25 ml	coriandre fraîche ou persil frais, hachés	2 c. à soupe

1. Couvrir les haricots d'une généreuse quantité d'eau et laisser tremper toute la nuit, au réfrigérateur. Bien égoutter et mettre dans une grande marmite. Couvrir d'eau, porter à ébullition et faire cuire pendant 30 minutes à feu doux.

2. Pendant ce temps, chauffer l'huile dans un faitout. Ajouter les oignons et l'ail et faire revenir à feu doux pendant 5 minutes, ou jusqu'à ce qu'ils soient tendres et odorants.

3. Ajouter l'assaisonnement au chili : le cumin, le paprika et l'origan. Faire cuire environ 30 secondes, ou jusqu'à ce que tout soit bien mélangé. Incorporer les tomates et le piment chipolte. Poursuivre la cuisson pendant 10 minutes.

4. Rincer et bien égoutter les haricots ; les ajouter à la sauce. Ajouter de l'eau au besoin pour que les haricots soient recouverts d'environ 2,5 cm (1 po) de liquide. Faire cuire à couvert de 1 à 2 heures, ou jusqu'à ce que les haricots soient tendres et que le mélange soit assez

VALEUR NUTRITIONNELLE PAR PORTION

Calories	215
Protéines	12 g
Matières grasses	3 g
Saturées	traces
Cholestérol	0 mg
Glucides	38 g
Fibres	12 g
Sodium	198 mg
Potassium	797 mg

Excellente source : fer ; acide folique

Bonne source : vitamine A ; vitamine C ; thiamine ; niacine ; vitamine B6

consistant. (Retirer le couvercle au besoin pour laisser réduire le liquide.) Ajouter le poivre, le sel et la coriandre.

HAMBURGERS DE CHAMPIGNONS PORTOBELLOS ET MAYONNAISE À L'AIL RÔTI

Les champignons portobellos possèdent une saveur et une texture qui rappellent la viande, et certains sont aussi gros qu'un pain à hamburger.

Vous pouvez remplacer la mayonnaise à l'ail par l'une ou l'autre des trempettes ou des tartinades présentées au chapitre « Hors-d'œuvre et entrées ». Des tranches de tomates peuvent également être substituées aux poivrons rouges. Servez ces hamburgers avec des pommes de terre frites au four et de la salade de chou (page 299).

Donne 4 portions

25 ml	jus de citron	2 c. à soupe
15 ml	huile d'olive	1 c. à soupe
2	gousses d'ail, émincées	2
15 ml	romarin frais, haché, ou 2 ml (1/2 c. à thé) de romarin séché	1 c. à soupe
2 ml	sel	1/2 c. à thé
2 ml	poivre	1/2 c. à thé
4	gros champignons portobellos de 10 cm (4 po)	4
1	gros oignon rouge, coupé en 4 tranches	1
2	poivrons rouges	2
4	petits pains à hamburger, ou kaisers, idéalement de blé entier	4
12	feuilles de basilic frais, ou 4 feuilles de laitue	12

Mayonnaise à l'ail rôti

1	bulbe d'ail rôti (page 80)	1
75 ml	fromage de yogourt (page 420)	1/3 tasse
25 ml	mayonnaise légère	2 c. à soupe
15 ml	jus de citron	1 c. à soupe
1 ml	poivre	1/4 c. à thé
	sel au goût	

1. Dans un grand bol, mélanger le jus de citron, l'huile d'olive, l'ail émincé, le romarin, le sel et le poivre.

2. Couper les pieds des champignons et les destiner à un autre usage. Faire mariner les chapeaux de champignons et les tranches d'oignon dans le mélange à base d'huile d'olive.

3. Faire griller les poivrons de toutes parts pour les faire noircir. Laisser refroidir, peler, épépiner et retirer les membranes. Couper les poivrons en gros morceaux.

4. Faire griller les champignons et les oignons de 5 à 8 minutes environ, ou jusqu'à ce qu'ils soient dorés de toutes parts et à point. Réserver.

5. Pour préparer la mayonnaise, extraire l'ail de sa peau en pressant, puis le mettre dans un robot culinaire (ou dans un bol, et l'écraser à la fourchette). Incorporer le fromage de yogourt, la mayonnaise, le jus de citron et le poivre. Goûter et saler au besoin.

6. Assembler les hamburgers en mettant les champignons sur la partie inférieure des pains. Déposer ensuite sur les champignons les oignons grillés, les poivrons, puis les feuilles de basilic. Tartiner la mayonnaise à l'ail sur la partie supérieure des pains. Servir les hamburgers chauds ou froids.

VALEUR NUTRITIONNELLE PAR PORTION	
Calories	372
Protéines	13 g
Matières grasses	10 g
Saturées	2 g
Cholestérol	6 mg
Glucides	62 g
Fibres	7 g
Sodium	749 mg
Potassium	863 mg

Excellente source :
riboflavine ; niacine ; vitamine B6 ; vitamine C ; acide folique ; fer
Bonne source :
vitamine A ; thiamine

PAELLA AUX LÉGUMES

Bien que la paella soit traditionnellement préparée avec des morceaux de poulet, des saucisses et des fruits de mer, elle est tout aussi succulente lorsqu'elle est préparée avec des légumes. Ajoutez 500 ml (2 tasses) de pois chiches cuits (ou une boîte de 540 ml [19 oz] pour un plat plus consistant).

Donne 8 portions

15 ml	huile d'olive	1 c. à soupe
2	oignons, coupés en dés	2
2	gousses d'ail, hachées finement	2
5 ml	paprika fumé (page 255)	1 c. à thé
2	carottes, coupées en dés	2
1	gros bulbe de fenouil ou de céleri, parés et coupés grossièrement	1
1	poivron rouge, épépiné et coupé grossièrement	1
125 g	champignons, parés et coupés en quartiers	1/4 lb
1	boîte de 796 ml (28 oz) de tomates italiennes, égouttées et coupées grossièrement	1

500 ml	riz brun ou blanc, à grains courts, non cuit	2 tasses
5 ml	sel	1 c. à thé
1 ml	poivre	1/4 c. à thé
	une pincée de safran ou de curcuma (facultatif)	
750 ml	bouillon de légumes maison (page 127), ou eau, chaud	3 tasses
250 ml	maïs en grains	1 tasse
250 ml	petits pois frais ou surgelés	1 tasse

1. Chauffer l'huile à feu moyen dans un grand faitout. Ajouter les oignons, l'ail et le paprika ; faire revenir le tout pendant 5 minutes.

2. Ajouter les carottes, le fenouil, le poivron rouge et les champignons. Laisser cuire environ 5 minutes. Ajouter de l'eau (50 ml [1/4 tasse] à la fois) dès que le fond de la casserole semble s'assécher. Ajouter les tomates et le riz en remuant. Laisser cuire quelques minutes.

3. Ajouter le sel, le poivre et le safran au bouillon chaud. Verser le bouillon sur le riz et porter à ébullition. Couvrir et faire cuire au four préchauffé à 180 °C (350 °F) pendant 1 heure (45 minutes pour le riz blanc).

4. Parsemer le riz du maïs en grains et des petits pois. Couvrir et faire cuire 5 minutes supplémentaires. Remuer délicatement et servir. Goûter et ajuster l'assaisonnement au besoin.

HARICOTS EN SAUCE BARBECUE

J'ai longtemps cru que des haricots cuits dans une sauce barbecue étaient très savoureux ; or, s'ils cuisent longtemps dans un milieu très acide ou très salé, ils durcissent. Le seul moyen de faire des haricots en sauce barbecue est de les cuire d'abord et d'ajouter la sauce ensuite.

Donne 8 portions

500 g	petits haricots blancs secs (navy) (500 ml [2 tasses])	1 lb

Sauce barbecue

10 ml	huile végétale	2 c. à thé
2	oignons, coupés en dés	2
1	gousse d'ail, hachée finement	1
375 ml	tomates italiennes en purée, ou sauce tomate	1 1/2 tasse

1	boîte de 796 ml (28 oz) de tomates italiennes, non égouttées, broyées	1
1	bouteille de bière de 341 ml (12 oz)	1
75 ml	mélasse	1/3 tasse
50 ml	vinaigre de vin rouge	1/4 tasse
25 ml	sirop d'érable ou cassonade	2 c. à soupe
15 ml	sauge fraîche, hachée, ou 2 ml (1/2 c. à thé) de sauge séchée	1 c. à soupe
15 ml	moutarde de Dijon	1 c. à soupe
10 ml	purée de piment chipolte (page 206), ou 1 piment jalapeño, épépiné et haché	2 c. à thé
2 ml	sel	1/2 c. à thé
2 ml	poivre	1/2 c. à thé

1. Faire tremper les haricots dans une généreuse quantité d'eau froide toute la nuit, au réfrigérateur. Bien égoutter. Mettre les haricots dans une grande casserole et recouvrir d'eau froide. Porter à ébullition, réduire le feu et laisser mijoter doucement, à découvert, durant 1 à 1 1/2 heure, ou jusqu'à ce que les haricots soient tendres. Rincer et bien égoutter.

2. Entre-temps, chauffer l'huile à feu moyen dans une grande poêle antiadhésive profonde. Y mettre les oignons et l'ail. Cuire à feu doux de 5 à 8 minutes, ou jusqu'à ce que les oignons soient tendres et odorants.

3. Ajouter les tomates en purée, les tomates italiennes, la bière, la mélasse, le vinaigre, le sirop d'érable, la sauge, la moutarde, la purée de piment chipolte, le sel et le poivre. Porter à ébullition, réduire le feu et laisser mijoter 5 minutes.

4. Incorporer les haricots. Verser le mélange dans une terrine. Couvrir et cuire dans un four préchauffé à 180 °C (350 °F) durant 2 heures en remuant de temps à autre. Retirer le couvercle et laisser cuire encore 20 minutes. Laisser reposer 10 minutes avant de servir.

VALEUR NUTRITIONNELLE PAR PORTION

Calories	303
Protéines	14 g
Matières grasses	2 g
Saturées	traces
Cholestérol	0 mg
Glucides	60 g
Fibres	12 g
Sodium	631 mg
Potassium	1083 mg

Excellente source : thiamine ; acide folique ; fer

Bonne source : niacine ; vitamine B6 ; calcium

TORTILLAS AU HOUMMOS ET À L'AUBERGINE GRILLÉE

Ces tortillas constituent une excellente entrée, mais elles peuvent tout aussi bien être servies entières, comme des sandwiches. Vous pouvez remplacer le hoummos par de la tartinade de haricots blancs et d'ail rôti (page 62), par des oignons caramélisés (page 56) ou par des champignons sauvages sautés (page 72). La garniture peut être aussi

L'AUBERGINE

Habituellement, je préfère les aubergines orientales ou japonaises, parce qu'elles sont minces et parce qu'elles ont la forme d'une courgette. Il n'est pas nécessaire de les peler et de les faire dégorger (en d'autres mots les saler afin qu'elles perdent de l'eau et un peu de leur amertume). Si vous n'en trouvez pas, choisissez les aubergines les plus longues et les plus fines possible, car elles contiennent moins de graines et sont par conséquent moins amères.

simple ou aussi élaborée que vous le souhaitez. Le hoummos de la recette peut être servi comme trempette.

Donne 32 bouchées

500 g	aubergines orientales ou japonaises, soit environ 4	1 lb
3	poivrons rouges	3
1	boîte de 540 ml (19 oz) de pois chiches, rincés et égouttés, ou 500 ml (2 tasses) de pois chiches cuits	1
45 ml	jus de citron	3 c. à soupe
15 ml	huile de sésame grillé	1 c. à soupe
2	gousses d'ail, émincées	2
2 ml	cumin moulu	1/2 c. à thé
2 ml	sauce au piment rouge	1/2 c. à thé
45 ml	yogourt faible en gras, ou fromage de yogourt (page 420)	3 c. à soupe
4	tortillas de farine de blé entier ou ordinaire de 25 cm (10 po)	4
125 ml	basilic frais, émincé, ou persil frais, haché	1/2 tasse

1. Couper les aubergines dans le sens de la longueur en tranches de 5 mm (1/4 po) d'épaisseur. Faire griller des deux côtés.

2. Faire griller les poivrons jusqu'à ce qu'ils soient noircis de toutes parts. Laisser refroidir, peler, épépiner et trancher en lanières.

3. Pour préparer le hoummos, mélanger au robot culinaire les pois chiches, le jus de citron, l'huile de sésame, l'ail, le cumin et la sauce au piment rouge. Ajouter suffisamment de yogourt pour que la préparation puisse bien se tartiner. Goûter et rectifier l'assaisonnement au besoin.

4. Étendre le hoummos sur les quatre tortillas. Disposer les lanières d'aubergine et de poivron sur les deux tiers de la surface de chaque tortilla, en prenant soin de laisser libre le sommet de la tortilla. Parsemer les aubergines et les tortillas de basilic. Rouler les tortillas serrées et les envelopper immédiatement d'une feuille de pellicule plastique, puis réfrigérer.

5. Pour servir, trancher les rouleaux en diagonale – le cuisinier se contentera des extrémités aux contours irréguliers !

VALEUR NUTRITIONNELLE PAR BOUCHÉE

Calories	49
Protéines	2 g
Matières grasses	1 g
Saturées	0 g
Cholestérol	0 mg
Glucides	8 g
Fibres	1 g
Sodium	45 mg
Potassium	88 mg

Bonne source : vitamine C

RIBOLLITA

La ribollita est très populaire en Toscane, où elle sert à récupérer les restes de minestrone et de pain toscan. De nombreux Italiens cuisinent le minestrone dans le seul but d'avoir une bonne ribollita à déguster avec les restes. Je prépare habituellement cette recette dans un plat de service allant au four.

Donne de 8 à 10 portions

15 ml	huile d'olive	1 c. à soupe
1	oignon, haché	1
3	gousses d'ail, hachées finement	3
	une pincée de flocons de piment fort	
1	carotte, coupée en dés	1
1	branche de céleri, coupée en dés	1
1	courgette moyenne, coupée en dés	1
750 ml	chou, haché	3 tasses
1 l	bouillon de légumes maison (page 109), ou eau	4 tasses
2	boîtes de 796 ml (28 oz) de tomates italiennes, non égouttées	2
1	boîte de 540 ml (19 oz) de haricots blancs, rincés et égouttés, ou 500 ml (2 tasses) de haricots, cuits	1
1	botte de bettes à cardes ou de rapini, hachés	1
250 ml	petites pâtes ou macaronis de blé entier ou ordinaires	1 tasse
2 ml	poivre	1/2 c. à thé
50 ml	basilic ou persil frais, hachés sel au goût	1/4 tasse
12	tranches épaisses de pain de blé entier ou de pain italien	12
125 ml	parmesan râpé	1/2 tasse

1. Chauffer l'huile à feu moyen dans un grand faitout. Ajouter l'oignon, l'ail et les flocons de piment fort. Faire revenir de 5 à 8 minutes, ou jusqu'à ce que le tout soit tendre.

2. Ajouter la carotte, le céleri, la courgette et le chou. Faire cuire 5 minutes pour ramollir légèrement les légumes.

3. Ajouter le bouillon et les tomates et porter à ébullition en défaisant les tomates à la cuillère. Laisser cuire pendant 30 minutes, ou jusqu'à ce que les légumes soient tendres.

VALEUR NUTRITIONNELLE PAR PORTION

Calories	322
Protéines	15 g
Matières grasses	5 g
Saturées	2 g
Cholestérol	5 mg
Glucides	57 g
Fibres	10 g
Sodium	757 mg
Potassium	1038 mg

Excellente source : vitamine A ; niacine ; Vitamine C ; acide folique ; fer

Bonne source : thiamine ; riboflavine ; vitamine B6 ; calcium

4. Ajouter les haricots, la bette à cardes et les pâtes. Poursuivre la cuisson pendant 15 minutes. Ajouter le poivre, le sel et le basilic en brassant. Goûter et rectifier l'assaisonnement en ajoutant du sel au besoin.

5. Couvrir d'un rang de pain le fond d'un plat de 3,5 l (14 tasses) (33 cm x 23 cm [13 po x 9 po]) allant au four. Recouvrir de soupe et parsemer de fromage. Répéter ces opérations.

6. Cuire au four préchauffé à 180 °C (350 °F) de 20 à 25 minutes, ou jusqu'à ce que la surface soit dorée et qu'elle bouillonne.

QUESADILLAS AU FROMAGE DE CHÈVRE ET AUX HARICOTS NOIRS

Vous pouvez couper ces quesadillas en pointes et les servir comme amuse-gueules. Ou encore, étalez-en sur une salade verte arrosée d'une vinaigrette légère avec un peu de salsa aux tomates, et servez le tout comme plat de résistance.

Les quesadillas peuvent être préparées à l'avance et réchauffées. (J'aime bien les faire griller pour en accentuer la saveur.) On peut aussi les laisser ouvertes et les servir comme des pizzas.

Donne 6 portions

250 ml	haricots noirs cuits	1 tasse
1	tomate, épépinée et hachée	1
1	poivron rouge, grillé de préférence (page 165), pelé et haché	1
15 ml	purée de piment chipolte (page 206), ou 1 piment jalapeño, épépiné et haché (facultatif)	1 c. à soupe
1	gousse d'ail, finement hachée	1
125 ml	coriandre fraîche ou persil frais, hachés	1/2 tasse
25 ml	ciboulette fraîche ou oignons verts, hachés	2 c. à soupe
25 ml	basilic frais, haché	2 c. à soupe
375 ml	fromage Monterey Jack, ou cheddar, à faible teneur en matières grasses, râpé	1 1/2 tasse
125 ml	fromage de chèvre, ou féta, émietté	1/2 tasse
6	tortillas de blé entier ou de farine blanche de 25 cm (10 po), ou pitas de 20 cm (8 po), séparés en deux	6

LES HARICOTS NOIRS
Les haricots noirs Black Turtle entrent dans la préparation de nombreux plats mexicains et du Sud-Ouest américain, notamment dans les soupes et les salades. Ils sont vendus secs ou en conserve.

Pour préparer les haricots noirs secs, faites tremper 500 g (1 lb) (500 ml [2 tasses]) de haricots secs dans de l'eau froide toute la nuit, au réfrigérateur. Égouttez et rincez les haricots, puis mettez-les dans une casserole en les couvrant d'une généreuse quantité d'eau froide. Portez à ébullition, écumez avec soin, couvrez et laissez cuire à feu doux de 1 heure à 1 1/2 heure, ou jusqu'à ce que les haricots soient tendres. Rincez et bien égoutter les haricots. Vous devriez obtenir environ 1 l (4 tasses) de haricots secs.

Les haricots Black Turtle sont différents des haricots noirs fermentés (page 87).

1. Mélanger les haricots noirs, la tomate, le poivron rouge, le piment chipotle, l'ail, la coriandre, la ciboulette, le basilic, le fromage Monterey Jack et le fromage de chèvre.

2. Disposer les tortillas côte à côte sur le plan de travail. Bien étendre la garniture sur la moitié de chaque tortilla.

3. Rabattre la moitié non garnie sur la moitié garnie et presser légèrement.

4. Préchauffer le barbecue ou le gril du four et faire griller les quesadillas de 2 à 3 minutes de chaque côté, ou jusqu'à ce qu'elles soient légèrement dorées. Ou encore les disposer côte à côte sur une plaque à pâtisserie et faire cuire au four préchauffé à 200 °C (400 °F) de 7 à 10 minutes. Il est également possible de les cuire quelques minutes de chaque côté dans une poêle antiadhésive légèrement badigeonnée d'huile.

VALEUR NUTRITIONNELLE PAR PORTION	
Calories	331
Protéines	18 g
Matières grasses	11 g
Saturées	6 g
Cholestérol	27 mg
Glucides	38 g
Fibres	5 g
Sodium	467 mg
Potassium	342 mg

Excellente source : vitamine C ; calcium
Bonne source : niacine

VÉGÉBURGERS AVEC SALSA AUX TOMATES

Plusieurs végéburgers sont offerts sur le marché, mais il est parfois difficile d'en trouver qui ont bon goût. Ces végéburgers demandent plus de temps de préparation, mais ils sont faciles à réaliser, et vous pouvez doubler la recette et mettre le reste des burgers à congeler. Ils sont délicieux avec une salsa aux tomates ou une mayonnaise à l'ail (page 215). Si vous les préférez sans sauce, garnissez-les tout simplement de laitue, d'une rondelle de tomate et de tranches d'avocat. Pour un burger végétalien, omettez tout simplement l'œuf. Pour un burger plus croustillant, enrobez les boulettes de chapelure (375 ml (1 1/2 tasse) et faites-les cuire dans une poêle légèrement enduite d'huile.

Donne 8 portions

250 ml	orge	1 tasse
15 ml	huile d'olive	1 c. à soupe
1	petit oignon, haché finement	1
2	gousses d'ail, hachées finement	2
1	petite carotte, hachée finement	1
1	branche de céleri, hachée finement	1
250 g	champignons, nettoyés et hachés	1/2 lb
25 ml	persil frais, haché	2 c. à soupe
5 ml	romarin frais, haché, ou pincée de romarin séché	1 c. à thé
5 ml	zeste de citron, râpé	1 c. à thé

5 ml	sel	1 c. à thé
2 ml	poivre	1/2 c. à thé
1	trait de sauce au piment rouge	1
125 ml	chapelure fraîche de blé entier ou ordinaire	1/2 tasse
1	œuf (facultatif)	1

Salsa aux tomates

4	tomates, épépinées et hachées	4
1	piment jalapeño, épépiné et haché	1
50 ml	coriandre fraîche, hachée	1/4 tasse
25 ml	ciboulette fraîche ou oignons verts, hachés	2 c. à soupe
1	gousse d'ail, émincée	1
8	petits pains kaiser de blé entier ou ordinaires	8

1. Cuire l'orge à l'eau bouillante dans un grand faitout de 45 à 55 minutes, ou jusqu'à ce qu'il soit tendre. Bien l'égoutter. Il devrait y avoir environ 1 1/4 de tasse d'orge. L'étendre dans un grand bol ou dans un plat peu profond et laisser tiédir.

2. Entre-temps, chauffer l'huile à feu moyen dans une poêle anti-adhésive. Y faire sauter l'oignon et l'ail. Cuire lentement pendant 5 à 8 minutes, ou jusqu'à ce que l'oignon ramollisse. Ajouter la carotte et le céleri, et poursuivre la cuisson pendant quelques minutes. Ajouter les champignons, augmenter le feu et cuire jusqu'à l'évaporation complète du liquide de cuisson. Ajouter le persil, le romarin, le zeste de citron, le sel, le poivre et la sauce piquante.

3. Mélanger les légumes et l'orge. Goûter et rectifier l'assaisonnement au besoin. Incorporer la chapelure et l'œuf.

4. Battre la préparation au robot culinaire par impulsion, de 16 à 20 fois, jusqu'à l'obtention d'une pâte laissant voir encore de petits grains d'orge.

5. Former 8 boulettes à partir de ce mélange. Garder les boulettes au réfrigérateur jusqu'au moment de la cuisson.

6. Entre-temps, pour préparer la salsa, mélanger dans un bol de taille moyenne les tomates, le jalapeño, la coriandre, la ciboulette et l'ail.

7. Pour cuire les végéburgers, vaporiser ou badigeonner les deux côtés de chaque boulette avec de l'huile d'olive. Placer ensuite les boulettes côte à côte sur une plaque à pâtisserie tapissée de papier parchemin et les cuire dans un four préchauffé à 200 °C (400 °F) de 20 à 25 minutes, ou jusqu'à ce qu'elles soient croustillantes et légèrement dorées. Garnir les végéburgers de salsa et servir dans des pains.

VALEUR NUTRITIONNELLE PAR PORTION

Calories	201
Protéines	6 g
Matières grasses	4 g
Saturées	1 g
Cholestérol	0 mg
Glucides	38 g
Fibres	4 g
Sodium	448 mg
Potassium	288 mg

Bonne source :
vitamine A ; thiamine ; niacine ; acide folique ; fer

Omble chevalier en croûte d'avoine
Poisson au romarin
Poisson-frites au four
Poisson à l'étuvée avec épinards et sauce aux haricots
    noirs fermentés
Flétan au cari rouge
Flétan rôti à la coriandre
Flétan poché au four et vinaigrette aux fines herbes
Flétan grillé sur un lit de citron
Barbue aux câpres et au citron
Morue au four en sauce tomate aux oignons
Vivaneau au four au piment fort
Poisson mariné à la façon de Cape Malay
Poisson à la yiddish (gelfilte)
Thon grillé aux olives et à la salsa
Thon grillé et salade de nouilles japonaises
Fricadelles de thon ou d'espadon à l'orientale
Espadon à la sicilienne
Saumon grillé sur planche de cèdre

Saumon en croûte aux graines de sésame
Saumon vapeur à la sauce coréenne
Saumon glacé à la sauce hoisin
Saumon tandoori
Saumon rôti aux lentilles
Flétan en croûte de couscous et vinaigrette tomates-
    olives
Flétan rôti au vinaigre balsamique
Chreime (poisson à la sauce aux tomates cerises)
Délice de la mer à la façon spa
Risotto aux fruits de mer et aux poivrons
Pétoncles au prosciutto
Crevettes piquantes à la thaïlandaise
Crevettes grillées à la salsa verde
Moules à la provençale
Moules à la sauce de haricots noirs fermentés

CUISINER
AU GOÛT
DU CŒUR

LES POISSONS ET LES FRUITS DE MER

OMBLE CHEVALIER EN CROÛTE D'AVOINE

Un poisson délicieux dans un enrobage croustillant. Une recette qui convient aussi très bien au saumon et à la truite.

Donne de 6 à 8 portions

1 kg	filets d'omble chevalier, sans la peau	2 lb
5 ml	sel	1 c. à thé
1 ml	poivre	1/4 c. à thé
175 ml	gros flocons d'avoine	3/4 tasse
50 ml	chapelure sèche de blé entier, ou chapelure panko (japonaise) (page 230)	1/4 tasse
25 ml	persil frais, haché	2 c. à soupe
25 ml	huile d'olive	2 c. à soupe
1	citron coupé en quartiers	1

1. Assécher les filets dans un linge propre, les saler et les poivrer. Déposer le poisson (côté chair vers le haut) sur une plaque à pâtisserie tapissée de papier sulfurisé.

2. Dans un petit bol, mélanger les flocons d'avoine, la chapelure, le persil et l'huile. Enrober les filets de préparation de chapelure.

3. Cuire au four préchauffé à 220 °C (425 °F) de 12 à 14 minutes (le temps de cuisson varie selon l'épaisseur des filets). Servir avec du citron en quartiers.

VALEUR NUTRITIONNELLE PAR PORTION

Calories	262
Protéines	32 g
Matières grasses	10 g
Saturées	1 g
Cholestérol	0 mg
Glucides	11 g
Fibres	1 g
Sodium	473 mg
Potassium	899 mg

Excellente source :
thiamine ; riboflavine ; niacine

POISSON AU ROMARIN

La plupart des gens préfèrent le filet à la darne parce qu'il n'a pas d'arêtes. Toutefois, les darnes sont plus faciles à couper et à retourner sur le gril, sans compter que la cuisson avec les arêtes leur confère une saveur plus riche.

Cette recette simple peut s'exécuter avec tout poisson se prêtant bien à la grillade, comme le flétan, le saumon, le thon, le vivaneau rouge, la baudroie ou l'espadon.

Donne 4 portions

4	darnes ou filets de poisson, d'environ 175 g (6 oz) chacun de 2,5 cm (1 po) d'épaisseur	4
15 ml	huile d'olive	1 c. à soupe
15 ml	romarin frais, haché, ou 2 ml (1/2 c. à thé) de romarin séché	1 c. à soupe

VALEUR NUTRITIONNELLE PAR PORTION

Calories	155
Protéines	24 g
Matières grasses	6 g
Saturées	1 g
Cholestérol	36 mg
Glucides	traces
Fibres	0 g
Sodium	348 mg
Potassium	513 mg

Excellente source :
niacine ; vitamine B12
Bonne source :
vitamine B6

> **SALSA ÉPICÉE AU MAÏS**
>
> Utilisez cette salsa comme trempette, comme garniture à soupe, comme garniture à bruschetta ou à pizza, ou encore comme sauce avec l'agneau, le poisson ou le poulet grillés. Si vous ne voulez pas que la sauce soit piquante, omettez le piment fort ou enlevez les membranes et les graines des piments. Vous pouvez également ajouter 250 ml (1 tasse) de haricots noirs (Black Turtle).
>
> Dans le robot culinaire, mettre 500 ml (2 tasses) de maïs en grains cuits, 1 poivron rouge grillé, épépiné et pelé (page 174), 7 ml (1 1/2 c. à thé) de purée de piment chipolte ou 1 piment jalapeño émincé, et 1 gousse d'ail émincée. Actionnez le robot par impulsion jusqu'à ce que le mélange soit légèrement pâteux et bien homogène. Ajouter 15 ml (1 c. à soupe) de vinaigre balsamique ou de vinaigre de riz, 50 ml (1/4 tasse) de coriandre fraîche ou de persil frais haché, 25 ml (2 c. à soupe) de ciboulette fraîche ou d'oignons verts hachés, et 1 ml (1/4 c. à thé) de sel. Pulvérisez jusqu'à ce que le tout soit bien mélangé.
>
> Donne environ 500 ml (2 tasses).

2 ml	poivre	1/2 c. à thé
2 ml	sel	1/2 c. à thé

1. Assécher le poisson dans un linge propre et en enlever la peau. Badigeonner le poisson d'huile. Le saupoudrer de romarin et de poivre. Le faire mariner 8 heures au réfrigérateur.
2. Immédiatement avant la cuisson, saler les filets des deux côtés. Préchauffer le gril ou l'élément de grillage du four et faire cuire le poisson de 4 à 5 minutes, de chaque côté. (On peut aussi faire cuire le poisson dans une poêle antiadhésive badigeonnée d'huile d'olive.)

POISSON-FRITES AU FOUR

Ce plat est à la fois sain et délicieux, grâce à sa panure croustillante et à ses frites « allégées ». Tout filet de poisson à chair blanche tranché finement fera l'affaire. Servir avec de la salade de chou (page 299).

Donne 6 portions

750 g	pommes de terre Yukon Gold ou à cuire au four	1 1/2 lb
45 ml	huile d'olive, ou huile végétale, divisée en deux portions	3 c. à soupe
5 ml	sel, divisé en deux portions	1 c. à thé
2 ml	poivre, divisé en deux portions	1/2 c. à thé

20 ml	thym frais, haché, ou 4 ml (3/4 c. à thé) de thym séché, divisé en deux portions	4 c. à thé
750 g	filets de poisson à chair blanche, sans la peau	1 1/2 lb
250 ml	chapelure sèche de blé entier, ou chapelure panko (japonaise) (page 230)	1 tasse

1. Peler ou brosser les pommes de terre et les couper en bâtonnets épais. Les assécher en les épongeant et les retourner dans 15 ml (1 c. à soupe) d'huile, 2 ml (1/2 c. à thé sel), 1 ml (1/4 c. à thé) de poivre et 5 ml (1 c. à thé) de thym. Disposer les frites côte à côte sur une plaque à pâtisserie antiadhésive tapissée de papier sulfurisé. Cuire de 40 à 45 minutes dans un four préchauffé à 220 °C (425 °F), ou jusqu'à ce que les frites soient dorées et croustillantes.

2. Entre-temps, assécher les filets dans un linge propre et les déposer, côté chair vers le haut, sur une autre plaque à pâtisserie tapissée de papier sulfurisé.

3. Dans un petit bol, mélanger la chapelure avec le reste du thym, du sel, du poivre et de l'huile. Étendre la préparation sur le dessus des filets.

4. Déposer le poisson au four lorsque les frites auront cuit environ 35 minutes. Cuire de 10 à 12 minutes selon l'épaisseur des filets.

VALEUR NUTRITIONNELLE PAR PORTION

Calories	419
Protéines	27 g
Matières grasses	8 g
Saturées	1 g
Cholestérol	49 mg
Glucides	58 g
Fibres	4 g
Sodium	486 mg
Potassium	1089 mg

Excellente source :
thiamine ; niacine ;
vitamine B6 ;
vitamine B12
Bonne source :
acide folique ; fer

LA CHAPELURE

Vous pouvez préparer votre propre chapelure à partir de pain rassis. Pour de la chapelure fraîche, broyez le pain (avec ou sans la croûte) au robot culinaire et congelez la chapelure ainsi obtenue. Pour faire de la chapelure sèche, étendez la chapelure fraîche sur une plaque à pâtisserie et laissez-la dans un four chauffé à 120 °C (250 °F) environ 1 heure. Passez-la encore au robot culinaire si vous souhaitez obtenir une chapelure très fine.

Si vous n'avez pas de robot culinaire, faites congeler un morceau de pain et râpez-le manuellement. Conservez la chapelure au congélateur.

Le dernier cri en matière de chapelure est la chapelure panko, une spécialité japonaise. Celle-ci est fabriquée uniquement à partir de mie de pain. Comme elle est particulièrement sèche et croustillante, elle se prête merveilleusement aux panures. Vous la trouverez dans des épiceries orientales ou au comptoir des produits orientaux de certains supermarchés.

POISSON À L'ÉTUVÉE AVEC ÉPINARDS ET SAUCE AUX HARICOTS NOIRS FERMENTÉS

Voici un mets vite fait, facile à exécuter, faible en matières grasses et tout à fait délicieux. Je préfère le réaliser avec du flétan ou du saumon, mais n'importe quel poisson en filets épais fera l'affaire. Servez-le avec du riz vapeur et des légumes sautés.

Plutôt que d'étuver le poisson, on peut le cuire recouvert de papier d'aluminium dans un four chauffé à 220 °C (425 °F) de 10 à 12 minutes, ou jusqu'à ce qu'il soit cuit à point.

Donne 4 portions

500 g	pousses d'épinards	1 lb
4	filets de flétan, sans la peau, d'environ 125 g (1/4 lb) chacun, de 2,5 cm (1 po) d'épaisseur	4
25 ml	sauce de haricots noirs fermentés	2 c. à soupe
15 ml	jus de citron	1 c. à soupe
15 ml	huile de sésame grillé	1 c. à soupe
15 ml	gingembre frais, haché	1 c. à soupe
2 ml	poivre	1/2 c. à thé
50 ml	eau	1/4 tasse
2	oignons verts, hachés	2
25 ml	coriandre fraîche ou persil frais, hachés	2 c. à soupe

1. Bien tasser les épinards au fond d'un plat allant au four d'une capacité de 1,5 l (6 tasses) (25 cm [10 po]). Ils s'affaisseront en cuisant. Éponger les filets de poisson et les déposer côte à côte sur les épinards.

2. Dans un petit bol, mélanger la sauce de haricots noirs fermentés, le jus de citron, l'huile de sésame, le gingembre, le poivre et l'eau. Verser sur le poisson.

3. Monter une étuveuse en plaçant une petite grille ou des bâtons entrecroisés au fond d'un wok ou d'un grand poêlon. Remplir d'eau bouillante jusqu'à la grille. Y déposer le plat contenant le poisson. Bien refermer le wok (utiliser du papier d'aluminium si le wok ne possède pas de couvercle).

4. Étuver le poisson de 12 à 15 minutes, ou jusqu'à ce qu'il soit à point. Déposer dans un plat de service et garnir d'oignons verts et de coriandre.

VALEUR NUTRITIONNELLE PAR PORTION

Calories	160
Protéines	19 g
Matières grasses	6 g
Saturées	1 g
Cholestérol	24 mg
Glucides	9 g
Fibres	3 g
Sodium	237 mg
Potassium	923 mg

Excellente source : vitamine A ; niacine ; vitamine B6 ; acide folique ; vitamine B12 ; fer
Bonne source : riboflavine ; calcium

FLÉTAN AU CARI ROUGE

Ce plat d'influence thaïlandaise est devenu le classique de nombreux restaurants. La sauce au cari peut être préparée à l'avance. Le poisson peut être rôti, grillé ou sauté, mais il faut le cuire juste avant de le servir.

Donne 6 portions

Sauce thaïlandaise au cari

15 ml	huile végétale	1 c. à soupe
15 ml	gingembre frais, haché	1 c. à soupe
15 ml	citronnelle fraîche, hachée	1 c. à soupe
125 ml	basilic frais, haché	1/2 tasse
15 ml	pâte thaïlandaise de cari rouge	1 c. à soupe
50 ml	lait de coco léger	1/4 tasse
250 ml	tomates en purée ou sauce tomate	1 tasse
15 ml	sauce thaïlandaise au piment (douce)	1 c. à soupe
50 ml	coriandre fraîche, hachée	1/4 tasse
15 ml	sucre cristallisé blanc	1 c. à soupe
15 ml	jus de lime	1 c. à soupe

Poisson

25 ml	sauce soya	2 c. à soupe
25 ml	jus de lime	2 c. à soupe
5 ml	miel	1 c. à thé
5 ml	coriandre moulue	1 c. à thé
1	gousse d'ail, émincée	1
15 ml	coriandre fraîche, hachée	1 c. à soupe
6	filets de flétan, sans la peau, d'environ 175 g (6 oz) chacun, de 2,5 cm (1 po) d'épaisseur	6

1. Pour préparer la sauce, faire chauffer l'huile à feu moyen dans une grande poêle antiadhésive. Ajouter le gingembre, la citronnelle, le basilic et la pâte de cari, et cuire quelques minutes en remuant. Ajouter le lait de coco, les tomates en purée, la sauce thaïlandaise aux piments et la coriandre. Amener tout près du point d'ébullition, réduire le feu et laisser mijoter 15 minutes.

2. Passer la sauce et la remettre dans la poêle. Ajouter le sucre et le jus de lime.

3. Peu avant de servir, préparer le poisson en mélangeant la sauce soya, le jus de lime, le miel, la coriandre moulue, l'ail et la coriandre

---

LE LAIT DE COCO

Il entre dans la préparation de nombreux plats orientaux. Comme il est riche en matières grasses, il vaut mieux l'utiliser avec parcimonie ou opter pour la version allégée (offerte dans les magasins d'aliments naturels et dans les épiceries spécialisées). Comme il se conserve peu de temps, évitez de le gaspiller en mettant les restes à congeler dans un sac à congélation que vous poserez à plat dans le congélateur.

VALEUR NUTRITIONNELLE PAR PORTION

Calories	269
Protéines	37 g
Matières grasses	8 g
Saturées	1 g
Cholestérol	54 mg
Glucides	11 g
Fibres	2 g
Sodium	369 mg
Potassium	1094 mg

Excellente source :
niacine ; vitamine B6 ; vitamine B12
Bonne source :
vitamine A ; fer

fraîche. Assécher le poisson dans un linge propre et l'enrober de la préparation.

4. Déposer le poisson sur une plaque à pâtisserie tapissé de papier sulfurisé, et le faire rôtir dans un four préchauffé à 220 °C (425 °F) de 10 à 15 minutes, ou jusqu'à ce qu'il soit cuit. Arroser de sauce et servir.

FLÉTAN RÔTI À LA CORIANDRE

Ce plat a conquis les membres du plateau de *Bonnie Stern Entertains*, sur WTN. Pour varier, essayez-le avec des crevettes ou du flétan. Pour un plat parfumé, ajoutez les tiges et les racines de la citronnelle.

Donne de 6 à 8 portions

1	gousse d'ail, hachée	1
375 ml	coriandre fraîche avec feuilles, tiges et racines	1 1/2 tasse
25 ml	sauce hoisin	2 c. à soupe
15 ml	sauce de poisson thaïlandaise ou sauce soya	1 c. à soupe
15 ml	jus de lime ou de citron	1 c. à soupe
15 ml	vinaigre de riz	1 c. à soupe
2 ml	pâte de piment orientale	1/2 c. à thé
1 kg	flétan, en un seul morceau, sans la peau, de 5 cm (2 po) d'épaisseur	2 lb

Salade au sésame à l'orientale

25 ml	vinaigre de riz	2 c. à soupe
5 ml	moutarde au miel	1 c. à thé
2 ml	pâte de piment orientale	1/2 c. à thé
2 ml	huile de sésame grillé	1/2 c. à thé
15 ml	huile d'olive	1 c. à soupe
2 l	laitues assorties	8 tasses

1. Au robot culinaire, hacher l'ail et la coriandre. Ajouter la sauce hoisin, la sauce de poisson, le jus de lime, le vinaigre de riz et la pâte de piment. Pulvériser jusqu'à la formation d'une pâte.

2. Assécher le flétan dans un linge propre, le déposer dans une assiette peu profonde et verser la marinade sur le poisson en le retournant pour bien l'enrober. Le laisser mariner au réfrigérateur pendant 30 minutes.

3. Déposer le poisson sur une plaque à pâtisserie tapissée de papier sulfurisé. Rôtir le poisson dans un four préchauffé à 220 °C (425 °F) de 25 à 35 minutes, ou jusqu'à ce qu'il soit à point.

VALEUR NUTRITIONNELLE PAR PORTION

Calories	223
Protéines	33 g
Matières grasses	7 g
Saturées	1 g
Cholestérol	49 mg
Glucides	6 g
Fibres	2 g
Sodium	453 mg
Potassium	1013 mg

Excellente source : vitamine A ; niacine ; vitamine B6 ; vitamine B12 ; acide folique
Bonne source : thiamine ; riboflavine ; vitamine C

4. Entre-temps, pour préparer la vinaigrette, mélanger le vinaigre, la moutarde, la pâte de piment, l'huile de sésame et l'huile d'olive.

5. Remuer les laitues avec la vinaigrette. Servir le poisson sur un lit de laitue.

FLÉTAN POCHÉ AU FOUR ET VINAIGRETTE AUX FINES HERBES

J'ai dégusté ce plat dans un grand restaurant new-yorkais. Nous étions cinq convives et nous avions tous commandé un plat différent, histoire d'avoir le plaisir d'en goûter plusieurs. Ce plat de flétan poché remporta de loin la faveur de tous les convives. Il était si bon que j'ai regretté de ne pas l'avoir gardé pour moi toute seule. C'est pourquoi, j'ai décidé de reproduire la recette à la maison.

Ce plat peut être servi chaud ou froid.

Donne 6 portions

Vinaigrette aux fines herbes

50 ml	vinaigre de champagne ou vinaigre de xérès, ou jus de citron	1/4 tasse
50 ml	eau	1/4 tasse
2 ml	sucre cristallisé blanc	1/2 c. à thé
2 ml	moutarde sèche	1/2 c. à thé
2 ml	poivre	1/2 c. à thé
1	échalote, émincée (facultatif)	1
25 ml	huile d'olive	2 c. à soupe
1 ml	sauce au piment rouge	1/4 c. à thé
25 ml	coriandre fraîche ou persil frais, hachés	2 c. à soupe
25 ml	ciboulette fraîche ou oignons verts, hachés	2 c. à soupe
25 ml	persil frais, haché	2 c. à soupe
25 ml	basilic frais, haché	2 c. à soupe

Poisson

6	morceaux de flétan frais, sans la peau, d'environ 125 g (1/4 lb) chacun	6
15 ml	jus de citron	1 c. à soupe
1 ml	poivre	1/4 c. à thé
4	grosses carottes, râpées	4
1	botte de cresson (facultatif)	

1. Pour préparer la vinaigrette, battre au fouet le vinaigre, l'eau, le sucre, la moutarde, le poivre et l'échalote. Incorporer l'huile, la sauce au piment, la coriandre, la ciboulette, le persil et le basilic.

2. Assécher les filets de poisson dans un linge propre, arroser avec le jus de citron et saupoudrer de poivre. Laisser mariner environ 10 minutes.

3. Tapisser un plat allant au four de papier sulfurisé. Étendre les carottes sur le papier. Disposer le poisson sur le dessus. Couvrir d'un autre morceau de papier sulfurisé.

4. Cuire dans un four préchauffé à 200 °C (400 °F) de 8 à 10 minutes par 2,5 cm (1 po) d'épaisseur, ou jusqu'à ce que la chair du poisson commence à se défaire en flocons sous la fourchette.

5. Retirer le poisson du four et le déposer délicatement dans un plat de service. Y disperser les carottes et verser la vinaigrette. Décorer le plat d'une couronne de cresson.

FLÉTAN GRILLÉ SUR UN LIT DE CITRON

La saveur très délicate du flétan est très appréciée. Si vous avez le choix, optez pour du flétan frais plutôt que surgelé, car la chair a une texture plus agréable. Gardez à l'esprit que la chair du flétan devient sèche lorsqu'elle est trop cuite.

C'est Hugh Carpenter, l'auteur d'un fabuleux livre de recettes de poisson intitulé *Fast Fish* qui m'a montré cette technique pour cuire le poisson. Le citron empêche le poisson de coller, tout en parfumant sa chair.

Donne 4 portions

4	filets de flétan, d'environ 175 g (6 oz) chacun, de 2,5 cm (1 po) d'épaisseur	4
15 ml	huile d'olive	1 c. à soupe
2 ml	sel	1/2 c. à thé
1 ml	poivre	1/4 à thé
25 ml	thym frais, haché, ou 5 ml (1 c. à thé) de thym séché	2 c. à soupe
2	citrons, coupés en tranches de 5 mm (1/4 po)	2

1. Assécher le flétan dans un linge propre et le déposer dans un plat peu profond allant au four. Dans un petit bol, mélanger l'huile, le sel, le poivre et le thym. Bien enrober le poisson de la préparation et le laisser mariner au réfrigérateur jusqu'au moment de le cuire.

2. Disposer les tranches de citron en carré ou en rangées (elles doivent se toucher) sur la grille du barbecue. Déposer le poisson sur les tranches de citron. Abaisser le couvercle et cuire à feu moyen-vif, de 12 à 15 minutes, ou jusqu'à ce que le poisson soit à point. Ne pas retourner le poisson en cours de cuisson. Si votre barbecue n'a pas de couvercle, renverser une casserole de métal sur le poisson pour le couvrir.

3. À l'aide d'une spatule, retirer le poisson du gril (sans le citron). Presser un peu de jus de citron au-dessus des filets et servir.

BARBUE AUX CÂPRES ET AU CITRON

La barbue est le premier poisson d'élevage en Amérique du Nord. Elle doit sa popularité aux soins apportés par les éleveurs au maintien d'une qualité constante et au respect de normes élevées.

Cette recette convient également bien au tilapia ou à tout autre poisson à chair blanche. Garnissez le plat de tranches de citron et de persil haché.

Donne 4 portions

500 g	filets de barbue, sans la peau, de 1 cm (1/2 po) d'épaisseur	1 lb
2 ml	sel	1/2 c. à thé
1 ml	poivre	1/4 c. à thé
125 ml	farine tout usage	1/2 tasse
15 ml	huile d'olive	1 c. à soupe
125 ml	vin blanc sec, fumet de poisson, ou bouillon de poulet maison (page 127)	1/2 tasse
25 ml	jus de citron	2 c. à soupe
25 ml	fumet de poisson maison, bouillon de poulet (page 127) ou eau	2 c. à soupe 2 c. à soupe
25 ml	câpres	2 c. à soupe
25 ml	persil frais, haché	2 c. à soupe

1. Assécher le poisson dans un linge propre. Saler et poivrer. Enrober les filets de farine juste avant de les cuire.

2. Faire chauffer l'huile à feu moyen-vif dans une grande poêle anti-adhésive. Cuire les filets de 3 à 4 minutes, de chaque côté, selon leur épaisseur, jusqu'à ce qu'ils soient dorés et à point.

3. Retirer le poisson de la poêle et le déposer dans un plat de service. Essuyer la poêle avant de la remettre sur le feu. Ajouter le vin rouge

LES CÂPRES

Contrairement à ce que certains croient, les câpres ne sont pas des produits de la mer, elles sont les boutons du câprier, un arbuste de la côte méditerranéenne. Cette croyance est sans doute attribuable au fait qu'elles accompagnent souvent le poisson. Elles ont une saveur piquante qui atténue le goût prononcé de certains aliments comme le saumon fumé. Elles se conservent dans le vinaigre ou l'eau et, dans les deux cas, il faut les rincer avant de les utiliser.

VALEUR NUTRITIONNELLE PAR PORTION

Calories	263
Protéines	19 g
Matières grasses	11 g
Saturées	2 g
Cholestérol	60 mg
Glucides	10 g
Fibres	1 g
Sodium	500 mg
Potassium	362 mg

Excellente source : thiamine ; niacine ; vitamine B12

et laisser réduire jusqu'à ce qu'il ne reste que quelques cuillerées. Ajouter le jus de citron, le bouillon, les câpres et le persil. Verser la sauce sur le poisson.

MORUE AU FOUR EN SAUCE TOMATE AUX OIGNONS

Voici une façon remarquablement simple et rapide d'apprêter le poisson, mais si vous préférez préparer ce plat à l'avance, présentez-le en terrine. Avant de servir, versez la sauce tomate cuite sur le poisson et cuisez dans un four préchauffé à 200 °C (400 °F) de 15 à 20 minutes. Vous pouvez utiliser n'importe quel filet épais de poisson à chair blanche pour cette recette.

Donne 6 portions

15 ml	huile d'olive	1 c. à soupe
2	oignons, tranchés	2
4	gousses d'ail, hachées finement	4
	une pincée de flocons de piment fort	
1	boîte de 796 ml (28 oz) de tomates italiennes, non égouttées, ou 1 l (4 tasses) de tomates cerises	1
15 ml	thym frais, haché, ou 2 ml (1/2 c. à thé) de thym séché	1 c. à soupe
25 ml	olives noires, dénoyautées (facultatif) sel et poivre au goût	2 c. à soupe
6	morceaux de morue fraîche, sans la peau, d'environ 125 g (1/4 lb) chacun, de 2,5 cm (1 po) d'épaisseur	6
50 ml	persil frais, haché	1/4 tasse

1. Chauffer l'huile à feu moyen dans une grande poêle antiadhésive profonde. Y mettre les oignons, l'ail et les flocons de piment fort. Faire fondre les oignons quelques minutes à feu doux.

2. Ajouter les tomates et le thym. Défaire les tomates à la cuillère. Porter à ébullition et cuire jusqu'à ce que le mélange épaississe, soit de 5 à 7 minutes. Remuer fréquemment. Incorporer les olives, le sel et le poivre.

3. Assécher le poisson dans un linge propre, le placer dans la poêle et le napper de sauce. Couvrir et laisser cuire de 5 à 8 minutes, selon l'épaisseur du poisson, ou jusqu'à ce que le poisson soit juste à point. Parsemer de persil avant de servir.

VIVANEAU AU FOUR AU PIMENT FORT

De plus en plus de restaurants font griller le poisson en entier et le servent tel quel ; toutefois, la plupart des gens hésitent à le servir ainsi à la maison. Pour ma part, lorsque mon plat est assez grand pour loger le poisson en entier, soit avec la tête et la queue, je le présente ainsi, car ça impressionne davantage ! On peut préparer le poisson à l'avance et le passer au four tout juste avant le service, ou le cuire d'abord pour le servir tiède ou froid.

Donne 8 portions

1	vivaneau de 2 kg (4 lb), nettoyé	1
25 ml	gingembre frais, émincé	2 c. à soupe
2	gousses d'ail, émincées	2
15 ml	pâte de piment orientale	1 c. à soupe
5 ml	huile de sésame grillé	1 c. à thé
50 ml	coriandre fraîche ou persil frais, hachés	1/4 tasse
3	oignons verts, hachés	3
2 ml	sel	1/2 c. à thé
15 ml	huile d'olive	1 c. à soupe
1	citron en tranches (facultatif)	1
	brins de coriandre fraîche ou de persil frais (facultatif)	

1. Si le poisson est trop long pour le plat, lui ôter la tête et la queue. L'assécher en l'épongeant dans un linge propre, aussi bien à l'intérieur qu'à l'extérieur. Pratiquer quatre entailles en diagonale dans la chair du poisson.

2. Dans un robot culinaire, mélanger le gingembre, l'ail et la pâte de piment. Ajouter l'huile de sésame, la coriandre, les oignons verts et le sel. Réduire en purée.

3. Réserver 15 ml (1 c. à soupe) de purée. Enfoncer le reste de la purée dans les entailles pratiquées dans les flancs du poisson. Mélanger la purée mise de côté avec de l'huile d'olive et en enrober le poisson.

4. Mettre le poisson dans un grand plat tapissé de papier d'aluminium. Cuire le poisson dans un four préchauffé à 220 °C (425 °F), à raison de 10 minutes par 2,5 cm (1 po) d'épaisseur. (Ainsi, si le poisson a une épaisseur de 7,5 cm (3 po), le cuire environ 30 minutes.) Garnir de citron et de coriandre.

LES TEMPS DE CUISSON DU POISSON

Le ministère canadien des Pêcheries a émis des lignes directrices quant à la cuisson du poisson. Il convient de cuire le poisson à feu moyen-vif, à raison de 10 minutes par 2,5 cm (1 po) d'épaisseur. Si vous cuisinez du poisson congelé, doublez le temps de cuisson.

Il y a deux exceptions à cette règle : le thon, qui se mange saignant, et le poisson rôti, qui demande 5 minutes de plus de cuisson, soit le temps que la chaleur pénètre au cœur de sa chair.

VALEUR NUTRITIONNELLE PAR PORTION

Calories	129
Protéines	21 g
Matières grasses	4 g
Saturées	1 g
Cholestérol	37 mg
Glucides	2 g
Fibres	traces
Sodium	191 mg
Potassium	469 mg

Excellente source : vitamine B12

Bonne source : niacine ; vitamine B6

Vivaneau à la salsa

Remplacer la purée de coriandre par 500 ml (2 tasses) de salsa aux tomates.

POISSON MARINÉ À LA FAÇON DE CAPE MALAY

Si vous aimez les aliments marinés, cette recette sud-africaine saura vous plaire. Il existe de nombreuses versions de ce plat, dont une avec du poisson frit, mais je craque pour celle-ci.

En Afrique du Sud, on prépare le poisson mariné avec de l'abadèche rose, mais je préfère le préparer avec du mérou ou de l'hoplostète orange. Servez-le avec du pain aux graines (page 471).

Donne 8 portions

1 kg	filets de mérou ou d'hoplostète orange, sans la peau	2 lb
1 ml	sel	1/4 c. à thé
1 ml	poivre	1/4 c. à thé
25 ml	huile d'olive	2 c. à soupe

Marinade

375 ml	vinaigre de vin blanc ou de cidre	1 1/2 tasse
375 ml	eau	1 1/2 tasse
75 ml	sucre blanc	1/3 tasse
45 ml	confiture d'abricot	3 c. à soupe
15 ml	poudre ou pâte de cari	1 c. à soupe
5 ml	sel	1 c. à thé
1	feuille de laurier	1
2	oignons, tranchés	2
25 ml	raisins secs	2 c. à soupe

1. Assécher le poisson dans un linge propre et le couper en morceaux de 60 g (2 oz). Saupoudrer le sel et le poivre, verser l'huile d'olive sur les filets et bien les enduire. Les déposer sur une plaque à pâtisserie tapissée de papier sulfurisé et cuire au four préchauffé à 230 °C (450 °F) de 5 à 7 minutes pour l'hoplostète orange et de 12 à 15 minutes pour le mérou (selon l'épaisseur des filets). Prenez soin de ne pas trop cuire le poisson. Déposer les filets côte à côte dans une assiette.

2. Pour préparer la marinade, mélanger le vinaigre, l'eau, le sucre, la confiture, la pâte de cari, le sel et la feuille de laurier dans une grande

casserole. Porter à ébullition et ajouter les oignons. Laisser mijoter doucement de 10 à 15 minutes, ou jusqu'à ce que les oignons soient à la fois tendres et encore légèrement croquants. Ajouter les raisins. Laisser tiédir 15 minutes. Goûter et ajuster l'assaisonnement au besoin.

3. Verser la marinade sur le poisson et réfrigérer durant une nuit.

POISSON À LA YIDDISH (GELFILTE)

Le poisson gelfilte est un plat traditionnel juif servi habituellement au dîner de la Pâque, appelé Seder, et le jour de Rosh Hashanah. Tout cuisinier juif a sa propre version du poisson gelfilte, chacun l'apprête en ajoutant plus ou moins de sucre, de sel, de poivre et chacun le cuit à sa manière. Traditionnellement, on déposait les arêtes, les têtes et les queues de poisson au fond du plat avec des oignons et des carottes tranchés. La pâte à base de poisson était façonnée en boulettes que l'on faisait pocher. Mais il existe une méthode plus simple et plus rapide qui consiste à cuire la pâte dans un moule à pain.

Certaines poissonneries vendent le mélange de poisson déjà préparé, mais il faut le commander à l'avance. De toutes les versions que je connais de ce plat, voici celle que je préfère. Le gelfilte étant un plat froid, j'ai l'habitude de le préparer au moins une journée à l'avance. Servez-le sur des feuilles de laitue avec des tomates cerises et des radis roses.

Donne 16 portions

1,5 kg	poissons, hachés, mélangés (par exemple 750 g (1 1/2 lb) de poisson blanc, 500 g (1 lb) de doré jaune et 250 g (1/2 lb) de saumon	3 lb
3	œufs	3
125 ml	eau froide	1/2 tasse
25 ml	farine de matsa (page 103)	1/2 tasse
1	petit oignon, râpé, soit de 50 à 75 ml (1/4 à 1/3 tasse)	1
1	carotte, hachée finement, soit environ 125 ml (1/2 tasse)	1
15 ml	sucre cristallisé blanc	1 c. à soupe
20 ml	sel	4 c. à thé
5 ml	poivre	1 c. à thé

RAIFORT MAISON
Pelez un morceau de raifort de 15 cm (6 po), coupez-le en morceaux et hachez-le finement au robot culinaire avec une petite betterave rouge crue et pelée. Ajoutez quelques cuillerées à soupe de vinaigre blanc et réduire la préparation en purée.

VALEUR NUTRITIONNELLE PAR PORTION

Calories	139
Protéines	18 g
Matières grasses	5 g
Saturées	1 g
Cholestérol	93 mg
Glucides	4 g
Fibres	traces
Sodium	643 mg
Potassium	326 mg

Excellente source : niacine ; vitamine B12
Bonne source : thiamine ; vitamine B6

1. Dans un grand bol, mélanger le poisson, les œufs, l'eau, la farine de matsa, l'oignon, la carotte, le sucre, le sel et le poivre. Mélanger délicatement avec les mains ou à l'aide d'une spatule ou d'une grande cuillère.

2. Déposer le mélange dans un moule à pain d'une capacité de 2 l (8 tasses) (23 cm x 13 cm/9 po x 5 po), tapissé de papier sulfurisé. Égaliser la surface et recouvrir de papier d'aluminium.

3. Remplir une rôtissoire à moitié d'eau bouillante ou d'eau chaude et la déposer dans un four préchauffé à 180 °C (350 °F). Déposer délicatement le moule contenant le poisson dans la rôtissoire et cuire au four pendant 1 heure. Retirer le papier d'aluminium et poursuivre la cuisson pendant 30 minutes.

4. Laisser tiédir le poisson, puis le garder au réfrigérateur pendant quelques heures ou toute la nuit. Le retirer du moule et le trancher.

THON GRILLÉ AUX OLIVES ET À LA SALSA

C'est en Espagne que j'ai dégusté ce plat pour la première fois. Depuis, je ne cesse de l'améliorer pour qu'il ressemble le plus possible au plat que j'avais tant aimé ce jour-là.

Le thon est à son meilleur lorsqu'il est saignant, c'est pourquoi il est important d'avoir du poisson très frais et de ne pas trop le cuire, sans quoi la chair sera très sèche.

VALEUR NUTRITIONNELLE PAR PORTION

Calories	202
Protéines	27 g
Matières grasses	10 g
Saturées	2 g
Cholestérol	43 mg
Glucides	1 g
Fibres	traces
Sodium	238 mg
Potassium	326 mg

Excellente source : vitamine A ; niacine ; vitamine B6 ; vitamine B12

Bonne source : thiamine ; riboflavine

Donne 8 portions

1 kg	filets de thon, sans la peau, de 2,5 cm (1 po) d'épaisseur	2 lb
25 ml	huile d'olive, divisée en deux portions	2 c. à soupe
2 ml	sel	1/2 c. à thé
2 ml	poivre	1/2 c. à thé
15 ml	thym frais, haché, ou 2 ml (1/2 c. à thé) de thym séché	1 c. à soupe
2	tomates italiennes, épépinées et coupées en dés	2
25 ml	olives noires, dénoyautées et hachées	2 c. à soupe
25 ml	olives vertes, dénoyautées et hachées une pincée de flocons de piment fort	2 c. à soupe
25 ml	vinaigre de xérès	2 c. à soupe
15 ml	persil frais, haché	1 c. à soupe

1. Assécher le thon dans un linge propre, puis le badigeonner de 15 ml (1 c. à soupe) d'huile d'olive. Mélanger le sel, le poivre et le thym, et enrober le thon de la préparation.

2. Faire chauffer une grande poêle antiadhésive légèrement huilée à feu vif. Y déposer le thon et le cuire 2 minutes de chaque côté. Déposer le thon sur une planche à découper. (Prenez soin de minuter le temps de cuisson, car le thon cuit rapidement.)

3. Ajouter le reste de l'huile d'olive dans la poêle et y faire revenir les tomates, les olives, les flocons de piment fort, le vinaigre et le persil. Cuire 2 minutes.

4. Couper le thon en tranches et verser la sauce sur les tranches.

THON GRILLÉ ET SALADE DE NOUILLES JAPONAISES

Depuis quelques années, le thon frais jouit d'une grande popularité. Le goût et l'aspect de la chair du thon grillé servi saignant rappelle ceux de la viande rouge.

Bien que cette recette comporte plusieurs ingrédients, elle est facile à réaliser. Comme le thon est servi saignant, assurez-vous qu'il soit très frais. Le thon cuit très vite, soyez donc très attentif durant la cuisson pour ne pas trop le cuire.

Vous pouvez préparer le poisson et le servir tel quel, sans les nouilles, et vice-versa. Les nouilles japonaises sont vendues dans les épiceries asiatiques et les magasins d'aliments naturels.

Donne 6 portions

500 g	filets de thon, de 2,5 cm (1 po) d'épaisseur	1 lb
15 ml	huile de sésame grillé	1 c. à soupe
15 ml	poivre	1 c. à soupe
2 ml	sel	1/2 c. à thé
2 ml	huile végétale	1/2 c. à thé

Salade de nouilles à la japonaise

250 g	nouilles japonaises de blé entier ou de sarrasin, ou nouilles de blé entier ordinaires	1/2 lb
1	grosse carotte, coupée en julienne	1
1	courgette de taille moyenne, coupée en julienne	1
1	poivron rouge, épépiné et coupé en julienne	1

LES OLIVES

Les olives sont riches en matières grasses et en sodium, mais leur saveur très prononcée fait que l'on peut les utiliser avec parcimonie. Plutôt que de présenter de pleins bols d'olives à grignoter, employez-en de petites quantités comme assaisonnement dans les salades et les sauces pour pâtes. Les olives noires sont des olives mûres, tandis que les olives vertes n'ont pas encore atteint leur maturité.

En règle générale, les meilleures olives ne sont pas dénoyautées. Détachez la chair du noyau à l'aide d'un couteau bien affûté, ou placez les olives sur une planche à découper et écrasez-les d'un coup sec donné avec le plat d'un couteau ou avec un attendrisseur à viande ; dans la plupart des cas, les noyaux seront expulsés.

1	poivron jaune, épépiné et coupé julienne	1
60 g	pois mange-tout, coupés finement en diagonale	2 oz
3	oignons verts, coupés en julienne	3
1	petite gousse d'ail, émincée	1
15 ml	gingembre frais, émincé	1 c. à soupe
15 ml	vin de riz	1 c. à soupe
15 ml	sauce soya	1 c. à soupe
15 ml	vinaigre de riz ou de cidre	1 c. à soupe
15 ml	huile de sésame grillé	1 c. à soupe
15 ml	jus de citron	1 c. à soupe
2 ml	sauce au piment rouge	1/2 c. à thé
75 ml	coriandre fraîche ou persil frais, hachés	1/3 tasse
25 ml	menthe fraîche, hachée	2 c. à soupe
25 ml	basilic frais, haché	2 c. à soupe

1. Assécher le thon dans un linge propre. L'enrober d'huile de sésame, de poivre et de sel.

2. Faire chauffer l'huile dans une poêle antiadhésive ou faire chauffer un barbecue ou un gril à feu élevé. Saisir les tranches de thon de chaque côté. Trancher le poisson diagonalement en fines tranches (il devrait être peu cuit).

3. Pendant ce temps, cuire les nouilles dans une grande casserole d'eau bouillante en suivant les instructions sur l'emballage. Rincer à l'eau froide et égoutter.

4. Porter une casserole d'eau à ébullition. Y ajouter la carotte, la courgette et les poivrons, et laisser cuire 2 minutes. À l'aide d'une passoire métallique, recueillir les légumes et les refroidir sous l'eau froide. Les assécher en les épongeant.

5. Dans la casserole d'eau bouillante, ajouter les pois mange-tout et les oignons verts, et les faire bouillir pendant 10 secondes, ou jusqu'à ce qu'ils soient d'un beau vert vif. Les refroidir sous l'eau froide et les assécher en les épongeant.

6. Dans un petit bol, mélanger l'ail, le gingembre, le vin de riz, la sauce soya, le vinaigre de riz, l'huile de sésame, le jus de citron et la sauce au piment.

7. Mélanger les nouilles, les légumes, la sauce, la coriandre, la menthe et le basilic. Mettre les nouilles dans un plat de service et y déposer les tranches de thon grillé.

VALEUR NUTRITIONNELLE PAR PORTION

Calories	324
Protéines	25 g
Matières grasses	9 g
Saturées	2 g
Cholestérol	29 mg
Glucides	37 g
Fibres	7 g
Sodium	380 mg
Potassium	513 mg

Excellente source :
vitamine A ; vitamine C ; thiamine ; niacine ; vitamine B6 ; vitamine B12

Bonne source :
riboflavine ; fer

LE POISSON

Un poisson frais ne devrait dégager aucune odeur désagréable. Sa chair doit être ferme au toucher et sa peau, lisse et glissante. Les yeux doivent être brillants et les branchies de couleur rouge.

Si le poissonnier a mis votre poisson dans un sac de plastique, déballez-le dès votre arrivée. Transférez-le dans un contenant de verre ou d'acier inoxydable que vous couvrirez soigneusement, et placez-le dans la partie la plus froide du réfrigérateur, au-dessus d'un plat contenant de la glace et de l'eau. Apprêtez le poisson le plus rapidement possible, au plus tard dans les deux jours qui suivent l'achat.

Dans la mesure du possible, j'achète du poisson frais. Si toutefois vous vous procurez du poisson surgelé, faites-le décongeler au réfrigérateur ou emballez-le hermétiquement dans une pellicule plastique, et plongez-le dans un grand bol d'eau froide. La décongélation à la température ambiante détruit la texture de la chair du poisson et l'assèche, en plus d'être favorable à la prolifération des bactéries. Ne faites jamais recongeler du poisson décongelé.

Les espèces menacées ou contaminées

À la maison comme au restaurant, le choix d'un poisson dont l'élevage ou la pêche ne menace pas l'environnement et dont la chair ne représente pas de risque pour la santé peut s'avérer difficile. Par exemple, au moment où ce livre est rédigé, seul l'espadon pêché le long des côtes américaines est recommandé. Le bar du Chili, un classique à la carte de nombreux restaurants, figure maintenant sur la liste des espèces menacées.

FRICADELLES DE THON OU D'ESPADON À L'ORIENTALE

Bien des gens sont d'accord pour manger davantage de poisson, à condition que celui-ci leur rappelle la viande. Le thon et l'espadon hachés se prêtent bien à la préparation de fricadelles à hamburger, car leur texture est ferme et charnue.

Servir sur de petits pains à burger avec des rondelles d'oignon rouge.

Donne 6 portions

10 ml	huile d'olive	2 c. à thé
3	oignons verts, hachés	3
15 ml	gingembre frais, haché finement	1 c. à soupe
1	gousse d'ail, hachée finement	1
500 g	thon ou espadon frais, sans la peau, sans arêtes	1 lb
2	blancs d'œufs, ou 1 œuf entier	2
125 ml	chapelure fraîche de blé entier ou ordinaire	1/2 tasse
2 ml	sel	1/2 c. à thé
1 ml	poivre	1/4 c. à thé
25 ml	sauce hoisin	2 c. à soupe
15 ml	sauce soya	1 c. à soupe

VALEUR NUTRITIONNELLE PAR PORTION

Calories	326
Protéines	25 g
Matières grasses	10 g
Saturées	2 g
Cholestérol	29 mg
Glucides	32 g
Fibres	3 g
Sodium	730 mg
Potassium	462 mg

Excellente source : vitamine A ; thiamine ; niacine ; vitamine B12
Bonne source : riboflavine ; vitamine B6 ; fer

| 5 ml | huile de sésame grillé | 1 c. à thé |
| 6 | petits pains de blé entier, ou ordinaires ou au sésame | 6 |

1. Chauffer l'huile à feu moyen dans une poêle. Ajouter les oignons verts, le gingembre et l'ail, et cuire jusqu'à ce que le tout soit odorant.

2. Couper le poisson en morceaux et éponger ceux-ci avec un linge propre. Au robot culinaire, hacher grossièrement le poisson. Ajouter les blancs d'œufs et la chapelure et bien mélanger. Incorporer à cette préparation la poêlée d'ail refroidie, ajouter le sel et le poivre. Former 6 galettes de 1 cm (1/2 po) d'épaisseur.

3. Pour préparer la sauce, mélanger dans un petit bol la sauce hoisin, la sauce soya et l'huile de sésame.

4. Cuire les galettes sur le gril 1 ou 2 minutes. Les retourner et les badigeonner de sauce. Les retourner et badigeonner de nouveau, en les laissant cuire au total de 3 à 4 minutes de chaque côté, ou jusqu'à ce qu'elles soient à point mais encore juteuses. Servir dans des petits pains au sésame.

Fricadelles de thon au citron et au romarin

Omettre le gingembre et la sauce. Ajouter à la préparation 15 ml (1 c. à soupe) de jus de citron et 5 ml (1 c. à thé) de romarin frais haché (ou une pincée de romarin séché). Servir les fricadelles dans des petits pains italiens ou pitas, avec des tranches d'aubergine et de poivron rouge grillées.

ESPADON À LA SICILIENNE

Cette recette donne aussi de très bons résultats avec des côtelettes d'agneau ou de veau.

Donne 6 portions

15 ml	huile d'olive, divisée en deux portions	1 c. à soupe
1	gros oignon, haché	1
1	gousse d'ail, hachée finement	1
250 ml	chapelure fraîche de blé entier ou ordinaire	1 tasse
25 ml	pignons rôtis	2 c. à soupe
25 ml	raisins de Corinthe (s'ils sont durs, les mettre à tremper dans l'eau bouillante pendant 5 minutes)	2 c. à soupe
25 ml	persil frais, haché	2 c. à soupe

LES PIGNONS

Les pignons, aussi appelés « noix de pin », sont utilisés dans la cuisine d'Italie et du Moyen-Orient, et sont également courants dans les plats chinois. Ils sont riches en matières grasses, mais comme le rôtissage renforce leur goût, en les utilisant rôtis, vous pourrez en utiliser moins. Conservez les pignons au congélateur si vous ne les utilisez pas tout de suite après l'achat.

Pour les faire rôtir, étalez-les sur une plaque à pâtisserie et les mettre à griller dans un four préchauffé à 180 °C (350 °F) durant 3 à 5 minutes, ou jusqu'à ce qu'ils soient légèrement dorés.

25 ml	parmesan, râpé	2 c. à soupe
25 ml	câpres	2 c. à soupe
6	darnes d'espadon	6
	d'environ 125 g (1/4 lb) chacune,	
	de 2 cm (3/4 po) d'épaisseur	
2 ml	sel	1/2 c. à thé
1 ml	poivre	1/4 c. à thé

1. Chauffer la moitié de l'huile à feu moyen dans une grande poêle antiadhésive. Y faire sauter l'oignon et l'ail jusqu'à ce que l'oignon ramollisse, soit environ 5 minutes. Si l'oignon commence à coller au fond de la poêle, ajouter quelques cuillerées d'eau et cuire jusqu'à ce qu'elle se soit évaporée.

2. Mettre le mélange à base d'oignon dans un bol avec la chapelure, les pignons, les raisins de Corinthe, le persil, le parmesan et les câpres.

3. Badigeonner l'espadon du restant d'huile d'olive, saler et poivrer. Le faire griller 2 minutes de chaque côté. Déposer le poisson sur une plaque à pâtisserie. Appliquer le mélange à base de chapelure sur la surface du poisson en exerçant une légère pression.

4. Avant de servir, faire griller le poisson sous l'élément de grillage du four pendant 2 ou 3 minutes, ou jusqu'à ce qu'il soit doré et croustillant. Surveiller l'opération de près pour éviter que le poisson ne brûle.

VALEUR NUTRITIONNELLE PAR PORTION

Calories	204
Protéines	23 g
Matières grasses	9 g
Saturées	2 g
Cholestérol	41 mg
Glucides	8 g
Fibres	1 g
Sodium	446 mg
Potassium	400 mg

Excellente source :
niacine ; vitamine B12
Bonne source :
vitamine B6

SAUMON GRILLÉ SUR PLANCHE DE CÈDRE

Ce plat est amusant et délicieux. Procurez-vous quelques planches de cèdre non traité au supermarché ou dans une cour à bois. Vous pourrez utiliser la même planche à quelques reprises, en autant qu'elle ne soit pas trop carbonisée. Peut-être voudrez-vous aussi réserver une planche pour la présentation ; déposez le saumon sur la planche et garnissez-le de fines herbes fraîches.

Si vous ne voulez pas faire cuire le saumon sur le barbecue, placez la planche trempée sur une plaque à pâtisserie munie d'un bord, posez-y le poisson mariné et enveloppez le tout de papier d'aluminium. Faites rôtir dans un four préchauffé à 230 °C (450 °F) pendant environ 20 à 30 minutes, ou jusqu'à ce que la chair du poisson commence à se défaire en flocons sous les dents d'une fourchette. Enlevez le papier d'aluminium 5 minutes avant la fin de la cuisson.

Si vous préférez ne pas le faire griller à la planche, faites tout simplement rôtir le poisson mariné à la poêle, au four ou sur le barbecue. Préparez des sandwiches, des salades ou une tartinade avec les restes. Pour ce faire, il suffit de passer les restes au robot culinaire avec un peu de fromage de yogourt, de mayonnaise ou de fromage à la crème.

Donne de 6 à 8 portions

1 kg	filets de saumon, avec la peau, de 2,5 cm (1 po) d'épaisseur	2 lb
1	gousse d'ail, émincée	1
15 ml	gingembre frais, haché	1 c. à soupe
45 ml	cassonade	3 c. à soupe
5 ml	cumin moulu	1 c. à thé
5 ml	sel	1 c. à thé
2 ml	poivre	1/2 c. à thé
10 ml	huile de sésame grillé	2 c. à thé

VALEUR NUTRITIONNELLE PAR PORTION

Calories	287
Protéines	28 g
Matières grasses	17 g
Saturées	3 g
Cholestérol	78 mg
Glucides	6 g
Fibres	traces
Sodium	364 mg
Potassium	33 mg

Excellente source : thiamine ; niacine ; vitamine B6 ; vitamine B12
Bonne source : acide folique

1. Faire tremper une planche de cèdre de 30 cm x 20 cm (12 po x 8 po) dans de l'eau froide pendant quelques heures.
2. Assécher le poisson dans un linge propre et le déposer à plat sur la peau. Pratiquer des incisions dans la chair à intervalles d'environ 5 cm (2 po) sans entamer la peau.
3. Dans un petit bol, mélanger l'ail, le gingembre, la cassonade, le cumin, le sel, le poivre et l'huile de sésame. Frotter le poisson avec la préparation et laisser mariner de 10 à 20 minutes.
4. Déposer le saumon sur la planche de cèdre trempée et déposer le tout sur la grille du barbecue. Refermer le couvercle du barbecue ou recouvrir de papier d'aluminium, et laisser cuire le saumon de 15 à 25 minutes, ou jusqu'à ce qu'il soit à point. Pour les 5 dernières minutes de la cuisson, ouvrir le couvercle du barbecue ou retirer le papier d'aluminium. Ne pas retourner le poisson durant la cuisson.
5. Soulever le poisson à la spatule et le servir sans la peau.

SAUMON EN CROÛTE AUX GRAINES DE SÉSAME

Voici l'un de mes mets préférés. J'ai l'habitude de le servir avec du riz basmati cuit à la vapeur, du quinoa ou de la semoule de blé.

Donne 6 portions

6	filets de saumon frais, sans la peau, d'environ 125 g (1/4 lb) chacun	6

15 ml	miel	1 c. à soupe
15 ml	sauce soya	1 c. à soupe
5 ml	moutarde au miel	5 ml
15 ml	graines de sésame	1 c. à soupe

Sauce au gingembre et à l'orange

1	gousse d'ail, émincée	1
5 ml	gingembre, émincé	1 c. à thé
45 ml	jus d'orange	3 c. à soupe
25 ml	sauce soya	2 c. à soupe
25 ml	vinaigre de riz ou vinaigre balsamique	2 c. à soupe
10 ml	huile de sésame	2 c. à thé
10 ml	miel	2 c. à thé
1 ml	sauce au piment rouge	1/4 c. à thé

Salade

3 l	laitues variées	12 tasses
500 g	asperges, parées, cuites et coupées en morceaux, ou haricots verts	1 lb
1	poivron rouge, épépiné et coupé en lanières	1
1	orange, pelée et séparée en quartiers	1
25 ml	coriandre fraîche ou persil frais, hachés	2 c. à soupe
25 ml	ciboulette fraîche ou oignons verts, hachés	2 c. à soupe

1. Assécher les filets de saumon dans un linge propre. Dans un petit bol, mélanger le miel, la sauce soya et la moutarde. Enrober le saumon de ce mélange. Saupoudrer de graines de sésame.

2. À feu vif, faire chauffer une poêle légèrement huilée et allant au four. Y déposer le saumon et le cuire 1 minute de chaque côté. Transférer dans un four préchauffé à 220 °C (425 °F). Laisser rôtir de 7 à 8 minutes, ou jusqu'à ce que le poisson soit à point.

3. Pendant ce temps, préparer la sauce en battant au fouet l'ail, le gingembre, le jus d'orange, la sauce soya, le vinaigre, l'huile de sésame, le miel et la sauce au piment. Goûter et rectifier l'assaisonnement au besoin.

4. Mélanger la laitue, les asperges, les poivrons, l'orange, la coriandre et la ciboulette. Verser la vinaigrette et remuer. Déposer le saumon grillé sur la salade.

VALEUR NUTRITIONNELLE PAR PORTION

Calories	242
Protéines	25 g
Matières grasses	10 g
Saturées	1 g
Cholestérol	57 mg
Glucides	16 g
Fibres	3 g
Sodium	496 mg
Potassium	1049 mg

Excellente source : vitamine A ; vitamine C ; thiamine ; niacine ; riboflavine ; vitamine B6 ; acide folique ; vitamine B12

Bonne source : fer

NETTOYER
LES ÉPINARDS

Les pousses d'épinards
sont une véritable
bénédiction. Non
seulement ont-elles une
saveur délicate, mais
elles sont très tendres.
Mieux encore, il est
inutile de les parer et de
les laver.

Quant aux épinards
frais, ils contiennent
parfois du sable. Pour
les nettoyer, il suffit de
remplir l'évier d'eau
froide, d'y plonger les
épinards et de les
laisser tremper pendant
une minute ou deux en
remuant. Les laisser
ensuite reposer
quelques minutes. Le
sable tombera au fond
de l'évier et les épinards
flotteront. Soulever les
feuilles délicatement et
bien les essorer.

SAUMON VAPEUR
À LA SAUCE CORÉENNE

Cette recette est une adaptation d'une recette que je tiens de Madhur
Jaffrey, mon professeur de cuisine à l'école de cuisine Darina Allen,
située non loin de Cork, en Irlande. Elle y enseignait la cuisine durant
ses vacances, tandis que j'y étudiais la cuisine durant les miennes.
Jaffrey est une actrice accomplie, une qualité qui lui sert bien devant
ses étudiants, qu'elle envoûte littéralement. Je l'ai convaincue de venir
passer ses vacances à Toronto pour y enseigner la cuisine dans mon
école et elle a charmé mes étudiants.

On peut préparer ce poisson avec une sauce aux haricots noirs
fermentés (page 231). Servez-le chaud ou froid.

Donne 4 portions

125 g	vermicelles de riz ou cheveux d'ange ordinaires	1/4 lb
375 g	pousses d'épinards fraîches, environ 1,5 l (6 tasses), bien tassées	3/4 lb
15 ml	gingembre frais, haché finement	1 c. à soupe
3	oignons verts, hachés	3
4	filets de saumon, sans la peau, d'environ 125 g (1/4 lb) chacun	4
1	citron, coupé en 8 rondelles	1
1 ml	poivre	1/4 c. à thé

Sauce coréenne

20 ml	sauce soya	1 1/2 c. à soupe
25 ml	eau	2 c. à soupe
10 ml	huile de sésame grillé	2 c. à thé
1	gousse d'ail, émincée	1
5 ml	gingembre frais, émincé	1 c. à thé
10 ml	sucre cristallisé blanc	2 c. à thé
	une pincée de flocons de piment fort	
50 ml	ciboulette fraîche, hachée	1/4 tasse
50 ml	coriandre fraîche ou persil frais, hachés	1/4 tasse
15 ml	graines de sésame, grillées (page 414) (facultatif)	1 c. à soupe

1. Pour confectionner une étuveuse, placer une grille au fond d'un wok
ou d'une casserole profonde (la grille devrait se situer à 2,5 cm [1 po]

du fond). Trouver un plat peu profond, de verre ou de céramique, pouvant être posé sur la grille.

2. Recouvrir les vermicelles de riz d'eau chaude et les laisser tremper 15 minutes, ou cuire les cheveux d'ange dans l'eau bouillante en suivant les instructions inscrites sur l'emballage. Égoutter les pâtes et les rincer à l'eau froide. Réserver.

3. Déposer les épinards au fond du plat. Mettre les vermicelles sur les épinards. Y saupoudrer la moitié du gingembre et des oignons verts. Assécher le poisson dans un linge propre et le disposer en une seule couche sur les épinards. Saupoudrer le reste du gingembre et des oignons verts. Mettre deux rondelles de citron sur chaque filet. Poivrer.

4. Verser de l'eau dans le wok ou la casserole jusqu'au niveau inférieur de la grille (l'eau ne devrait pas entrer en contact avec le plat). Porter à ébullition à feu moyen-vif.

5. Déposer le plat contenant le poisson sur la grille et mettre le couvercle ou couvrir d'une feuille d'aluminium. Cuire de 8 à 10 minutes pour des tranches de 2,5 cm (1 po) d'épaisseur.

6. Entre-temps, préparer la sauce en mélangeant la sauce soya, l'eau, l'huile de sésame, l'ail, le gingembre émincé, le sucre et les flocons de piment fort.

7. Lorsque le saumon est cuit, y verser la sauce et saupoudrer de ciboulette, de coriandre et de graines de sésame.

VALEUR NUTRITIONNELLE PAR PORTION	
Calories	311
Protéines	26 g
Matières grasses	9 g
Saturées	1 g
Cholestérol	57 mg
Glucides	31 g
Fibres	3 g
Sodium	419 mg
Potassium	1021 mg

Excellente source : vitamine A ; thiamine ; niacine ; riboflavine ; fer ; vitamine B6 ; acide folique ; vitamine B12

SAUMON GLACÉ À LA SAUCE HOISIN

La sauce hoisin confère aux aliments un goût sucré et exotique. Cette recette se prête tout aussi bien au flétan qu'au thon (réduisez légèrement le temps de cuisson), à des poitrines de poulet désossées, sans la peau, ou encore à des côtelettes d'agneau très fines.

Ce plat se mange chaud ou froid et convient parfaitement aux pique-niques ; les restes peuvent être ajoutés aux salades de riz ou de couscous.

Donne 4 portions

25 ml	sauce hoisin	2 c. à soupe
15 ml	sauce soya	1 c. à soupe
5 ml	huile de sésame grillé	1 c. à thé
1 ml	poivre	1/4 c. à thé
4	filets de saumon d'environ 125 g (1/4 lb) chacun et de 2,5 cm (1 po) d'épaisseur	4

VALEUR NUTRITIONNELLE PAR PORTION	
Calories	132
Protéines	22 g
Matières grasses	4 g
Saturées	1 g
Cholestérol	47 mg
Glucides	3 g
Fibres	0 g
Sodium	359 mg
Potassium	296 mg

Excellente source : niacine
Bonne source : vitamine B6

1. Dans un petit bol, mélanger la sauce hoisin, la sauce soya, l'huile de sésame et le poivre.

2. Assécher le poisson dans un linge propre et l'enrober de sauce. Faire griller le poisson environ 5 minutes de chaque côté. (On peut aussi le cuire dans un four préchauffé à 220 °C (425 °F) de 10 à 12 minutes.)

SAUMON TANDOORI

Ce saumon est des plus tendres et des plus savoureux. Servez les restes dans un sandwich roulé, avec du riz et du raïta (page 135), ou émiettez le poisson et incorporez-le à une salade.

Cette recette se prête bien aux crevettes ou aux poitrines de poulet désossées, sans la peau.

Donne 6 portions

6	filets de saumon, sans la peau, d'environ 125 g (1/4 lb) chacun	6
75 ml	fromage de yogourt (page 420), ou yogourt nature épais, faible en gras	1/3 tasse
15 ml	gingembre frais, haché finement	1 c. à soupe
1	gousse d'ail, émincée	1
1	piment jalapeño, épépiné et haché finement	1
15 ml	cumin moulu	1 c. à soupe
15 ml	paprika	1 c. à soupe
5 ml	poivre	1 c. à thé
2 ml	sel	1/2 c. à thé
1 ml	clous de girofle moulus	1/4 c. à thé
1 ml	cardamome moulue	1/4 c. à thé

1. Assécher le saumon dans un linge propre et le déposer dans un plat peu profond allant au four.

2. Dans un petit bol, mélanger le fromage de yogourt, le gingembre, l'ail, le jalapeño, le cumin, le paprika, le poivre, le sel, les clous de girofle et la cardamome.

3. Verser le mélange à base de yogourt sur le saumon et bien l'enrober. Laisser mariner au réfrigérateur de 20 minutes à 2 heures.

4. Déposer le saumon sur une plaque à pâtisserie tapissée de papier sulfurisé. Faire rôtir le saumon dans un four préchauffé à 230 °C (450 °F) de 10 à 12 minutes (pour des filets d'un peu moins de 2,5 cm [1 po] d'épaisseur), ou jusqu'à ce qu'il soit à point.

VALEUR NUTRITIONNELLE PAR PORTION

Calories	204
Protéines	21 g
Matières grasses	12 g
Saturées	3 g
Cholestérol	59 mg
Glucides	2 g
Fibres	0 g
Sodium	167 mg
Potassium	55 mg

Excellente source :
thiamine ; niacine ;
vitamine B6 ;
vitamine B12
Bonne source :
acide folique

SAUMON EXPRESS

Un plat délicieux et coloré pour une ou deux personnes.

Saler et poivrer un ou deux filets de saumon et les déposer sur une plaque à pâtisserie tapissée de papier sulfurisé. Mélanger de 250 à 500 ml (1 à 2 tasses) de tomates cerises avec du sel, du poivre et un peu d'huile d'olive. Mélanger de 250 à 500 ml (1 à 2 tasses) de courges coupées en dés avec du sel, du poivre, un peu d'huile d'olive et 5 ml (1 c. à thé) de thym ou de romarin frais hachés ou 1 ml (1/4 c. à thé) de thym ou de romarin séchés.

Disposer les tomates et les courges autour des filets. Cuire au four préchauffé à 220 °C (425 °F) de 12 à 15 minutes, ou jusqu'à ce que le saumon soit cuit, que la peau des tomates se fendille et que les courges soient tendres.

SAUMON RÔTI AUX LENTILLES

Voici ma version d'un plat de la cuisine de bistrot française. Je préfère les lentilles du Puy aux lentilles vertes ordinaires parce qu'elles ont un goût plus délicat et parce qu'elles ne se défont pas en cuisant.

Donne 6 portions

375 ml	lentilles vertes sèches	1 1/2 tasse
20 ml	huile d'olive, divisée en deux portions	4 c. à thé
1	oignon, haché	1
2	gousses d'ail, hachées finement	2
5 ml	cumin moulu	1 c. à thé
1 ml	flocons de piment fort	1/4 c. à thé
1	carotte, coupée en petits dés	1
1	branche de céleri, coupée en petits dés	1
250 ml	tomates italiennes en boîte, non égouttées, réduites en purée	1 tasse
50 ml	persil frais, haché	1/4 tasse
2 ml	poivre	1/2 c. à thé
	sel au goût	
750 g	filets de saumon frais, sans la peau, coupés en 6 morceaux	1 1/2 lb
5 ml	romarin frais, haché, ou 1 ml (1/4 c. à thé) de romarin séché	1 c. à thé

1. Mettre les lentilles dans une grande casserole et les recouvrir généreusement d'eau. Porter à ébullition et laisser mijoter doucement de 25 à 35 minutes, jusqu'à ce qu'elles soient tendres. Bien les rincer et les égoutter.

2. Entre-temps, faire chauffer 15 ml (1 c. à soupe) d'huile à feu moyen dans une grande poêle antiadhésive ; y mettre l'oignon et l'ail. Cuire à feu doux pendant 5 minutes. Ajouter le cumin et les flocons de piment fort. Cuire pendant 30 secondes.

3. Ajouter la carotte, le céleri et les tomates. Cuire de 8 à 10 minutes, ou jusqu'à ce que les carottes soient tendres et que le liquide des tomates commence à réduire.

4. Mettre les lentilles égouttées, le persil, le poivre et le sel dans la poêle. Goûter et rectifier l'assaisonnement au besoin. Garder au chaud.

5. Chauffer le reste de l'huile à feu moyen-vif dans une autre poêle antiadhésive. Saupoudrer le saumon de romarin. Cuire pendant 1 ou 2 minutes de chaque côté, ou jusqu'à ce que le poisson soit légèrement doré et croustillant.

6. Transférer le poisson sur une plaque tapissée de papier sulfurisé (ou le laisser dans la poêle si elle peut aller au four). Cuire dans un four préchauffé à 200 °C (400 °F) de 7 à 9 minutes, ou jusqu'à ce que le poisson soit à point. Servir sur un lit de lentilles.

FLÉTAN EN CROÛTE DE COUSCOUS ET VINAIGRETTE TOMATES-OLIVES

Le moelleux du poisson et la texture du couscous se conjuguent harmonieusement dans ce plat. N'hésitez pas à essayer la vinaigrette avec votre salade préférée. Une recette qui convient bien également à la morue noire et au saumon.

LES TOMATES SÉCHÉES

Pour préparer vos propres tomates séchées, coupez des tomates italiennes en deux ou en tranches et placez-les côte à côte sur une grille au-dessus d'une plaque à pâtisserie. Faites cuire au four à 100 °C (200 °F) de 6 à 24 heures, ou jusqu'à ce que les tomates soient séchées. Conservez au congélateur.

Donne 6 portions

175 ml	couscous	3/4 tasse
175 ml	eau bouillante, ou bouillon de poulet maison (page 127)	3/4 tasse
5 ml	cumin moulu	1 c. à thé
2 ml	sel	1/2 c. à thé
125 ml	farine tout usage	1/2 tasse
1	œuf, battu	1
6	filets de flétan, sans la peau, d'environ 125 g (1/4 lb) chacun, de 2,5 cm (1 po) d'épaisseur	6

Vinaigrette tomates-olives

25 ml	vinaigre de vin rouge	2 c. à soupe
25 ml	jus de citron	2 c. à soupe

1	gousse d'ail, émincée	1
2 ml	poivre	1/2 c. à thé
50 ml	jus de tomate, ou de jus de légumes	1/4 tasse
25 ml	huile d'olive	2 c. à soupe
25 ml	tomates séchées, hachées	2 c. à soupe
25 ml	basilic frais, émincé, ou persil frais, haché sel au goût	2 c. à soupe
15 ml	huile d'olive	1 c. à soupe
2,5 l	laitues mélangées	10 tasses

1. Mettre le couscous dans un plat peu profond allant au four. Délayer le cumin et le sel dans l'eau bouillante, puis verser sur le couscous. Couvrir soigneusement de papier d'aluminium et laisser reposer 15 minutes. Défaire légèrement à la fourchette et réserver.

2. Pendant ce temps, mettre la farine dans un plat peu profond, et l'œuf battu, dans un autre plat peu profond.

3. Assécher le poisson dans un linge propre. Passer le poisson dans la farine et en secouer l'excédent. Tremper le poisson dans l'œuf et laisser égoutter l'excédent. Enrober le poisson de couscous. Conserver au réfrigérateur jusqu'au moment de la cuisson.

4. Pour préparer la vinaigrette, mélanger dans un bol le vinaigre, le jus de citron, l'ail et le poivre. Incorporer au fouet le jus de tomate et l'huile. Ajouter les tomates, le basilic et le sel. Goûter et rectifier l'assaisonnement au besoin.

5. Chauffer l'huile d'olive à feu moyen-vif dans une poêle antiadhésive allant au four. Ajouter le poisson et cuire 1 minute. Retourner délicatement et cuire encore 1 minute. Mettre dans un four préchauffé à 220 °C (425 °F) durant 10 minutes, ou jusqu'à ce que le poisson soit à point.

6. Servir le poisson sur un lit de laitue et arroser de vinaigrette.

VALEUR NUTRITIONNELLE PAR PORTION	
Calories	344
Protéines	30 g
Matières grasses	11 g
Saturées	2 g
Cholestérol	67 mg
Glucides	30 g
Fibres	3 g
Sodium	373 mg
Potassium	973 mg

Excellente source: vitamine A; niacine; vitamine B6; vitamine B12; acide folique
Bonne source: thiamine; riboflavine; vitamine C; fer

FLÉTAN RÔTI AU VINAIGRE BALSAMIQUE

Libre à vous de faire cuire le poisson en darnes ou en filets séparés, mais apprêtez-le en un seul morceau, car il demeure plus juteux et donne une présentation plus spectaculaire. Cette recette convient tout aussi bien à la morue qu'au saumon.

Donne de 6 à 8 portions

25 ml	vinaigre balsamique	2 c. à soupe
25 ml	cassonade	2 c. à soupe

15 ml	huile d'olive	1 c. à soupe
1	gousse d'ail, émincée	1
15 ml	romarin frais, haché, ou 2 ml (1/2 c. à thé) de romarin séché	1 c. à thé
2 ml	poivre	1/2 c. à thé
1 kg	darnes ou filets de flétan, de morue ou de saumon, sans la peau, en un seul morceau de 5 cm (2 po) d'épaisseur	2 lb
2 ml	sel	1/2 c. à thé

1. Dans un petit bol, mélanger le vinaigre, la cassonade, l'huile d'olive, l'ail, le romarin et le poivre.

2. Assécher le poisson dans un linge propre, le déposer dans un plat peu profond et l'enrober délicatement de marinade. Le laisser mariner de 30 minutes à 2 heures, au réfrigérateur.

3. Déposer le poisson sur une plaque à pâtisserie tapissée de papier sulfurisé. Saupoudrer de sel. Le rôtir dans un four préchauffé à 220 °C (425 °F) de 30 à 40 minutes, selon son épaisseur. (La chair du poisson bien cuit doit se défaire en flocons sous les dents d'une fourchette.) Transférer le poisson dans une assiette de service à l'aide d'une spatule (si la spatule n'est pas assez grande, le fond d'un moule à gâteau à fond amovible peut faire l'affaire).

LE PAPRIKA
Le paprika est un assemblage de plusieurs variétés de poivrons. Le paprika fumé espagnol peut être doux ou piquant, avec une délicate saveur de fumée.

ÇHREIME (POISSON À LA SAUCE AUX TOMATES CERISES)

Dès la première bouchée, j'ai adoré ce plat israélien. J'ai eu le plaisir d'en déguster de nombreuses versions, mais celle-ci est ma préférée. Il est possible de faire cuire le poisson dans la sauce tomate plutôt que de le faire rôtir. En saison, remplacez les épinards par des asperges ou des poivrons sautés.

Dégustez-le chaud ou froid. Pour varier, préparez-le avec du saumon.

Donne de 6 à 8 portions

10 ml	huile d'olive	2 c. à thé
10 ml	thym frais, haché, ou 2 ml (1/2 c. à thé) thym séché	2 c. à thé
2 ml	sel	1/2 c. à thé
1 ml	poivre	1/4 c. à thé
1 kg	filets de poisson à chair blanche de bonne épaisseur (flétan, morue, etc.), sans la peau	2 lb

Sauce aux tomates cerises

25 ml	huile d'olive	2 c. à soupe
6	gousses d'ail, émincées	6
5 ml	cumin moulu	1 c. à thé
5 ml	paprika fumé (page 255)	1 c. à thé
4 ml	sel, divisé en deux portions	3/4 c. à thé
1 ml	flocons de piment fort	1/4 c. à thé
1 l	tomates cerises	4 tasses
375 g	pousses d'épinards fraîches, environ 1,5 l (6 tasses), bien tassées	3/4 lb
15 ml	huile de sésame grillé	1 c. à soupe
25 ml	coriandre fraîche, hachée	2 c. à soupe

1. Mélanger l'huile d'olive, le thym, le sel et le poivre. Assécher le poisson dans un linge propre et l'enrober de marinade. Laisser mariner le poisson au réfrigérateur jusqu'au moment de le cuire.

2. Pour préparer la sauce, faire chauffer l'huile dans une grande poêle antiadhésive à feu moyen. Ajouter l'ail et faire revenir à feu doux, de 2 à 3 minutes, ou jusqu'à ce qu'il soit odorant (prenez garde de ne pas le laisser brunir). Ajouter ensuite le cumin, le paprika, 2 ml (1/2 c. à thé) de sel et les flocons de piment fort, et poursuivre la cuisson 1 minute.

3. Ajouter les tomates et 50 ml (1/4 tasse) d'eau. Porter à ébullition. Cuire de 8 à 10 minutes, ou jusqu'à ce que la peau des tomates se fendille.

4. Au moment de servir, déposer le poisson sur une plaque à pâtisserie tapissée de papier sulfurisé et le faire griller dans un four préchauffé à 200 °C (400 °F) pendant 15 minutes, ou jusqu'à ce que le poisson soit à point.

5. Pendant ce temps, mélanger les épinards, l'huile de sésame et le reste du sel. Faire tomber les épinards à découvert (sans liquide) dans une grande poêle en les remuant constamment à l'aide d'une pince.

6. Servir le poisson sur un lit d'épinards. Garnir avec les tomates cerises et arroser de sauce. Saupoudrer de coriandre hachée.

DÉLICE DE LA MER À LA FAÇON DE SPA

La table du Spa Kingfisher, situé à Courtenay, en Colombie-Britannique, sert des mets légers et délicats dans la tradition de Spa. J'y ai dégusté un plat semblable très joliment présenté dans des paniers en bambou pour la cuisson vapeur. À la maison, je le prépare au four.

VALEUR NUTRITIONNELLE PAR PORTION

Calories	279
Protéines	34 g
Matières grasses	12 g
Saturées	2 g
Cholestérol	48 mg
Glucides	8 g
Fibres	3 g
Sodium	616 mg
Potassium	1177 mg

Excellente source : vitamine A ; niacine ; vitamine B6 ; vitamine B12 ; acide folique ; fer
Bonne source : thiamine ; riboflavine ; vitamine C

Donne 4 portions

750 ml	pousses d'épinards fraîches	3 tasses
250 g	filets de saumon, sans la peau, coupés en quatre morceaux	1/2 lb
250 g	filets de flétan, sans la peau, coupés en quatre morceaux	1/2 lb
8	grosses crevettes, décortiquées	8
8	pétoncles, nettoyés	8
8	moules, nettoyées	8
8	pointes d'asperges	8
8	haricots verts	8
16	carottes miniatures	16
25 ml	sauce thaïe au piment (douce), ou gelée de piment rouge	2 c. à soupe
15 ml	sauce soya	1 c. à soupe
15 ml	eau	1 c. à soupe
15 ml	jus de citron	1 c. à soupe

VALEUR NUTRITIONNELLE PAR PORTION

Calories	330
Protéines	49 g
Matières grasses	10 g
Saturées	2 g
Cholestérol	204 mg
Glucides	10 g
Fibres	3 g
Sodium	628 mg
Potassium	1151 mg

Excellente source :
vitamine A ; thiamine ;
niacine ; vitamine B6 ;
vitamine B12 ;
acide folique ; fer
Bonne source :
riboflavine ; vitamine C

1. Étendre les épinards au fond d'un plat de 3,5 l (14 tasses) (33 cm x 23 cm/13 po x 9 po) allant au four. Assécher les morceaux de poisson et les fruits de mer dans un linge propre et les disposer côte à côte sur les épinards. Déposer les asperges, les haricots et les carottes sur le poisson et les fruits de mer.
2. Mélanger la sauce thaïlandaise, la sauce soya, l'eau et le jus de citron. Verser sur les légumes et le poisson. Couvrir avec du papier d'aluminium.
3. Cuire au four à 220 °C (425 °F) pendant 15 minutes, ou jusqu'à ce que le poisson soit à point et que les légumes soient tendres, mais encore croquants.

RISOTTO AUX FRUITS DE MER ET AUX POIVRONS

Bien que je préfère tout préparer à l'avance, je dois faire une exception lorsque je cuisine un risotto, puisque celui-ci doit toujours être servi sans délai. Conviez donc vos invités dans votre cuisine et servez les entrées pendant qu'ils vous assistent.

J'aime bien servir le risotto comme premier plat principal ; ainsi, je n'ai pas à quitter la table durant le repas.

Lorsque je fais du risotto, j'en cuisine toujours une quantité importante, et pourtant il n'en reste jamais ! Si vous avez malgré tout des restes, réchauffez-les en petites portions au micro-ondes. Ou mieux, façonner les restes en boulettes et faites-en des croquettes de risotto (page 384).

Donne de 6 à 8 portions

45 ml	huile d'olive, divisée en deux portions	3 c. à soupe
3	gousses d'ail, hachées finement	3
1 ml	flocons de piment fort	1/4 c. à thé
1	poivron rouge, coupé en dés	1
1	poivron jaune, coupé en dés	1
250 g	crevettes, décortiquées et coupées en dés	1/2 lb
250 g	pétoncles, nettoyés et coupés en dés	1/2 lb
50 ml	persil frais, haché	1/4 tasse
50 ml	basilic frais, haché	1/4 tasse
1 l	bouillon de poulet maison (page 127), ou bouillon de poulet en conserve ou déshydraté, à teneur réduite en sodium	4 tasses
125 ml	vin blanc sec	1/2 tasse
1	oignon, haché	1
375 ml	riz italien, à grains courts sel et poivre au goût	1 1/2 tasse

1. Chauffer 15 ml (1 c. à soupe) d'huile à feu moyen dans une grande poêle antiadhésive. Y mettre l'ail et les flocons de piment fort. Cuire jusqu'à ce qu'un arôme agréable s'en dégage, environ 30 secondes. Ajouter les poivrons rouges et jaunes et cuire jusqu'à ce qu'ils commencent à s'attendrir, environ 10 minutes.

2. Ajouter les crevettes et les pétoncles et bien mélanger. Les cuire à point, soit environ 2 ou 3 minutes. Incorporer le persil et le basilic. Réserver. (Ces deux premières étapes peuvent être faites à l'avance.)

3. Environ 20 minutes avant le service, mélanger le bouillon et le vin dans une casserole. Porter à ébullition et laisser mijoter.

4. Chauffer le reste de l'huile à feu moyen dans une grande casserole ou dans un faitout. Mettre l'oignon et cuire doucement 5 minutes, jusqu'à ce qu'il soit tendre et odorant.

5. Incorporer le riz et l'enrober du mélange. Ajouter 250 ml (1 tasse) de bouillon et cuire à feu moyen ou moyen-vif, en remuant constamment, jusqu'à ce que le liquide se soit évaporé. Lorsque tout le liquide a été absorbé, ajouter 125 ml (1/2 tasse) de liquide à la fois, toujours en remuant, jusqu'à ce que le riz soit presque tendre (la quantité de liquide est variable). Cela devrait prendre environ 15 minutes. (La cuisson du riz se poursuivra quelque peu après l'ajout des fruits de mer.)

VALEUR NUTRITIONNELLE PAR PORTION

Calories	365
Protéines	21 g
Matières grasses	9 g
Saturées	1 g
Cholestérol	71 mg
Glucides	47 g
Fibres	2 g
Sodium	142 mg
Potassium	481 mg

Excellente source : vitamine C ; niacine ; vitamine B12

Bonne source : vitamine A

6. Réchauffer les fruits de mer et les incorporer au riz. Cuire 4 minutes. Goûter, saler et poivrer au besoin. Servir immédiatement.

PÉTONCLES AU PROSCIUTTO

Ces délicieux pétoncles peuvent être servis en entrée ou comme plat principal à l'heure du lunch. Je dégustais un verre de vin en les cuisinant pour la première fois. Résultat ? J'ai trop cuit les pétoncles. Moralité : il vaut mieux boire un verre de vin avec le plat !

Donne 6 portions

12	gros pétoncles	12
6	tranches fines de prosciutto, coupées en deux dans le sens de la longueur	6
1 ml	poivre	1/4 c. à thé
15 ml	huile d'olive	1 c. à soupe
45 ml	vinaigre balsamique	3 c. à soupe
15 ml	jus de citron	1 c. à soupe
15 ml	sauge fraîche, hachée	1 c. à soupe
125 g	pousses d'épinards, environ 500 ml (2 tasses)	1/4 lb

VALEUR NUTRITIONNELLE PAR PORTION

Calories	87
Protéines	10 g
Matières grasses	4 g
Saturées	1 g
Cholestérol	20 mg
Glucides	3 g
Fibres	1 g
Sodium	321 mg
Potassium	294 mg

Excellente source :
vitamine B12
Bonne source :
acide folique

1. Assécher les pétoncles dans un linge propre et les envelopper dans une demi-tranche de prosciutto. Attacher à l'aide d'un cure-dent. Poivrer.
2. Faire chauffer l'huile dans une grande poêle antiadhésive à feu moyen-vif et y saisir les pétoncles quelques minutes, de chaque côté, jusqu'à ce qu'ils soient presque cuits.
3. Ajouter le vinaigre et le jus de citron et porter à ébullition. Ajouter la sauge. (Si le liquide s'évapore trop rapidement, ajouter 50 ml [1/4 tasse] d'eau.)
4. Déposer les pétoncles et leur jus sur un lit d'épinards.

CREVETTES PIQUANTES À LA THAÏLANDAISE

Voici une version d'une recette que j'ai découverte en suivant les cours de la célèbre école de cuisine de l'Oriental Hotel de Bangkok. La technique, qui consiste à embrocher les crevettes en les enfilant de la tête à la queue, empêche les crustacés de pivoter sur la brochette au moment où on la retourne. Cette méthode donne également de bons résultats avec les bâtonnets de poulet et les lanières de saumon.

Pour une jolie présentation, servez-les sur un lit de feuilles de bananier ou de coriandre.

Les restes de crevettes se conservent très bien au congélateur. Hachez-les et utilisez-les dans les salades, les sautés, dans les sandwiches roulés et même dans les sushis aux crevettes et aux asperges (page 65).

Donne 6 portions

1 kg	grosses crevettes, soit environ 32, décortiquées	2 lb
3	gousses d'ail, pelées	3
1	morceau de 2,5 cm (1 po) de gingembre, pelé	1
1	piment fort, épépiné	1
50 ml	feuilles, tiges et racines de coriandre	1/4 tasse
25 ml	sauce hoisin	2 c. à soupe
15 ml	sauce de poisson (nam pla), ou sauce soya	1 c. à soupe
15 ml	jus de lime ou de citron	1 c. à soupe
15 ml	miel	1 c. à soupe
15 ml	vinaigre de riz	1 c. à soupe
5 ml	huile de sésame grillé	1 c. à thé
125 ml	sauce thaïlandaise au piment (douce)	1/2 tasse

1. Assécher les crevettes dans un linge propre et les mettre dans un grand bol.

2. Au robot culinaire, hacher l'ail, le gingembre, le piment et la coriandre jusqu'à consistance homogène. Incorporer la sauce hoisin, la sauce de poisson, le jus de lime, le miel, le vinaigre et l'huile de sésame.

3. Mélanger les crevettes dans la marinade, puis laisser mariner au moins 30 minutes au réfrigérateur.

4. Si vous utilisez des brochettes en bois, faites-les tremper dans l'eau froide une trentaine de minutes avant la cuisson.

5. Enfiler les crevettes de la tête à la queue sur des brochettes, afin de les maintenir relativement droites. S'assurer que les crevettes recouvrent bien l'extrémité des brochettes afin que ces dernières ne brûlent pas.

6. Griller les crevettes sur le barbecue ou sous l'élément de grillage du four pendant quelques minutes de chaque côté, ou jusqu'à ce que les crevettes soient roses et opaques. Mettre la sauce thaïlandaise au piment dans un petit bol et le placer au centre du plat de service, en guise de trempette. Disposer les crevettes autour de la sauce.

VALEUR NUTRITIONNELLE PAR PORTION

Calories	156
Protéines	25 g
Matières grasses	2 g
Saturées	0 g
Cholestérol	229 mg
Glucides	8 g
Fibres	1 g
Sodium	582 mg
Potassium	389 mg

Excellente source : vitamine A ; niacine ; vitamine B12

Bonne source : vitamine C

LE NETTOYAGE DES CREVETTES

Pour nettoyer et décortiquer les crevettes, retirez la carapace avec vos doigts et ôtez la partie protégeant la queue en la tordant délicatement. Faites passer la lame d'un couteau le long du dos de la crevette à environ 5 mm (1/4 po) de profondeur. Déveinez-la en tirant sur le tube digestif, s'il est visible, et jetez-le. Asséchez les crevettes en les épongeant.

CREVETTES GRILLÉES À LA SALSA VERDE

Il en va des crevettes comme de la viande ; lorsqu'elles sont cuites avec leurs os (carapaces), elles sont beaucoup plus goûteuses et juteuses. Si vous ne voulez pas donner trop de travail à vos invités, décortiquez-les une fois cuites.

La *salsa verde* est une sauce verte italienne classique qui ajoute beaucoup de saveur aux fruits de mer et aux viandes, grillés ou bouillis.

Donne 6 portions

Salsa verde

500 ml	persil frais, bien tassé	2 tasses
2	anchois, rincés	2
15 ml	câpres	1 c. à soupe
1	gousse d'ail, pelée	1
5 ml	moutarde de Dijon	1. c. à thé
25 ml	vinaigre de vin rouge	2 c. à soupe
45 ml	huile d'olive	3 c. à soupe
	sel au goût	

Crevettes

1 kg	crevettes géantes (16 à 20 par lb)	2 lb
15 ml	romarin frais, haché, ou 2 ml (1/2 c. à thé) romarin séché	1 c. à soupe
2 ml	sel	1/2 c. à thé
1 ml	flocons de piment fort	1/4 c. à thé
2	gousses d'ail, émincées	2
1,5 l	pousses de roquettes, ou laitues assorties	6 tasses

1. Au robot culinaire, hacher finement le persil, les anchois, les câpres et l'ail. Ajouter la moutarde, le vinaigre et l'huile. Mélanger par impulsion, jusqu'à l'obtention d'une pâte grossière. Goûter et saler au besoin. Éclaircir avec un peu d'eau, au besoin.

2. À l'aide d'un couteau bien affûté ou d'un ciseau, entailler le dos des crevettes et les ouvrir en papillon. Retirer l'intestin (appelé souvent « la veine ») s'il est plein de saletés ou de sable.

3. Mélanger le romarin, le sel, les flocons de piment et l'ail. Bien enrober les crevettes avec la préparation et les laisser mariner jusqu'au moment de les cuire.

4. Faire griller les crevettes environ 2 minutes de chaque côté, ou jusqu'à ce que leur chair devienne rose et opaque (les crevettes se recourberont légèrement). Prenez soin de ne pas trop les cuire ! Mélanger immédiatement les crevettes et la *salsa verde*. Servir sur un lit de roquettes.

MOULES À LA PROVENÇALE

La plupart des gens mangent des moules au restaurant, mais hésitent à les préparer à la maison. Pourtant, il est très facile de préparer les moules. Servies comme plat de résistance, il faut compter environ 500 g (1 lb) de moules par personne, et réduire la quantité de moitié, si vous les servez en entrée. Placez des bols sur la table pour les coquilles.

Servez les moules avec des pâtes ou du riz. Vous pouvez également retirer les moules de leur coquille et les servir avec leur jus et leur sauce.

Donne 8 portions en bouchées (hors-d'œuvre)
et 4 portions en plat principal

2 kg	moules (de 90 à 100)	4 lb
15 ml	huile d'olive	1 c. à soupe
1	échalote, hachée	1
4	gousses d'ail, hachées	4
1	boîte de 796 ml (28 oz) de tomates italiennes, égouttées et hachées, soit environ 375 ml (1 1/2 tasse), ou 750 g (1 1/2 lb) de tomates fraîches, pelées, épépinées et coupées en dés	1
250 ml	vin blanc sec, bouillon, ou eau	1 tasse
15 ml	estragon frais, haché, ou 5 ml (1 c. à thé) d'estragon séché	1 c. à soupe
1 ml	sel	1/4 c. à thé

	une pincée de poivre	
45 ml	persil frais, haché	3 c. à soupe
2	baguettes de blé entier ou ordinaires, tranchées	2

1. Rincer les moules et les débarrasser de toutes les barbes. Jeter toute moule qui semble fêlée ou qui ne se referme pas lorsqu'on la frappe avec les doigts.

2. Chauffer l'huile à feu moyen-vif dans un grand faitout ou dans un wok. Y faire sauter l'échalote et l'ail, et cuire jusqu'à ce qu'ils dégagent un arôme agréable et qu'ils aient ramolli, sans les laisser dorer. Ajouter les tomates et porter à ébullition.

3. Ajouter les moules et remuer pour bien les enrober. Verser le vin et porter à ébullition. Ajouter l'estragon, saler et poivrer.

4. Couvrir et laisser cuire les moules pendant 5 minutes, ou jusqu'à ce qu'elles soient toutes ouvertes. Poursuivre la cuisson pendant une ou deux minutes encore et jeter toute moule qui serait toujours fermée.

5. Mettre les moules dans de grands bols. Garnir de persil et servir avec beaucoup de pain à tremper dans le jus.

MOULES À LA SAUCE DE HARICOTS NOIRS FERMENTÉS

On peut servir les moules en entrée ou comme plat principal. Cette recette donne de 6 à 8 portions comme plat principal, et de 8 à 10 en entrée. (Vous pouvez aussi les servir cuites, extraites de leurs coquilles, et piquer un cure-dent au centre pour les servir comme amuse-gueule.) On peut aussi les présenter sur des pâtes ou du riz, ou encore avec du pain croûté. Je place toujours sur la table un bol destiné à recevoir les coquilles vides et je prévois des cuillères pour le service de la sauce.

Donne de 6 à 8 portions

2 kg	moules (de 90 à 100)	4 lb
10 ml	huile végétale	2 c. à thé
3	oignons verts, hachés	3
15 ml	gingembre frais, haché finement	1 c. à soupe
3	gousses d'ail, émincées	3
2 ml	pâte de piment orientale	1/2 c. à thé
25 ml	haricots noirs fermentés, rincés et hachés	2 c. à soupe

VALEUR NUTRITIONNELLE PAR HORS-D'ŒUVRE

Calories 300
Protéines 17 g
Matières grasses 6 g
 Saturées 1 g
 Cholestérol 18 mg
Glucides 45 g
 Fibres 6 g
Sodium 729 mg
Potassium 462 mg
Excellente source: niacine; vitamine B12; fer
Bonne source: thiamine; acide folique

VALEUR NUTRITIONNELLE PAR PORTION

Calories 143
Protéines 12 g
Matières grasses 5 g
 Saturées 1 g
 Cholestérol 25 mg
Glucides 12 g
 Fibres 2 g
Sodium 319 mg
Potassium 308 mg
Excellente source: vitamine C; fer; acide folique; vitamine B12
Bonne source: vitamine A; thiamine; niacine

5 ml	zeste de citron, râpé	1 c. à thé	
2	poireaux, ou petits oignons, parés et tranchés finement	2	
2	poivrons rouges, tranchés finement	2	
125 ml	bouillon de poulet maison, fumet de poisson maison (127), vin blanc sec ou eau	1/2 tasse	
125 ml	eau	1/2 tasse	
25 ml	vinaigre de riz ou de cidre	2 c. à soupe	
15 ml	sauce soya	1 c. à soupe	
10 ml	huile de sésame grillé	2 c. à thé	
50 ml	coriandre fraîche ou persil frais, hachés	1/4 tasse	

1. Nettoyer les moules et jeter celles dont la coquille est brisée ou qui ne se referment pas hermétiquement lorsqu'on les tape du bout des doigts.

2. Chauffer l'huile végétale à feu moyen-vif dans un wok ou un dans faitout. Y faire revenir les oignons verts, le gingembre, l'ail, la pâte de piment, les haricots noirs et le zeste de citron. Cuire 30 secondes ou jusqu'à ce que le mélange dégage un parfum très aromatique.

3. Ajouter les poireaux et les poivrons et cuire 2 minutes ou jusqu'à ce que les légumes commencent à s'attendrir.

4. Verser le bouillon, l'eau, le vinaigre, la sauce soya et l'huile de sésame dans le wok. Bien mélanger et porter à ébullition.

5. Ajouter les moules au liquide et porter de nouveau à ébullition. Couvrir et cuire de 5 à 7 minutes, ou jusqu'à ce que les moules soient ouvertes et bien cuites. (Jeter les moules qui ne sont pas ouvertes.) Bien remuer. Saupoudrer de coriandre.

LES MOULES

Les moules d'élevage ont une saveur moins marquée que les moules sauvages. Elles sont également plus chères, mais elles ont l'avantage d'être beaucoup plus faciles à nettoyer.

Pour nettoyer les moules sauvages, il faut bien les brosser et retirer les barbes, tandis qu'il suffit de passer sous l'eau les moules cultivées et d'enlever les barbes, le cas échéant. Jetez toute moule qui ne se referme pas lorsqu'on donne un petit coup sec sur sa coquille avec les doigts ou celles dont la coquille est cassée ou qui semblent anormalement lourdes (elles pourraient être remplies de sable). Une fois les moules cuites, jetez toutes celles qui ne se sont pas ouvertes.

CUISINER
AU GOÛT
DU CŒUR

LA VOLAILLE

POULET AU CARI ROUGE

Si vous préférez le poulet désossé, n'hésitez pas à utiliser de 6 à 8 poitrines de poulet désossées. Servez-les sur un lit de semoule de blé, sur des nouilles de riz ou sur du riz. Les restes de poulet sont délicieux en sandwich ou dans une soupe. (Il suffit de couper le poulet et les légumes en dés et d'ajouter du bouillon.) Si vous n'appréciez pas la cuisine relevée, coupez de moitié la quantité de pâte de cari.

Donne 6 portions

1	gros poulet de 2 kg (4 lb), sans la peau, coupé en 8 morceaux	1
10 ml	huile végétale	2 c. à thé
25 ml	pâte de cari rouge thaïlandaise	2 c. à soupe
1	gros oignon, coupé en tranches épaisses	1
2	carottes, coupées en tranches épaisses	2
2	gousses d'ail, hachées	2
2	pommes de terre, et coupées en morceaux de 5 cm (2 po), soit environ 500 g (1 lb)	2
1	poivron rouge, épépiné et coupé en morceaux	1
3	piments jalapeños entiers	3
250 g	champignons, nettoyés	1/2 lb
1	branche de citronnelle, coupée en morceaux de 5 cm (2 po) et écrasée	1
500 ml	bouillon de poulet maison (page 109), ou eau	2 tasses
25 ml	sauce de poisson (nam pla) ou sauce soya	2 c. à soupe
125 ml	tomates en purée, ou sauce tomate, ou lait de coco faible en gras	1/2 tasse
1,5 l	riz brun ou riz blanc, cuit	6 tasses
50 ml	coriandre fraîche, hachée	1/4 tasse

1. Débarrasser le poulet de tout gras visible et l'éponger. Chauffer l'huile à feu moyen-vif dans une grande poêle antiadhésive profonde ou dans un faitout. Y faire dorer les morceaux de poulet environ 5 minutes de chaque côté. Retirer le poulet et réserver.

2. Dégraisser la poêle en n'y laissant qu'un mince film d'huile. Ajouter la pâte de cari et cuire de 30 à 60 secondes. Ajouter l'oignon, les carottes, l'ail, les pommes de terre, le poivron, les piments jalapeños, les champignons et la citronnelle. Cuire pendant 1 minute. Si la poêle est trop chaude à cette étape de la recette, ajouter 50 ml (1/4 tasse) de bouillon.

LA PÂTE DE CARI THAÏLANDAISE

Ce cari a une saveur bien différente du cari indien. Il est maintenant très facile de trouver de la pâte de cari rouge et de la pâte de cari vert dans les supermarchés et les épiceries spécialisées. Le cari rouge se compose principalement d'épices, tandis que le cari vert est fait d'herbes. Certaines marques sont plus relevées que d'autres.

VALEUR NUTRITIONNELLE PAR PORTION

Calories	583
Protéines	42 g
Matières grasses	10 g
Saturées	2 g
Cholestérol	103 mg
Glucides	79 g
Fibres	6 g
Sodium	603 mg
Potassium	910 mg

Excellente source :
vitamine A ; thiamine ; niacine ; vitamine B6 ; vitamine B12 ; vitamine C
Bonne source :
riboflavine ; acide folique ; fer

**LES POUDRES
ET LES PÂTES DE CARI
DE L'INDE DE L'EST**

Il existe de nombreux mélanges de cari, mais il est simple de le préparer vous-même. Il suffit de mélanger 25 ml (2 c. à soupe) de coriandre moulue, 5 ml (1 c. à thé) de cumin moulu, 5 ml (1 c. à thé) de curcuma, 5 ml (1 c. à thé) de cardamome, 2 ml (1/2 c. à thé) de cannelle, 1 ml (1/4 c. à thé) de clous de girofle moulus, 1 ml (1/4 c. à thé) de sel, et 5 ml (1 c. à thé) de poivre de Cayenne (plus ou moins, selon le goût).

J'ai récemment découvert la pâte de cari et je dois dire que je la préfère à la poudre de cari. Elle se compose d'épices rôties qui marinent dans l'huile, ce qui fait qu'elle est mieux absorbée par les aliments. La pâte de cari de Madras de marque Patak's est un excellent produit qui remplace agréablement la poudre de cari.

3. Verser le bouillon et la sauce de poisson dans la poêle. Porter à ébullition. Ajouter les morceaux de poulet. Réduire le feu, couvrir et laisser mijoter pendant 30 minutes, ou jusqu'à ce que le poulet soit à point.

4. Retirer le poulet et les légumes de la poêle (jeter les piments et la citronnelle). Couvrir et garder au chaud. Remettre la poêle sur le feu et porter à ébullition. Laisser réduire durant environ 10 minutes, ou jusqu'à ce qu'il reste de 250 à 375 ml (1 à 1 1/2 tasse) de bouillon. Ajouter les tomates en purée et cuire à découvert pendant 5 minutes, ou jusqu'à épaississement de la sauce.

5. Pratiquer des incisions dans les morceaux de poulet et servir avec les légumes sur un lit de riz. Arroser de sauce et garnir de coriandre.

Agneau au cari rouge

Remplacer le poulet par 1 kg (2 lb) d'agneau à ragoût coupé en morceaux de 5 cm (2 po). Cuire de 1 à 1 1/2 heure, ou jusqu'à ce que l'agneau soit très tendre.

POULET À LA SAUCE THAÏLANDAISE

Une recette facile à faire qui compte parmi mes préférées. Si vos enfants n'aiment pas les épinards, omettez-les tout simplement.

La sauce thaïe au piment (douce) est vendue dans les épiceries asiatiques et dans certains supermarchés. Légèrement épicée, elle est suffisamment douce pour accompagner les beignets et les rouleaux de printemps. Si vous ne la trouvez pas en magasin, remplacez-la par de la gelée de piment rouge. Mais surtout, ne la remplacez pas par de la pâte de piment orientale, vous auriez une mauvaise surprise!

Donne 4 portions

500 g	poitrines de poulet, désossées, sans la peau	1 lb
45 ml	sauce hoisin	3 c. à soupe
45 ml	sauce thaïlandaise au piment (douce)	3 c. à soupe
25 ml	sauce soya	2 c. à soupe
15 ml	huile végétale	1 c. à soupe
15 ml	gingembre frais, haché	1 c. à soupe
2	oignons verts, hachés	2
2	gousses d'ail, émincées	2
500 ml	pousses d'épinards	2 tasses
25 ml	coriandre fraîche, hachée	2 c. à soupe

1. Assécher le poulet dans un linge propre et le couper en cubes.

2. Pour préparer la sauce, mélanger la sauce hoisin, la sauce thaïlandaise et la sauce soya.

3. Dans une grande poêle antiadhésive, faire chauffer l'huile à feu moyen-vif. Y faire revenir le gingembre, les oignons verts et l'ail pendant 30 secondes, ou jusqu'à ce que le mélange soit odorant. Ajouter le poulet et le faire revenir pendant 2 minutes, ou jusqu'à ce qu'il soit doré.

4. Ajouter la sauce et bien mélanger. Cuire de 3 à 4 minutes, ou jusqu'à ce que le poulet soit cuit. Ajouter les épinards et cuire 1 minute supplémentaire. Garnir avec la coriandre.

POULET THAÏLANDAIS À LA MANGUE ET AUX LÉGUMES

Les petites mangues jaunes Alfonso sont moins fibreuses et sont plus sucrées. Elles conviennent bien à cette recette.

Donne 4 portions

500 g	poitrines de poulet, désossées, sans la peau	1 lb
50 ml	sauce hoisin	1/4 tasse
25 ml	beurre d'arachide	2 c. à soupe
50 ml	lait de coco léger	1/4 tasse
300 ml	bouillon de poulet (page 127), ou eau	1 1/4 tasse
25 ml	fécule de maïs	2 c. à soupe
15 ml	huile végétale	1 c. à soupe
15 ml	pâte de cari vert thaïlandaise (page 268)	1 c. à soupe
1	poivron rouge, épépiné et coupé en morceaux	1
250 ml	petits bouquets de brocoli	1 tasse
125 g	champignons, nettoyés et coupés en deux	1/4 lb
1	mangue, pelée et coupée en deux	1
25 ml	coriandre fraîche, hachée	2 c. à soupe

1. Assécher le poulet dans un linge propre et le couper en lanières.

2. Mélanger la sauce hoisin et le beurre d'arachide à la fourchette ou au fouet jusqu'à consistance lisse. Incorporer le lait de coco, le bouillon et la fécule de maïs.

3. Dans une grande poêle antiadhésive, faire chauffer l'huile à feu moyen-vif. Ajouter la pâte de cari et cuire 10 secondes. Ajouter le poulet et le faire revenir environ 1 minute, ou jusqu'à ce que sa chair devienne opaque en surface.

VALEUR NUTRITIONNELLE PAR PORTION

Calories	276
Protéines	39 g
Matières grasses	8 g
Saturées	1 g
Cholestérol	95 mg
Glucides	11 g
Fibres	2 g
Sodium	716 mg
Potassium	790 mg

Excellente source : vitamine A ; niacine ; vitamine B6 ; acide folique
Bonne source : riboflavine ; vitamine B12 ; fer

VALEUR NUTRITIONNELLE PAR PORTION

Calories	364
Protéines	36 g
Matières grasses	13 g
Saturées	3 g
Cholestérol	79 mg
Glucides	27 g
Fibres	4 g
Sodium	506 mg
Potassium	809 mg

Excellente source : vitamine A ; niacine ; vitamine B6 ; vitamine C
Bonne source : thiamine ; riboflavine ; vitamine B12 ; acide folique ; fer

4. Ajouter le poivron rouge, les brocolis et les champignons, et faire revenir le tout pendant environ 4 minutes.

5. Ajouter la mangue. Verser la préparation de sauce hoisin et de beurre d'arachide. Porter à ébullition et laisser bouillir 1 minute, ou jusqu'à épaississement. Garnir avec la coriandre fraîche.

POULET THAÏLANDAIS ET NOUILLES SAUTÉES À L'ORIENTALE

Prenez soin de retirer les piments entiers après la cuisson (ou prévenez vos invités de ne pas les manger, à moins qu'ils n'aient un estomac de béton !). Vous pouvez également omettre les piments et ajouter 5 ml (1 c. à thé) de pâte de piment orientale avec les oignons.

Le basilic thaïlandais, aussi connu sous le nom de basilic sacré, possède un goût plus anisé que les autres variétés et sa tige est légèrement pourpre. On en trouve habituellement dans les épiceries thaïlandaises et orientales. Si vous ne pouvez en dénicher, utilisez tout simplement du basilic ordinaire.

Donne de 4 à 6 portions

375 g	linguines de blé entier ou ordinaires	3/4 lb
500 g	poitrines de poulet désossées, sans la peau	1 lb
15 ml	huile végétale	1 c. à soupe
1	oignon, tranché finement	1
15 ml	gingembre frais, haché	1 c. à soupe
2	gousses d'ail, hachées finement	2
5 ml	poudre de cari,	1 c. à thé
	ou pâte de cari vert thaïlandaise (page 268)	
125 ml	jus de tomate	1/2 tasse
75 ml	bouillon de poulet maison (page 127), ou eau	1/3 tasse
75 ml	lait de coco léger, ou jus de tomate	1/3 tasse
15 ml	sauce de poisson (nam pla),	1 c. à soupe
	ou sauce soya	
12	petits piments verts	12
	bouquet de basilic thaïlandais	
	ou de basilic ordinaire frais, non hachés	
	sel et poivre au goût	

VALEUR NUTRITIONNELLE PAR PORTION

Calories	509
Protéines	39 g
Matières grasses	8 g
Saturées	1 g
Cholestérol	66 mg
Glucides	69 g
Fibres	4 g
Sodium	576 mg
Potassium	572 mg

Excellente source : niacine ; vitamine B6
Bonne source : vitamine B12 ; acide folique ; fer

1. Dans une grande marmite d'eau bouillante, faire cuire les linguines jusqu'à ce qu'elles soient tendres. Laisser égoutter. Si vous ne les utilisez pas immédiatement, passez-les sous l'eau froide.

2. Assécher le poulet dans un linge propre et le couper en morceaux de 4 cm (1 1/2 po).

3. Chauffer l'huile à feu moyen-vif dans un grand wok antiadhésif ou dans un grand poêlon profond. Y faire sauter le poulet environ 1 minute, ou jusqu'à ce que sa chair devienne opaque en surface.

4. Ajouter l'oignon, le gingembre et l'ail. Faire sauter de 30 à 60 secondes, ou jusqu'à ce que la préparation soit odorante.

5. Incorporer en remuant la poudre de cari, le jus de tomate, le bouillon de poulet, le lait de coco et la sauce de poisson. Porter à ébullition.

6. Ajouter les piments et le basilic. Cuire 3 minutes.

7. Ajouter les pâtes et bien réchauffer en remuant. Goûter, saler et poivrer au besoin.

POULET ET LÉGUMES SAUTÉS À L'ORIENTALE

Voici une recette que j'enseigne à l'université dans mon cours de cuisine de survie. Dès que les étudiants comprennent que la cuisine peut les rendre très populaires auprès de leurs camarades, ils redoublent d'intérêt pour mon cours ! Servez ce plat avec un riz vapeur.

Donne 4 ou 5 portions

15 ml	sauce soya	1 c. à soupe
25 ml	fécule de maïs, divisée en deux portions	2 c. à soupe
500 g	poitrines de poulet, désossées, sans la peau	1 lb
150 ml	bouillon de poulet maison (page 127), ou eau	2/3 tasse
25 ml	sauce hoisin	2 c. à soupe
15 ml	vin de riz	1 c. à soupe
10 ml	huile de sésame grillé	2 c. à thé
15 ml	huile végétale	1 c. à soupe
15 ml	gingembre frais, haché	1 c. à soupe
3	oignons verts, hachés	3
2	gousses d'ail, hachées finement	2
5 ml	pâte de piment orientale	1 c. à thé
1	poivron rouge, épépiné et coupé en lanières	1
1	carotte, tranchée finement	1
1	botte de brocoli, coupé en morceaux de 2,5 cm (1 po)	1
25 ml	coriandre fraîche ou oignons verts, hachés	2 c. à soupe

LE CUISEUR À RIZ

Si vous faites du riz plus de deux fois par semaine, il pourrait s'avérer profitable d'acheter un cuiseur électrique à riz. Non seulement il s'arrête automatiquement, mais il conserve le riz au chaud. J'aime bien le modèle d'une capacité de 2,5 l (10 tasses). (Notez que les tasses japonaises sont un peu plus petites que les nôtres.) Suivez les instructions du manufacturier.

1. Dans un grand bol, mélanger la sauce soya et 15 ml de fécule de maïs.

2. Assécher le poulet dans un linge propre et le couper en morceaux de 2,5 cm (1 po). Déposer le poulet dans le mélange de sauce soya et de fécule, et bien mélanger.

3. Dans un autre bol, mélanger le bouillon, la sauce hoisin, le vin de riz, l'huile de sésame et le reste de la fécule.

4. Faire chauffer l'huile végétale à feu moyen-vif dans une grande poêle antiadhésive profonde. Y faire revenir le gingembre, les oignons verts, l'ail et la pâte de piment pendant 30 secondes.

5. Mettre le poulet dans la poêle et cuire quelques minutes, jusqu'à ce qu'il soit légèrement doré. Ajouter le poivron rouge, la carotte, le brocoli et 50 ml (1/4 tasse) d'eau. Couvrir et cuire de 3 à 5 minutes, ou jusqu'à ce que le poulet soit juste à point et le brocoli d'un vert brillant.

6. Bien remuer la sauce et y ajouter le mélange poulet-légumes. Porter à ébullition en remuant constamment. Goûter et rectifier l'assaisonnement au besoin. Garnir avec la coriandre.

POULET GRILLÉ À LA PÉRUVIENNE

Selon mon ami Mitchell Davis, auteur de livres de recettes et responsable des publications à la Fondation James Beard, les petits restaurants péruviens où l'on peut manger à très bon compte font un malheur à New York. On y sert un excellent poulet grillé dont voici la recette. (Vous pouvez également le cuire au four sur une plaque tapissée de papier sulfurisé à 200 °C (400 °F) de 35 à 40 minutes, ou jusqu'à ce qu'il soit à point.)

Cette recette convient aussi bien à la viande blanche qu'à la viande brune.

Donne 10 portions

2	poulets, sans la peau, coupés en 4 morceaux (pour un total de 8 morceaux)	2
2	citrons, coupés en deux	2
2	bulbes d'ail, coupés en deux	2
10 ml	cumin moulu	2 c. à thé
10 ml	paprika fumé, de préférence (page 228)	2 c. à thé
4 ml	cannelle moulue	3/4 c. à thé
4 ml	poivre	3/4 c. à thé
2 ml	sel	1/2 c. à thé

2 ml	poivre de Cayenne	1/2 c. à thé
25 ml	huile d'olive	2 c. à soupe
25 ml	coriandre fraîche, hachée	2 c. à soupe

1. Assécher les morceaux de poulet dans un linge propre et les déposer dans un grand bol. Presser les demi-citrons sur le poulet. Ajouter les demi-citrons dans le bol. Frotter les morceaux de poulet avec les bulbes d'ail (côté coupé) et déposer l'ail dans le bol avec le poulet.

2. Dans un petit bol, former une pâte avec le cumin, le paprika, la cannelle, le poivre, le sel, le poivre de Cayenne et l'huile.

3. Bien enrober le poulet de cette pâte d'épices et saupoudrer la coriandre. Laisser mariner le poulet pendant au moins 1 heure ou toute la nuit au réfrigérateur.

4. Faire griller le poulet au barbecue pendant environ 5 minutes, de chaque côté. Réduire le feu à doux, fermer le couvercle et cuire de 15 à 20 minutes, ou jusqu'à ce que le poulet soit à point. Si vous ne pouvez contrôler la chaleur de votre barbecue, de sorte que le poulet cuise à feu doux, il vaut mieux le transférer dans un four préchauffé à 180 °C (350 °F) et le cuire jusqu'à ce que sa température interne atteigne 74 °C (165 °F).

Poulet rôti à la péruvienne

Enrober un poulet entier de pâte d'épices (il devrait y en avoir assez pour 2 poulets). Déposer les citrons et l'ail à l'intérieur du poulet et le cuire dans un four préchauffé à 200 °C (400 °F) de 50 à 60 minutes, ou jusqu'à ce que sa température interne atteigne 74 °C (165 °F).

PITAS AU POULET GRILLÉ ET AU TAHINI

La sauce au tahini possède une saveur unique de sésame. Elle est délicieuse dans les vinaigrettes, comme condiment à sandwich, en trempette ou badigeonnée sur les légumes grillés. Pour varier, servir les pitas au poulet grillé avec la vinaigrette du Moyen-Orient.

Donne 4 portions

4	poitrines de poulet désossées, sans la peau, d'environ 125 g (1/4 lb) chacune	4
15 ml	huile d'olive	1 c. à soupe
2 ml	sel	1/2 c. à thé

RIZ VAPEUR

Pour préparer du riz vapeur sur la cuisinière, rincer 375 ml (1 1/2 tasse) de riz à grains longs dans une passoire, jusqu'à ce que l'eau soit claire. Bien égoutter. Verser dans une casserole avec 550 ml (2 1/4 tasses) d'eau froide. Porter à ébullition, réduire le feu à moyen et poursuivre la cuisson à découvert pendant 5 à 8 minutes, jusqu'à ce que l'eau s'évapore et que de petits cratères se forment à la surface du riz. Bien couvrir, réduire le feu au minimum et faire cuire 15 minutes de plus. Retirer du feu et laisser reposer, sans soulever le couvercle de 10 à 30 minutes avant de servir. Pour cuire le riz brun, ajouter 50 ml (1/4 tasse) de plus d'eau et cuire 30 minutes plutôt que 15 minutes.

Donne 750 ml (3 tasses).

2 ml	origan séché	1/2 c. à thé
2 ml	thym séché	1/2 c. à thé

Sauce au tahini

45 ml	tahini (page 52)	3 c. à soupe
2	gousses d'ail, émincées	2
25 ml	jus de citron	2 c. à soupe
	un trait de sauce au piment rouge	
125 ml	yogourt nature faible en gras	1/2 tasse
	sel au goût	
4	pitas de blé entier ou ordinaires, de 10 cm (4 po) de diamètre	4
1	tomate, épépinée et coupée en tranches	1
1/2	concombre anglais, tranché finement	1/2
15 ml	coriandre fraîche, hachée	1 c. à soupe
15 ml	persil frais, haché	1 c. à soupe

1. Retirer le filet de chaque poitrine de poulet et réserver ces quatre filets à un autre usage (des doigts de poulet ou un sauté, par exemple). Assécher les poitrines dans un linge propre et les déposer, une à la fois, dans un sac de plastique épais. Les aplatir, jusqu'à ce qu'elles atteignent 1 cm (1/2 po) d'épaisseur.

2. Dans un grand bol, mélanger le poulet, l'huile, le sel, l'origan et le thym.

3. Faire griller les poitrines de 4 à 6 minutes de chaque côté, ou jusqu'à ce qu'elles soient bien cuites. Les couper en morceaux ou en lanières.

4. Pour préparer la sauce, mélanger le tahini, l'ail, le jus de citron, la sauce au piment et le yogourt. Goûter et ajuster l'assaisonnement en ajoutant du sel, au besoin. La préparation devrait avoir une texture crémeuse. L'éclaircir avec un peu d'eau au besoin.

5. Ouvrir les pitas et les garnir de poulet. Arroser d'un peu de sauce. Ajouter les tomates et les concombres en tranches. Garnir de coriandre et de persil.

VINAIGRETTE DU MOYEN-ORIENT

Mélanger ensemble 1 gousse d'ail émincée, 4 ml (3/4 c. à thé) de cumin moulu, 4 ml (3/4 c. à thé) de paprika, 1 ml (1/4 c. à thé) de poivre de Cayenne, 125 ml (1/2 tasse) de fromage de yogourt crémeux (page 420) ou de yogourt ferme, et 15 ml (1 c. à soupe) de jus de citron. Ajouter en brassant 25 ml (2 c. à soupe) de coriandre fraîche ou de persil frais, hachés, et 25 ml (2 c. à soupe) de mayonnaise (facultatif).

Donne environ 125 ml (1/2 tasse).

VALEUR NUTRITIONNELLE PAR PORTION

Calories	316
Protéines	30 g
Matières grasses	12 g
Saturées	2 g
Cholestérol	62 mg
Glucides	23 g
Fibres	2 g
Sodium	521 mg
Potassium	565 mg

Excellente source : thiamine ; niacine ; vitamine B6

Bonne source : riboflavine ; vitamine B12 ; acide folique ; fer

FAJITAS AU POULET

Un repas délicieux et facile à préparer qui convient parfaitement à une soirée télé en famille ou entre amis. N'hésitez pas à remplacer les tortillas par des pitas et garnissez-les de légumes (poivrons rouges en lanières, par exemple) et de laitue.

Donne 8 portions

8	poitrines de poulet désossées, sans la peau, d'environ 90 g (3 oz) chacune	8
15 ml	sauce hoisin	1 c. à soupe
15 ml	miel	1 c. à soupe
15 ml	huile de sésame grillé	1 c. à soupe
15 ml	gingembre frais, haché	1 c. à soupe
5 ml	pâte de piment orientale	1 c. à thé
2	gousses d'ail, émincées	2
500 g	aubergines orientales, ou courgettes, soit environ 4, coupées dans le sens de la longueur en tranches de 5 mm (1/4 po) d'épaisseur	1 lb
2	gros oignons, coupés en tranches	2
8	tortillas de blé entier ou ordinaires, de 25 cm (10 po) de diamètre	8
75 ml	sauce hoisin	1/3 tasse
500 ml	laitue, hachée	2 tasses
50 ml	coriandre fraîche ou persil frais, hachés	1/4 tasse

1. Assécher le poulet dans un linge propre. Mélanger la sauce hoisin, le miel, l'huile de sésame, le gingembre, la pâte de piment et l'ail. Verser la moitié de cette préparation sur le poulet, mélanger et laisser mariner au réfrigérateur jusqu'au moment de la cuisson.

2. Badigeonner le reste de la marinade sur les tranches d'aubergine et d'oignon. Faire griller les aubergines et les oignons quelques minutes de chaque côté, jusqu'à ce qu'elles soient dorées et cuites.

3. Faire griller le poulet de 3 à 4 minutes de chaque côté, ou jusqu'à ce qu'il soit doré et cuit (attention de ne pas trop le cuire). Couper le poulet et les légumes en morceaux de 5 cm (2 po) et mélanger (ils peuvent être gardés entiers, au goût).

4. Envelopper les tortillas dans du papier d'aluminium et les mettre dans un four préchauffé à 180 °C (350 °F) de 5 à 10 minutes, ou jusqu'à ce qu'elles soient chaudes.

VALEUR NUTRITIONNELLE PAR PORTION	
Calories	340
Protéines	26 g
Matières grasses	7 g
Saturées	1 g
Cholestérol	53 mg
Glucides	41 g
Fibres	4 g
Sodium	444 mg
Potassium	497 mg

Excellente source : niacine ; vitamine B6

5. Déposer une cuillerée de sauce hoisin au milieu de chaque tortilla. Déposer du poulet et des légumes sur la sauce. Ajouter la laitue et la coriandre. Replier le bas de la tortilla, puis replier de chaque côté et rouler en cigare.

TAJINE DE POULET AUX OLIVES ET AUX CITRONS CONFITS

Nous adorons ce plat. Un tajine est une sorte de cocotte originaire du Maroc dont le couvercle a la forme d'une cheminée. On l'utilise pour cuire les plats, et de plus en plus pour les servir.

Donne 6 portions

1	poulet de 1,5 kg (3 lb), sans la peau, coupé en 8 à 10 morceaux	1
5 ml	sel	1 c. à thé
5 ml	poivre	1 c. à thé
5 ml	paprika	1 c. à thé
1 ml	brins de safran broyés	1/4 c. à thé
1 ml	poivre de Cayenne	1/4 c. à thé
15 ml	huile d'olive	1 c. à soupe
2	gros oignons, coupés en tranches	2
3	gousses d'ail, émincées	3
1 ml	flocons de piment fort	1/4 c. à thé
250 ml	olives vertes, dénoyautées	1 tasse
250 ml	olives noires, dénoyautées	1 tasse
1	citron confit, coupé en tranches fines, ou 15 ml (1 c. à soupe) de zeste de citron	1
75 ml	persil frais, haché, divisé en deux portions	1/3 tasse
75 ml	coriandre fraîche, hachée, divisée en deux portions	1/3 tasse
1	citron, coupé en tranches fines	1

1. Assécher les morceaux de poulet dans un linge propre. Mélanger le sel, le poivre, le paprika, le safran et le poivre de Cayenne. Enduire les morceaux de poulet de ce mélange d'épices. Laisser mariner quelques heures au réfrigérateur.

2. Dans un faitout, faire chauffer l'huile à feu moyen-vif. Faire dorer les morceaux de poulet (procéder en plusieurs étapes, au besoin) de 5 à 8 minutes environ, chaque côté, ou jusqu'à ce qu'ils soient dorés. Retirer le poulet du faitout.

3. Remettre le faitout sur le feu. Faire revenir les oignons de 8 à 10 minutes, ou jusqu'à ce qu'ils soient dorés. Ajouter l'ail et le piment en flocons.

4. Remettre les morceaux de poulet côte à côte dans le faitout. Déposer quelques cuillerées d'oignons sur le poulet. Ajouter les olives, les tranches de citron confit et la moitié du persil et de la coriandre.

5. Mettre au four préchauffé à 180 °C (350 °F) de 30 à 40 minutes, ou jusqu'à ce que le poulet soit cuit.

6. Au moment de servir, garnir avec les tranches de citron frais et le reste du persil et de la coriandre.

TAJINE DE POULET AUX FRUITS SÉCHÉS

Les abricots séchés non sucrés sont vendus dans les épiceries moyen-orientales et dans les magasins d'aliments naturels. Si vous n'en trouvez pas, utilisez des abricots séchés sucrés.

Donne 6 portions

1	poulet de 1,5 kg (3 lb), sans la peau, coupé en 8 morceaux	1
5 ml	sel	1 c. à thé
2 ml	gingembre moulu	1/2 c. à thé
2 ml	cannelle moulue	1/2 c. à thé
2 ml	poivre	1/2 c. à thé
	une pincée de brins de safran	
15 ml	huile d'olive	1 c. à soupe
2	oignons, coupés en tranches	2
2	gousses d'ail, émincées	2
15 ml	gingembre frais, râpé	1 c. à soupe
500 g	carottes miniatures	1 lb
125 ml	abricots séchés non sucrés	1/2 tasse
125 ml	dattes, dénoyautées et coupées en deux	1/2 tasse
125 ml	pruneaux, dénoyautés	1/2 tasse
250 ml	eau	1 tasse
15 ml	miel	1 c. à soupe
500 ml	pois chiches, cuits, ou une boîte de 540 ml (19 oz) de pois chiches, rincés et égouttés	2 tasses
15 ml	jus de citron	1 c. à soupe
25 ml	amandes tranchées, grillées (page 464)	2 c. à soupe
25 ml	persil frais ou coriandre fraîche, hachés	2 c. à soupe

VALEUR NUTRITIONNELLE PAR PORTION	
Calories	420
Protéines	30 g
Matières grasses	11 g
Saturées	2 g
Cholestérol	72 mg
Glucides	54 g
Fibres	8 g
Sodium	639 mg
Potassium	977 mg

Excellente source : vitamine A ; niacine ; vitamine B6 ; acide folique ; fer
Bonne source : thiamine ; riboflavine ; vitamine B12

1. Assécher le poulet dans un linge propre. Mélanger le sel, le gingembre moulu, la cannelle, le poivre et le safran. Enrober le poulet avec cette préparation.

2. Faire chauffer l'huile dans un faitout à feu moyen-vif. Faire revenir le poulet de 5 à 8 minutes de chaque côté, ou jusqu'à ce qu'il soit doré. Retirer le poulet du faitout.

3. Ajouter les oignons, l'ail et le gingembre et cuire de 5 à 10 minutes, jusqu'à ce qu'ils soient dorés. Ajouter les carottes, les abricots, les dattes, les pruneaux, l'eau et le miel. Porter à ébullition.

4. Remettre le poulet dans le faitout, couvrir et cuire dans un four préchauffé à 180 °C (350 °F) pendant 20 minutes. Ajouter les pois chiches, couvrir et cuire 15 minutes supplémentaires, ou jusqu'à ce que le poulet soit cuit.

5. Ajouter le jus de citron. Goûter et rectifier l'assaisonnement au besoin. Garnir d'amandes et de persil.

COQ AU VIN

Le coq au vin est l'un de ces délicieux plats qui effectuent un retour en force. Il nécessite peu de temps ; on peut le préparer à l'avance et le réchauffer facilement, ce qui en fait un mets idéal pour les réceptions. Traditionnellement, on le préparait aussi bien à partir de chair blanche que brune, mais on peut aussi n'utiliser que des poitrines, en prenant soin de ne pas trop les faire cuire.

Si vous le préférez, et si vous souhaitez réduire quelque peu le coût de ce plat, remplacez les champignons sauvages par des champignons de Paris. S'ils sont trop gros, tranchez-les.

> **PELER LES OIGNONS PERLÉS**
> Pour peler les oignons perlés ou les échalotes plus facilement, faites-les tremper dans l'eau bouillante pendant 1 minute. Rafraîchissez-les sous l'eau froide, puis pelez-les.

Donne 8 portions

2	poulets de 1,5 kg (3 lb), sans la peau, coupés en 4 morceaux chacun	2
125 ml	farine tout usage	1/2 tasse
2 ml	sel	1/2 c. à thé
1 ml	poivre	1/4 c. à thé
15 ml	huile d'olive, ou 2 tranches de bacon, coupées en tronçons de 2,5 cm (1 po)	1 c. à soupe
50 ml	brandy (facultatif)	1/4 tasse
24	oignons perlés, ou échalotes, pelés	24
24	gousses d'ail entières, pelées	24
500 g	champignons sauvages, nettoyés	1 lb
4	grosses carottes, tranchées en diagonale	4

250 ml	vin rouge sec, ou bouillon	1 tasse
500 ml	bouillon de bœuf maison, ou bouillon de poulet maison (page 127)	2 tasses
1	feuille de laurier	1
15 ml	thym frais, haché, ou une pincée de thym séché	1 c. à soupe
15 ml	romarin frais, haché, ou une pincée de romarin séché	1 c. à soupe
15 ml	estragon frais, haché, ou une pincée d'estragon séché	1 c. à soupe
50 ml	persil frais, haché grossièrement	1/4 tasse

1. Assécher le poulet dans un linge propre. Dans un plat peu profond, mélanger la farine, le sel et le poivre. Enrober les morceaux de poulet de ce mélange, en secouant l'excès. (L'excédent de farine sera perdu, mais il est bien plus facile de travailler avec trop de farine que pas assez.)

2. Chauffer l'huile à feu moyen-vif dans une grande poêle profonde ou dans un faitout. Faire dorer les morceaux de poulet, environ 5 minutes, de chaque côté, ou jusqu'à ce qu'il soient dorés, en procédant en plusieurs étapes au besoin afin de ne pas surcharger la poêle. (Si l'on utilise du bacon, le faire dorer. Retirer le bacon et réserver. Jeter le gras, mais sans laver la poêle. Dorer le poulet dans la même poêle.)

3. Remettre le poulet dans la poêle et arroser de brandy (facultatif). Flamber le plat. Dès que les flammes diminuent, retirer le poulet (ne pas se faire de souci si l'alcool ne flambe pas, il s'évaporera durant la cuisson).

4. Ajouter les oignons, l'ail, les champignons et les carottes au contenu de la poêle. Laisser dorer pendant environ 8 minutes.

5. Verser le vin dans la poêle et porter à ébullition. En grattant, détacher les particules dorées qui adhèrent au fond de la poêle (déglacer). Ajouter le bouillon, la feuille de laurier, le thym, le romarin et l'estragon. Ajouter le poulet et porter à ébullition. Couvrir et laisser cuire à feu doux pendant environ 45 minutes.

6. Retirer le poulet et les légumes et les mettre dans une assiette de service. Couvrir pour garder au chaud. Jeter la feuille de laurier. Retirer le gras qui flotte à la surface à l'aide d'une cuillère.

7. Laisser mijoter la sauce à découvert jusqu'à ce qu'elle épaississe. Verser la sauce sur le poulet. Garnir de persil.

Bœuf bourguignon

Utiliser du bœuf à ragoût plutôt que du poulet. Couper 1 kg (2 lb) de bœuf à ragoût en morceaux et le cuire avec les légumes pendant 2 heures, ou jusqu'à ce qu'il soit tendre.

VALEUR NUTRITIONNELLE PAR PORTION

Calories	342
Protéines	48 g
Matières grasses	9 g
Saturées	2 g
Cholestérol	144 mg
Glucides	15 g
Fibres	3 g
Sodium	279 mg
Potassium	869 mg

Excellente source : vitamine A ; riboflavine ; niacine ; vitamine B6 ; vitamine B12 ; fer
Bonne source : thiamine ; acide folique

FLAMBER LES PLATS

On fait flamber les plats pour trois raisons. D'abord, ce traitement fait évaporer la majeure partie de l'alcool contenu dans un mets, ce qui le rend plus doux.

On fait également flamber les aliments pour faire brûler légèrement la surface de la nourriture afin d'emprisonner la saveur et de créer une croûte.

Enfin, on fait flamber pour créer de l'effet.

Faire chauffer l'alcool dans une petite casserole et l'enflammer (dans la casserole) à l'aide d'une allumette longue. Verser l'alcool en flammes sur la pièce à flamber et attendre que le feu soit éteint avant de servir.

On peut également verser directement l'alcool sur le plat et l'allumer à l'aide d'une allumette longue. Si la flamme ne prend pas, l'effet est raté. (Ne tentez pas de verser de l'alcool à plus de deux reprises dans le plat, sous peine de le noyer dans l'alcool.)

CONSEILS POUR FAIRE FLAMBER

- Désactivez votre avertisseur de fumée.
- Attachez vos cheveux.
- Ne versez pas l'alcool directement de la bouteille. Versez d'abord la quantité désirée dans un verre et éloignez la bouteille de la source de chaleur.
- L'alcool ne s'enflamme pas toujours du premier coup ; tenez-vous donc toujours éloigné du plat lorsque vous exécutez cette opération.
- Assurez-vous qu'il n'y ait pas de déversement d'alcool sur la table.

CHILI AU POULET À L'ORIENTALE

Ce plat marie les saveurs de l'Orient et les idées de l'Occident. Une recette traditionnelle allégée et remise au goût du jour par l'ajout d'ingrédients provenant des quatre coins du monde. Ce poulet peut être servi avec du riz à la vapeur ou du couscous.

VALEUR NUTRITIONNELLE PAR PORTION

Calories	229
Protéines	22 g
Matières grasses	4 g
Saturées	1 g
Cholestérol	33 mg
Glucides	27 g
Fibres	10 g
Sodium	358 mg
Potassium	780 mg

Excellente source :
vitamine C ; niacine ; fer ; vitamine B6 ; acide folique
Bonne source :
vitamine A ; thiamine

Donne de 8 à 10 portions

15 ml	huile végétale	1 c. à soupe
25 ml	gingembre frais, haché finement	2 c. à soupe
6	oignons verts, hachés	6
3	gousses d'ail, hachées finement	3
2	poivrons rouges, coupés en dés	2
10 ml	pâte de piment orientale (ou au goût)	2 c. à thé
500 g	poitrines de poulet désossées, sans la peau, coupées en cubes, ou hachées	1 lb
1	boîte de 796 ml (28 oz) de tomates italiennes, égouttées et réduites en purée	1
1 l	haricots rouges, cuits, ou 2 boîtes de 540 ml (19 oz) de haricots rouges, rincés et égouttés	4 tasses
25 ml	sauce soya	2 c. à soupe

15 ml	vin de riz	1 c. à soupe
5 ml	huile de sésame grillé	1 c. à thé
125 ml	coriandre fraîche ou persil frais, hachés	1/2 tasse

1. Chauffer l'huile à feu moyen-vif dans une grande poêle profonde ou dans un wok. Faire revenir le gingembre, les oignons verts et l'ail. Cuire 30 secondes, ou jusqu'à ce que le mélange dégage un arôme agréable. Ajouter les poivrons rouges, la pâte de piment et cuire quelques minutes.

2. Assécher le poulet dans un linge propre. Ajouter le poulet et bien mélanger. Cuire en remuant constamment environ 5 minutes, ou jusqu'à ce que l'extérieur des morceaux de poulet soit blanc.

3. Ajouter les tomates et porter le tout à ébullition. Réduire le feu et laisser mijoter doucement pendant 30 minutes, ou jusqu'à ce que le mélange soit assez épais et que presque tout le liquide se soit évaporé.

4. Incorporer à la préparation les haricots, la sauce soya et le vin de riz. Cuire 10 minutes.

5. Incorporer l'huile de sésame et la coriandre. Rectifier l'assaisonnement au besoin.

POULET AUX QUARANTE GOUSSES D'AIL

Quarante gousses d'ail ! N'ayez crainte, vous ne ferez fuir personne, car, comme je me plais à le répéter, plus l'ail cuit longtemps et plus son goût est discret.

Il s'agit d'un plat qui se prépare très bien à l'avance et dont la saveur s'améliore lorsqu'on le réchauffe. Servez ce poulet accompagné d'une purée de pommes de terre avec une certaine quantité de jus et beaucoup d'ail. Bien qu'il ne fasse pas partie de la tradition, le fromage de chèvre crémeux produit également un effet fantastique ici (il est également délicieux sur les pommes de terre au four).

Donne 6 portions

1	poulet de 1,5 kg (3 lb), sans la peau, coupé en morceaux	1
15 ml	huile d'olive	1 c. à soupe
40	gousses d'ail, pelées	40
10	échalotes pelées (page 279) (facultatif)	10
45 ml	cognac, ou brandy	3 c. à soupe
2 ml	sel	1/2 c. à thé

L'HUILE DE SÉSAME
Plusieurs recettes présentées dans ce livre demandent de l'huile de sésame grillé. Cette huile est préparée avec des graines de sésame grillées. Elle est de couleur foncée et son goût est très aromatique. (Ne la confondez pas avec l'huile de sésame dorée vendue dans les magasins d'aliments naturels.) Une fois la bouteille entamée, conservez-la au réfrigérateur.

Comme sa saveur est très prononcée, elle est rarement employée en grande quantité ou comme huile de cuisson. On s'en sert pour rehausser la saveur des plats sautés, des vinaigrettes et des trempettes. Lorsque vous l'utiliserez, ajoutez-la à la fin de la préparation.

VALEUR NUTRITIONNELLE PAR PORTION

Calories	192
Protéines	25 g
Matières grasses	6 g
Saturées	1 g
Cholestérol	76 mg
Glucides	7 g
Fibres	traces
Sodium	280 mg
Potassium	355 mg

Excellente source :
niacine ; vitamine B6

**FROMAGE DE CHÈVRE
CRÉMEUX**
Dans une petite
casserole, mélanger
125 ml (1/2 tasse) de lait
et 90 g (3 oz) de
fromage de chèvre frais.
Chauffer doucement
tout en battant jusqu'à
homogénéité.
Incorporer au mélange
5 ml (1 c. à thé) de thym
frais haché et autant de
romarin frais haché (ou
1 ml [1/4 c. à thé]) de
ces mêmes herbes
séchées), 25 ml (2 c. à
soupe) de ciboulette
fraîche ou d'oignons
verts hachés, 1 ml
(1/4 c. à thé) de poivre
et de sel, au goût.

2 ml	poivre	1/2 c. à thé
175 ml	vin blanc sec, ou bouillon de poulet maison (page 127)	3/4 tasse
25 ml	ciboulette fraîche ou oignons verts, hachés (facultatif)	2 c. à soupe

1. Assécher les morceaux de poulet dans un linge propre. Chauffer l'huile à feu moyen-vif dans une grande poêle profonde antiadhésive. Bien faire dorer les morceaux de poulet, environ 5 minutes de chaque côté, en plusieurs étapes, au besoin, afin de ne pas surcharger la poêle.

2. Ajouter au contenu de la poêle les gousses d'ail et les échalotes ; faire glisser les gousses d'ail sous le poulet. Cuire de 10 à 15 minutes supplémentaires, ou jusqu'à ce que l'ail et les échalotes soient légèrement dorés.

3. Jeter tout le gras accumulé dans la poêle. Verser le cognac et, si on le désire, faire flamber (page 457).

4. Ajouter le sel, le poivre et le vin. Porter à ébullition, couvrir, réduire le feu et laisser mijoter 30 minutes. Saupoudrer de ciboulette avant de servir.

TIMBALES DE POULET

Le poulet en croûte est délicieux avec de la pâte brisée ou de la pâte filo, mais je l'aime bien recouvert d'une purée de pommes de terre ou d'une purée de patates douces (page 371). Si vous avez des restes de dinde, profitez-en pour les utiliser.

Donne de 8 à 10 portions

25 ml	huile d'olive	2 c. à soupe
250 g	champignons, coupés en quatre	1/2 lb
2	poireaux, ou oignons, hachés	2
250 ml	carottes, coupées en dés	1 tasse
75 ml	farine tout usage	1/3 tasse
500 ml	bouillon de poulet maison (page 127), ou eau	2 tasses
15 ml	thym frais, haché, ou 2 ml (1/2 c. à thé) de thym séché	1 c. à soupe
2 ml	poivre	1/2 c. à thé
1 ml	sauce au piment rouge sel au goût	1/4 c. à thé

1 l	poitrines de poulet, cuites et coupées en dés	4 tasses
125 ml	maïs en grains	1/2 tasse
250 ml	petits pois	1 tasse
50 ml	piment type Jamaïque, ou poivron rouge grillé (page 165), coupé en dés	1/4 tasse

Purée de pommes de terre au cheddar

1 kg	pommes de terre, pelées et coupées en morceaux de 5 cm (2 po)	2 lb
175 ml	lait, chaud	3/4 tasse
1 ml	poivre	1/4 c. à thé
	sel au goût	
175 ml	cheddar à faible teneur en matières grasses, râpé	3/4 tasse
5 ml	paprika	1 c. à thé

1. Chauffer l'huile dans une grande casserole ou dans un faitout. Y mettre les champignons, les poireaux et les carottes. Cuire quelques minutes. Saupoudrer de farine. Cuire 5 minutes à feu doux, sans laisser dorer les légumes.

2. Incorporer le bouillon au fouet et porter à ébullition. Réduire le feu et ajouter le thym, le poivre, la sauce au piment rouge et le sel. Laisser mijoter 10 minutes en remuant de temps en temps.

3. Incorporer le poulet, le maïs, les pois et le piment type Jamaïque. Goûter et rectifier l'assaisonnement au besoin.

4. Pour préparer la purée, cuire les pommes de terre dans une grande casserole remplie d'eau bouillante, jusqu'à ce qu'elles soient tendres. Bien égoutter et assécher. Réduire en purée. Incorporer, en battant, le lait, le poivre, le sel et le fromage. Rectifier l'assaisonnement au besoin. (Verser davantage de lait, au besoin, de manière à rendre la purée suffisamment onctueuse pour être étendue.)

5. Huiler légèrement une cocotte d'une capacité de 3 l (12 tasses). Y déposer le poulet. Mettre la purée sur le poulet à la cuillère ou à l'aide d'une poche à douille de pâtissier et saupoudrer de paprika.

6. Cuire dans un four préchauffé à 200 °C (400 °F) de 30 à 35 minutes, ou jusqu'à ce que le plat soit très chaud et bouillonne.

VALEUR NUTRITIONNELLE PAR PORTION

Calories	333
Protéines	31 g
Matières grasses	9 g
Saturées	3 g
Cholestérol	68 mg
Glucides	32 g
Fibres	3 g
Sodium	184 mg
Potassium	735 mg

Excellente source : vitamine A ; niacine ; vitamine B6

Bonne source : thiamine ; riboflavine ; fer ; acide folique ; vitamine B12

LE POULET

- Conservez le poulet au réfrigérateur et consommez-le rapidement, ou congelez-le. Le poulet se contamine facilement par les salmonelles et autres bactéries ; il faut donc lui accorder une attention particulière. Décongelez-le au réfrigérateur ou dans le four à micro-ondes, mais jamais à la température ambiante, car c'est dans ces conditions que les bactéries prolifèrent le plus rapidement.

- Coupez le poulet sur une planche à découper facile d'entretien. Lavez soigneusement la planche, les ustensiles de cuisine de même que vos mains. Si vous cuisez le poulet au barbecue, évitez que la viande crue et la marinade entrent en contact avec la viande cuite.

- J'ai l'habitude de retirer la peau du poulet avant la cuisson. Je cuis les poitrines avec les os parce que les os empêchent la viande de se dessécher. Conservez la peau et les os et ajoutez-les aux ingrédients de votre bouillon de poulet (page 127).

- Le poulet et la dinde doivent atteindre une température interne de 74 °C (165 °F) pour être parfaitement cuits. Soyez particulièrement attentif au degré de cuisson lorsque vous préparez des poitrines de poulet désossées, sans la peau, parce que leur chair devient très sèche lorsqu'elle est trop cuite.

- Le poulet haché est encore plus périssable que le poulet en morceaux, il est donc impératif de l'employer la journée même de l'achat ou de le congeler. La plupart du temps, le poulet haché est fait à partir de viande blanche et de viande brune, et parfois à partir de peau et de matières grasses. Par ailleurs, si vous possédez un robot culinaire, vous pouvez hacher vous-même des poitrines désossées et sans la peau ; vous aurez ainsi la certitude que votre poulet est frais et sans gras. Si vous n'avez pas de robot culinaire, demandez l'aide de votre boucher.

- J'aime beaucoup les supports qui permettent de faire rôtir la volaille à la verticale. Il suffit d'embrocher le poulet et de déposer le support dans une rôtissoire tapissée de papier sulfurisé ou de papier d'aluminium. La volaille cuit plus rapidement, car la position verticale permet une meilleure distribution de la chaleur à l'intérieur du poulet, sans compter que le poulet ne baigne pas dans son gras, puisque celui-ci s'écoule naturellement.

BÂTONNETS DE POULET PANÉS

Lorsque mes enfants étaient petits, j'ai consacré beaucoup de temps à l'élaboration de recettes qui leur plaisaient. Cette recette de poulet pané sans friture est le fruit de mes expérimentations. Elle est délicieuse.

Pour un plat qui saura leur plaire à coup sûr, remplacer une moitié de la chapelure par les céréales à déjeuner préférées de vos enfants.

Préparer la chapelure au robot culinaire ou déposer le pain et les céréales dans un sac de plastique et écraser le tout avec un rouleau à pâte. La chapelure panko (page 230) donne un poulet très croustillant.

Pour des poitrines de poulet panées, augmentez de 10 minutes le temps de cuisson. Servez avec votre sauce trempette préférée.

Donne de 4 à 6 portions

5 ml	huile végétale	1 c. à thé
500 g	poitrines de poulet désossées, sans la peau	1 lb
75 ml	fromage de yogourt (page 420), ou mayonnaise légère	1/3 tasse
15 ml	ketchup	1 c. à soupe
5 ml	moutarde de Dijon	1 c. à thé
2 ml	sauce Worcestershire	1/2 c. à thé
1 ml	poivre	1/4 c. à thé
375 ml	chapelure sèche de blé entier, de craquelin ou de céréales	1 1/2 tasse

1. Badigeonner le fond d'une plaque à pâtisserie d'huile végétale et la déposer dans un four préchauffé à 200 °C (400 °F).

2. Assécher les morceaux de poulet dans un linge propre et couper chaque poitrine en 4 ou 5 bâtonnets.

3. Dans un grand bol, mélanger le fromage de yogourt, le ketchup, la moutarde, la sauce Worcestershire et le poivre. Ajouter le poulet et bien l'enrober.

4. Déposer la chapelure dans une grande assiette. Un à la fois, rouler les bâtonnets de poulet dans la chapelure.

5. Déposer les bâtonnets de poulet côte à côte sur la plaque à pâtisserie chaude. Cuire 15 minutes, les retourner et les cuire de 10 à 12 minutes supplémentaires, ou jusqu'à ce qu'ils soient croustillants et que le poulet soit cuit.

POULET ADOBO

Cette version d'un plat philippin célèbre m'a été transmise par une amie de la famille, Dely Balagtas. Les enfants l'aimeront eux aussi (même les miens !). Servez-le avec du riz vapeur ou des légumes nature.

Vous pouvez aussi utiliser un petit poulet entier au lieu de quatre poitrines ; il suffit de le couper en portions et d'en retirer la peau.

SAUCE AUX PRUNES
Mélanger 50 ml (1/4 tasse) de sauce aux prunes, 5 ml (1 c. à thé) de sauce soya et 2 ml (1/2 c. à thé) de gingembre moulu.
Donne environ 50 ml (1/4 tasse).

SAUCE AU MIEL ET À L'AIL
Mélanger 50 ml (1/4 tasse) de miel, 15 ml (1 c. à soupe) de sauce soya et 1 gousse d'ail émincée.
Donne environ 50 ml (1/4 tasse).

VALEUR NUTRITIONNELLE PAR PORTION

Calories	279
Protéines	34 g
Matières grasses	4 g
Saturées	1 g
Cholestérol	68 mg
Glucides	27 g
Fibres	3 g
Sodium	411 mg
Potassium	480 mg

Excellente source : niacine ; vitamine B6
Bonne source : riboflavine ; vitamine B12 ; fer

Donne 4 portions

15 ml	huile végétale	1 c. à soupe
1	gros oignon, coupé en rondelles de 5 mm (1/4 po) d'épaisseur	1
4	poitrines de poulet entières, non désossées, sans la peau	4
3	gousses d'ail, émincées	3
45 ml	jus de citron ou de vinaigre blanc	3 c. à soupe
25 ml	sauce soya	2 c. à soupe
50 ml	eau	1/4 tasse
2 ml	poivre	1/2 c. à thé
1	feuille de laurier	1

1. Chauffer l'huile à feu moyen-vif dans une grande poêle antiadhésive profonde. Y faire revenir l'oignon de 8 à 10 minutes, ou jusqu'à ce qu'il soit doré. Retirer de la poêle et réserver.

2. Mettre le poulet, l'ail, le jus de citron, la sauce soya, l'eau et le poivre dans la poêle. Bien mélanger. Ajouter la feuille de laurier. Cuire à couvert et à feu doux de 25 à 30 minutes.

3. Remettre l'oignon dans la poêle. Poursuivre la cuisson à découvert, jusqu'à ce que le poulet soit à point et tendre, ce qui devrait prendre entre 5 à 10 minutes. Goûter et rectifier l'assaisonnement au besoin.

PAIN DE POULET

J'adore ce pain de poulet servi avec de la purée de pommes de terre, des petits pois et de la sauce tomate ou du ketchup. Il est également délicieux servi froid. Essayez-le en sandwiches avec des oignons et des poivrons grillés ainsi que du pesto (page 188). Vous pouvez aussi faire des hamburgers au poulet à partir de ce mélange.

Donne 8 portions

10 ml	huile d'olive	2 c. à thé
1	oignon, haché	1
2	gousses d'ail, hachées finement	2
1 kg	poitrines de poulet, sans gras, hachées	2 lb
1	œuf	1
2	blancs d'œufs, ou 1 œuf entier	2
125 ml	ketchup	1/2 tasse
15 ml	sauce Worcestershire	1 c. à soupe
15 ml	moutarde de Dijon	1 c. à soupe

VALEUR NUTRITIONNELLE PAR PORTION

Calories	198
Protéines	31 g
Matières grasses	5 g
Saturées	1 g
Cholestérol	76 mg
Glucides	5 g
Fibres	1 g
Sodium	504 mg
Potassium	422 mg

Excellente source :
niacine ; vitamine B6
Bonne source :
vitamine B12

5 ml	pâte de piment orientale	1 c. à thé
5 ml	sel	1 c. à thé
2 ml	poivre	1/2 c. à thé
250 ml	chapelure fraîche de blé entier ou ordinaire	1 tasse
25 ml	basilic ou persil frais, hachés	2 c. à soupe
25 ml	ciboulette fraîche ou oignons verts, hachés	2 c. à soupe

1. Chauffer l'huile à feu moyen dans une grande poêle antiadhésive. Y faire revenir l'oignon et l'ail. Cuire à feu doux quelques minutes, jusqu'à ce que le tout soit odorant, mais sans faire dorer l'oignon. Laisser refroidir.

2. Dans un grand bol, mélanger le poulet, l'œuf, les blancs d'œufs, le ketchup, la sauce Worcestershire, la moutarde, la pâte de piment, le sel, le poivre, la chapelure et les oignons. Pétrir le tout à la cuillère ou à la main. Ajouter le basilic et la ciboulette.

3. Transférer le mélange à l'aide d'une cuillère dans un moule à pain antiadhésif d'une capacité de 2 l (8 tasses) (23 cm x 13 cm [9 po x 5 po]) légèrement huilé ou tapissé de papier sulfurisé. Recouvrir de papier sulfurisé ou de papier d'aluminium.

4. Cuire 1 heure dans un four préchauffé à 180 °C (350 °F). Découvrir et poursuivre la cuisson 20 minutes. Laisser reposer quelques minutes. Jeter tout liquide ayant pu s'accumuler dans le moule. Démouler et servir chaud, ou laisser refroidir dans le moule et démouler avant de servir.

VALEUR NUTRITIONNELLE PAR PORTION	
Calories	189
Protéines	29 g
Matières grasses	4 g
Saturées	1 g
Cholestérol	93 mg
Glucides	9 g
Fibres	1 g
Sodium	665 mg
Potassium	443 mg
Excellente source : niacine ; vitamine B6	
Bonne source : vitamine B12	

POITRINES DE POULET GRILLÉES AU CUMIN ET COUSCOUS À L'AIL

Si vous n'avez pas d'ail rôti (page 80) sous la main, remplacez-le par 1 gousse d'ail hachée dans 15 ml (1 c. à soupe) d'huile d'olive ou par 25 ml (1 c. à soupe) de pesto (page 188).

Donne 6 portions

6	poitrines de poulet désossées, sans la peau, aplaties, d'environ 125 g (1/4 lb) chacune	6
15 ml	huile d'olive	1 c. à soupe
25 ml	concentré de jus d'orange	2 c. à soupe
5 ml	cumin moulu	1 c. à thé
2	gousses d'ail, émincées	2
2 ml	sel	1/2 c. à thé
2 ml	poivre	1/2 c. à thé

Couscous à l'ail rôti

1 l	bouillon de poulet maison (page 127), ou eau	4 tasses
250 g	couscous israélien (page 387), ou orzo, soit environ 500 ml (2 tasses)	1/2 lb
1	bulbe d'ail rôti (page 80), réduit en purée, soit 25 ml (2 c. à soupe) sel et poivre au goût	1

1. Retirer le filet de chaque poitrine de poulet et réserver ces quatre filets à un autre usage (des doigts de poulet ou un sauté, par exemple). Assécher les poitrines dans un linge propre et les déposer, une à la fois, dans un sac de plastique épais. Les aplatir jusqu'à ce qu'elles atteignent 1 cm (1/2 po) d'épaisseur.

2. Dans un petit bol, mélanger l'huile d'olive, le concentré de jus d'orange, le cumin, l'ail émincé, le sel et le poivre. Frotter les poitrines de poulet de ce mélange. Faire mariner 10 minutes ou toute la nuit au réfrigérateur.

3. Faire griller les poitrines de poulet de 3 à 5 minutes, de chaque côté, jusqu'à ce qu'elles soient à point.

4. Pendant ce temps, pour préparer le couscous, porter le bouillon de poulet à ébullition. Y verser le couscous et cuire environ 10 minutes, ou jusqu'à ce qu'il soit tendre.

5. Incorporer la purée d'ail dans le couscous. Saler et poivrer. Servir le poulet sur le couscous, dans un grand plat de service.

BÂTONNETS DE POULET À L'AMÉRICAINE

Un jour, mes enfants sont rentrés à la maison en me demandant de leur cuisiner du poulet pané au four. Comme je n'achète pas de panure déjà préparée, j'ai décidé de la préparer moi-même. Mes bâtonnets sont moins gras que les ailes de poulet et les enfants en raffolent. Vous pouvez également paner des poitrines de poulet entières.

Donne 6 portions

12	bâtonnets de poulet cru, sans la peau, d'environ 90 g (3 oz) chacun	12
125 ml	jus d'orange, ou babeurre (page 436)	1/2 tasse
2	gousses d'ail, émincées	2
250 ml	chapelure sèche de blé entier ou ordinaire	1 tasse
25 ml	semoule de maïs	2 c. à soupe

15 ml	paprika	1 c. à soupe
15 ml	sucre cristallisé blanc	1 c. à soupe
5 ml	assaisonnement au chili	1 c. à thé
5 ml	sel	1 c. à thé
5 ml	moutarde sèche	1 c. à thé
2 ml	cumin moulu	1/2 c. à thé
2 ml	poivre de Cayenne (facultatif)	1/2 c. à thé

1. Assécher le poulet dans un linge propre. Faire mariner le poulet dans le jus d'orange et l'ail pendant 10 minutes. Secouer les bâtonnets pour enlever l'excès de liquide.

2. Pendant ce temps, dans un sac de plastique propre, mélanger la chapelure, la semoule de maïs, le paprika, le sucre, l'assaisonnement au chili, le sel, la moutarde, le cumin et le poivre de Cayenne.

3. Déposer les bâtonnets de poulet dans le sac et agiter pour bien les enrober de chapelure. Déposer les morceaux sur une plaque à pâtisserie antiadhésive ou tapissée de papier sulfurisé.

4. Cuire dans un four chauffé à 180 °C (350 °F) de 40 à 45 minutes, ou jusqu'à ce que le poulet soit à point, doré et croustillant.

VALEUR NUTRITIONNELLE PAR PORTION DE 2 BÂTONNETS

Calories	197
Protéines	20 g
Matières grasses	6 g
Saturées	2 g
Cholestérol	66 mg
Glucides	14 g
Fibres	2 g
Sodium	344 mg
Potassium	251 mg

Excellente source : niacine
Bonne source : riboflavine ; vitamine B6

ESCALOPES DE POULET PANÉES EN SAUCE AUX TOMATES RÔTIES

Ce poulet fait un excellent plat de résistance, mais on peut aussi en faire de magnifiques sandwiches qu'on nappera de sauce tomate. On peut également servir les escalopes nature, sans la sauce, arrosées d'un filet de jus de citron, ou encore les couper en lanières et les servir sur une salade verte ou sur une salade César (page 138).

Donne 4 portions

4	petites poitrines de poulet désossées, sans la peau, d'environ 125 g (1/4 lb) chacune	4
125 ml	farine de blé entier ou blanche	1/2 tasse
5 ml	paprika	1 c. à thé
2 ml	cumin moulu	1/2 c. à thé
1 ml	sel	1/4 c. à thé
	une pincée de poivre	
1	œuf	1
500 ml	chapelure fraîche de blé entier, ou chapelure panko (page 230)	2 tasses
25 ml	persil frais, haché	2 c. à soupe

5 ml	thym frais, haché, ou une pincée de thym séché	1 c. à thé
25 ml	huile d'olive	2 c. à soupe
1	citron	1
1	recette de sauce tomate (page 171), ou de sauce aux tomates cerises (page 199)	1

1. Retirer le filet de chaque poitrine de poulet et réserver ces quatre filets à un autre usage (des doigts de poulet ou un sauté, par exemple). Assécher les poitrines dans un linge propre et les déposer, une à la fois, dans un sac de plastique épais. Les aplatir, jusqu'à ce qu'elles atteignent 1 cm (1/2 po) d'épaisseur.

2. Dans un plat, mélanger la farine, le paprika, le cumin, le sel et le poivre.

3. Battre l'œuf légèrement et le mettre dans un autre plat. Mélanger la chapelure, le persil et le thym dans un troisième plat.

4. Rouler le poulet dans le mélange à base de farine et secouer l'excédent. Tremper le poulet dans l'œuf et laisser égoutter l'excédent. Recouvrir le poulet de chapelure. Si on ne cuit pas le poulet immédiatement, le déposer sur une grille placée sur une plaque à pâtisserie et réfrigérer pour éviter que la panure se détrempe.

5. Déposer le poulet sur une plaque à pâtisserie tapissée de papier sulfurisé et l'arroser légèrement d'huile. Cuire dans un four chauffé à 200 °C (400 °F) de 20 à 30 minutes, jusqu'à ce qu'il soit doré et à point.

6. Mettre le poulet dans une grande assiette et l'arroser de jus de citron. Servir accompagné de sauce tomate.

POULET RÔTI FARCI DE BOULGHOUR

Deux plats en un : la farce au boulghour peut être préparée séparément et servie en plat d'accompagnement. Si vous n'êtes pas amateur de farce, badigeonnez le poulet du mélange de sauce soya et de confiture d'abricot et enfournez-le.

J'utilise des gants en plastique épais (True Blues) pour retourner le poulet. Ils se lavent facilement et sont très isolants. Je m'en sers pour retirer la peau des poivrons au sortir du four, pour peler les betteraves ou les pommes de terre encore chaudes, ou pour déposer un rôti sur la planche à découper. Ces gants résistent à la chaleur, mais ils ne remplacent pas les gants pour le four. Ne jamais les utiliser pour sortir un plat du four.

Donne 6 portions
Farce au boulghour

10 ml	huile d'olive	2 c. à thé	
2	oignons, hachés	2	
1	gousse d'ail, hachée finement	2	
2	branches de céleri, hachées	2	
50 ml	abricots séchés, hachés	1/4 tasse	
25 ml	raisins secs	2 c. à soupe	
15 ml	pignons rôtis (page 245)	1 c. à soupe	
250 ml	boulghour	1 tasse	
500 ml	bouillon de poulet maison (page 127), ou eau, chauds	2 tasses	
2 ml	sel	1/2 c. à thé	
2 ml	poivre	1/2 c. à thé	
50 ml	persil frais, haché	1/4 tasse	

Poulet rôti

1	poulet de 1,5 kg (3 lb)	1	
15 ml	sauce soya	1 c. à soupe	
15 ml	confiture d'abricots	1 c. à soupe	

1. Pour préparer la farce, chauffer l'huile à feu moyen dans une grande poêle. Y faire revenir les oignons et l'ail pendant 5 minutes. Ajouter le céleri, les abricots, les raisins secs et les pignons. Cuire 2 minutes.

2. Ajouter le boulghour, le bouillon chaud, le sel et le poivre ; porter à ébullition. Réduire le feu, couvrir et cuire 10 minutes à feu doux, jusqu'à ce que le boulghour soit tendre et que le liquide soit absorbé. Ajouter le persil. Goûter et rectifier l'assaisonnement au besoin. Laisser refroidir.

3. Assécher le poulet avec un linge propre en l'épongeant à l'intérieur comme à l'extérieur. Le farcir de boulghour et mettre le restant de farce dans une cocotte huilée. Ficeler le poulet si désiré.

4. Mélanger la sauce soya et la confiture d'abricots. Badigeonner le poulet de cette pâte.

5. Cuire dans un four préchauffé à 190 °C (375 °F) de 75 à 90 minutes, ou jusqu'à ce que les sucs qui s'échappent du poulet lorsqu'on le pique soient transparents. Vérifier la cuisson après 45 minutes ; si le poulet commence à trop dorer, réduire la température du four à 160 °C (325 °F) et couvrir légèrement d'une tente de papier d'aluminium. À ce même moment, mettre la farce au four dans la cocotte couverte afin de la réchauffer.

6. Retirer la farce du poulet et la servir en accompagnement du poulet.

VALEUR NUTRITIONNELLE PAR PORTION (POULET FARCI SANS LA PEAU)

Calories	312
Protéines	30 g
Matières grasses	9 g
Saturées	2 g
Cholestérol	73 mg
Glucides	29 g
Fibres	6 g
Sodium	291 mg
Potassium	549 mg

Excellente source : niacine ; vitamine B6

Bonne source : fer ; acide folique ; vitamine B12

VALEUR NUTRITIONNELLE PAR PORTION (POULET FARCI AVEC LA PEAU)

Calories	406
Protéines	33 g
Matières grasses	17 g
Saturées	4 g
Cholestérol	88 mg
Glucides	31 g
Fibres	6 g
Sodium	442 mg
Potassium	581 mg

Excellente source : niacine ; vitamine B6

Bonne source : riboflavine ; acide folique ; vitamine B12 ; fer

Poulet rôti au citron

Pour un poulet rôti à l'ancienne, acheter un poulet d'excellente qualité (poulet élevé en liberté ou bio), le saupoudrer de gros sel et d'un peu de poivre et mettre un morceau de citron (le piquer avec la pointe d'un couteau afin qu'il rende son jus) dans sa cavité. Cuire dans un four préchauffé à 200 °C (400 °F) de 60 à 75 minutes, pour un poulet de 1,5 à 2 kg (3 à 4 lb), jusqu'à ce que sa température interne atteigne 74 °C (165 °F).

MUSAKHAN (POULET GRILLÉ AUX OIGNONS ET AUX PIGNONS SUR PITA)

Lors de mon dernier voyage en Israël, j'ai visité un lycée arabe où se donnait un programme d'art culinaire. C'est là que j'ai découvert cette recette du Moyen-Orient. Voici mon interprétation de cette recette. Un vrai régal.

Le poulet rôti est servi sur du pain pita avec des pignons et des oignons. Les jus de cuisson imbibent le pita et lui confère une saveur inimitable.

Le sumac est fait de baies de sumac moulues. Il a une saveur acidulée et citronnée. Il est vendu dans les épiceries arabes. Si vous n'en trouvez pas, remplacez-le par du jus et du zeste de citron.

Donne 6 portions

25 ml	jus de citron	2 c. à soupe
25 ml	huile d'olive, divisée en deux portions	2 c. à soupe
25 ml	sumac moulu	2 c. à soupe
15 ml	paprika fumé (page 255)	1 c. à soupe
2 ml	sel	1/2 c. à thé
1 ml	clous de girofle moulus	1/4 c. à thé
1 ml	piment de la Jamaïque	1/4 c. à thé
1 ml	cannelle moulue	1/4 c. à thé
1 ml	curcuma moulu	1/4 c. à thé
1 ml	muscade moulue	1/4 c. à thé
1	poulet d'environ 2 kg (3 à 4 lb), sans la peau, coupé en 8 à 10 morceaux	1
4	gros oignons, coupés en tranches fines	4
4	gousses d'ail, émincées	4
	sel et poivre au goût	

6	pitas de blé entier ou ordinaires, de 10 cm (4 po) de diamètre, (ou 3 grands pitas coupés en deux)	6
25 ml	pignons	2 c. à soupe
50 ml	coriandre fraîche ou persil frais, hachés	1/4 tasse

1. Mélanger le jus de citron et 15 ml (1 c. à soupe) d'huile d'olive. Incorporer le sumac, le paprika, le sel, le clou de girofle, le piment de la Jamaïque, la cannelle, le curcuma et la muscade.

2. Assécher le poulet dans un linge propre et l'enrober de la préparation d'épices. Déposer les morceaux côte à côte sur une plaque à pâtisserie tapissée de papier sulfurisé. Cuire à 190 °C (375 °F) de 20 à 30 minutes, ou jusqu'à ce que le poulet soit presque cuit.

3. Pendant ce temps, faire chauffer le reste de l'huile à feu moyen-vif dans une grande poêle antiadhésive. Déposer les oignons et l'ail et cuire de 10 à 15 minutes, jusqu'à ce que les oignons soient tendres et dorés. Ajouter les jus de cuisson du poulet dans les oignons. Saler et poivrer.

4. Une fois le poulet cuit, étaler les pitas côte à côte sur une plaque à pâtisserie. Déposer la moitié des oignons avec leur jus sur les pitas. Recouvrir de poulet. Déposer le reste des oignons et les pignons sur le poulet. Enfourner 10 minutes supplémentaires.

5. Garnir avec la coriandre hachée.

VALEUR NUTRITIONNELLE PAR PORTION

Calories	331
Protéines	28 g
Matières grasses	13 g
Saturées	3 g
Cholestérol	72 mg
Glucides	27 g
Fibres	4 g
Sodium	418 mg
Potassium	458 mg

Excellente source : niacine ; vitamine B6
Bonne source : thiamine ; vitamine B12 ; fer

BÂTONNETS DE POULET GRILLÉS

Ce plat recueille les faveurs aussi bien des enfants que des adultes. Il se sert chaud ou froid, et peut se préparer avec des poitrines de poulet entières pour remplacer les bâtonnets.

Je sers ces bâtonnets, comme plat principal sur un lit de riz, ou encore comme entrée, accompagnés d'une trempette au yogourt pour les enfants ou d'une salsa piquante (page 58) pour les adultes.

Donne de 4 à 6 portions

500 g	poitrines de poulet désossées, sans la peau	1 lb
25 ml	miel	2 c. à soupe
25 ml	jus de citron	2 c. à soupe
15 ml	ketchup ou sauce chili du commerce	1 c. à soupe
1 ml	cumin moulu	1/4 c. à thé
2 ml	sel	1/2 c. à thé

VALEUR NUTRITIONNELLE PAR PORTION

Calories	151
Protéines	26 g
Matières grasses	2 g
Saturées	traces
Cholestérol	70 mg
Glucides	8 g
Fibres	traces
Sodium	330 mg
Potassium	239 mg

Excellente source : niacine ; vitamine B6

1. Couper chaque poitrine de poulet en 4 ou 5 lanières. Les assécher en les épongeant avec un linge propre.

2. Dans un bol, mélanger le miel, le jus de citron, le ketchup et le cumin. Y mettre le poulet et laisser mariner 8 heures au réfrigérateur.

3. Immédiatement avant la cuisson, incorporer le sel au mélange. Griller au four les morceaux de poulet de 5 à 7 minutes de chaque côté, selon leur épaisseur, ou jusqu'à ce qu'ils soient à point.

JAMBALAYA DE POULET

Voici un repas simple qui plaît aux enfants. Vous pouvez y ajouter d'autres légumes si vous le désirez. Servez ce repas avec du pain de maïs grillé (page 431) et une salade.

Pour un plat plus relevé, ajoutez des piments jalapeños en même temps que les oignons. Si vous utilisez du riz blanc, le temps de cuisson au four sera alors d'une vingtaine de minutes. Il sera peut-être également approprié de réduire de 125 ml (1/2 tasse) la quantité de bouillon.

Donne 6 portions

25 ml	huile végétale, divisée en deux portions	2 c. à soupe
1	oignon, haché	1
2	gousses d'ail, hachées finement	2
1	poivron rouge, épépiné et coupé en dés	1
1	poivron vert, épépiné et coupé en dés	1
2	branches de céleri, coupées en tranches	2
750 g	poitrines de poulet, désossées, sans la peau, coupées en cubes de 4 cm (1 1/2 po)	1 1/2 lb
2	tomates, pelées, épépinées et coupées en dés	2
375 ml	riz brun ou blanc, à grains longs	1 1/2 tasse
125 ml	jus de tomate ou tomates en purée	1/2 tasse
625 ml	bouillon de poulet maison (page 127), ou eau	2 1/2 tasses
2 ml	sauce au piment rouge	1/2 c. à thé
5 ml	sel	1 c. à thé
1 ml	poivre	1/4 c. à thé
1 ml	thym, séché	1/4 c. à thé
1 ml	origan, séché	1/4 c. à thé
1 ml	poivre de Cayenne	1/4 c. à thé
125 g	crevettes de taille moyenne, décortiquées et coupées en papillon (facultatif)	1/4 lb
2	oignons verts, coupés en diagonale	2

PELER ET ÉPÉPINER LES TOMATES

En cuisant, la peau des tomates se détache, ce qui donne un plat moins alléchant. Si vous souhaitez peler les tomates, pratiquer deux entailles en forme de x à leur base et plongez-les dans l'eau bouillante de 10 à 15 secondes. Une fois les tomates suffisamment refroidies pour être manipulées, la peau s'enlèvera sans difficulté. (Ne perdez pas votre temps à peler les tomates cerises.) Laissez refroidir et pelez.

Pour une sauce moins liquide, épépinez les tomates. Il suffit alors de les trancher en deux horizontalement et de les presser délicatement pour extraire les pépins.

1. Chauffer à feu moyen 15 ml (1 c. à soupe) d'huile dans une cocotte. Y déposer les oignons et l'ail et cuire de 3 à 5 minutes, jusqu'à ce que les oignons soient tendres et odorants. Ajouter les poivrons et le céleri. Cuire 5 minutes. Retirer les légumes et réserver.

2. Chauffer le reste de l'huile dans la poêle à feu moyen-vif et faire dorer les cubes de poulet pendant quelques minutes, jusqu'à ce qu'ils soient dorés de tous les côtés.

3. Remettre les légumes dans la cocotte. Incorporer les tomates et le riz. Cuire 3 minutes en remuant.

4. Pendant ce temps, bien mélanger le jus de tomate, le bouillon de poulet, la sauce au piment, le sel, le poivre, le thym, l'origan et le poivre de Cayenne.

5. Verser le liquide dans la cocotte et porter à ébullition. Réduire le feu, couvrir et cuire dans un four préchauffé à 180 °C (350 °F) de 30 à 35 minutes, ou jusqu'à ce que le liquide soit absorbé et que le riz soit tendre.

6. Ajouter les crevettes au contenu de la cocotte. Couvrir à nouveau et remettre au four de 5 à 10 minutes, jusqu'à ce que les crevettes soient cuites. Parsemer d'oignons verts.

VALEUR NUTRITIONNELLE PAR PORTION	
Calories	385
Protéines	34 g
Matières grasses	8 g
Saturées	2 g
Cholestérol	71 mg
Glucides	44 g
Fibres	5 g
Sodium	570 mg
Potassium	764 mg

Excellente source : niacine ; vitamine B6 ; vitamine C

Bonne source : vitamine B12 ; thiamine

POITRINES DE POULET AVEC SAUCE AUX HARICOTS NOIRS

Mes élèves m'apportent parfois de succulentes recettes ; celle-ci compte parmi les meilleures. Je la tiens d'Irene Tarn. Non seulement elle est facile à préparer, mais elle est absolument délicieuse. Ce plat se mange chaud ou froid, ce qui le rend idéal pour un pique-nique. La sauce aux haricots noirs accompagne agréablement le filet de porc, le saumon (cuire le saumon de 10 à 15 minutes selon l'épaisseur) et le poulet rôti. Servir avec du riz brun ou de la semoule de blé et des légumes verts vapeur.

Donne 6 portions

25 ml	sauce aux haricots noirs fermentés (page 87)	2 c. à soupe
25 ml	eau	2 c. à soupe
5 ml	concentré de jus d'orange congelé	1 c. à thé
2 ml	pâte de piment orientale	1/2 c. à thé
5 ml	huile de sésame grillé (facultatif)	1 c. à thé
6	poitrines de poulet, avec les os, sans la peau	6
25 ml	coriandre fraîche ou persil frais, hachés	2 c. à soupe

VALEUR NUTRITIONNELLE PAR PORTION	
Calories	153
Protéines	28 g
Matières grasses	3 g
Saturées	1 g
Cholestérol	72 mg
Glucides	1 g
Fibres	0 g
Sodium	105 mg
Potassium	363 mg

Excellente source : niacine ; vitamine B6

Bonne source : vitamine B12

1. Dans un petit bol, mélanger la sauce de haricots noirs, l'eau, le concentré de jus d'orange, la pâte de piment et l'huile de sésame.

2. Assécher le poulet dans un linge propre. Enrober le poulet de la préparation. Disposer les morceaux de poulet, côté osseux vers le bas, sur une plaque tapissée de papier sulfurisé.

3. Couvrir d'un papier d'aluminium et cuire dans un four préchauffé à 180 °C (350 °F) pendant 15 minutes. Découvrir et cuire de 15 à 20 minutes, ou jusqu'à ce que le poulet soit à point. Garnir de coriandre avant de servir.

POULET DE CORNOUAILLES RÔTI AUX FINES HERBES

Ce plat est à la fois simple et élégant. La cuisson de la volaille avec la peau conserve à la chair son moelleux, sans ajouter aucun gras, si on prend la précaution de l'enlever par la suite. Si vous ne pouvez trouver que de gros poulets, contentez-vous de servir une demi-volaille par personne.

Donne 8 portions

8	poulets de Cornouailles, d'environ 500 g (1 lb) chacun	8
16	gousses d'ail, pelées, entières	16
16	quartiers de citron	16
25 ml	huile d'olive	2 c. à soupe
3	gousses d'ail, émincées	3
25 ml	romarin frais, haché, ou 5 ml (1 c. à thé) de romarin séché	2 c. à soupe
25 ml	sauge fraîche, hachée, ou 5 ml (1 c. à thé) de sauge séchée	2 c. à soupe
25 ml	estragon frais, haché, ou 5 ml (1 c. à thé) d'estragon séché	2 c. à soupe
25 ml	thym frais, haché, ou 5 ml (1 c. à thé) de thym séché	2 c. à soupe
5 ml	sel	1 c. à thé
2 ml	poivre	1/2 c. à thé
500 ml	bouillon de poulet maison (page 127), ou eau	2 tasses
25 ml	sauce soya	2 c. à soupe
25 ml	sauce Worcestershire	2 c. à soupe
25 ml	farine tout usage	2 c. à soupe
15 ml	margarine molle non hydrogénée, ou beurre non salé	1 c. à soupe

VALEUR NUTRITIONNELLE PAR PORTION (SANS LA PEAU)

Calories	322
Protéines	43 g
Matières grasses	13 g
Saturées	3 g
Cholestérol	182 mg
Glucides	6 g
Fibres	0 g
Sodium	727 mg
Potassium	549 mg

Excellente source : riboflavine ; niacine ; vitamine B6 ; vitamine B12 ; zinc

Bonne source : fer

1. Assécher les poulets dans un linge propre et glisser deux gousses d'ail et deux quartiers de citron dans chaque poulet.

2. Dans un petit bol, mélanger l'huile, l'ail émincé, le romarin, la sauge, l'estragon, le thym, le sel et le poivre. Détacher délicatement la peau de la poitrine et des cuisses de chaque poulet. Frotter la chair, puis la peau du mélange à base d'herbes. Disposer les volailles sur des plaques à pâtisserie tapissées de papier sulfurisé.

3. Faire rôtir les poulets dans un four préchauffé à 200 °C (400 °F) pendant 45 minutes, ou jusqu'à ce qu'ils soient bien dorés et cuits. Les badigeonner en cours de cuisson.

4. Déposer les volailles dans une assiette de service. Verser les jus de cuisson dans une grande casserole et dégraisser. Ajouter le bouillon, la sauce soya et la sauce Worcestershire dans la casserole. Amener à ébullition et laisser réduire quelques minutes.

5. Dans un petit bol, mélanger la farine et la margarine. Incorporer à la sauce et cuire jusqu'à épaississement. Goûter et rectifier l'assaisonnement au besoin. Servir le poulet accompagné de la sauce.

CUISSES DE POULET À L'INDIENNE

Si vous n'avez jamais mangé au restaurant Vij's de Vancouver, alors vous ne connaissez pas la ville ! En attendant de déguster leurs spécialités, vous pouvez essayer ma version d'un de leurs plats.

Le tamarin est une pâte au goût aigre que l'on fabrique avec le fruit du tamarinier, un arbre tropical. Il entre dans la composition de la sauce HP et de la sauce Worcestershire. On peut se le procurer dans la plupart des épiceries orientales et dans la magasins d'aliments naturels.

Donne 6 portions

12	cuisses de poulet d'environ 90 g (3 oz) chacune désossées, sans la peau	12
175 ml	yogourt nature faible en gras	3/4 tasse
4	gousses d'ail, émincées	4
25 ml	pâte de tamarin	2 c. à soupe
15 ml	garam masala (page 117), ou cumin moulu grillé	1 c. à soupe
5 ml	poivre de Cayenne	1 c. à thé
2 ml	sel	1/2 c. à thé
1	citron, coupé en tranches brins de coriandre fraîche	1

LE CUMIN

La saveur des graines de cumin rôties et moulues à la maison est beaucoup plus riche que celle du cumin moulu vendu dans le commerce. Pour les griller, déposez les graines de cumin entières dans une poêle et faites-les sauter sans corps gras à feu moyen-vif environ 2 minutes, ou jusqu'à ce qu'elles prennent une coloration rougeâtre et qu'elles soient odorantes. Laissez refroidir et moudre dans un moulin à épices ou à l'aide d'un mortier et d'un pilon.

VALEUR NUTRITIONNELLE PAR PORTION

Calories	185
Protéines	24 g
Matières grasses	7 g
Saturées	2 g
Cholestérol	86 mg
Glucides	6 g
Fibres	1 g
Sodium	297 mg
Potassium	340 mg

Excellente source : niacine
Bonne source : riboflavine ; vitamine B6 ; vitamine B12

SALADE DE CHOU À L'ANCIENNE

Mélangez 1 petit chou râpé, 1 carotte râpée et 3 oignons verts hachés finement.

Dans une petite casserole, portez à ébullition 75 ml (1/3 tasse) de vinaigre de cidre, 25 ml (2 c. à soupe) de sucre cristallisé blanc et 25 ml (2 c. à soupe) d'huile végétale (facultatif). Verser la vinaigrette chaude sur le mélange à base de chou et remuer. Saler et poivrer au goût.

Donne environ 1 l (4 tasses).

1. Assécher le poulet dans un linge propre. Dans un grand bol, mélanger le yogourt, l'ail, le tamarin, le garam masala, le poivre de Cayenne et le sel. Ajouter le poulet et bien l'enrober du mélange. Couvrir et laisser mariner au réfrigérateur de 4 à 8 heures.

2. Faire dorer le poulet 4 minutes de chaque côté. (Vous pouvez également le faire dorer dans une poêle à fond cannelé.) Déposer ensuite le poulet sur une plaque à pâtisserie tapissée de papier sulfurisé et terminer la cuisson dans un four préchauffé à 190 °C (375 °F) de 20 à 30 minutes, ou jusqu'à ce qu'il soit à point.

3. Garnir de tranches de citron et de coriandre.

HAMBURGERS À LA DINDE ET SALADE DE CHOU À L'ANCIENNE

Ces hamburgers plaisent à la plupart des enfants, mais si les vôtres sont difficiles, n'ajoutez pas la sauce d'huîtres et faites griller les galettes nature.

Vous pouvez omettre la salade de chou ou la servir en accompagnement.

Si vous n'avez pas de dinde sous la main, préparez les burgers avec du poulet.

Donne 6 galettes

500 g	poitrines de dinde, sans gras, hachées	1 lb
1	petit oignon, haché finement	1
1	gousse d'ail, émincée	1
2	blancs d'œufs, ou 1 œuf entier	2
250 ml	chapelure fraîche de blé entier ou ordinaire	1 tasse
5 ml	sel	1 c. à thé
2 ml	poivre	1/2 c. à thé
2 ml	cumin moulu	1/2 c. à thé
25 ml	ketchup	2 c. à soupe
25 ml	sauce aux huîtres	2 c. à soupe
250 ml	salade de chou à l'ancienne	1 tasse
6	petits pains kaisers, ou petits pains au sésame	6

1. Dans un grand bol, mélanger la dinde, l'oignon, l'ail, les blancs d'œufs, la chapelure, le sel, le poivre, le cumin et le ketchup. Former, à partir de cette préparation, 6 galettes de 1 cm (1/2 po) d'épaisseur.

2. Badigeonner les galettes de sauce aux huîtres. Cuire sur le gril ou sous l'élément de grillage du four, environ 5 minutes de chaque côté,

ou jusqu'à ce que les galettes soient à point. Garnir d'une bonne cuillerée de salade de chou et servir dans des petits pains.

PÂTÉ CHINOIS À LA DINDE ET AUX PATATES DOUCES

Voici une recette idéale pour apprêter les restes de dinde. Il se prépare avec 1 litre (4 tasses) de purée de patates douces, de pommes de terre ou un mélange des deux. Vous pouvez également passer vos restes de légumes en les mélangeant à la viande. Une recette qui convient également aux restes de poulet, de bœuf et d'agneau.

Vous pouvez couper la viande en dés plutôt que la hacher.

Donne 6 portions

500 g	pommes de terre Yukon Gold ou à cuire au four, pelées et coupées en morceaux	1 lb
500 g	patates douces, pelées et coupées en morceaux	1 lb
2	gousses d'ail, émincées	2
125 ml	lait, chaud	1/2 tasse
	sel et poivre au goût	
1 l	dinde cuite, hachée ou coupée en dés	4 tasses
15 ml	huile d'olive	1 c. à soupe
1	oignon, haché	1
1	carotte, coupée en dés	1
250 ml	petits pois	1 tasse
175 ml	sauce tomate (page 171) ou sauce brune	3/4 tasse
175 ml	ketchup	3/4 tasse
15 ml	sauce Worcestershire	1 c. à soupe
15 ml	sauce soya	1 c. à soupe
2 ml	sauce au piment rouge (facultatif)	1/2 c. à thé

1. Dans une grande casserole d'eau bouillante, cuire les pommes de terre, les patates douces et l'ail jusqu'à tendreté. Bien les égoutter. Les réduire en purée avec du lait chaud. Saler et poivrer.

2. Pendant ce temps, hacher finement la dinde cuite au robot culinaire.

3. Dans une grande poêle antiadhésive, faire chauffer l'huile à feu moyen. Y faire revenir les oignons et les carottes de 5 à 8 minutes, ou jusqu'à ce qu'ils soient tendres. Ajouter les petits pois et la dinde et bien réchauffer. Ajouter la sauce tomate et le ketchup, et porter à ébullition. Incorporer en remuant la sauce Worcestershire, la sauce soya et la sauce au piment.

VALEUR NUTRITIONNELLE PAR PORTION

Calories	356
Protéines	32 g
Matières grasses	7 g
Saturées	2 g
Cholestérol	69 mg
Glucides	41 g
Fibres	4 g
Sodium	766 mg
Potassium	952 mg

Excellente source : vitamine A ; niacine ; vitamine B6

Bonne source : thiamine ; riboflavine ; vitamine B12 ; vitamine C ; acide folique ; fer

4. Étendre la préparation de dinde au fond d'un plat carré et huilé de 1,5 l (6 tasses) (20 cm [8 po]) allant au four. Étendre la purée de pommes terre sur la viande. Déposer le plat sur une grande plaque à pâtisserie et cuire dans un four préchauffé à 180 °C (350 °F) de 30 à 40 minutes, ou jusqu'à ce que le pâté soit bien chaud et doré sur le dessus.

POITRINE DE DINDE EN SAUCE

Si vous aimez la dinde, mais n'appréciez guère la viande brune, cette recette est pour vous. J'ajoute des champignons à la sauce pour rehausser sa saveur et sa couleur. Si vos enfants n'aiment pas les champignons, passez tout simplement la sauce au tamis avant de la servir.

Donne 8 portions

1	poitrine de dinde désossée, ficelée en rôti, d'environ 1,5 kg (3 lb)	1
15 ml	thym frais, haché, ou 5 ml (1 c. à thé) thym séché	1 c. à soupe
1 ml	sel	1/4 c. à thé
1 ml	poivre	1/4 c. à thé
45 ml	huile d'olive, divisée en deux portions	3 c. à soupe
1	oignon, haché	1
1	branche de céleri, hachée	1
1	carotte, hachée	1
750 ml	bouillon de poulet (page 127), ou bouillon en conserve, ou déshydraté, à teneur réduite en sodium	3 tasses
25 ml	sauce soya	2 c. à soupe
10 ml	sauce Worcestershire	2 c. à thé
250 g	champignons de Paris, tranchés, soit environ 750 ml (3 tasses)	1/2 lb
45 ml	farine tout usage	3 c. à soupe

VALEUR NUTRITIONNELLE PAR PORTION

Calories	273
Protéines	40 g
Matières grasses	9 g
Saturées	2 g
Cholestérol	88 mg
Glucides	7 g
Fibres	2 g
Sodium	453 mg
Potassium	635 mg

Excellente source : niacine ; vitamine B6 ; vitamine B12
Bonne source : vitamine A ; riboflavine ; fer

1. Assécher la poitrine de dinde dans un linge propre et la frotter sur toute sa surface de thym, de sel et de poivre.

2. Dans un faitout, faire chauffer 15 ml (1 c. à soupe) d'huile à feu moyen-vif. Y faire dorer le rôti de tous les côtés, soit de 5 à 10 minutes. Ajouter l'oignon, le céleri et les carottes et cuire quelques minutes.

3. Verser le bouillon et porter à ébullition. Poursuivre la cuisson à couvert dans un four préchauffé à 180 °C (350 °F). Cuire 90 minutes,

ou jusqu'à ce que le thermomètre à viande indique 74 °C (165 °F). Tourner le rôti en milieu de cuisson.

4. Déposer le rôti sur une planche à découper et le recouvrir d'un papier d'aluminium. Verser les jus de cuisson dans une tasse à mesurer (jeter les légumes). Verser la sauce soya et la sauce Worcestershire dans la tasse et ajouter de l'eau ou du bouillon jusqu'à l'obtention de 500 ml (2 tasses) de liquide.

5. Pour préparer la sauce, faire chauffer le reste de l'huile (25 ml [2 c. à soupe]) à feu moyen-vif dans une casserole. Ajouter les champignons et faire revenir 10 minutes, ou jusqu'à ce que tout le liquide de cuisson se soit évaporé. Ajouter la farine et laisser cuire quelques minutes en remuant constamment.

6. Verser le liquide de la tasse à mesurer et porter à ébullition. Cuire 5 minutes. Goûter et rectifier l'assaisonnement au besoin. Trancher la dinde et la servir avec la sauce.

POITRINE DE DINDE RÔTIE AU ROMARIN ET À L'AIL

Voici une excellente recette pour un repas à la dinde. Étant donné que la viande brune cuit plus lentement que la viande blanche, il arrive souvent que la chair de la poitrine se dessèche, pendant que se poursuit la cuisson des parties brunes. Toutefois, si l'on fait cuire la poitrine seule, elle demeure tendre et juteuse.

Les restes de dinde ne sont jamais aussi savoureux que le rôti sortant du four ; servez-les plutôt dans les sandwiches, fajitas, soupes, casseroles et mets sautés à l'orientale.

Servez la dinde avec la sauce aux tomates cerises (page 199), la sauce aux canneberges (page 307) ou la sauce brune (page 301).

Donne 8 portions

1	poitrine de dinde, avec les os, sans la peau, d'environ 1,5 kg (3 lb)	1
2	gousses d'ail, coupées en quartiers	2
	petits brins de romarin frais, ou 2 ml (1/2 c. à thé) de romarin séché	
45 ml	miel	3 c. à soupe
15 ml	moutarde de Dijon	1 c. à soupe
15 ml	huile d'olive	1 c. à soupe
15 ml	jus de citron	1 c. à soupe
2 ml	poivre	1/2 c. à thé
1 ml	sel	1/4 c. à thé

VALEUR NUTRITIONNELLE PAR PORTION

Calories	196
Protéines	30 g
Matières grasses	5 g
Saturées	1 g
Cholestérol	70 mg
Glucides	7 g
Fibres	0 g
Sodium	192 mg
Potassium	338 mg

Excellente source :
niacine ; vitamine B6
Bonne source :
vitamine B12

1. Enlever tout le gras de la dinde, puis l'assécher avec un linge propre. Pratiquer de petites entailles dans la poitrine et y introduire les pointes d'ail et le romarin. (En l'absence de romarin frais, ajouter du romarin séché au mélange de miel.)

2. Dans un petit bol, mélanger le miel, la moutarde, l'huile, le jus de citron, le poivre et le sel. Badigeonner la poitrine de cette préparation.

3. Mettre la dinde dans un plat allant au four, côté chair vers le haut, et recouvrir de papier d'aluminium avec ampleur. Faire rôtir dans un four préchauffé à 180 °C (350 °F) pendant 20 minutes. Découvrir et poursuivre la cuisson de 30 à 40 minutes, ou jusqu'à ce que le thermomètre à viande indique 74 °C (165 °F). Arroser toutes les 10 ou 15 minutes durant la cuisson entière.

4. Trancher la viande en diagonale.

DINDE RÔTIE À L'ANCIENNE

Après avoir essayé des centaines de recettes de dinde qui prétendaient toutes être « la meilleure recette de dinde qui soit », j'ai découvert que le vrai secret consistait à acheter une dinde fraîche, de préférence d'élevage biologique, et à éviter de trop la faire cuire.

Je préfère faire cuire la dinde avec la peau et retirer celle-ci au moment de servir. La peau permet à la chair de conserver son moelleux, sans compter qu'une dinde avec la peau placée au centre de la table fait un très joli plat. Pour ma part, je préfère cuire la farce séparément (page 305).

Si vous faites rôtir une dinde relativement petite, soit de 6,5 kg (14 lb) ou moins, faites-la cuire côté poitrine vers le bas pendant la première demi-heure, puis retournez-la. Il est certes difficile de retourner la dinde dans une rôtissoire très chaude, mais cette manœuvre maintient la chair de la poitrine très juteuse. Pour retourner la volaille, vous pouvez vous aider de linges à vaisselle pliés, de poignées, de gants de cuisinier ou de grandes cuillères.

Cette recette donne en principe 16 portions, mais je me contente habituellement d'en faire 12, afin de pouvoir profiter des restes. Passez ceux-ci dans des sandwiches ou dans une timbale de dinde (page 283).

Utilisez la carcasse cuite de la dinde pour préparer un *congee* (page 307), une soupe chinoise très réconfortante à toute heure de la journée.

Donne 16 portions

1	dinde fraîche de 7 kg (15 lb), de préférence d'élevage fermier ou biologique	1
15 ml	huile d'olive	1 c. à soupe
2 ml	sel	1/2 c. à thé
1 ml	poivre	1/4 c. à thé
1	orange, coupée en quartiers	1
1	citron, coupé en quartiers	1
1	oignon, coupé en quartiers	1
3	brins de romarin frais	3
3	brins de sauge fraîche	3
1	gros oignon, coupé en tranches	1
250 ml	porto, ou eau	1 tasse

Bouillon et sauce

	cou et abats de la dinde	
1	oignon, haché	1
1	carotte, hachée	1
1	branche de céleri, hachée	1
250 ml	vin blanc sec, ou eau	1 tasse
750 ml	eau	3 tasses
125 ml	porto, ou eau	1/2 tasse
25 ml	huile d'olive	2 c. à soupe
50 ml	farine tout usage	1/4 tasse
15 ml	sauce soya	1 c. à soupe
15 ml	sauce Worcestershire	1 c. à soupe
2 ml	sauce au piment rouge	1/2 c. à thé
	sel et poivre au goût	

1. Rincer la dinde, à l'intérieur comme à l'extérieur, puis l'assécher en l'épongeant avec des essuie-tout. Réserver le cou et les abats. La badigeonner d'huile d'olive, saler et poivrer. Remplir la cavité d'orange, de citron, d'oignon, de romarin et de sauge. Attacher les cuisses ensemble pour refermer la cavité.

2. Tapisser une rôtissoire de papier sulfurisé. Y disperser les tranches d'oignon et y déposer la dinde. La faire rôtir dans un four préchauffé à 200 °C (400 °F) pendant 30 minutes. Verser le porto dans la rôtissoire.

3. Réduire le feu à 180 °C (350 °F) et poursuivre la cuisson pendant 2 heures, ou jusqu'à ce qu'un thermomètre introduit dans la cuisse indique 74 °C (165 °F). Arroser toutes les 20 ou 30 minutes. Si la dinde dore trop rapidement, la protéger de papier d'aluminium.

4. Entre-temps, pour préparer le bouillon, mettre le cou et les abats de la dinde dans une grande casserole avec l'oignon, la carotte et le céleri. Cuire à feu moyen-vif jusqu'à ce que les légumes soient légèrement dorés. Ajouter le vin et porter à ébullition. Cuire jusqu'à réduction de moitié du vin. Ajouter l'eau et porter à ébullition. Laisser mijoter pendant environ 1 heure. Passer le bouillon au tamis. On devrait obtenir environ 625 ml (2 1/2 tasses) de bouillon.

5. Lorsque la dinde est prête, la déposer dans une assiette de service ou sur une planche à découper. Retirer l'orange, le citron, l'oignon et les herbes de la dinde et les jeter. Couvrir la dinde de papier d'aluminium et laisser reposer pendant la préparation de la sauce.

6. Pour réaliser la sauce, récupérer et filtrer les jus de la rôtissoire dans une tasse à mesurer. Verser le porto dans la rôtissoire. Chauffer la rôtissoire sur la cuisinière en raclant le fond et ajouter le contenu aux jus récupérés dans la tasse à mesurer. Dégraisser le jus en surface à l'aide d'une cuillère. On devrait obtenir 250 ml (1 tasse) de jus. Ajouter suffisamment de bouillon de dinde pour obtenir 750 ml (3 tasses) de liquide.

7. Chauffer l'huile dans une casserole à feu moyen-vif. Ajouter la farine et cuire pendant quelques minutes, jusqu'à ce qu'elle soit légèrement dorée. Ajouter le mélange à base de bouillon de dinde et porter à ébullition. Ajouter la sauce soya, la sauce Worcestershire et la sauce au piment. Laisser cuire pendant 5 minutes. Goûter, saler et poivrer.

8. Découper la dinde et l'arroser de sauce. Verser le reste de la sauce dans une saucière et la déposer sur la table.

FARCE AU PAIN ET AUX FINES HERBES POUR VOLAILLE

J'aime faire cuire la farce et la dinde séparément. En procédant ainsi, la farce n'absorbe pas le gras de la dinde et je peux la sortir du four dès qu'elle a atteint 74 °C (165 °F). Lorsque la dinde est farcie, on doit attendre que la farce atteigne elle aussi cette température, ce qui requiert plus de temps.

Pour une farce plus savoureuse, arrosez-la de quelques cuillerées de jus de cuisson dégraissé avant de la servir.

Pour encore plus de saveur, ajoutez deux bulbes d'ail rôtis (extrayez la pulpe des gousses et ajoutez-la en même temps que les cubes de pain) et remplacez les champignons blancs par des champignons sauvages.

VALEUR NUTRITIONNELLE PAR PORTION

Calories	414
Protéines	63 g
Matières grasses	14 g
Saturées	4 g
Cholestérol	161 mg
Glucides	3 g
Fibres	0 g
Sodium	303 mg
Potassium	692 mg

Excellente source :
riboflavine ; niacine ;
vitamine B6 ;
vitamine B12 ; fer

Donne 12 portions

15 ml	huile d'olive	1 c. à soupe
2	oignons, hachés	2
4	gousses d'ail, hachées finement	4
4	branches de céleri, hachées	4
4	poireaux, nettoyés et hachés	4
750 g	champignons blancs, tranchés, environ 2,25 l (9 tasses)	1 1/2 lb
500 g	pain croûté, coupé en cubes de 2,5 cm (1 po), environ 1,5 l (6 tasses)	1 lb
1 l	bouillon de poulet maison (page 127), ou bouillon de dinde maison (page 303)	4 tasses
125 ml	persil frais, haché	1/2 tasse
125 ml	sauge fraîche, hachée, ou 15 ml (1 c. à soupe) de sauge séchée	1/2 tasse
25 ml	thym frais, haché, ou 5 ml (1 c. à thé) de thym séché sel et poivre au goût	2 c. à soupe

1. Chauffer l'huile à feu moyen-vif dans une grande poêle profonde. Y faire revenir l'oignon et l'ail de 5 à 8 minutes, ou jusqu'à ce qu'ils dégagent un arôme agréable. Ajouter le céleri et les poireaux et laisser cuire 5 minutes, ou jusqu'à ce qu'ils aient ramolli.

2. Ajouter les champignons et cuire jusqu'à évaporation complète du liquide.

3. Ajouter les cubes de pain, le bouillon de poulet, le persil, la sauge et le thym. Bien mélanger. Saler et poivrer.

4. Mettre la farce dans un plat d'une capacité de 3,5 l (14 tasses) (33 cm x 23 cm [13 po x 9 po]) allant au four. Si l'on désire une surface croûtée, ne pas couvrir ; si l'on souhaite une farce plus humide, la protéger de papier d'aluminium. Cuire dans un four préchauffé à 180 °C (350 °F) de 30 à 40 minutes, ou jusqu'à ce que le tout soit bien chaud.

VALEUR NUTRITIONNELLE PAR PORTION	
Calories	161
Protéines	6 g
Matières grasses	3 g
Saturées	1 g
Cholestérol	0 mg
Glucides	29 g
Fibres	4 g
Sodium	248 mg
Potassium	407 mg

Excellente source : acide folique

Bonne source : thiamine ; riboflavine ; niacine ; vitamine C ; fer

UNE POITRINE DE DINDE PARFAITE

Voici une méthode simple pour cuire une poitrine de dinde à la perfection. Bien que la farce soit cuite séparément, elle a un bon goût de dinde, puisqu'elle est arrosée des jus de cuisson. La dinde est facile à découper et il est possible de préparer la sauce (page 301) à l'avance.

Il est important d'avoir une dinde fraîche d'élevage biologique ou élevée en liberté. Demandez à votre boucher de l'ouvrir et de désosser la poitrine et la cuisse, en laissant les ailes et les pilons intacts. Déposez la dinde bien à plat, côté peau en dessous, sur une grande plaque à pâtisserie tapissée de papier sulfurisé.

Mélangez un peu d'huile d'olive avec du paprika fumé (page 255), salez et badigeonnez la dinde avec la préparation. Déposez la dinde à rôtir dans un four préchauffé à 220 °C (425 °F) pendant 15 minutes. Abaissez ensuite la température à 180 °C (350 °F).

Étendez votre farce préférée au fond d'une rôtissoire tapissée de papier sulfurisé. Déposez la dinde, côté peau sur le dessus, sur la farce et badigeonnez-la une seconde fois. Remettez-la au four et cuisez-la de 75 à 90 minutes, ou jusqu'à ce qu'un thermomètre à viande inséré dans la partie la plus charnue de la cuisse indique 74 °C (165 °F).

Donne de 8 à 10 portions.

SAUCE AUX CANNEBERGES

Dans une casserole, mélanger 375 g (3/4 lb) de canneberges fraîches ou surgelées, 125 ml (1/2 tasse) de canneberges séchées (facultatif). Ajoutez 250 ml (1 tasse) de sucre cristallisé blanc et 250 ml (1 tasse) de jus de canneberge (vous pouvez aussi utiliser du jus d'orange ou de pomme). Ajoutez le zeste râpé d'une orange.

Portez à ébullition, réduisez le feu, puis laissez mijoter de 10 à 15 minutes, ou jusqu'à ce que les canneberges éclatent et que la sauce épaississe.

Donne environ 500 ml (2 tasses).

CONGEE

Durant la période des fêtes, les magazines et les journaux regorgent de recettes pour apprêter les restes de dinde. Les solutions classiques sont la timbale de dinde (page 283), le pâté chinois (page 300), les soupes, les salades, les sandwiches et les quesadillas. Pour ma part, je préfère le *congee*, une soupe orientale à base de riz qui se déguste au petit-déjeuner dans les pays orientaux.

Déposez la carcasse dans une grande casserole et verser environ 4 l (16 tasses) d'eau, ou juste assez pour recouvrir le tout. Ajoutez 2 morceaux de gingembre pelé de 2,5 cm (1 po) et 15 ml (1 c. à soupe) de sel. Portez à ébullition et laissez mijoter 1 heure.

Ajoutez 375 ml (1 1/2 tasse) de riz à grains longs rincé (ainsi que les restes de dinde si vous en avez) et cuisez 1 heure supplémentaire. La soupe doit être épaisse et le riz bien cuit.

Retirez la carcasse de la soupe, détachez-en les morceaux de viande et remettez-les dans la soupe. Ajoutez 1 ml (1/4 c. à thé) de poivre. Goûter et rectifier l'assaisonnement au besoin. Si la soupe est trop épaisse, ajoutez un peu d'eau bouillante. (Il est possible qu'il reste de petits os dans la soupe, soyez prudent en la mangeant.)

Donne de 6 à 8 portions.

Bouts de côtes braisés à l'orientale

Bifteck de flanc grillé au chimichurri

Boulettes de viande braisées à l'italienne

Pain de viande aux pois chiches

Boulettes de viande à la marocaine

Boulettes de viande aigres-douces

Sandwiches au bifteck grillé et à l'oignon

Poitrine de bœuf grillée à la mode tex-mex

Rôti de contre-filet aux champignons sauvages

Pâtes au bœuf et à la sauce teriyaki

Chili texan

Polenta avec ragoût de viande et de champignons
    sauvages

Haricots au four à la façon de Calgary

Bœuf sukiyaki

Bifteck de flanc à la coréenne

Bœuf braisé aux légumes-racines

Surlonge en croûte à la moutarde et au poivre

Terrine de chou aigre-doux

Filet de porc glacé à l'abricot

Involtinis aux asperges et au fontina

Côtelettes de porc au sucre de canne

Rôti de côtes levées désossé avec polenta

Jarrets d'agneau braisés et purée de haricots blancs

Agneau braisé avec tomates et orzo

Gigot d'agneau grillé à la cantonaise

Rôti d'agneau au romarin et aux pommes de terre

Côtelettes d'agneau à l'érable et au vinaigre
    balsamique avec patates douces

Gigot d'agneau désossé au parfum du Moyen-Orient

Osso bucco

CUISINER AU GOÛT DU CŒUR

LA VIANDE ROUGE ET LE PORC

BOUTS DE CÔTES BRAISÉS À L'ORIENTALE

J'ai eu le plaisir de déguster ce plat au *Spice Market*, un excellent restaurant de New York. Les bouts de côtes ont longtemps été une coupe de viande bon marché dont personne ne voulait, mais comme celle-ci ne cesse de gagner en popularité depuis quelques années, elle coûte désormais beaucoup plus cher. Pour un plat braisé, choisissez des côtes attachées (en bandes plus ou moins longues). Détachez les côtes pour une cuisson sur le gril.

Essayez-les avec de la purée de patates douces (page 45) ou du riz. Préparez les bouts de côtes braisés la veille, et réfrigérez les côtes et les jus de cuisson séparément de façon à retirer le gras qui se solidifiera à la surface des jus. Réchauffez les côtes dans les jus dégraissés.

L'anis étoilé est une épice qui a la forme d'une étoile. On peut s'en procurer dans les épiceries orientales. Elle confère une saveur anisée exotique aux plats orientaux. Retirez l'anis étoilé avant de servir.

Donne 10 portions

2,5 kg	bouts de côtes, coupés en morceaux de 5 cm (2 po)	5 lb
5 ml	sel	1 c. à thé
2 ml	poivre	1/2 c. à thé
15 ml	huile d'olive	1 c. à soupe
1	gros oignon, haché	1
25 ml	gingembre frais, haché	2 c. à soupe
4	gousses d'ail, hachées	4
1 ml	flocons de piment fort (facultatif)	1/4 c. à thé
750 ml	bouillon de poulet maison, ou bouillon de bœuf maison (page 127)	3 tasses
250 ml	xérès sec	1 tasse
250 ml	jus d'orange	1 tasse
45 ml	sauce soya	3 c. à soupe
25 ml	miel	2 c. à soupe
5	étoiles d'anis	5
45 ml	coriandre fraîche, hachée	3 c. à soupe

1. Saupoudrer le sel et le poivre sur les bouts de côtes.
2. Dans un grand faitout, faire chauffer l'huile à feu moyen-vif et y faire revenir les bouts de côtes environ 15 minutes, ou jusqu'à ce qu'ils soient bien dorés de tous les côtés. Procéder en plusieurs étapes, au

LA CORIANDRE

La coriandre est aussi connue sous le nom de persil chinois. Ses adeptes apprécient son goût frais d'agrume, mais certaines personnes lui trouvent un goût de savon ! Pour s'habituer doucement à sa saveur, il est préférable de commencer par en consommer de petites quantités. Les tiges et les racines sont utilisées dans les mets thaïlandais, indiens et orientaux, notamment pour parfumer les soupes, les caris, les ragoûts et les marinades.

Si vous ne trouvez pas de coriandre fraîche, remplacez-la par du persil, de la menthe ou du basilic, mais rien ne peut vraiment remplacer la coriandre. (Ne remplacez pas la coriandre fraîche par de la coriandre séchée, car elles n'ont rien en commun !)

La coriandre moulue se compose de graines de coriandre séchées. Elle est souvent utilisée dans les caris, mais sa saveur est très différente de celle des feuilles de coriandre.

besoin. Retirer les bouts de côtes du faitout. Réserver.

3. Jeter tout le gras de cuisson, sauf 15 ml (1 c. à soupe). Y faire revenir les oignons, le gingembre, l'ail et les flocons de piment fort. Cuire de 5 à 8 minutes, ou jusqu'à ce que les oignons soient dorés.

4. Ajouter le bouillon, le xérès, le jus d'orange, la sauce soya, le miel et l'anis étoilé. Porter à ébullition. Remettre les bouts de côtes en une seule couche. Découper un morceau de papier sulfurisé de la taille du faitout et le déposer directement sur les bouts de côte. Cuire à couvert dans un four préchauffé à 180 °C (350 °F) de 2 à 3 heures, ou jusqu'à ce que la viande soit très tendre.

5. Retirer les côtes du faitout. Passer les jus de cuisson (vous devriez en obtenir au moins 500 ml (2 tasses). Si la quantité obtenue est supérieure, faire réduire les jus de cuisson, et si elle est inférieure, ajouter un peu d'eau. Réfrigérer les bouts de côtes et les jus séparément.

6. Le lendemain, retirer le gras qui s'est formé à la surface du jus de cuisson. Réchauffer les bouts de côtes dans leur jus. Garnir de coriandre hachée et servir.

VALEUR NUTRITIONNELLE PAR PORTION	
Calories	256
Protéines	24 g
Matières grasses	13 g
Saturées	5 g
Cholestérol	55 mg
Glucides	9 g
Fibres	1 g
Sodium	441 mg
Potassium	382 mg
Excellente source :	
vitamine B12	
Bonne source :	
vitamine B6 ; fer	

BIFTECK DE FLANC GRILLÉ AU CHIMICHURRI

Le bifteck de flanc est maigre, mais il est tendre lorsqu'il est saignant et coupé en tranches fines. Prévoyez environ 125 g (4 oz) de viande par portion, puisqu'il s'agit de viande désossée, sans gras et sans cartilage. Le chimichurri est une sorte de pesto sud-américain. Si vous n'aimez pas les plats relevés, épépinez le jalapeño.

Servir avec une purée de patates douces (page 371).

Donne 6 portions

125 ml	coriandre fraîche, feuilles et tiges	1/2 tasse
75 ml	feuilles de menthe fraîche	1/3 tasse
2	gousses d'ail	2
1	piment jalapeño, épépiné et grossièrement haché	1
50 ml	jus de lime	1/4 tasse
25 ml	huile d'olive	2 c. à soupe
2 ml	sel	1/2 c. à thé
750 g	bifteck de flanc	1 1/2 lb

VALEUR NUTRITIONNELLE PAR PORTION	
Calories	236
Protéines	26 g
Matières grasses	13 g
Saturées	4 g
Cholestérol	46 mg
Glucides	2 g
Fibres	1 g
Sodium	253 mg
Potassium	413 mg
Excellente source :	
niacine ; vitamine B12	
Bonne source :	
vitamine B6 ; fer	

1. Au robot culinaire, hacher la coriandre et la menthe. Ajouter l'ail et le piment jalapeño et mélanger. Ajouter le jus de lime, l'huile et le sel.

Réduire en purée. Vous devriez obtenir environ 175 ml (3/4 tasse) de chimichurri.

2. Assécher le bifteck et le faire mariner dans 125 ml (1/2 tasse) de chimichurri pendant 1 heure à la température ambiante, ou toute la nuit au réfrigérateur.

3. Faire griller le bifteck de 4 à 5 minutes de chaque côté (pour un bifteck à point et un peu moins si on le préfère saignant). Servir avec le reste de la sauce.

BOULETTES DE VIANDE BRAISÉES À L'ITALIENNE

En Italie, on a l'habitude de faire frire ces grosses boulettes de viande, mais je préfère me passer de la friture pour éviter les calories !

Servir avec une purée de pommes de terre, des spaghettis ou du pain croûté.

Donne 6 portions

125 ml	lait	1/2 tasse
250 ml	chapelure fraîche de blé entier ou ordinaire	1 tasse
750 g	bœuf haché extra-maigre, ou un mélange de bœuf, de veau et de porc	1 1/2 lb
1	œuf	1
50 ml	persil frais, haché, divisé en deux portions	1/4 tasse
5 ml	sel	1 c. à thé
2 ml	poivre	1/2 c. à thé
125 ml	parmesan, râpé (facultatif)	1/2 tasse
15 ml	huile d'olive	1 c. à soupe
1	oignon, haché	1
2	gousses d'ail, hachées finement	2
2	boîtes de 796 ml (28 oz) de tomates italiennes, non égouttées, réduites en purée ou concassées	2

1. Dans un grand bol, mélanger le lait, la chapelure, le bœuf, l'œuf, 25 ml (2 c. à soupe) de persil, le sel, le poivre et le fromage. Façonner 12 grosses boulettes avec cette préparation.

2. Faire chauffer l'huile à feu moyen-vif dans une poêle antiadhésive. Cuire les boulettes de 5 à 10 minutes, ou jusqu'à ce qu'elles soient dorées de tous les côtés. Les retirer de la poêle et réserver.

LA CUISSON DU BŒUF HACHÉ

La seule méthode de cuisson sûre pour le bœuf haché est d'utiliser un thermomètre pour s'assurer que la viande est bien cuite.

Les pains de viande, les burgers et les boulettes de viande doivent atteindre une température interne de 71 °C (160 °F). Utilisez un thermomètre à viande à lecture instantanée.

VALEUR NUTRITIONNELLE PAR PORTION

Calories	299
Protéines	29 g
Matières grasses	13 g
Saturées	4 g
Cholestérol	92 mg
Glucides	18 g
Fibres	3 g
Sodium	953 mg
Potassium	1020 mg

Excellente source : riboflavine ; niacine ; vitamine B6 ; vitamine B12 ; vitamine C ; fer

Bonne source : vitamine A ; thiamine ; acide folique

3. Faire revenir les oignons et l'ail à feu moyen dans la même poêle pendant environ 5 minutes, ou jusqu'à ce qu'ils soient tendres et odorants. Ajouter les tomates et leur jus. Porter à ébullition.

4. Remettre les boulettes dans la poêle. Couvrir, réduire le feu et cuire 25 minutes. Découvrir et cuire environ 15 minutes, ou jusqu'à épaississement de la sauce. Goûter et rectifier l'assaisonnement au besoin. Garnir du reste du persil et servir.

PAIN DE VIANDE AUX POIS CHICHES

L'ajout de pois chiches à ce pain de viande réduit sa teneur en matières grasses et rehausse la saveur de ce plat traditionnel qui sait si bien nous réconforter (si vous n'aimez pas les pois chiches, remplacez-les par un peu plus de bœuf haché). Utilisez une boîte de 540 ml (19 oz) de pois chiches, rincés et égouttés, ou faites-les cuire vous-même (page 54).

Donne 6 portions

1	gros oignon, haché	1
3	gousses d'ail, hachées	3
500 g	bœuf haché extra-maigre	1 lb
500 ml	pois chiches, cuits	2 tasses
175 ml	chapelure fraîche de blé entier ou ordinaire	3/4 tasse
1	œuf	1
125 ml	sauce chili du commerce, ou sauce chili maison, ou ketchup	1/2 tasse
25 ml	moutarde de Dijon	2 c. à soupe
7 ml	sauce Worcestershire	1 1/2 c. à thé
5 ml	sauce au piment rouge	1 c. à thé
5 ml	cumin moulu	1 c. à thé
2 ml	sel	1/2 c. à thé
2 ml	poivre	1/2 c. à thé
25 ml	persil frais, haché	2 c. à soupe

Garniture

25 ml	sauce chili du commerce, ou ketchup	2 c. à soupe
15 ml	moutarde de Dijon	1 c. à soupe

1. Au robot culinaire, hacher finement l'oignon et l'ail (ou les émincer au couteau). Ajouter les pois chiches et hacher très finement.

VALEUR NUTRITIONNELLE PAR PORTION	
Calories	317
Protéines	22 g
Matières grasses	13 g
Saturées	4 g
Cholestérol	71 mg
Glucides	27 g
Fibres	5 g
Sodium	866 mg
Potassium	520 mg

Excellente source : niacine ; vitamine B12 ; acide folique ; fer

Bonne source : thiamine ; riboflavine ; vitamine B6

2. Dans un grand bol, mélanger la préparation d'oignon et de pois chiches, la chapelure, le bœuf, l'œuf, la sauce chili, la moutarde, la sauce Worcestershire, la sauce au piment, le cumin, le sel, le poivre et le persil. Pétrir doucement la préparation.

3. Étendre la préparation dans un moule à pain de 2 l (8 tasses) (33 cm x 13 cm [9 po x 5 po]). Couvrir d'une feuille d'aluminium et cuire dans un four préchauffé à 180 °C (350 °F) pendant 45 minutes.

4. Pour préparer la garniture, mélanger la sauce chili et la moutarde. Étendre la garniture sur le pain de viande et poursuivre la cuisson à découvert pendant 45 minutes, ou jusqu'à ce que la température interne du pain atteigne 71 °C (160 °F). Laisser refroidir 15 minutes avant de démouler (il est possible que le pain s'émiette un peu en le coupant).

BOULETTES DE VIANDE À LA MAROCAINE

Accompagnez ces délicieuses boulettes de couscous, de polenta, de riz, de spaghettis ou d'une purée de pommes de terre. Pour varier, remplacez le bœuf par de la dinde ou du poulet hachés. Pour un plat à saveur plus neutre, omettez le cumin, la cannelle, le curcuma et le miel dans les boulettes et dans la sauce.

Donne 6 portions

Boulettes de viande

375 g	bœuf haché extra-maigre, ou agneau haché	3/4 lb
175 ml	pois chiches, cuits, hachés très finement	3/4 tasse
1	petit oignon, haché finement	1
1	gousse d'ail, hachée finement	1
1	œuf	1
75 ml	chapelure sèche de blé entier ou ordinaire	1/3 tasse
2 ml	cumin moulu	1/2 c. à thé
2 ml	sel	1/2 c. à thé
15 ml	huile d'olive	1 c. à soupe

Sauce tomate

1	oignon, haché	1
2	gousses d'ail, hachées finement	2
5 ml	cumin moulu	1 c. à thé
5 ml	curcuma moulu	1 c. à thé
	une pincée de cannelle moulue	
	une pincée de flocons de piment fort (facultatif)	

VALEUR NUTRITIONNELLE PAR PORTION

Calories	240
Protéines	18 g
Matières grasses	9 g
Saturées	2 g
Cholestérol	61 mg
Glucides	24 g
Fibres	4 g
Sodium	529 mg
Potassium	649 mg

Excellente source : niacine ; vitamine B12 ; acide folique ; fer

Bonne source : riboflavine ; vitamine B6 ; vitamine C

| 15 ml | miel | 1 c. à soupe |
| 1 | boîte de 796 ml (28 oz) de tomates italiennes, non égouttées, concassées ou réduites en purée | 1 |

1. Dans un grand bol, mélanger le bœuf, les pois chiches, les oignons, l'ail, les œufs, la chapelure, le cumin et le sel. Façonner 20 boulettes avec cette préparation.

2. Dans une grande poêle antiadhésive, faire chauffer l'huile à feu moyen-vif. Ajouter les boulettes et les cuire environ 5 minutes, ou jusqu'à ce qu'elles soient dorées de tous les côtés.

3. Ajouter l'oignon, l'ail, le cumin, le curcuma, la cannelle et les flocons de piment fort. Réduire le feu et faire revenir doucement de 5 à 8 minutes, ou jusqu'à ce que l'oignon soit tendre.

4. Ajouter le miel et les tomates. Porter à ébullition. Réduire le feu, couvrir et laisser mijoter 15 minutes. Si la sauce est trop claire, retirer le couvercle et la laisser réduire pendant 5 minutes.

BOULETTES DE VIANDE AIGRES-DOUCES

Servez-les avec une purée de pommes de terre ou du riz brun vapeur. La chapelure utilisée avec la viande permet de mieux lier les boulettes de viande, les burgers et les pains de viande et de mieux conserver leur forme.

Essayez ces boulettes en hors-d'œuvre. Il suffit de les façonner très petites et de piquer un cure-dent au centre.

Donne 6 portions

Boulettes de viande

500 g	bœuf haché extra-maigre	1 lb
1	œuf	1
175 ml	chapelure fraîche de blé entier ou ordinaire	3/4 tasse
50 ml	ketchup	1/4 tasse
5 ml	sel	1 c. à thé

Sauce aigre-douce

15 ml	huile végétale	1 c. à soupe
1	oignon, haché	1
3	gousses d'ail, hachées finement	3
	une pincée de flocons de piment fort	

1	boîte de 796 ml (28 oz) de tomates italiennes, non égouttées, réduites en purée	1
25 ml	vinaigre de riz, ou jus de citron	2 c. à soupe
25 ml	cassonade	2 c. à soupe
25 ml	persil frais, haché	2 c. à soupe

1. Mélanger dans un grand bol le bœuf haché, l'œuf, la chapelure, le ketchup et le sel. Façonner 20 boulettes avec cette préparation.

2. Faire chauffer l'huile à feu moyen dans une grande poêle antiadhésive profonde. Y faire revenir les oignons, l'ail et les flocons de piment fort pendant quelques minutes jusqu'à ce que les oignons soient odorants, sans les laisser brunir.

3. Ajouter les tomates, le vinaigre et la cassonade. Porter à ébullition, réduire le feu et cuire doucement pendant 5 minutes.

4. Remettre délicatement les boulettes dans la sauce. Couvrir et cuire à feu moyen-doux de 15 à 20 minutes, ou jusqu'à ce que les boulettes soient cuites. Brasser de temps en temps pour empêcher les boulettes de coller. Garnir de persil haché et servir.

VALEUR NUTRITIONNELLE PAR PORTION

Calories	228
Protéines	19 g
Matières grasses	9 g
Saturées	3 g
Cholestérol	71 mg
Glucides	18 g
Fibres	2 g
Sodium	812 mg
Potassium	637 mg

Excellente source : niacine ; vitamine B12
Bonne source : thiamine ; riboflavine ; vitamine B6 ; vitamine C ; fer

SANDWICHES AU BIFTECK GRILLÉ ET À L'OIGNON

Ces sandwiches sont parfaits pour un barbecue ou pour un piquenique. Pour un repas plus raffiné, servez le bifteck tranché sur de la purée de pommes de terre ou de la polenta, et garnissez-le d'oignons. Toutes ces présentations sont excellentes.

Quand vous faites griller un bifteck entier plutôt que des biftecks individuels, la grillade obtenue est souvent plus juteuse, et lorsqu'elle est tranchée finement, on en obtient une grande quantité de tranches qui donne à penser que le bifteck était énorme.

Vous pouvez également préparer ces sandwiches avec du bifteck de flanc ; comptez-en alors deux. Ajoutez 25 ml (2 c. à soupe) de vinaigre balsamique à la marinade et laissez le bifteck mariner toute la nuit.

Passez les restes de bifteck dans des salades, des plats sautés, des sandwiches roulés, des burritos et des tacos.

Donne 8 portions

15 ml	cassonade	1 c. à soupe
2	gousses d'ail, émincées	2
5 ml	gros sel	1 c. à thé

5 ml	poivre, moulu grossièrement	1 c. à thé
1 kg	bifteck de surlonge, paré, de 4 cm (1 1/2 po) d'épaisseur	2 lb
5 ml	huile d'olive	1 c. à thé

Oignons fondus

25 ml	huile d'olive	2 c. à soupe
4	gros oignons, sucrés, tranchés finement	4
15 ml	cassonade	1 c. à soupe
50 ml	vinaigre balsamique sel et poivre au goût	1/4 tasse
2	baguettes de blé entier ou ordinaires, de 40 cm (16 po) de long	2
1	botte de roquette	1

1. Dans un petit bol, mélanger la cassonade, l'ail, le gros sel et le poivre moulu grossièrement. Éponger le bifteck et le badigeonner d'huile d'olive, puis le frotter du mélange à base de cassonade. Laisser mariner pendant 1 heure à la température ambiante, ou toute la nuit au réfrigérateur.

2. Pour préparer les oignons fondus, chauffer 25 ml (2 c. à soupe) d'huile à feu moyen-vif dans une grande poêle antiadhésive profonde. Y faire sauter les oignons pendant 10 minutes, sans remuer, jusqu'à ce qu'ils commencent à dorer. Réduire le feu à moyen et cuire en remuant de temps à autre, pendant 30 minutes. Les oignons doivent être très dorés. Ajouter la cassonade et le vinaigre et cuire les oignons lentement, en ajoutant de l'eau au besoin, jusqu'à ce qu'ils soient très tendres et qu'ils aient fondu. Saler et poivrer. Garder au chaud ou réchauffer avant de servir.

3. Couper chaque baguette en quatre morceaux, et couper chaque morceau en deux à l'horizontale.

4. Griller le bifteck de 4 à 6 minutes de chaque côté (cuisson à point). Le laisser reposer sur une planche à découper pendant au moins 5 minutes, puis le trancher finement en diagonale.

5. Étendre les tranches de bifteck sur le pain et garnir d'oignons et de roquettes.

Sandwiches à l'agneau grillé

Utiliser un gigot d'agneau papillon désossé plutôt que du bifteck. Doubler la quantité de marinade. Cuire l'agneau de 10 à 15 minutes de chaque côté (cuisson saignante). Vérifier la température à l'aide

VALEUR NUTRITIONNELLE PAR PORTION

Calories	470
Protéines	32 g
Matières grasses	12 g
Saturées	3 g
Cholestérol	51 mg
Glucides	63 g
Fibres	8 g
Sodium	764 mg
Potassium	829 mg

Excellente source : niacine ; vitamine B6 ; vitamine B12 ; fer
Bonne source : thiamine ; riboflavine

d'un thermomètre à viande : la température interne doit atteindre
54 °C (130 °F).

Sandwiches à la dinde grillée

Utiliser une poitrine de dinde désossée et sans la peau au lieu du
bifteck. La griller de 15 à 20 minutes de chaque côté et s'assurer que
la chair est à point. Il faut viser une température interne de 74 °C
(165 °F).

LA CUISSON DU BIFTECK ET DES CÔTELETTES

Vous aurez remarqué que, lorsque vous commandez au restaurant un
bifteck mi-saignant, celui-ci n'arrive jamais à votre table avec de petites
entailles que le cuisinier aurait pratiquées afin de tester le degré de
cuisson ! Un grillardin expérimenté peut déterminer le degré de cuisson
d'un bifteck tout simplement en exerçant une pression sur celui-ci. Vous
pouvez aussi le faire.

Posez votre avant-bras détendu sur la table et tâtez votre biceps : il a la
consistance d'un bifteck saignant ! Soulevez ensuite votre avant-bras de
la table sans tendre le biceps : il a alors la consistance d'un bifteck de
cuisson moyenne. Tendez finalement le biceps : vous avez un bifteck bien
cuit. Bien entendu, cette méthode peut donner des résultats variables,
selon votre condition physique !

POITRINE DE BŒUF GRILLÉE À LA MODE TEX-MEX

J'ai grandi au sein d'une famille juive et, comme dans toute bonne
famille juive, il y avait souvent de la poitrine de bœuf au menu, mais
elle n'était jamais apprêtée aussi audacieusement que dans cette
recette. Pour une version plus traditionnelle, voyez la variante. Un des
aspects les plus intéressants de ce mets, ce sont les restes, lesquels
peuvent servir à composer de nombreux plats. Pensons seulement au
pâté chinois, aux burritos (garnissez de fromage de yogourt et d'une
bonne quantité de coriandre fraîche), ou aux quesadillas (avec de la
mozzarella fumée). J'aime faire cuire la poitrine de bœuf la veille, car
elle se tranche mieux le lendemain et elle est plus facile à dégraisser.

Servez la poitrine de bœuf sur des tranches de polenta taillées en
losanges (page 201) que vous garnirez d'une cuillerée de guacamole
(page 58) et d'une touche de fromage de chèvre crémeux (page 283).

Donne 16 portions

2 kg	poitrine de bœuf, paré	4 lb
15 ml	paprika	1 c. à soupe
5 ml	cumin moulu	1 c. à thé
5 ml	sel	1 c. à thé
5 ml	poivre	1 c. à thé
2 ml	poivre de Cayenne	1/2 c. à thé
3	gros oignons, tranchés	3
2	carottes, tranchées	2
1	bulbe d'ail, soit environ 12 gousses, pelées	1
375 ml	bière, ou bouillon de bœuf maison (page 127), ou eau	1 1/2 tasse
250 ml	ketchup	1 tasse
250 ml	sauce chili du commerce ou maison	1 tasse
1	piment chipolte, ou jalapeño, épépiné et émincé	1
25 ml	moutarde de Dijon	2 c. à soupe
25 ml	cassonade	2 c. à soupe
25 ml	vinaigre de vin rouge, ou vinaigre de xérès	2 c. à soupe

1. Éponger la viande. Dans un petit bol, mélanger le paprika, le cumin, le sel, le poivre et le poivre de Cayenne. Frotter la poitrine de ce mélange. La laisser mariner pendant 5 minutes ou toute la nuit au réfrigérateur.

2. Placer les oignons, les carottes et les gousses d'ail au fond d'une grande rôtissoire. Déposer la poitrine de bœuf sur les légumes.

3. Dans un bol, mélanger la bière, le ketchup, la sauce chili, le piment chipolte, la moutarde, la cassonade et le vinaigre. Verser sur la viande. Mettre le couvercle bien en place et cuire dans un four préchauffé à 180 °C (350 °F) pendant 4 heures, en vérifiant toutes les 45 minutes s'il y a toujours environ 500 ml (2 tasses) de liquide dans la rôtissoire. Ajouter de l'eau au besoin. Découvrir et poursuivre le rôtissage pendant 30 minutes.

4. Transférer le rôti sur une planche à découper. Dégraisser les jus. Découper la viande et servir avec ses jus. Si on ne sert pas la viande sur-le-champ, la laisser tiédir, puis la réfrigérer avec les légumes. Verser les jus dans un bol et réfrigérer aussi. Avant de réchauffer, découper la poitrine en tranches fines dans le sens contraire de la fibre. Mettre dans un plat allant au four avec les légumes. Enlever et jeter tout gras qui se serait solidifié à la surface des jus. Verser les jus sur la viande. Couvrir et réchauffer au four à 180 °C (350 °F) pendant environ 45 minutes.

Poitrine de bœuf du vendredi soir

Ajouter trois carottes de plus aux oignons et aux gousses d'ail. Omettre le cumin et le poivre de Cayenne du mélange d'épices. Omettre le piment chipotle de la sauce et remplacer la bière par de l'eau ou du soda au gingembre.

Pâté chinois

Mélanger environ 750 ml (3 tasses) de restes de poitrine de bœuf ou de bœuf braisé (page 329) en cubes, et 750 ml (3 tasses) de restes de légumes cuits. Hacher finement à la main ou au robot culinaire. Verser le mélange dans un moule à tarte profond de 25 cm (10 po) de diamètre ou dans un plat carré d'une capacité de 2 l (8 tasses) (23 cm [9 po]) allant au four. Battre 750 ml (3 tasses) de pommes de terre cuites pilées (de patates douces pilées ou de tout autre légume-racine) jusqu'à ce qu'elles aient la consistance d'une tartinade, puis étendre sur le mélange de viande et de légumes. Saupoudrer de paprika. Cuire dans un four préchauffé à 180 °C (350 °F) de 30 à 45 minutes, ou jusqu'à ce qu'il soit chaud.

Donne 8 portions.

VALEUR NUTRITIONNELLE PAR PORTION	
Calories	216
Protéines	19 g
Matières grasses	9 g
Saturées	3 g
Cholestérol	45 mg
Glucides	16 g
Fibres	2 g
Sodium	648 mg
Potassium	413 mg

Excellente source :
vitamine A ; niacine ; vitamine B12
Bonne source :
vitamine B6 ; fer

RÔTI DE CONTRE-FILET AUX CHAMPIGNONS SAUVAGES

Un rôti de contre-filet est incroyablement tendre et des plus savoureux. Si votre boucher n'a pas de contre-filet, prenez un carré de bœuf désossé de la même taille et du même poids. Vous pouvez aussi opter pour du filet, mais réduisez alors le temps de cuisson à 40 minutes pour une cuisson mi-saignante (faites un test au thermomètre à viande après 30 minutes, selon l'épaisseur du rôti). Vous pouvez aussi prendre du bifteck de flanc ; faites-le cuire de 3 à 4 minutes de chaque côté dans une poêle cannelée ou sur le barbecue.

Utilisez les restes pour faire des sandwiches ou servez-les froids, accompagnés d'une salade de pommes de terre.

Donne de 10 à 12 portions

15 ml	moutarde de Dijon	1 c. à soupe
2	gousses d'ail, émincées	2
15 ml	poivre	1 c. à soupe
15 ml	sauce Worcestershire	1 c. à soupe
15 ml	romarin frais, haché, ou 2 ml (1/2 c. à thé) de romarin séché	1 c. à soupe

2 kg	rôti de contre-filet, bien paré et ficelé, de 6 cm (2 1/2 po) d'épaisseur	4 lb
5 ml	sel	1 c. à thé
5 ml	huile d'olive	1 c. à thé
500 g	échalotes pelées (page 279), soit environ 12, coupées en quartiers	1 lb
25 ml	vinaigre balsamique	2 c. à soupe
500 ml	vin rouge sec	2 tasses
500 g	champignons sauvages (portobellos, shiitakes, pleurotes ou mélange), nettoyés et coupés en tranches de 1 cm (1/2 po) d'épaisseur	1 lb
75 ml	sauce aux huîtres	1/3 tasse
25 ml	persil frais, haché grossièrement	2 c. à soupe

1. Dans un petit bol, mélanger la moutarde, l'ail, le poivre, la sauce Worcestershire et le romarin. Assécher le rôti et le frotter du mélange à base de moutarde. Le laisser mariner 30 minutes à la température ambiante, ou plus longtemps au réfrigérateur. Saler le rôti tout juste avant de le cuire.

2. Chauffer l'huile à feu moyen-vif dans une grande poêle antiadhésive profonde. Y dorer le rôti de tous les côtés. Cette opération devrait prendre environ 10 minutes. Transférer le rôti sur une plaque à pâtisserie tapissée de papier sulfurisé. Dégraisser la poêle en n'y laissant que 15 ml (1 c. à soupe) d'huile.

3. Rôtir la viande dans un four préchauffé à 190 °C (375 °F) de 45 à 60 minutes, ou jusqu'à ce qu'un thermomètre introduit dans la partie la plus épaisse de la viande indique 57 °C (135 °F), pour une cuisson mi-saignante. Laisser reposer de 10 à 20 minutes avant de découper. Retirer le gras à la surface des jus de cuisson.

4. Entre-temps, remettre la poêle au feu. Y mettre les échalotes, le vinaigre et les jus de cuisson dégraissés. Cuire en remuant jusqu'à ce que le vinaigre se soit évaporé et que les échalotes commencent à dorer. Ajouter le vin. Cuire à feu moyen-vif en raclant le fond de la poêle jusqu'à réduction du vin à environ 125 ml (1/2 tasse) et que les échalotes soient tendres.

5. Ajouter les champignons au contenu de la poêle et cuire environ 10 minutes, ou jusqu'à ce qu'ils aient ramolli et qu'ils soient dorés. Ajouter la sauce aux huîtres et cuire pendant 5 minutes. Ajouter le persil, goûter et rectifier l'assaisonnement au besoin.

6. Enlever la ficelle du rôti et découper celui-ci en tranches. Garnir de champignons, d'échalotes et des jus.

VALEUR NUTRITIONNELLE PAR PORTION

Calories	341
Protéines	40 g
Matières grasses	13 g
Saturées	5 g
Cholestérol	80 mg
Glucides	12 g
Fibres	2 g
Sodium	584 mg
Potassium	808 mg

Excellente source : niacine ; vitamine B6 ; vitamine B12 ; fer ; zinc
Bonne source : riboflavine

LES CHAMPIGNONS SAUVAGES

Les portobellos (porcinis cultivés), les champignons de Paris (petits portobellos qui sont moins chers que les grands), les shiitakes et les pleurotes en huîtres sont relativement faciles à trouver. Les morilles, les trompettes-de-la-mort, les chanterelles et les collybies à pied velouté (enoki) sont plus difficiles à trouver et sont parfois assez chers, mais ils ajouteront une touche spéciale à vos plats.

Les tiges de certains champignons sauvages sont trop dures pour être consommées (c'est le cas des shiitakes), mais elles rehaussent la saveur des bouillons (conservez-les au congélateur en attendant d'en avoir besoin). La tige des champignons de la famille des portobellos est tendre et savoureuse. Lorsqu'une recette demande exclusivement des chapeaux de champignons, conservez les tiges et utilisez-les dans un plat de riz, une farce, une soupe ou une sauce.

Pour conserver les champignons sauvages pendant quelques jours, étalez-les en une seule couche sur un plat recouvert d'un linge humide et placez le tout au réfrigérateur.

Les champignons sauvages déshydratés sont plus facilement accessibles que les frais. Même s'ils sont assez chers, une petite quantité (une quinzaine de grammes [une demi-once]) suffit à donner beaucoup de saveur à un plat. Pour réhydrater les champignons, déposez-les dans un bol et recouvrez-les d'eau chaude pendant 30 minutes. Passez le liquide à travers un tamis tapissé d'une mousseline, d'une serviette en papier ou d'un filtre à café. Réservez le liquide ainsi tamisé et rincez les champignons un par un avant de les hacher. Le liquide de trempage est très parfumé et devrait être intégré au liquide à utiliser dans la recette, ou encore on peut le congeler et l'utiliser plus tard.

PÂTES AU BŒUF
ET À LA SAUCE TERIYAKI

Voici un mets qui plaira à toute la famille. Pour varier, remplacez le bœuf par des poitrines de poulet désossées, sans la peau, ou par du filet de porc.

Donne 6 portions

500 g	bifteck de flanc, partiellement congelé	1 lb
75 ml	sauce teriyaki, divisée en deux portions	1/3 tasse
250 g	spaghettis de blé entier, ou nouilles Soba	1/2 lb
25 ml	huile végétale, divisée en deux portions	2 c. à soupe
1	oignon, tranché finement	1
1	carotte, tranchée finement	1
1	poivron rouge, épépiné et tranché finement	1
1	branche de céleri, tranchée finement	1

SAUCE TERIYAKI

Dans une petite casserole, mélangez 45 ml (3 c. à soupe) de sauce soya, 45 ml (3 c. à soupe) d'eau, 45 ml (3 c. à soupe) de vinaigre de riz, 45 ml (3 c. à soupe) de sucre granulé, 1 gousse d'ail écrasée, 1 morceau de gingembre de 2,5 cm (1 po) écrasé, et 1 pelure de citron de 2,5 cm (1 po). Portez à ébullition et cuire jusqu'à réduction de moitié du liquide. Laissez refroidir, retirez l'ail, le gingembre et la pelure de citron.

Donne environ 75 ml (1/3 tasse).

3	champignons shiitakes (ou ordinaires), sans les tiges, tranchés	3
375 ml	fleurons de brocoli, tranchés	1 1/2 tasse
150 ml	eau bouillante	2/3 tasse
4	oignons verts, tranchés en diagonale	4

1. Trancher le bifteck le plus finement possible, en diagonale, dans le sens contraire de la fibre. Couper chaque tranche en trois, en diagonale. Déposer la viande dans un bol et remuer avec 15 ml (1 c. à soupe) de sauce teriyaki. Laisser mariner pendant environ 10 minutes ou quelques heures au réfrigérateur.

2. Cuire les pâtes à l'eau bouillante dans une grande casserole jusqu'à ce qu'elles soient tendres. Bien égoutter.

3. Entre-temps, chauffer 15 ml (1 c. à soupe) d'huile à feu moyen-vif dans une grande poêle antiadhésive profonde ou dans un wok. Y cuire le bifteck pendant environ 2 minutes, ou jusqu'à ce que la viande perde sa couleur rose. Retirer de la poêle et réserver.

4. Nettoyer la poêle au besoin et remettre au feu. Verser le reste de l'huile dans la poêle. Y faire sauter l'oignon, la carotte, le poivron rouge, le céleri, les champignons et le brocoli de 3 à 4 minutes, ou jusqu'à ce qu'ils prennent une coloration brillante et qu'ils commencent à s'attendrir.

5. Remettre le bifteck dans la poêle. Verser les 60 ml (5 c. à soupe) restant de sauce teriyaki et l'eau bouillante. Porter à ébullition, réduire le feu et laisser mijoter pendant environ 2 minutes.

6. Bien égoutter les pâtes et les ajouter au contenu. Laisser cuire pendant quelques minutes, en remuant, jusqu'à ce que les pâtes aient absorbé le jus mais que la préparation soit encore humide. Garnir d'oignons verts avant de servir.

VALEUR NUTRITIONNELLE PAR PORTION

Calories	371
Protéines	26 g
Matières grasses	11 g
Saturées	3 g
Cholestérol	30 mg
Glucides	44 g
Fibres	3 g
Sodium	655 mg
Potassium	510 mg

Excellente source : vitamine A ; niacine ; vitamine C ; vitamine B12

Bonne source : thiamine ; vitamine B6 ; fer ; acide folique

CHILI TEXAN

Ce chili est fait à base de petits cubes de viande, mais on peut également le préparer à partir de viande hachée. Servez-le sur un lit de riz avec une petite touche de fromage de yogourt (page 420) et des oignons verts émincés comme garniture. À l'heure du lunch, servez-le dans des tortillas avec 15 ml (1 c. à soupe) de purée de piment chipolte (page 206), si vous appréciez les plats relevés.

Il se conserve très bien au congélateur.

Donne 12 portions

750 g	bœuf maigre, coupé en cubes	1 1/2 lb
750 g	porc maigre, coupé en cubes	1 1/2 lb
125 ml	farine tout usage	1/2 tasse
15 ml	huile végétale	1 c. à soupe
4	gros oignons, hachés finement	4
6	gousses d'ail, hachées finement	6
45 ml	assaisonnement au chili	3 c. à soupe
15 ml	cumin moulu	1 c. à soupe
15 ml	origan séché	1 c. à soupe
5 ml	poivre de Cayenne	1 c. à thé
2 ml	poivre	1/2 c. à thé
750 ml	bouillon de bœuf maison (page 127), ou 1 boîte de 796 ml (28 oz) de tomates italiennes, broyées et non égouttées	3 tasses
250 ml	bière, ou eau	1 tasse
1 l	haricots rouges, cuits, ou 2 boîtes de 540 ml (19 oz) de haricots rouges, rincés et égouttés	4 tasses
250 ml	cheddar allégé, râpé	1 tasse

1. Assécher le bœuf et le porc en les épongeant et retourner les cubes dans la farine.

2. Dans un grand faitout, faire chauffer l'huile à feu moyen-vif. Y faire dorer les cubes de viande, en procédant par étapes, au besoin. Les retirer de la poêle et réserver.

3. Laisser 15 ml (1 c. à soupe) d'huile dans la poêle. Remettre la poêle au feu et y faire revenir les oignons et l'ail à feu moyen jusqu'à ce qu'ils soient tendres et odorants, soit environ 10 minutes. Ajouter l'assaisonnement au chili, le cumin, l'origan, le poivre de Cayenne et le poivre.

4. Remettre le bœuf et le porc dans la poêle et bien remuer. Verser le bouillon et la bière et porter à ébullition. Réduire le feu et laisser mijoter de 2 à 3 heures à découvert, jusqu'à ce que la viande soit très tendre et que la préparation épaississe. Incorporer les haricots. Rectifier l'assaisonnement au besoin.

5. Mettre le chili dans une cocotte d'une capacité de 3 l (12 tasses), recouvrir de fromage et cuire dans un four préchauffé à 180 °C (350 °F) pendant 30 minutes, ou jusqu'à ce que le plat soit bien chaud.

VALEUR NUTRITIONNELLE PAR PORTION

Calories	344
Protéines	35 g
Matières grasses	11 g
Saturées	4 g
Cholestérol	66 mg
Glucides	25 g
Fibres	7 g
Sodium	235 mg
Potassium	952 mg

Excellente source : thiamine ; niacine ; vitamine B6 ; vitamine B12 ; acide folique ; fer
Bonne source : riboflavine

POLENTA AVEC RAGOÛT DE VIANDE ET DE CHAMPIGNONS SAUVAGES

Voici une sauce à la viande passe-partout. Elle est excellente servie sur des pâtes. L'ajout de quelques saucisses enrichit le goût de cette polenta, mais on peut très bien s'en passer.

Servir le ragoût sur de la polenta chaude dans des bols individuels. Il est possible de préparer la polenta à l'avance. Il suffit de la déposer au fond d'un plat de 3,5 l (14 tasses) (33 cm x 23 cm [13 po x 9 po]) allant au four et légèrement huilé et de la recouvrir de sauce, de fromage et de persil. La cuire ensuite dans un four préchauffé à 180 °C (350 °F) pendant 30 minutes.

Donne 4 portions

Ragoût de viande et de champignons sauvages

15 g	champignons sauvages, déshydratés	1/2 oz
250 ml	eau chaude	1 tasse
10 ml	huile d'olive	2 c. à thé
1	oignon, haché	1
3	gousses d'ail, hachées finement	3
1 ml	flocons de piment fort (facultatif)	1/4 c. à thé
1	poivron rouge, épépiné et coupé en dés	1
250 g	bœuf haché, extra-maigre	1/2 lb
1	saucisse italienne, extra-maigre, hors de son boyau de chair (facultatif), d'environ 60 g (2 oz)	1
1	boîte de 796 ml (28 oz) de tomates italiennes, non égouttées, réduites en purée ou broyées	1
	sel et poivre au goût	

Polenta

1,5 l	eau	6 tasses
5 ml	sel	1 c. à thé
2 ml	poivre	1/2 c. à thé
250 ml	semoule de maïs, ordinaire ou à cuisson rapide	1 tasse

Garniture

25 ml	parmesan, râpé	2 c. à soupe
25 ml	persil frais, haché	2 c. à soupe

1. Recouvrir les champignons d'eau chaude et les laisser tremper 30 minutes. Passer le liquide dans un tamis tapissé d'une serviette en papier et réserver. Rincer soigneusement les champignons et les hacher. Réserver.

2. Chauffer l'huile à feu moyen dans une grande poêle antiadhésive profonde. Y mettre l'oignon, l'ail et les flocons de piment fort. Cuire à feu doux de 5 à 8 minutes, ou jusqu'à ce que l'oignon soit tendre, sans le laisser dorer.

3. Ajouter le poivron rouge et cuire quelques minutes. Ajouter le bœuf et la chair à saucisse, puis laisser dorer. Jeter l'excédent de gras.

4. Ajouter les champignons, le liquide de trempage et les tomates. Porter à ébullition et cuire environ 30 minutes, ou jusqu'à ce que la sauce épaississe suffisamment. Saler et poivrer.

5. Pour préparer la polenta, mettre l'eau, le sel et le poivre dans une grande casserole et porter à ébullition. Incorporer au fouet la semoule de maïs en battant doucement. Cuire ensuite à feu moyen, en remuant constamment à la cuillère en bois, de 25 à 30 minutes pour la semoule de maïs ordinaire, et de 5 à 10 minutes pour la préparation à cuisson rapide. La polenta devrait être tendre et onctueuse. Goûter et rectifier l'assaisonnement au besoin.

6. Servir la polenta nappée de sauce, puis saupoudrer de parmesan et de persil.

VALEUR NUTRITIONNELLE PAR PORTION	
Calories	314
Protéines	18 g
Matières grasses	8 g
Saturées	3 g
Cholestérol	32 mg
Glucides	43 g
Fibres	5 g
Sodium	1006 mg
Potassium	764 mg

Excellente source : vitamine A ; vitamine C ; niacine ; vitamine B6 ; vitamine B12

Bonne source : thiamine ; riboflavine ; acide folique ; fer

HARICOTS AU FOUR À LA FAÇON DE CALGARY

Il y a quelques années, mon amie Carole Martin m'a amenée au Stampede de Calgary. Nous avons passé du bon temps et, bien entendu, nous avons dégusté quelques spécialités locales. Carole m'a alors confié que son amie Judy Brovald faisait les meilleurs haricots au four qu'elle avait mangés. Voici mon adaptation de ce plat succulent et facile à réaliser. Si vous ne voulez pas cuire les haricots (page 202), utilisez des haricots en conserve.

Donne 12 portions

15 ml	huile d'olive	1 c. à soupe
1	côtelette de porc, désossée, parée et coupée en dés, d'environ 175 g (6 oz)	1
1	oignon, coupé en dés	1
1	boîte de 398 ml (14 oz) de tomates italiennes, non égouttées, réduites en purée soit environ 375 ml (1 1/2 tasse)	1

VALEUR NUTRITIONNELLE PAR PORTION	
Calories	235
Protéines	12 g
Matières grasses	4 g
Saturées	1 g
Cholestérol	11 mg
Glucides	39 g
Fibres	6 g
Sodium	639 mg
Potassium	718 mg

Excellente source : thiamine ; acide folique

Bonne source : niacine ; vitamine B6 ; acide folique ; fer

SAUCE BARBECUE

Dans une casserole, faire chauffer à feu moyen 10 ml (2 c. à thé) d'huile d'olive. Ajouter 1 oignon haché et 2 gousses d'ail hachées finement. Cuire doucement pendant 5 minutes.

Ajouter 375 ml (1 1/2 tasse) de sauce tomate ou de ketchup, 50 ml (1/4 tasse) de vinaigre de cidre, 50 ml (1/4 tasse) de cassonade, 15 ml (1 c. à soupe) de sauce Worcestershire, 15 ml (1 c. à soupe) de moutarde de Dijon, et 5 ml (1 c. à thé) de purée de piment chipotle ou de sauce au piment rouge (facultatif). Porter à ébullition, réduire le feu et cuire 10 minutes en remuant constamment. Goûter et ajuster l'assaisonnement au besoin.

Donne environ 375 ml (1 1/2 tasse).

---

250 ml	sauce barbecue, ou ketchup	1 tasse
50 ml	cassonade	1/4 tasse
50 ml	mélasse	1/4 tasse
25 ml	moutarde préparée	2 c. à soupe
3	boîtes de 398 ml (14 oz) de petits haricots blancs (navy), rincés et égouttés, soit environ 1,25 l (5 tasses)	3

1. Dans un faitout, faire chauffer l'huile à feu moyen. Y faire rôtir le porc pendant quelques minutes, jusqu'à ce qu'il soit doré. Ajouter les oignons et cuire environ 5 minutes, ou jusqu'à ce qu'ils soient tendres.
2. Ajouter les tomates, la sauce barbecue, la cassonade, la mélasse et la moutarde. Porter à ébullition.
3. Incorporer les haricots. Cuire à couvert dans un four préchauffé à 180 °C (350 °F) pendant 1 heure, ou jusqu'à ce que la sauce ait épaissi.

BŒUF SUKIYAKI

Voici un bouillon nourrissant au goût suave et délicieux. Apportez des variantes à la recette en suivant votre inspiration.

Vous pouvez préparer ce plat à l'avance sans ajouter les nouilles et le bœuf. Réchauffez-le avant d'ajouter les pâtes et le bœuf cru ; prenez soin toutefois de ne pas trop cuire les ingrédients.

Donne 6 portions

375 g	surlonge maigre débarrassée de tout gras, de 2,5 cm (1 po) d'épaisseur	3/4 lb
1	gros oignon, finement tranché	

LE DASHI

Le dashi est un bouillon clair utilisé dans la préparation des soupes japonaises. Il a une saveur douce et légèrement fumée. On le prépare avec de la laminaire saccharine et du poisson séché (le plus souvent de la bonite). Dans les épiceries japonaises et orientales, on trouve du dashi instantané en poudre ou en cubes.

500 g	pousses d'épinards, bettes à cardes, ou feuilles de betteraves, déchirées en morceaux	1 lb
125 g	germes de haricots bien frais	1/4 lb
125 g	champignons, parés et tranchés	1/4 lb
1	carotte, finement tranchée	1
250 g	tofu extra-ferme, coupé en morceaux de 2,5 cm (1 po)	1/2 lb
6	oignons verts, hachés	6
750 ml	bouillon de bœuf maison (page 127), ou eau, ou dashi	3 tasses
15 ml	sucre cristallisé blanc	1 c. à soupe
45 ml	sauce soya	3 c. à soupe
45 ml	xérès sec (facultatif)	3 c. à soupe
90 g	vermicelles de riz	3 oz

1. Mettre la viande au congélateur pendant 20 minutes. La couper en biais en tranches très minces.

2. Entre-temps, disposer les tranches d'oignon dans une casserole ou dans un faitout d'une capacité de 4 l (16 tasses). Y mettre les épinards, les germes de haricots, les champignons, la carotte, le tofu et les oignons verts.

3. Mélanger le bouillon, le sucre, la sauce soya et le xérès ; verser sur les légumes. Porter à ébullition et laisser mijoter de 5 à 10 minutes, ou jusqu'à ce que les oignons aient ramolli.

4. Pendant ce temps, faire tremper les vermicelles dans l'eau bouillante pendant 5 minutes. Égoutter soigneusement.

5. Incorporer les nouilles ramollies en remuant et garnir de bœuf. Cuire encore 5 minutes. Goûter et rectifier l'assaisonnement au besoin.

BIFTECK DE FLANC À LA CORÉENNE

Voici une façon délicieuse d'apprêter une coupe de bœuf maigre. Le flanc n'étant pas une partie très tendre de la bête, il gagne à être mariné. Par contre, comme il est plutôt mince, il ne doit pas mariner trop longtemps. Servez-le avec du riz ou des vermicelles de riz et des épinards au sésame.

Si vous préférez le bifteck de ronde, coupez-le en tranches de 2 cm (3/4 po) d'épaisseur et laissez mariner de 8 à 12 heures au réfrigérateur. Si vous avez du bifteck de haut-de-côtes, laissez mariner de 18 à 24 heures.

ÉPINARDS AU SÉSAME
Chauffer 5 ml (1 c. à thé) d'huile de sésame grillé dans une grande poêle. Ajouter 1 gousse d'ail hachée finement et 15 ml (1 c. à soupe) d'eau. Cuire quelques minutes à feu doux, jusqu'à ce qu'un arôme agréable se dégage. Ajouter 1 kg (2 lb) de pousses d'épinards, un tiers à la fois. Faire revenir soigneusement les pousses jusqu'à ce qu'elles amollissent, puis répéter avec un autre tiers, puis le suivant. Saler et poivrer au goût et saupoudrer de 5 ml (1 c. à thé) de graines de sésame rôties (page 414).

Donne de 4 à 6 portions.

Donne de 4 à 6 portions

500 g	bifteck de flanc	1 lb	
50 ml	sauce soya	1/4 tasse	
50 ml	sucre cristallisé blanc	1/4 tasse	
25 ml	jus de citron	2 c. à soupe	
10 ml	huile de sésame grillé	2 c. à thé	
4	gousses d'ail, émincées	4	
2 ml	poivre	1/2 c. à thé	

1. Assécher le bifteck en l'épongeant et pratiquer à sa surface de très légères entailles d'environ 2 mm (1/8 po) de profondeur.

2. Mélanger la sauce soya, le sucre, le jus de citron, l'huile de sésame, l'ail et le poivre. Ajouter le bifteck (dans une assiette plate ou dans un sac de plastique robuste). Laisser mariner au réfrigérateur, en le retournant deux ou trois fois, de 4 à 8 heures ou toute la nuit.

3. Immédiatement avant la cuisson, retirer le bifteck de la marinade et l'assécher en l'épongeant. Mettre la marinade dans une petite casserole et porter à ébullition. Cuire quelques minutes, jusqu'à ce que la marinade soit légèrement sirupeuse.

4. Préchauffer le gril et cuire le bifteck de 3 à 4 minutes de chaque côté, pour que la cuisson d'une tranche épaisse d'environ 2,5 cm (1 po) soit mi-saignante. Pendant la cuisson, badigeonner une fois ou deux avec la marinade qu'on aura laissée réduire. Laisser le bifteck reposer 5 minutes avant de le découper. Le trancher en diagonale.

VALEUR NUTRITIONNELLE PAR PORTION

Calories	245
Protéines	27 g
Matières grasses	10 g
Saturées	4 g
Cholestérol	46 mg
Glucides	10 g
Fibres	traces
Sodium	610 mg
Potassium	387 mg

Excellente source :
niacine ; vitamine B12
Bonne source :
vitamine B6

Bouts de côtes à la façon de Miami

Remplacez le bifteck de flanc par 1 kg (2 lb) de bouts de côtes en tranches fines. Grillez 3 minutes de chaque côté.

BŒUF BRAISÉ AUX LÉGUMES-RACINES

Pour beaucoup de gens, viande braisée est synonyme de bœuf braisé, mais cette recette donne aussi des résultats excellents avec l'agneau et le porc. Les restes peuvent être convertis en pâté chinois.

Donne de 10 à 12 portions

2 kg	rôti de haut-de-côtes, désossé et ficelé	4 lb	
2 ml	sel	1/2 c. à thé	
1 ml	poivre	1/4 c. à thé	
15 ml	huile d'olive	1 c. à soupe	

2	oignons, hachés	2
2	gousses d'ail, hachées finement	2
25 ml	romarin frais, haché, ou 5 ml (1 c. à thé) de romarin séché	2 c. à soupe
25 ml	thym frais, haché, ou 5 ml (1 c. à thé) de thym séché	2 c. à soupe
500 ml	vin rouge sec, ou bouillon de bœuf maison (page 127)	2 tasses
500 ml	bouillon de bœuf maison, ou bouillon de poulet maison (page 127), ou eau	2 tasses
25 ml	vinaigre balsamique, ou vinaigre de vin rouge	2 c. à soupe
2	oignons, coupés en morceaux	
2	carottes, coupées en morceaux	2
2	panais, coupés en morceaux	2
4	pommes de terre Yukon Gold ou à cuire au four, pelées et coupées en morceaux	4
1	patate douce, pelée et coupée en morceaux	1
15 ml	farine tout usage (facultatif)	1 c. à soupe
15 ml	margarine molle non hydrogénée, ou beurre non salé (facultatif)	1 c. à soupe
25 ml	persil frais, haché	2 c. à soupe

1. Assécher le rôti, le saler et le poivrer.

2. Chauffer l'huile à feu moyen-vif dans un faitout. Faire dorer le rôti de tous les côtés (cela devrait prendre de 10 à 15 minutes). Retirer le rôti du faitout.

3. Dégraisser le faitout en n'y laissant que 10 ml (2 c. à thé) d'huile. Ajouter les oignons hachés et l'ail. Cuire à feu doux jusqu'à ce qu'ils soient tendres, environ 4 minutes. Ajouter le romarin, le thym et le vin. Porter à ébullition. Cuire à découvert jusqu'à réduction du vin à environ 250 ml (1 tasse).

4. Ajouter le bouillon et le vinaigre. Porter à ébullition et remettre le rôti dans le faitout. Couvrir et cuire dans un four préchauffé à 180 °C (350 °F) pendant 1 1/2 heure.

5. Disposer les oignons, les carottes, les panais, les pommes de terre et la patate douce autour du rôti. Couvrir et poursuivre la cuisson pendant 1 1/2 heure, ou jusqu'à ce que les légumes et le bœuf soient tendres.

6. Mettre le bœuf sur une planche à découper et disposer les légumes dans une assiette de service. Dégraisser le bouillon et laisser mijoter

VALEUR NUTRITIONNELLE PAR PORTION	
Calories	353
Protéines	34 g
Matières grasses	11 g
Saturées	4 g
Cholestérol	74 mg
Glucides	28 g
Fibres	4 g
Sodium	302 mg
Potassium	919 mg

Excellente source :
vitamine A ; niacine ;
vitamine B6 ;
vitamine B12 ; fer
Bonne source :
vitamine C ; riboflavine ;
acide folique

sur la cuisinière. Si le bouillon n'est pas assez épais, poursuivre la cuisson à découvert, ou encore, mélanger la margarine et la farine dans un petit bol et incorporer ce mélange au bouillon en remuant, à raison d'une cuillerée à thé à la fois, jusqu'à épaississement léger du liquide.

7. Découper la viande, déposer les tranches sur les légumes et arroser de bouillon. Garnir de persil.

SURLONGE EN CROÛTE À LA MOUTARDE ET AU POIVRE

Les inconditionnels de la viande se sentent parfois frustrés lorsqu'on leur sert un bifteck de petite taille. Cependant, si vous découpez un grand filet en tranches très minces et en diagonale, une petite portion paraîtra grosse.

On peut aussi utiliser pour cette recette du bifteck de flanc roulé, mais faites-le mariner de 4 à 8 heures ou toute la nuit au réfrigérateur. Cuisez-le de 3 à 4 minutes de chaque côté pour une cuisson saignante.

Donne de 6 à 8 portions

25 ml	moutarde de Dijon	2 c. à soupe
15 ml	sauce Worcestershire	1 c. à soupe
15 ml	poivre	1 c. à soupe
2	gousses d'ail, émincées	2
1 ml	sauce piquante au piment	1/4 c. à thé
750 g	bifteck de surlonge, de préférence désossé, de 2,5 cm (1 po) d'épaisseur	1 1/2 lb

1. Mélanger la moutarde, la sauce Worcestershire, le poivre, l'ail et la sauce piquante.

2. Assécher le bifteck en l'épongeant. Le frotter de la marinade et laisser mariner quelques heures au réfrigérateur.

3. Faire griller le bifteck de 5 à 6 minutes de chaque côté pour une cuisson mi-saignante. Laisser reposer quelques minutes avant de découper.

4. Découper le bifteck en tranches minces diagonales (afin d'obtenir des tranches plus larges). Servir de 3 à 4 tranches par portion.

TERRINE DE CHOU AIGRE-DOUX

Les cigares au chou sont certes très populaires, mais rouler toutes ces feuilles prend du temps. Pourquoi ne pas les disposer en couche avec la farce et la sauce ! Vous obtiendrez le même résultat avec moins de travail.

Le mélange de viande et de riz peut également servir à préparer des croquettes que vous ferez pocher dans la sauce, sans les faire revenir au préalable dans du gras.

Donne de 6 à 8 portions

1	chou	1
500 g	bœuf haché, extra-maigre	1 lb
500 ml	riz brun ou blanc, cuit	2 tasses
1	gousse d'ail, émincée	1
1	œuf	1
50 ml	chapelure sèche de blé entier ou ordinaire	1/4 tasse
50 ml	ketchup	1/4 tasse
5 ml	sel	1 c. à thé
1 ml	poivre	1/4 c. à thé
75 ml	persil frais, haché, divisé en deux portions	1/3 tasse
5 ml	huile végétale	1 c. à thé
1	oignon, haché	1
1	gousse d'ail, hachée finement	1
50 ml	cassonade	1/4 tasse
25 ml	jus de citron	2 c. à soupe
1	boîte de 796 ml (28 oz) de tomates italiennes, non égouttées	1
125 ml	jus de canneberge, ou jus d'ananas sel et poivre au goût	1/2 tasse

1. Mettre le chou au congélateur pendant 2 jours. Le décongeler entièrement. Retirer le cœur et détacher toutes les feuilles. (Au lieu de mettre le chou à congeler, il est possible de faire blanchir les feuilles dans une grande marmite d'eau bouillante pendant 5 minutes.)

2. Dans un grand bol, mélanger le bœuf haché, le riz cuit, l'ail émincé, l'œuf, la chapelure, le ketchup, le sel, le poivre et 25 ml (2 c. à soupe) de persil.

3. Pour préparer la sauce, faire chauffer l'huile à feu moyen dans une grande poêle antiadhésive. Faire revenir les oignons et l'ail pendant environ 2 minutes, ou jusqu'à ce qu'ils soient odorants (ne pas les faire dorer).

4. Ajouter la cassonade, le jus de citron, les tomates et le jus de canneberge et porter à ébullition. Ajouter 25 ml (2 c. à soupe) de persil et cuire 15 minutes à feu doux en brisant les tomates avec une cuillère. Si la sauce est trop épaisse, ajouter environ 125 ml (1/2 tasse) d'eau ou de jus. Assaisonner avec le sel et le poivre.

5. Retirer les tiges dures des plus grosses feuilles et tapisser le fond d'un plat de 2 l (8 tasses) (28 cm x 18 cm [11 po x 7 po]) allant au four des plus belles feuilles. Étendre la moitié de la préparation de viande sur les feuilles, puis étendre un tiers de la sauce. Répéter la couche de feuilles de chou, celle de viande, puis celle de sauce. Recouvrir d'une dernière couche de chou et napper avec le reste de la sauce.

6. Déposer le plat sur une plaque à pâtisserie et recouvrir de papier d'aluminium. Cuire au four préchauffé à 180 °C (350 °F) pendant 40 minutes. Découvrir et cuire 10 minutes supplémentaires. Saupoudrer le reste du persil et laisser reposer 10 minutes avant de servir. Découper en carrés, en prenant soin de bien couper toutes les couches. (Jeter tout liquide aqueux se trouvant au fond du plat.)

FILET DE PORC GLACÉ À L'ABRICOT

Depuis quelques années, le porc a la cote, même dans les très grands restaurants. Vous pouvez également employer cette glaçure avec les rôtis de filet, les côtelettes de porc et le poulet.

Donne de 6 à 8 portions

125 ml	confiture d'abricots	1/2 tasse
25 ml	moutarde de Dijon	2 c. à soupe
25 ml	vinaigre balsamique, ou vinaigre de cidre	2 c. à soupe
10 ml	sauce Worcestershire	2 c. à thé
750 g	filet de porc	1 1/2 lb

1. Dans un petit bol, mélanger la confiture, la moutarde, le vinaigre et la sauce Worcestershire.

2. Assécher le porc dans un linge propre et l'enrober de la préparation.

3. Déposer le porc sur une plaque tapissée de papier d'aluminium. Faire rôtir de 40 à 50 minutes dans un four préchauffé à 190 °C (375 °F), ou jusqu'à ce que la viande soit à point (la température interne devrait être de 71 °C [160 °F]).

INVOLTINIS AUX ASPERGES ET AU FONTINA

J'ai eu l'idée de ce plat dans un restaurant de Toronto. Rosa, la chef propriétaire du *Seven Numbers*, et son fils proposent à leurs clients une cuisine italienne maison à des prix très raisonnables, et cela dans un décor surprenant. La chef cuisine à la fois simple et délicieux, comme si elle vous recevait à la maison.

Vous pouvez farcir les *involtinis* de haricots verts ou de fines tranches de poivrons rouges ou de carottes, en remplacement des asperges. Vous pouvez également remplacer le fromage Fontina par du fromage suisse ou du cheddar. Demandez à votre boucher de préparer des escalopes de veau ou de poulet, si vous voulez gagner du temps.

Donne 4 portions

500 g	filet de porc	1 lb
1 ml	sel	1/4 c. à thé
1 ml	poivre	1/4 c. à thé
8	tranches de Fontina, soit 60 g (2 oz) au total	8
24	pointes d'asperges de 15 cm (6 po)	24
50 ml	farine tout usage	1/4 tasse
15 ml	huile d'olive	1 c. à soupe
125 ml	vin blanc, ou bouillon de poulet maison (page 127)	1/2 tasse

1. Couper le filet de porc en 8 tranches et les assécher dans un linge propre. Déposer les tranches, une à la fois, dans un sac de plastique épais et les aplatir jusqu'à ce qu'elles atteignent un diamètre de 10 cm (4 po). Les saler et les poivrer.

2. Déposer une tranche de fromage, puis trois asperges sur chaque tranche de porc. Rouler les tranches et les attacher avec un cure-dent. Enfariner légèrement chaque rouleau.

3. Dans une grand poêle antiadhésive, faire chauffer l'huile à feu moyen-vif. Faire saisir les rouleaux pendant environ 5 minutes, jusqu'à ce qu'ils soient dorés de tous les côtés. Retirer de la poêle.

4. Ajouter le vin et gratter le fond de la poêle avec une cuillère en bois (déglacer). Si le vin s'évapore trop rapidement, ajouter un peu d'eau. Remettre les rouleaux dans la poêle, couvrir et cuire 3 minutes, ou jusqu'à ce que la viande soit à point. Goûter et rectifier l'assaisonnement au besoin.

5. Retirer les cure-dents et napper les rouleaux de sauce.

VALEUR NUTRITIONNELLE PAR PORTION	
Calories	313
Protéines	34 g
Matières grasses	13 g
Saturées	5 g
Cholestérol	80 mg
Glucides	11 g
Fibres	2 g
Sodium	321 mg
Potassium	590 mg

Excellente source : thiamine ; riboflavine ; niacine ; vitamine B6 ; vitamine B12 ; acide folique

Bonne source : fer

CÔTELETTES DE PORC AU SUCRE DE CANNE

J'ai eu l'inspiration de ce plat lors de mon séjour au gîte touristique Twin Oaks de Regina Charboneau, à Natchez au Mississippi. Servez ces côtelettes avec des patates douces en purée ou rôties et du chutney à la mangue.

Donne 8 portions

50 ml	cassonade	1/4 tasse
5 ml	sel	1 c. à thé
5 ml	poivre	1 c. à thé
5 ml	poudre d'ail	1 c. à thé
5 ml	poudre d'oignon	1 c. à thé
5 ml	paprika	1 c. à thé
8	côtelettes de porc, avec les os, parées, de 2,5 cm (1 po) d'épaisseur	8
15 ml	huile d'olive	1 c. à soupe

1. Dans un petit bol, mélanger la cassonade, le sel, le poivre, la poudre d'ail, la poudre d'oignon et le paprika.
2. Assécher les côtelettes dans un linge propre et les enduire du mélange d'épices des deux côtés.
3. Dans une grande poêle antiadhésive, faire chauffer l'huile à feu moyen-vif. Faire dorer les côtelettes quelques minutes de chaque côté. Déposer les côtelettes sur une plaque à pâtisserie tapissée de papier sulfurisé. Cuire au four préchauffé à 180 °C (350 °F) pendant 8 minutes, ou jusqu'à ce que le porc soit à point. Éviter de trop cuire la viande.

VALEUR NUTRITIONNELLE PAR PORTION

Calories	196
Protéines	21 g
Matières grasses	9 g
Saturées	3 g
Cholestérol	59 mg
Glucides	7 g
Fibres	0 g
Sodium	338 mg
Potassium	348 mg

Excellente source : thiamine ; niacine ; vitamine B12
Bonne source : riboflavine ; vitamine B6

RÔTI DE CÔTES LEVÉES DÉSOSSÉ AVEC POLENTA

L'arôme du porc braisé évoque le foyer familial. Ce plat est idéal pour les réceptions parce que vous pouvez le préparer à l'avance et qu'il a encore meilleur goût le lendemain. Dégraissez la sauce une fois refroidie. La graisse aura ainsi remonté à la surface, y sera figée et sera facile à détacher.

La saveur de ce rôti rappelle celle des côtes levées, en beaucoup moins gras. La sauce est aussi excellente avec du poulet ou un rôti de haut-de-côtes de bœuf. Vous pouvez ajouter des pommes de terre et des carottes aux autres légumes.

Les restes peuvent être débités puis servis en ragoût, ou hachés puis utilisés comme garniture dans les tacos, les fajitas, les quesadillas ou le pâté chinois. Vous pouvez également ajouter des haricots et servir sur du riz, en chili con carne.

Donne de 10 à 12 portions

2 kg	rôti de longe de porc, désossé et ficelé	4 lb
2 ml	sel	1/2 c. à thé
1 ml	poivre	1/4 c. à thé
10 ml	huile d'olive	2 c. à thé
250 ml	sauce barbecue (page 327)	1 tasse
25 ml	moutarde de Dijon	2 c. à soupe
25 ml	cassonade	2 c. à soupe
25 ml	sauce Worcestershire	2 c. à soupe
25 ml	vinaigre de vin rouge	2 c. à soupe
250 ml	eau	1 tasse
25 ml	purée de piment chipolte (page 206), ou 2 piments jalapeños, hachés (facultatif)	2 c. à soupe
2	oignons, coupés en morceaux	2
2	carottes, coupées en morceaux en diagonale	2
2	branches de céleri, coupées en morceaux de 5 cm (2 po)	2

Polenta

2,5 l	eau, ou lait, ou un mélange des deux	10 tasses
5 ml	cumin moulu	1 c. à thé
5 ml	sel	1 c. à thé
2 ml	poivre	1/2 c. à thé
500 ml	semoule de maïs, ordinaire ou à cuisson rapide brins de persil frais	2 tasses

1. Éponger le rôti, puis le saler et le poivrer.

2. Chauffer l'huile à feu vif dans un faitout à fond épais. Y dorer la viande de tous les côtés (ce qui devrait prendre entre 10 et 15 minutes). Jeter tout le gras du faitout.

3. Entre-temps, mélanger la sauce barbecue, la moutarde, la cassonade, la sauce Worcestershire, le vinaigre, l'eau et le piment chipolte. Verser sur le rôti. Bien couvrir le faitout et cuire dans un four préchauffé à 180 °C (350 °F) pendant 1 1/2 heure.

4. Placer les oignons, les carottes et le céleri autour du rôti, couvrir et poursuivre la cuisson pendant 1 1/2 heure, ou jusqu'à ce que la température interne de la viande atteigne 71 °C (160 °F).

5. Mettre la viande sur une planche à découper. Dégraisser la sauce. Si la sauce est trop claire, la chauffer à feu moyen-vif et la cuire à découvert jusqu'à réduction du liquide. On devrait obtenir environ 500 ml (2 tasses) de sauce. Garder la sauce au chaud, si on ne l'utilise pas sur-le-champ.

6. Entre-temps, pour préparer la polenta, porter l'eau à ébullition dans une grande casserole avec le cumin, le sel et le poivre. En battant au fouet, incorporer lentement la semoule de maïs, puis, en remuant sans arrêt à la cuillère en bois, cuire lentement pendant environ 30 minutes pour la polenta ordinaire, et de 5 à 10 minutes pour la polenta à cuisson rapide. Goûter et rectifier l'assaisonnement au besoin.

7. Découper la viande en tranches épaisses. Mettre la polenta dans un grand plat de service et y disposer le porc et les légumes. Arroser de sauce et garnir de persil.

LES SACS EN PLASTIQUE À FERMETURE À GLISSIÈRE

- Transformez-les en poche à douille de pâtissier. Coupez en angle un des coins en bas du sac et insérez une douille dans le trou (facultatif). Remplissez le sac de garniture et tourner la partie supérieure du sac afin de faire descendre la préparation vers le trou. (Pour décorer les biscuits et les gâteaux, utilisez un petit sac et percez un petit trou.)
- Faites congeler à plat les restes de lait de coco, de pesto, de piment chipolte, de concentré de tomate, etc., dans des sacs à congélation. Au besoin, prélevez la quantité nécessaire et faites-la décongeler. (Rangez tous les petits sacs dans un grand sac, pour ne pas les perdre au fond du congélateur.)
- Lorsque vous roulez des sushis avec le riz à l'extérieur (comme c'est le cas des sushis californiens), enveloppez votre tapis de bambou (*sudari*) dans un sac en plastique (les sacs à fermeture à glissière grand format sont idéaux) pour que le riz n'adhère pas au tapis.
- Pour faire des escalopes à la maison, coupez les bords d'un grand sac à congélation afin d'obtenir une grande feuille de plastique. Déposez la viande sur un côté, repliez l'autre côté sur la viande et l'aplatir.

JARRETS D'AGNEAU BRAISÉS ET PURÉE DE HARICOTS BLANCS

Les jarrets d'agneau sont parfois servis avec l'os, mais ils risquent alors de prendre trop de place dans l'assiette et d'avoir un aspect intimidant ! J'aime bien cuire la viande sur l'os, elle est alors fort savoureuse. Je désosse ensuite la viande cuite, je la réchauffe dans la sauce, puis je la sers sur une purée de haricots blancs, de pommes de terre ou de polenta molle (page 137) accompagnée de betteraves.

La purée de haricots blancs donne une trempette ou une tartinade divine.

Donne 8 portions

1	oignon, haché	1
2	gousses d'ail, émincées	2
500 ml	vin rouge sec, ou bouillon de poulet maison (page 127)	2 tasses
15 ml	romarin frais, haché, ou 2 ml (1/2 c. à thé) de romarin séché	1 c. à soupe
15 ml	thym frais, haché, ou 2 ml (1/2 c. à thé) de thym séché	1 c. à soupe
2 ml	poivre	1/2 c. à thé
6	jarrets d'agneau, d'environ 250 g (8 oz) chacun	6

Sauce

5 ml	huile d'olive	1 c. à thé
6	oignons, tranchés	6
6	gousses d'ail, hachées finement	6
1 ml	flocons de piment fort	1/4 c. à thé
15 ml	romarin frais, haché, ou 2 ml (1/2 c. à thé) de romarin séché	1 c. à soupe
15 ml	thym frais, haché, ou 2 ml (1/2 c. à thé) de thym séché	1 c. à soupe
2 ml	poivre	1/2 c. à thé
1	boîte de 796 ml (28 oz) de tomates italiennes, non égouttées sel au goût	1

Purée de haricots blancs

2	boîtes de 540 ml (19 oz) de haricots blancs, rincés et égouttés, ou 1 l (4 tasses) de haricots cuits (page 202)	2
3	gousses d'ail, hachées finement	3
5 ml	cumin moulu	1 c. à thé
2 ml	poivre	1/2 c. à thé
1,5 l	eau	6 tasses
15 ml	jus de citron	1 c. à soupe
2 ml	sauce au piment rouge	1/2 c. à thé
125 ml	persil frais, haché	1/2 tasse

1. Dans un grand bol, mélanger l'oignon haché, l'ail émincé, le vin, le romarin, le thym et le poivre. Mettre l'agneau dans ce mélange et le faire mariner 2 heures au réfrigérateur ou toute la nuit.

2. Laisser bien égoutter les jarrets et les éponger. Filtrer le liquide et réserver.

3. Chauffer l'huile d'olive dans un grand faitout à feu moyen-vif. Y mettre les jarrets et bien saisir pendant 10 minutes, quelques-uns à la fois s'il le faut. Retirer la viande de la poêle et la réserver. Dégraisser le faitout en ne conservant que 15 ml (1 c. à soupe) de gras.

4. Ajouter les oignons tranchés, l'ail haché et les flocons de piment fort. Réduire le feu à moyen et cuire environ 10 minutes, jusqu'à ce que les oignons soient tendres et que le tout soit odorant.

5. Ajouter le romarin, le thym, le poivre, la marinade filtrée et les tomates. Porter à ébullition.

6. Remettre l'agneau dans le faitout, couvrir et cuire dans un four préchauffé à 180 °C (350 °F) durant 2 ou 3 heures, ou jusqu'à ce que la viande soit très tendre. Dégraisser la sauce. Si la sauce est trop liquide, retirer les jarrets et cuire à feu moyen-vif jusqu'à consistance désirée. Saler au goût.

7. Laisser refroidir les jarrets d'agneau quelque peu et les désosser. Remettre la viande dans la sauce.

8. Entre-temps, pour préparer la purée de haricots blancs, mettre les haricots, l'ail, le cumin, le poivre et l'eau dans une grande casserole. Porter à ébullition, réduire le feu et cuire 20 minutes à feu doux. Égoutter en réservant le liquide de cuisson.

9. Au robot culinaire, réduire les haricots en purée avec le jus de citron et la sauce au piment rouge. Ajouter ce qu'il faut de liquide de cuisson pour obtenir la consistance désirée.

VALEUR NUTRITIONNELLE PAR PORTION

Calories	299
Protéines	26 g
Matières grasses	7 g
Saturées	3 g
Cholestérol	56 mg
Glucides	34 g
Fibres	11 g
Sodium	509 mg
Potassium	751 mg

Excellente source :
niacine ; acide folique ; vitamine B12 ; fer

Bonne source :
vitamine C ; thiamine ; riboflavine ; vitamine B6

10. Étendre une certaine quantité de purée de haricots dans chaque assiette et y déposer l'agneau, les oignons et les jus de cuisson. Parsemer de persil.

AGNEAU BRAISÉ AVEC TOMATES ET ORZO

Un plat rustique d'influence grecque qui séduira vos invités à coup sûr ! Vous pouvez remplacer l'agneau par du bœuf. Pour un plat élégant, garnissez-le de féta émietté.

L'orzo est une pâte alimentaire en forme de grain de riz. Vous pouvez le remplacer par n'importe quelle petite pâte ou par du riz (précuisez-le pendant 10 minutes et terminez la cuisson dans la sauce). Vous pouvez aussi omettre les pâtes ; laissez réduire la sauce jusqu'à épaississement, et servir l'agneau accompagné de purée de pommes de terre ou de polenta. Passez les restes dans des sandwiches roulés ou hachez-les et incorporez-les à un ragoût.

Ce plat se prépare à l'avance. Tranchez l'agneau lorsqu'il est froid et réchauffez-le dans la sauce. Réchauffez l'orzo ou cuisez-le tout juste avant de servir.

Donne de 10 à 12 portions

2 kg	gigot, ou épaule d'agneau, désossé, bien paré, roulé et ficelé	4 lb
5 ml	sel	1 c. à thé
1 ml	poivre	1/4 c. à thé
15 ml	huile d'olive	1 c. à soupe
3	oignons, hachés grossièrement	3
20	gousses d'ail, pelées et entières	20
25 ml	cumin moulu	2 c. à soupe
15 ml	origan séché	1 c. à soupe
1	boîte de 796 ml (28 oz) de tomates italiennes, non égouttées	1
250 ml	vin blanc sec ou rouge, ou bouillon de poulet maison (page 127), ou eau	1 tasse
500 g	orzo, ou autre petite pâte alimentaire, soit 750 ml (3 tasses)	1 lb
1	botte de persil frais	1

1. Éponger le rôti. Le saler et le poivrer.

2. Chauffer l'huile à feu moyen-vif dans un faitout. Y faire dorer l'agneau de tous les côtés, ce qui devrait prendre de 10 à 15 minutes. Retirer le rôti du faitout. Dégraisser le faitout en n'y laissant que 15 ml (1 c. à soupe) d'huile.

3. Mettre les oignons et l'ail dans le faitout. Réduire le feu à moyen et laisser cuire quelques minutes. Ajouter le cumin, l'origan et laisser cuire 2 minutes.

4. Ajouter les tomates et le vin ; porter à ébullition. Défaire les tomates à la cuillère. Ajouter le rôti et l'arroser du mélange à base de tomates. Couvrir et cuire dans un four préchauffé à 180 °C (350 °F) de 3 à 4 heures, ou jusqu'à ce que la viande soit très tendre. Vérifier toutes les 30 minutes afin qu'il reste toujours quelques tasses de liquide dans le faitout.

5. Entre-temps, cuire l'orzo à l'eau bouillante dans une grande casserole pendant 5 minutes. Égoutter, rincer à l'eau froide et bien égoutter à nouveau.

6. Retirer le rôti du faitout et le déposer sur une planche à découper. Dégraisser la sauce. Chauffer le faitout et porter la sauce à ébullition. Cuire à feu moyen-vif jusqu'à réduction de la sauce à 1,25 l (5 tasses). S'il n'y a pas assez de sauce, ajouter du bouillon ou de l'eau.

7. Réserver environ 250 ml (1 tasse) de sauce. Dans le faitout, ajouter l'orzo au reste du liquide et cuire pendant 5 minutes, ou jusqu'à ce que l'orzo soit très tendre. Goûter et rectifier l'assaisonnement au besoin.

8. Découper le rôti, déposer les tranches dans une grande assiette de service profonde et napper de la sauce réservée. Disposer l'orzo à la cuillère tout autour de l'agneau et garnir de persil.

VALEUR NUTRITIONNELLE PAR PORTION	
Calories	447
Protéines	45 g
Matières grasses	10 g
Saturées	3 g
Cholestérol	132 mg
Glucides	43 g
Fibres	4 g
Sodium	447 mg
Potassium	655 mg

Excellente source :
riboflavine ; niacine ; fer
Bonne source :
vitamine B6 ;
acide folique

LE TEMPS DE CUISSON DES RÔTIS

Le temps de cuisson de la viande dépend du poids, de l'épaisseur et de la forme de la pièce à cuire. Le thermomètre à viande est la seule méthode permettant d'obtenir le degré exact de cuisson souhaité.

Les thermomètres à fine tige et à lecture instantanée sont les meilleurs. Lorsque vous estimez que la viande est à point, enfoncez le thermomètre au centre du rôti en prenant soin de ne pas faire entrer l'instrument en contact avec le plat, un os ou un morceau de gras. Le thermomètre permettra d'obtenir une lecture en 10 secondes. Vous pouvez également opter pour un thermomètre qui demeure dans le rôti pendant la cuisson et qui émet un bip lorsque la température désirée est atteinte.

J'aime cuire le bœuf jusqu'à 57 °C (135 °F) pour une cuisson mi-saignante. Je cuis habituellement le porc, le poulet non farci et les morceaux de poulet à 71 °C (160 °F). La dinde ou le poulet farci doivent atteindre une température interne de 85 °C (185 °F) afin que le liquide contenu dans la farce soit bien cuit.

GIGOT D'AGNEAU GRILLÉ À LA CANTONAISE

L'agneau est l'une des viandes les plus populaires dans les restaurants. Certaines personnes n'aiment cependant pas l'apprêter à la maison, car elles craignent son goût et son arôme pénétrants. Cependant, si vous achetez de l'agneau jeune, que vous le débarrassez bien de son gras et que vous cuisez à point, le résultat sera délicieux et d'une saveur discrète. Le fait d'enlever le gras réduit également le risque de flambées sur le gril. Et puisque la viande est mince après avoir été aplatie en papillon, elle ne met que de 20 à 30 minutes à cuire. (Si vous ne pouvez la faire cuire sur le gril, contentez-vous de la faire rôtir.)

Donne de 8 à 10 portions

1	gigot d'agneau désossé, aplati et dégraissé, d'environ 1,5 kg (3 lb)	1
50 ml	sauce hoisin	1/4 tasse
25 ml	moutarde de Dijon	2 c. à soupe
25 ml	ketchup	2 c. à soupe
25 ml	miel	2 c. à soupe
15 ml	sauce soya	1 c. à soupe
5 ml	pâte de piment orientale	1 c. à thé
5 ml	poivre	1 c. à thé
2	gousses d'ail, émincées	2
15 ml	gingembre frais, haché	1 c. à soupe

1. Ouvrir le morceau de viande en le coupant de façon à l'aplatir au maximum. Assécher.

2. Mélanger la sauce hoisin, la moutarde, le ketchup, le miel, la sauce soya, la pâte de piment, le poivre, l'ail et le gingembre. Badigeonner l'agneau de ce mélange.

3. Préchauffer le gril. Pour une viande mi-saignante, cuire l'agneau de 10 à 15 minutes de chaque côté, selon l'épaisseur du morceau. Si l'on fait rôtir la viande, préchauffer le four à 200 °C (400 °F). Préchauffer une plaque légèrement badigeonnée d'huile végétale. Mettre l'agneau sur la plaque chaude et faire rôtir de 30 à 40 minutes. Le thermomètre à viande devrait marquer 57 °C (135 °F).

4. Laisser la viande reposer de 5 à 10 minutes avant de la découper. Trancher finement en diagonale dans le sens contraire de la fibre.

VALEUR NUTRITIONNELLE PAR PORTION

Calories	226
Protéines	30 g
Matières grasses	8 g
Saturées	3 g
Cholestérol	105 mg
Glucides	7 g
Fibres	traces
Sodium	329 mg
Potassium	230 mg

Excellente source : niacine ; riboflavine ; vitamine B12

Bonne source : fer

RÔTI D'AGNEAU AU ROMARIN ET AUX POMMES DE TERRE

Le gigot d'agneau désossé est très apprécié, mais on a tendance à oublier que le gigot avec l'os est beaucoup plus savoureux.

Les pommes de terre de ce plat absorbent tous les délicieux sucs de l'agneau.

Donne de 10 à 12 portions

25 ml	moutarde de Dijon	2 c. à soupe
4	gousses d'ail, émincées, divisées en deux portions	4
5 ml	poivre, divisé en deux portions	1 c. à thé
25 ml	romarin frais, haché, ou 10 ml (2 c. à thé) de romarin séché, divisé en deux portions	2 c. à soupe
1	gigot d'agneau, avec l'os, bien débarrassé de son gras, d'environ 2 kg (4 lb)	1
1,5 kg	pommes de terre Yukon Gold ou à cuire au four, soit 6 à 8 grosses, pelées et coupées en tranches très fines	3 lb
2	gros oignons, tranchés	2
2 ml	sel	1/2 c. à thé
250 ml	vin blanc sec, ou bouillon de poulet maison (page 127), ou eau	1 tasse

1. Dans un petit bol, mélanger la moutarde, 2 gousses d'ail, 2 ml (1/2 c. à thé) de poivre et 15 ml (1 c. à soupe) de romarin.

2. Assécher l'agneau dans un linge propre et l'enrober de la préparation. Le laisser mariner pendant la préparation des pommes de terre.

3. Disposer les pommes de terre, les oignons et le reste de l'ail au fond d'une plaque à rôtir. Saupoudrer avec le reste de romarin, de poivre et de sel. Verser le vin dessus.

4. Mettre l'agneau sur les pommes de terre. Pour une cuisson mi-saignante, faire rôtir de 80 à 90 minutes dans un four préchauffé à 200 °C (400 °F). Le thermomètre à viande devrait indiquer 57 °C (135 °F). Retourner le rôti une fois pendant la cuisson.

4. Laisser reposer le rôti 10 minutes avant de le découper. Servir avec les pommes de terre et les oignons.

CÔTELETTES D'AGNEAU À L'ÉRABLE ET AU VINAIGRE BALSAMIQUE AVEC PATATES DOUCES

Voici une excellente façon d'utiliser un vinaigre balsamique bon marché, car il s'adoucit en réduisant. (Réservez votre vinaigre de bonne qualité pour les salades.)

Vous pouvez utiliser de la sauce teriyaki (page 322) plutôt que la glaçure au vinaigre balsamique.

Donne 8 portions

15 ml	huile d'olive	1 c. à soupe
1,5 kg	patates douces, soit 4 grosses, pelées et coupées en tranches épaisses	3 lb
8	échalotes, pelées (page 279) et coupées en deux	8
15 ml	romarin frais, haché, ou 2 ml (1/2 c. à thé) de romarin séché	1 c. à soupe
5 ml	sel, divisé en deux portions	1 c. à thé
1 ml	poivre	1/4 c. à thé
500 ml	vinaigre balsamique	2 tasses
45 ml	sirop d'érable	3 c. à soupe
5 ml	moutarde de Dijon	1 c. à thé
1	morceau de zeste d'orange de 2,5 cm (1 po)	1
16	côtelettes d'agneau minces, parées, d'environ 75 à 90 g (2 1/2 à 3 oz) chacune	16

1. Badigeonner d'huile une grande feuille de papier d'aluminium résistant. Disposer les tranches de patates douces sur le papier d'aluminium de façon qu'elles se chevauchent légèrement. Disperser les échalotes sur les patates. Saupoudrer de romarin, de 2 ml (1/2 c. à thé) de sel et de poivre. Envelopper en papillote et déposer sur le gril. Cuire la papillote pendant environ 35 minutes, en la retournant une ou deux fois. On peut aussi cuire les patates dans un four préchauffé à 200 °C (400 °F) pendant environ 35 minutes, ou jusqu'à ce qu'elles soient tendres.

2. Entre-temps, mélanger dans une casserole le vinaigre, le sirop d'érable, la moutarde, le zeste d'orange et le reste de sel. Porter à ébullition. Réduire le feu et laisser mijoter à découvert de 10 à 15 minutes, ou jusqu'à ce que le liquide soit sirupeux. On devrait avoir environ 250 ml (1 tasse) de glaçure. Jeter le zeste. Réserver 50 ml (1/4 tasse) de glaçure pour la présentation.

VALEUR NUTRITIONNELLE PAR PORTION

Calories	257
Protéines	14 g
Matières grasses	7 g
Saturées	2 g
Cholestérol	45 mg
Glucides	35 g
Fibres	4 g
Sodium	220 mg
Potassium	514 mg

Excellente source :
vitamine A ; niacine ; vitamine B12

Bonne source :
vitamine C ; riboflavine ; vitamine B6

3. Badigeonner les côtelettes de 125 ml (1/2 tasse) de cette sauce. Faire griller l'agneau pendant 2 minutes. Badigeonner les côtelettes une seconde fois avec 50 ml (1/4 tasse) de sauce, puis les retourner et poursuivre la cuisson 2 minutes, pour une cuisson moyenne.

4. Décorer les assiettes d'un ruban de glaçure. Servir les côtelettes sur un lit de patates douces.

GIGOT D'AGNEAU DÉSOSSÉ AU PARFUM DU MOYEN-ORIENT

Cette marinade est aussi excellente sur les brochettes. Coupez le gigot en cubes de 4 cm (1 1/2 po) et enfilez-les sur des brochettes de métal, en les séparant par des quartiers d'oignon. Cuire sur le gril, en retournant bien les brochettes, afin que les cubes soient bien dorés de tous les côtés (de 8 à 12 minutes de cuisson au total). Servir avec du riz et une salade de carottes (page 139).

Donne 8 portions

1,5 kg	gigot d'agneau, désossé et coupé en papillon	3 lb
1	oignon, coupé en quartiers	1
4	gousses d'ail, pelées	4
15 ml	cumin moulu	1 c. à soupe
15 ml	paprika	1 c. à soupe
2 ml	gingembre moulu	1/2 c. à thé
25 ml	miel	2 c. à soupe
25 ml	jus de citron	2 c. à soupe
50 ml	coriandre fraîche ou persil frais, hachés	1/4 tasse
125 ml	yogourt nature faible en gras	1/2 tasse

1. Débarrasser l'agneau de tout gras.

2. Au robot culinaire, réduire en purée l'oignon, l'ail, le cumin, le paprika et le gingembre. Incorporer le miel, le jus de citron, la coriandre et le yogourt.

3. Verser la marinade en purée sur l'agneau et faire mariner au réfrigérateur 30 minutes ou toute une nuit.

4. Immédiatement avant la cuisson, enlever la marinade de la viande en raclant. Faire griller la viande environ 10 minutes de chaque côté. On peut aussi saisir la viande à la poêle et en terminer la cuisson dans un four préchauffé à 200 °C (400 °F), de 25 à 30 minutes. Pour être mi-saignant, l'agneau devrait atteindre une température interne de 57 °C (135 °F). Laisser l'agneau reposer de 5 à 10 minutes avant de le découper en diagonale.

VALEUR NUTRITIONNELLE PAR PORTION

Calories	211
Protéines	30 g
Matières grasses	8 g
Saturées	3 g
Cholestérol	106 mg
Glucides	4 g
Fibres	traces
Sodium	55 mg
Potassium	246 mg

Excellente source : riboflavine ; niacine ; vitamine B12

Bonne source : fer

OSSO BUCCO

L'osso bucco, qui signifie littéralement « os avec un trou », est l'un des plats braisés les plus délicieux qui soient. Plus sa cuisson est prolongée, meilleur est son goût. C'est donc le plat parfait à cuisiner à l'avance et à réchauffer à la dernière minute ! J'aime bien le jarret de veau coupé en tranches de 4 cm (1 1/2 po) ; les tranches plus épaisses mettent davantage de temps à cuire. Si vous voulez servir la viande avec l'os, les quantités de la recette suffiront pour six personnes, mais vous pourrez facilement en servir huit, si vous désossez la viande.

L'osso bucco est traditionnellement présenté avec une garniture aux fines herbes et agrumes appelée *gremolata*. Aussi, on le sert souvent accompagné de risotto. Pour ma part, j'aime bien le présenter parfois avec un simple riz à grains courts aux petits pois, qui se prépare à la toute dernière minute.

Donne 8 portions

50 ml	farine tout usage	1/4 tasse
1 ml	sel	1/4 c. à thé
2 ml	poivre	1/2 c. à thé
6	tranches de jarret de veau débarrassées de tout gras, d'environ 250 g (8 oz) chacune	6
10 ml	huile végétale	2 c. à thé
2	oignons, hachés	2
4	gousses d'ail, hachées finement	4
2	branches de céleri, hachées	2
2	carottes, hachées	2
500 ml	vin blanc sec, ou bouillon de poulet maison (page 127)	2 tasses
1	boîte de 796 ml (28 oz) de tomates italiennes, non égouttées	1
25 ml	jus de citron	2 c. à soupe
15 ml	romarin frais, haché, ou 2 ml (1/2 c. à thé) de romarin séché	1 c. à soupe
2 ml	poivre	1/2 c. à thé
500 ml	riz italien à grains courts	2 tasses
250 ml	petits pois frais, ou surgelés sel au goût	1 tasse

Gremolata

50 ml	persil frais, haché	1/4 tasse
15 ml	zeste de citron, râpé	1 c. à soupe
2	gousses d'ail, hachées finement	2

1. Mélanger la farine, le sel et le poivre. Assécher le veau et saupoudrer du mélange de farine.

2. Chauffer l'huile à feu moyen-vif dans un faitout. Saisir le veau de tous les côtés, ce qui devrait prendre entre 10 et 15 minutes. Retirer la viande et réserver.

3. Mettre l'oignon, l'ail, le céleri et la carotte dans la poêle. Réduire le feu et cuire à feu moyen environ 10 minutes, ou jusqu'à ce que le tout soit odorant.

4. Verser le vin dans le faitout et augmenter le feu. Porter à ébullition et laisser évaporer à moitié. Ajouter les tomates et les défaire à la cuillère. Ajouter le jus de citron, le romarin et le poivre.

5. Remettre le veau dans le faitout. Couvrir et laisser mijoter dans un four préchauffé à 180 °C (350 °F) de 2 à 4 heures environ, ou jusqu'à ce que le veau soit très tendre. On peut aussi mettre tous les ingrédients dans une terrine recouverte de papier d'aluminium. Si la sauce n'est pas assez épaisse, retirer le veau, le déposer dans une assiette et le garder au chaud. Porter la sauce à ébullition et cuire jusqu'à l'obtention de la consistance désirée.

6. Une vingtaine de minutes avant de servir, cuire le riz dans une grande marmite remplie d'eau bouillante. Porter à ébullition et faire cuire de 10 à 12 minutes, ou jusqu'à ce que le riz soit tendre. Ajouter les petits pois et laisser reposer 2 minutes. Laisser égoutter le riz et les petits pois. Goûter et saler au besoin.

7. Pour préparer la *gremolata*, mélanger dans un petit bol le persil, le zeste de citron et l'ail. Désosser le veau et le servir sur du riz avec la sauce. Parsemer de gremolata.

VALEUR NUTRITIONNELLE PAR PORTION

Calories	437
Protéines	32 g
Matières grasses	9 g
Saturées	3 g
Cholestérol	110 mg
Glucides	55 g
Fibres	4 g
Sodium	365 mg
Potassium	908 mg

Excellente source :
vitamine A ; niacine ;
vitamine B6 ;
vitamine B12

Bonne source : vitamine
C ; thiamine ; riboflavine ;
acide folique ; fer

Carottes glacées à la marmelade
Carottes glacées au cumin
Asperges et carottes glacées au vinaigre balsamique
Brocoli sauté au gingembre à l'orientale
Brocoli ou rapini aux raisins secs et aux pignons
Asperges au gingembre
Purée de courge musquée
Portobellos grillés à l'échalote
Champignons sauvages aux fines herbes
Légumes sautés
Poivrons sautés à l'ail et au vinaigre balsamique
Fenouil glacé au vinaigre balsamique
Betteraves glacées au vinaigre balsamique
Laitues sautées
Oignons caramélisés
Ratatouille grillée
Haricots verts sautés aux germes de haricots et aux
    oignons verts
Pak-choï miniatures sautés

Maïs grillé du marché de Chicago
Macédoine de maïs piquante
Polenta crémeuse au maïs et à l'ail rôti
Légumes d'hiver glacés à l'érable et au gingembre
Légumes-racines rôtis
Purée d'automne
Purée de chou-fleur
Chou rouge braisé aux pommes
Purée de patates douces à l'érable
Pommes de terre citronnées à la façon de Lynn
Purée de pommes de terre au babeurre
Casserole de pommes de terre farcies au four
Frites au four à l'israélienne
Riz frit à la faux Hugh
Riz frit à l'edamame
Riz collant à la chinoise
Pilaf de céréales variées
Risotto aux champignons sauvages
Risotto à la betterave
Risotto à l'orge et aux champignons sauvages
Risotto à la courge
Riz aux pâtes et aux pois chiches
Couscous du Moyen-Orient
Couscous israélien avec courge et poivron

CUISINER
AU GOÛT
DU CŒUR

LES LÉGUMES
ET LES PLATS
D'ACCOMPAGNEMENT

CAROTTES GLACÉES
À LA MARMELADE

L'idée de glacer des carottes à la marmelade est de Jean-Pierre Challet, un des meilleurs chefs au Canada. Il s'agit d'une réinterprétation des carottes Vichy, qui sont cuites dans la célèbre eau minérale de la ville de Vichy. Jean-Pierre a remplacé le miel ou le sucre traditionnellement utilisé par sa propre marmelade qui a un délicieux parfum d'épices. Elles sont tout aussi délicieuses préparées avec une bonne marmelade vendue dans le commerce.

Donne de 4 à 6 portions

750 g	carottes, miniatures ou ordinaires	1 1/2 lb
15 ml	huile d'olive	1 c. à soupe
25 ml	marmelade d'oranges	2 c. à soupe
250 ml	eau minérale pétillante, ou bouillon de poulet maison (page 127), ou eau	1 tasse
2 ml	sel	1/2 c. à thé
15 ml	persil frais, haché	1 c. à soupe

1. Couper les carottes en tranches diagonales de 1 cm (1/2 po) d'épaisseur.

2. Dans une grande poêle antiadhésive, faire chauffer l'huile à feu moyen-vif. Ajouter les carottes et la marmelade et cuire en remuant jusqu'à ce que les carottes soient bien enrobées de marmelade.

3. Ajouter l'eau pétillante et le sel. Porter à ébullition. Cuire les carottes à découvert de 15 à 20 minutes, ou jusqu'à ce que le liquide soit évaporé et que les carottes soient glacées. Garnir de persil haché.

VALEUR NUTRITIONNELLE PAR PORTION	
Calories	120
Protéines	1 g
Matières grasses	4 g
Saturées	traces
Cholestérol	0 mg
Glucides	21 g
Fibres	3 g
Sodium	359 mg
Potassium	484 mg

Excellente source :
vitamine A
Bonne source :
vitamine C ; acide folique

CAROTTES GLACÉES AU CUMIN

Le cumin, qui donne à ce plat sucré son goût mystérieux, est utilisé dans la cuisine de l'Inde, du Sud-Ouest asiatique et du Moyen-Orient. Si vous n'en avez pas, remplacez-le par 2 ml (1/2 c. à thé) de poudre de cari ou d'assaisonnement au chili. Dans cette recette, on peut également utiliser du sirop d'érable ou de la cassonade à la place du miel.

Donne de 4 à 6 portions

10 ml	huile végétale	2 c. à thé
1	gousse d'ail, hachée finement	1
15 ml	gingembre frais, haché finement	1 c. à soupe

7 ml	cumin moulu	1 1/2 c. à thé
1 kg	carottes, pelées et tranchées finement en diagonale	2 lb
15 ml	miel	1 c. à soupe
	une pincée de sel	
375 ml	bouillon de poulet maison (page 127), ou eau	1 1/2 tasse

1. Chauffer l'huile à feu moyen dans une grande poêle antiadhésive profonde. Y ajouter l'ail et le gingembre et cuire 1 minute à feu doux. Ajouter le cumin et cuire encore 30 secondes.

2. Ajouter les carottes, le miel, le sel et le bouillon. Cuire à découvert de 20 à 25 minutes, ou jusqu'à ce que tout le liquide se soit évaporé et que les carottes soient tendres et glacées. (Si le liquide s'évapore avant que les carottes soient tendres, ajouter tout simplement de l'eau dans la poêle.) Goûter et rectifier l'assaisonnement au besoin.

ASPERGES ET CAROTTES GLACÉES AU VINAIGRE BALSAMIQUE

Un joli plat plein de saveur.

Donne 4 portions

15 ml	huile végétale	1 c. à soupe
500 g	carottes miniatures, coupées en diagonale	1 lb
500 g	grosses asperges, coupées en trois	1 lb
50 ml	eau	1/4 tasse
25 ml	vinaigre balsamique	2 c. à soupe
15 ml	miel	1 c. à soupe
2 ml	sel	1/2 c. à thé
250 ml	tomates cerises	1 tasse

1. Dans une grande poêle antiadhésive profonde ou dans un wok, faire chauffer l'huile à feu moyen-vif. Ajouter les carottes et cuire en remuant pendant environ 3 minutes.

2. Ajouter les asperges et les cuire 1 minute supplémentaire. Verser l'eau et cuire quelques minutes, jusqu'à ce que le liquide se soit évaporé.

3. Ajouter le vinaigre, le miel et le sel. Cuire 2 minutes, ou jusqu'à ce que les carottes soient glacées.

4. Ajouter les tomates cerises et cuire de 2 à 3 minutes, ou jusqu'à ce que les tomates soient chaudes.

BROCOLI SAUTÉ AU GINGEMBRE À L'ORIENTALE

S'il y a un légume qui plaît à tous et qui est bon pour la santé, c'est bien le brocoli. Pour varier, remplacer le brocoli par du rapini.

Donne de 4 à 6 portions

1	botte de brocoli, d'environ 750 g (1 1/2 lb)	1
5 ml	huile végétale	1 c. à thé
15 ml	gingembre frais, haché finement	1 c. à soupe
3	oignons verts, hachés	3
1	gousse d'ail, hachée finement	1
45 ml	eau	3 c. à soupe
15 ml	sauce soya	1 c. à soupe
15 ml	sauce hoisin	1 c. à soupe

1. Parer le brocoli et le couper en tronçons de 2,5 cm (1 po). Séparer les tiges des bouquets.

2. Chauffer l'huile à feu moyen-vif dans un wok ou dans un poêlon antiadhésif. Y faire sauter le gingembre, les oignons verts et l'ail environ 20 secondes, ou jusqu'à ce que le mélange soit odorant.

3. Ajouter les tiges de brocoli et faire sauter 2 minutes environ.

4. Ajouter les bouquets et verser l'eau, la sauce soya et la sauce hoisin, puis porter à ébullition. Cuire en remuant de 3 à 4 minutes, ou jusqu'à ce que le brocoli soit vert brillant et glacé de sauce.

VALEUR NUTRITIONNELLE PAR PORTION	
Calories	60
Protéines	4 g
Matières grasses	2 g
Saturées	traces
Cholestérol	0 mg
Glucides	9 g
Fibres	3 g
Sodium	324 mg
Potassium	385 mg
Excellente source : vitamine C ; acide folique	
Bonne source : vitamine A	

BROCOLI OU RAPINI AUX RAISINS SECS ET AUX PIGNONS

Le brocoli est un légume populaire. Voici une façon raffinée de l'apprêter. Le rapini, issu d'un croisement entre le brocoli et les feuilles de navet, est de plus en plus facile à trouver. Enlevez-lui les extrémités en conservant cependant les parties feuillues avec les tiges et les bouquets.

Donne 4 portions

1	grosse botte de brocoli ou de rapini, d'environ 750 g (1 1/2 lb), parés et coupés en morceaux de 5 cm (2 po)	1
5 ml	huile d'olive	1 c. à thé
1	petit oignon, haché	1
1	gousse d'ail, hachée finement	1

50 ml	raisins secs	1/4 tasse
15 ml	pignons, rôtis (page 245)	1 c. à soupe

VALEUR NUTRITIONNELLE PAR PORTION

Calories	101
Protéines	5 g
Matières grasses	3 g
Saturées	traces
Cholestérol	0 mg
Glucides	18 g
Fibres	4 g
Sodium	39 mg
Potassium	535 mg

Excellente source :
vitamine C ; acide folique
Bonne source :
vitamine A ; vitamine B6

1. Remplir une grande casserole d'eau et porter à ébullition. Y jeter le brocoli. Porter à nouveau à ébullition et cuire de 3 à 5 minutes, ou jusqu'à ce que le légume commence à être tendre. Rincer à l'eau froide afin d'interrompre la cuisson et fixer la couleur et la texture du légume. Bien égoutter.

2. Dans une grande poêle antiadhésive et profonde, faire chauffer l'huile à feu moyen. Faire revenir l'oignon et l'ail de 5 à 8 minutes, ou jusqu'à ce que l'oignon soit tendre (verser un peu d'eau au besoin afin d'empêcher de brûler). Ajouter les raisins secs et les pignons et cuire encore quelques minutes.

3. Ajouter le brocoli et le retourner délicatement pour le réchauffer et l'enrober d'oignons. Servir chaud ou tiède.

ASPERGES AU GINGEMBRE

Cette recette est également délicieuse avec des pois mange-tout ou du brocoli.

Donne 6 portions

5 ml	huile de sésame grillé	1 c. à thé
15 ml	gingembre frais, haché	1 c. à soupe
3	oignons verts, hachés	3
750 g	asperges, parées et coupées en tronçons de 5 cm (2 po)	1 1/2 lb
15 ml	sauce soya	1 c. à soupe
15 ml	vinaigre balsamique	1 c. à soupe
2 ml	miel	1/2 c. à thé

VALEUR NUTRITIONNELLE PAR PORTION

Calories	27
Protéines	2 g
Matières grasses	1 g
Saturées	traces
Cholestérol	0 mg
Glucides	4 g
Fibres	1 g
Sodium	146 mg
Potassium	125 mg

Excellente source :
acide folique

1. Faire chauffer l'huile à feu moyen dans un wok ou dans une grande poêle antiadhésive et profonde. Y mettre le gingembre et les oignons verts et cuire 1 minute à feu doux, ou jusqu'à ce qu'un arôme agréable se dégage.

2. Ajouter les asperges et les faire sauter environ 2 minutes, en remuant jusqu'à ce qu'elles commencent à cuire.

3. Mélanger la sauce soya, le vinaigre et le miel. Verser dans la poêle et cuire 1 minute, ou jusqu'à ce que les asperges soient tendres. Goûter et rectifier l'assaisonnement au besoin.

LES ASPERGES

Achetez des asperges dont les pointes sont bien resserrées. Je préfère les tiges dodues et juteuses à celles qui sont minces comme un crayon. D'habitude, je coupe (plutôt que je ne casse) 2,5 cm (1 po) d'extrémité coriace et je pèle l'asperge sur deux à quatre centimètres. Bien que cette méthode exige du temps, les extrémités ainsi pelées sont très tendres et je gaspille moins.

Je fais cuire les asperges à plat, dans une poêle, dans 2,5 cm ou 5 cm (1 ou 2 po) d'eau, au lieu de les étuver à la verticale. Ainsi l'extrémité et la tige pelée cuisent à la même vitesse. Faites cuire les asperges de 3 à 5 minutes, jusqu'à ce qu'elles soient d'un beau vert et que les tiges se replient légèrement lorsqu'on tient l'asperge à la verticale. Après la cuisson, servez les asperges immédiatement, si vous avez l'intention de les présenter chaudes ; si vous les servez froides, rincez-les à l'eau froide afin d'en fixer la texture et la couleur, puis épongez-les.

PURÉE DE COURGE MUSQUÉE

Vous pouvez utiliser n'importe quelle sorte de courge d'hiver pour ce plat, mais la courge musquée possède une texture et une saveur particulièrement riches.

Donne 6 portions

1,5 kg	courge musquée	3 lb	
25 ml	cassonade, ou sucre d'érable	2 c. à soupe	
5 ml	cannelle moulue	1 c. à thé	
1 ml	muscade moulue	1/4 c. à thé	
1 ml	sel	1/4 c. à thé	
1 ml	poivre	1/4 c. à thé	

1. Couper la courge en deux. Enlever à la cuillère les pépins et la pulpe filandreuse.

2. Déposer la courge, face tranchée orientée vers le bas, sur une plaque à pâtisserie. Cuire dans un four préchauffé à 180 °C (350 °F), de 45 à 50 minutes, ou jusqu'à ce qu'elle soit très tendre.

3. Entre-temps, mélanger dans un petit bol la cassonade, la cannelle, la muscade, le sel et le poivre.

4. Mettre la chair de la courge dans un bol et jeter la peau. Réduire en purée avec le mélange à base de cassonade. Servir immédiatement ou mettre dans une terrine pour garder au chaud jusqu'au moment de servir.

VALEUR NUTRITIONNELLE PAR PORTION

Calories	103
Protéines	2 g
Matières grasses	traces
Saturées	0 g
Cholestérol	0 mg
Glucides	27 g
Fibres	traces
Sodium	105 mg
Potassium	619 mg

Excellente source :
vitamine A ;
vitamine C
Bonne source :
vitamine B6 ;
acide folique

> ### LES DIFFÉRENTES VARIÉTÉS DE COURGES
>
> Les courgettes à pelure verte ou jaune appartiennent à la famille des courges d'été. Leur peau est mince et comestible et leurs graines sont tendres. Les courges d'hiver se présentent sous différentes variétés délicieuses, dont la courge poivrée, la courge Buttercup, la courge Hubbard, la courge musquée et la courge spaghetti. J'apprécie la texture onctueuse et la saveur douce de la courge Buttercup et de la courge musquée, mais on peut les remplacer par n'importe quelle autre courge d'hiver.
>
> Si la pelure des courges d'été est très fine et comestible, la peau des courges d'hiver est souvent beaucoup plus épaisse. Il est possible de peler la courge avant la cuisson, mais il est beaucoup plus facile de la peler une fois cuite. Coupez alors la courge en deux, retirez les graines avec une cuillère et déposez les moitiés, face tranchée orientée vers le bas, sur une plaque à pâtisserie ou sur une assiette tapissée de papier sulfurisé. Cuire au four ou au four à micro-ondes. Prélevez la chair cuite avec une cuillère.
>
> La citrouille est de plus en plus populaire depuis quelques années en raison de ses grandes qualités nutritives (elle constitue une bonne source de fibres, de bêtacarotène, de vitamine E, de calcium et de fer). Optez pour les variétés *Small Pie* et *Sugar Pumpkin*. Il est possible de remplacer la citrouille par des courges d'hiver dans la plupart des recettes.

PORTOBELLOS GRILLÉS À L'ÉCHALOTE

Au bar Teppanyaki de l'Hôtel Quatre-Saisons de Tokyo, j'ai observé le chef préparer toutes sortes de délicieux plats de légumes, y compris ce plat de portobellos grillés, à la fois simple et délicieux. Le chef cuisinait les champignons entiers sur un grand gril, mais moi, je me contente du barbecue ou d'une poêle à fond cannelé. Vous pouvez aussi utiliser dans cette recette des champignons blancs (champignons de Paris).

Donne de 6 à 8 portions

500 g	champignons sauvages frais (shiitakes, portobellos, ou mélange)	1 lb
15 ml	huile végétale, divisée en deux portions	1 c. à soupe
2	échalotes, hachées finement	2
25 ml	sauce soya	2 c. à soupe
	sel et poivre au goût	

VALEUR NUTRITIONNELLE PAR PORTION

Calories	36
Protéines	1 g
Matières grasses	3 g
Saturées	traces
Cholestérol	0 mg
Glucides	3 g
Fibres	1 g
Sodium	347 mg
Potassium	161 mg

1. Bien nettoyer les champignons. Couper les tiges. Si on utilise des portobellos, enlever délicatement les lamelles au couteau.

2. Badigeonner les champignons avec 7 ml (1 1/2 c. à thé) d'huile. Faire griller quelque peu. Trancher les champignons.

3. Chauffer le reste de l'huile d'olive dans une grande poêle anti-adhésive profonde. Y cuire les échalotes à feu doux pendant quelques minutes, jusqu'à ce qu'elles soient tendres.

4. Augmenter le feu à moyen-vif et ajouter les champignons et la sauce soya. Bien mélanger avec les échalotes. Laisser cuire pendant quelques minutes, jusqu'à évaporation du liquide de cuisson. Saler et poivrer.

CHAMPIGNONS SAUVAGES AUX FINES HERBES

Ces champignons peuvent être servis seuls, en guise de légume, mais ils sont également bons sur les biftecks ou les côtelettes, dans la purée de pommes de terre ou le riz, comme garniture de bruschetta ou sur une salade tiède. Différents champignons sauvages sont offerts au fil des saisons, à prix variés, mais la plupart du temps, ils sont assez chers. Si le coût ou la disponibilité font problème, remplacez-les par des champignons blancs ou des champignons de Paris.

Donne de 4 à 6 portions

10 ml	huile d'olive	2 c. à thé
2	échalotes, hachées finement	2
4	gousses d'ail, hachées finement	4
500 g	champignons sauvages, nettoyés et tranchés, soit 1,5 l (6 tasses)	1 lb
5 ml	romarin frais, haché, ou une pincée de romarin séché	1 c. à thé
5 ml	thym frais, haché, ou une pincée de thym séché	1 c. à thé
25 ml	persil frais, haché	2 c. à soupe
25 ml	ciboulette fraîche ou oignons verts, hachés sel et poivre au goût	2 c. à soupe

1. Chauffer l'huile à feu moyen dans une grande poêle antiadhésive profonde. Ajouter les échalotes et l'ail. Cuire à feu doux jusqu'à ce que le tout soit très odorant.

LES ÉCHALOTES

Les échalotes ont une saveur très spéciale qui n'est pas sans rappeler un mélange d'oignon sucré et d'ail. On attribue de manière fautive le terme « échalote » aux oignons verts, mais il ne faut pas s'y méprendre. Les échalotes se présentent sous forme de petits bulbes, et leur saveur est très prononcée.

Si vous ne pouvez en dénicher et qu'une recette exige des échalotes crues, remplacez-les par des oignons verts. Par contre, si la recette demande des échalotes cuites, vous pouvez leur substituer un petit oignon et une petite gousse d'ail.

VALEUR NUTRITIONNELLE PAR PORTION

Calories	50
Protéines	2 g
Matières grasses	3 g
Saturées	traces
Cholestérol	0 mg
Glucides	6 g
Fibres	2 g
Sodium	4 mg
Potassium	321 mg

Bonne source : riboflavine ; niacine

2. Ajouter les champignons. Quand ceux-ci commencent à suer, porter le feu à moyen-vif. Cuire en remuant souvent, jusqu'à ce que les champignons soient cuits et que les jus de cuisson se soient évaporés. Ajouter le romarin et le thym après quelques minutes de cuisson.

3. Avant de servir, parsemer de persil et de ciboulette. Saler et poivrer.

LÉGUMES SAUTÉS

Voici un plat de légumes facile à exécuter qui se prépare avec n'importe quelle variété de légumes. Dely Balagtas, ma collègue de l'école de cuisine, prépare fréquemment ces légumes au dîner pour les membres du personnel. Elle les aromatise souvent de sauce aux huîtres.

Ces légumes peuvent être servis en plat d'accompagnement ou avec du riz, dans le cadre d'un repas végétarien.

Donne de 6 à 8 portions

10 ml	huile végétale	2 c. à thé
15 ml	gingembre frais, haché finement	1 c. à soupe
3	oignons verts, hachés	3
2	gousses d'ail, hachées	2
1	oignon, tranché	1
2	carottes, tranchées en diagonale	2
1	courgette, tranchée en diagonale	1
1	poivron rouge, vert ou jaune, épépiné et tranché	1
250 ml	haricots verts, parés et tranchés en diagonale	1 tasse
8	champignons shiitakes, sans les tiges, tranchés	8
1	petit brocoli, paré, tiges tranchées et fleurons séparés	1
50 ml	bouillon de légumes maison (page 127), ou eau	1/4 tasse
250 ml	pois mange-tout, parés	1 tasse
25 ml	sauce hoisin, ou sauce teriyaki (page 322), ou sauce soya, ou sauce aux huîtres	2 c. à soupe
2 ml	huile de sésame grillé	1/2 c. à thé

1. Chauffer l'huile végétale à feu moyen-vif dans un wok ou dans une grande poêle antiadhésive profonde. Y faire revenir le gingembre, les oignons verts et l'ail pendant 30 secondes, sans les laisser brunir.

VALEUR NUTRITIONNELLE PAR PORTION

Calories	101
Protéines	4 g
Matières grasses	3 g
Saturées	0 g
Cholestérol	0 mg
Glucides	18 g
Fibres	5 g
Sodium	125 mg
Potassium	497 mg

Excellente source :
vitamine A ; vitamine C ; acide folique
Bonne source :
vitamine B6

2. Ajouter l'oignon, les carottes, la courgette et le poivron, puis faire sauter pendant 2 minutes.

3. Ajouter les haricots verts, les champignons, le brocoli et le bouillon. Laisser cuire pendant 2 minutes. S'il le faut, couvrir et cuire 1 minute supplémentaire pour parfaire la cuisson du brocoli.

4. Ajouter les pois mange-tout et la sauce hoisin, puis porter à ébullition. Laisser cuire 1 minute. Incorporer l'huile de sésame. Servir sans attendre.

POIVRONS SAUTÉS À L'AIL ET AU VINAIGRE BALSAMIQUE

Ce délicieux mélange de poivrons se déguste tel quel, ou encore dans les frittatas et les salades, sur des pâtes ou en accompagnement du poulet et des côtelettes. Ils rehausseront la saveur de vos risottos, de vos pizzas ou de vos bruschettas (il suffit alors de les hacher avant de les incorporer à la préparation).

Libre à vous de les peler. Sachez tout de même que les poivrons pelés ont une saveur plus douce. Pelez-les avec un couteau économe et achetez des poivrons de forme plutôt carrée. Vous pourriez également les faire griller ou rôtir (page 165) avant d'en retirer la peau. Puisque les poivrons pelés cuisent plus rapidement, réduisez le temps de cuisson.

Donne 8 portions

10 ml	huile d'olive	2 c. à thé
3	gousses d'ail, hachées finement	3
1	piment banane piquant, ou jalapeño, épépiné et haché (facultatif)	1
3	poivrons rouges, pelés, épépinés et coupés en morceaux de 2,5 cm (1 po)	3
3	poivrons jaunes, pelés, épépinés et coupés en morceaux de 2,5 cm (1 po)	3
3	poivrons verts, pelés, épépinés et coupés en morceaux de 2,5 cm (1 po)	3
25 ml	vinaigre balsamique sel et poivre au goût	2 c. à soupe
75 ml	basilic frais, haché	1/3 tasse

1. Chauffer l'huile à feu moyen dans une grande poêle antiadhésive profonde. Faire revenir l'ail avec le piment banane pendant 1 minute.

VALEUR NUTRITIONNELLE PAR PORTION

Calories	52
Protéines	1 g
Matières grasses	1 g
Saturées	0 g
Cholestérol	0 mg
Glucides	10 g
Fibres	2 g
Sodium	3 mg
Potassium	250 mg

Excellente source : vitamine A ; vitamine C
Bonne source : vitamine B6

2. Ajouter les poivrons et bien mélanger. Laisser cuire 5 minutes, ou jusqu'à ce que les poivrons commencent à ramollir. Couvrir et poursuivre la cuisson de 10 à 15 minutes, ou jusqu'à ce que les poivrons soient très tendres. Ajouter quelques cuillerées d'eau si le contenu de la poêle devient trop sec. Découvrir et cuire jusqu'à évaporation complète du liquide.

3. Ajouter le vinaigre balsamique. Porter à ébullition et laisser cuire quelques minutes. Saler et poivrer. Incorporer le basilic.

FENOUIL GLACÉ AU VINAIGRE BALSAMIQUE

Le fenouil cuit est agréablement tendre en bouche et possède une délicate saveur anisée.

Pour varier, remplacer le vinaigre balsamique de cette préparation par du vinaigre Vincotto, un vinaigre italien fabriqué à partir de moût de raisin bouilli. Tout comme le vinaigre de vin, on l'aromatise à la framboise, à la figue ou au citron, mais il est aussi vendu nature. Utilisez-le dans les salades comme un vinaigre balsamique de bonne qualité.

Donne de 4 à 6 portions

1 kg	bulbes de fenouil, soit environ 2	2 lb
15 ml	huile d'olive	1 c. à soupe
45 ml	miel, cassonade, ou sirop d'érable	3 c. à soupe
75 ml	vinaigre balsamique	1/3 tasse
2 ml	sel	1/2 c. à thé
125 ml	eau	1/2 tasse

1. Parer le fenouil et le couper en deux à la verticale. Le couper ensuite en quartiers, en traversant le cœur, de manière que les pointes restent attachées.

2. Faire chauffer l'huile à feu moyen-vif dans une grande poêle antiadhésive. Y cuire le fenouil pendant quelques minutes sans remuer, jusqu'à ce qu'il soit légèrement doré. Retourner pour faire dorer les quartiers de l'autre côté.

3. Ajouter le miel et le vinaigre. Bien enrober le fenouil. Saler, puis ajouter l'eau.

4. Porter à ébullition, réduire le feu à moyen et laisser cuire, en remuant de temps à autre, jusqu'à ce que le liquide de cuisson soit évaporé et que le fenouil soit glacé, ce qui devrait prendre environ

25 minutes. Si le liquide s'évapore avant que le fenouil soit tendre, ajouter un peu d'eau.

BETTERAVES GLACÉES
AU VINAIGRE BALSAMIQUE

Les betteraves ont longtemps été boudées. Heureusement, on les redécouvre depuis quelques années, et il était à peu près temps ! Leur couleur stimule l'imagination, leur texture est agréable et que dire de leur goût inimitable ! La cuisson au four est ce qui leur convient le mieux parce qu'elle préserve leur couleur et concentre leur saveur.

Donne 6 portions

1 kg	betteraves, soit 6 de taille moyenne, lavées et coupées	2 lb
10 ml	huile d'olive	2 c. à thé
50 ml	vinaigre balsamique	1/4 tasse
25 ml	cassonade	2 c. à soupe
5 ml	romarin frais, haché, ou une pincée de romarin séché	1 c. à thé
125 ml	eau	1/2 tasse
	sel et poivre au goût	
50 ml	ciboulette fraîche ou oignons verts, hachés	1/4 tasse

1. Envelopper les betteraves dans du papier d'aluminium. Cuire dans un four préchauffé à 200 °C (400 °F) environ 1 heure, ou jusqu'à ce qu'elles soient très tendres. Vérifier leur degré de cuisson en les piquant au couteau.

2. Laisser refroidir les betteraves quelque peu. Enlever les extrémités et les peler pendant qu'elles sont encore chaudes (c'est plus facile). Les couper en quartiers.

3. Chauffer l'huile dans une grande poêle antiadhésive profonde. Y mettre les quartiers de betteraves et remuer pour les enrober d'huile. Ajouter le vinaigre et la cassonade. Porter à ébullition.

4. Ajouter le romarin et l'eau. Cuire de 5 à 8 minutes ou jusqu'à ce que le liquide s'évapore et que les betteraves soient bien glacées. Saler et poivrer. Parsemer de ciboulette hachée avant de servir.

VALEUR NUTRITIONNELLE PAR PORTION	
Calories	68
Protéines	1 g
Matières grasses	2 g
Saturées	traces
Cholestérol	0 mg
Glucides	13 g
Fibres	3 g
Sodium	58 mg
Potassium	389 mg

Excellente source : acide folique

LAITUES SAUTÉES

Ce mode de cuisson sain et délicieux peut très bien être utilisé avec tout légume vert à feuilles. Utilisez des feuilles de betteraves, du pak-choï, des épinards, du chou vert frisé, de la chicorée frisée, de la bette à cardes ou un mélange de ces feuilles. (N'ajoutez pas de liquide si vous optez pour des épinards. Les cuire de 1 à 2 minutes.)

Ces laitues peuvent être présentées comme légumes d'accompagnement ou servir de lit à du poisson ou du poulet grillé.

Ne vous étonnez pas de la grande quantité de feuilles crues exigée par la recette ; elles s'affaisseront à la cuisson !

Donne 6 portions

10 ml	huile d'olive	2 c. à thé
2	échalotes, pelées et hachées finement	2
2	gousses d'ail, hachées finement	2
1 kg	légumes verts à feuilles, soit 3 à 4 l (12 à 16 tasses)	2 lb
125 ml	bouillon de légumes maison (page 127), ou eau	1/2 tasse
	sel et poivre au goût	

1. Chauffer l'huile à feu moyen dans une grande poêle antiadhésive profonde ou dans un wok. Y mettre les échalotes et l'ail. Cuire à feu doux quelques minutes, jusqu'à ce que les échalotes aient ramolli et que le tout soit odorant. Ajouter un peu d'eau si le contenu de la poêle commence à coller.

2. Ajouter les légumes verts et mélanger à la préparation d'ail.

3. Verser le bouillon et porter à ébullition. Lorsque les feuilles commencent à s'affaisser, les remuer. Couvrir et cuire quelques minutes de plus. Saler et poivrer.

VALEUR NUTRITIONNELLE PAR PORTION

Calories	54
Protéines	3 g
Matières grasses	2 g
Saturées	traces
Cholestérol	0 mg
Glucides	6 g
Fibres	3 g
Sodium	107 mg
Potassium	625 mg

Excellente source : vitamine A ; vitamine C ; acide folique
Bonne source : fer

OIGNONS CARAMÉLISÉS

Les oignons caramélisés peuvent être utilisés de bien des façons : comme garniture sur des biftecks ou des côtelettes, dans les quesadillas avec un peu de fromage fumé, sur les bruschettas (page 56), dans les frittatas et les omelettes, ou encore incorporés à la purée de pommes de terre. Vous pouvez aussi les présenter comme légumes d'accompagnement.

Vous pouvez doubler la recette, mais en prenant soin de faire sauter les oignons dans deux grandes poêles afin qu'ils dorent bien.

Soyez patient et cuisez-les lentement. N'hésitez pas à les mettre à congeler dans un sac à congélation (page 337).

Donne environ 250 ml (1 tasse)

10 ml	huile d'olive	2 c. à thé
4	oignons, tranchés finement, soit 500 g (1 lb)	4
2	gousses d'ail, hachées finement	2
15 ml	sucre cristallisé blanc	1 c. à soupe
15 ml	vinaigre balsamique	1 c. à soupe
	sel au goût	
15 ml	persil frais, haché	1 c. à soupe

VALEUR NUTRITIONNELLE POUR 50 ML (1/4 TASSE)	
Calories	76
Protéines	1 g
Matières grasses	2 g
Saturées	traces
Cholestérol	0 mg
Glucides	13 g
Fibres	2 g
Sodium	3 mg
Potassium	170 mg

1. Chauffer l'huile à feu vif dans une grande poêle antiadhésive profonde. Y mettre les oignons et l'ail. Réduire le feu à moyen et cuire quelques minutes sans remuer afin de laisser les oignons dorer au fond de la poêle. Remuer, puis poursuivre la cuisson encore 5 minutes, jusqu'à ce que les oignons soient uniformément dorés et ramollis.

2. Saupoudrer les oignons de sucre et mouiller de vinaigre. Poursuivre la cuisson 10 minutes, ou jusqu'à ce que les oignons aient bruni, qu'ils soient tendres et que le tout soit très odorant.

3. Saler et parsemer de persil. Servir chaud ou à la température ambiante.

RATATOUILLE GRILLÉE

La ratatouille se prépare habituellement comme un ragoût de légumes, mais ici, les légumes sont grillés, ce qui leur confère encore plus de saveur. Cette ratatouille peut être servie en salade ou comme garniture dans les sandwiches. Elle se conserve environ 1 semaine au réfrigérateur.

Plutôt que de faire griller les légumes, vous pouvez également les faire rôtir au four.

Donne de 4 à 6 portions

25 ml	huile d'olive	2 c. à soupe
2	gousses d'ail, émincées	2
15 ml	thym frais, haché, ou 2 ml (1 c. à thé) de thym séché	1 c. à soupe
4 ml	sel	3/4 c. à thé
1 ml	poivre	1/4 c. à thé

VALEUR NUTRITIONNELLE PAR PORTION	
Calories	136
Protéines	3 g
Matières grasses	7 g
Saturées	1 g
Cholestérol	0 mg
Glucides	18 g
Fibres	5 g
Sodium	452 mg
Potassium	652 mg
Excellente source :	
vitamine C	
Bonne source :	
vitamine A ; thiamine ;	
vitamine B6 ;	
acide folique	

1	gros oignon, pelé	1
2	courgettes, parées	2
2	aubergines orientales, parées	2
2	tomates	2
1	poivron rouge	1
15 ml	vinaigre balsamique	1 c. à soupe
25 ml	persil frais, haché	2 c. à soupe

1. Dans un petit bol, mélanger l'huile, l'ail, le thym, le sel et le poivre.

2. Couper l'oignon, les courgettes et les aubergines en tranches de 5 mm (1/4 po) dans le sens de la longueur. Couper les tomates en tranches de 1 cm (1/2 po) d'épaisseur. Badigeonner l'oignon, les courgettes, les aubergines et les tomates avec le mélange d'huile d'olive. Réserver le reste du mélange pour la vinaigrette.

3. Faire griller les tranches de légumes de chaque côté, jusqu'à ce qu'elles soient bien dorées. Il faudra de 3 à 4 minutes par côté pour les oignons, de 2 à 3 minutes pour les courgettes et les aubergines, et environ 1 minute pour les tomates.

4. Faire griller le poivron jusqu'à ce que sa pelure soit entièrement noircie (ne pas le badigeonner). Le laisser tiédir avant de le peler. Le couper en deux, en retirer le cœur, les membranes et les graines. Couper en lanières.

5. Mélanger les légumes dans un bol de service ou les étendre sur un plat de service.

6. Battre le reste du mélange d'huile et de vinaigre et asperger la ratatouille. Garnir de persil haché.

HARICOTS VERTS SAUTÉS AUX GERMES DE HARICOTS ET AUX OIGNONS VERTS

Servez ces légumes avec des côtelettes d'agneau, du saumon ou du bifteck coupés en fines tranches. Vous pouvez ajouter les restes à une salade ou encore à un bouillon léger pour les servir sous forme de soupe.

Si vous ne pouvez trouver de germes de haricots frais, omettez-les. En Asie, on peut acheter des germes de haricots lavés, dont les extrémités ont été enlevées. Retirez-les vous aussi, si vous le souhaitez. Cela prend du temps, mais le résultat est assez joli, puisque les germes ressemblent à des bijoux translucides.

Les champignons collybies à pied velouté (enoki) sont vendus sous vide, dans de petits sachets. Faites d'une pierre deux coups et tranchez les tiges en ouvrant le paquet avec un couteau coupant.

Donne de 6 à 8 portions

10 ml	huile végétale	2 c. à thé
375 g	haricots verts, tranchés finement en diagonale	3/4 lb
20 ml	sauce soya	4 c. à thé
250 g	germes de haricots très frais	1/2 lb
1	sachet de champignons collybies à pied velouté, soit 100 g (3 1/2 oz)	1
4	oignons verts, tranchés finement en diagonale	4

1. Chauffer l'huile à feu moyen-vif dans une grande poêle antiadhésive profonde ou un wok. Y faire sauter les haricots verts pendant 2 minutes.
2. Ajouter la sauce soya et porter à ébullition. Ajouter les germes de haricots et faire sauter pendant 30 secondes.
3. Incorporer les champignons et les oignons verts. Laisser cuire 30 secondes.

VALEUR NUTRITIONNELLE PAR PORTION

Calories	50
Protéines	3 g
Matières grasses	2 g
Saturées	0 g
Cholestérol	0 mg
Glucides	8 g
Fibres	2 g
Sodium	265 mg
Potassium	279 mg

Bonne source : vitamine B6 ; acide folique

PAK-CHOÏ MINIATURES SAUTÉS

Le pak-choï ne cesse de gagner en popularité depuis quelques années. Même les enfants l'aiment ! Il est délicieux dans les plats de légumes et de viandes sautés, mais aussi comme légume d'accompagnement.

Si vous ne trouvez pas de pak-choï miniatures, coupez-en un grand en quatre.

Donne 6 portions

5 ml	huile d'olive	1 c. à thé
1	gousse d'ail, haché finement	1
500 g	pak-choï miniatures, coupés en deux ou non	1 lb
15 ml	sauce soya	1 c. à soupe
50 ml	eau	1/4 tasse

1. Faire chauffer l'huile à feu moyen-vif dans une grande poêle antiadhésive profonde ou dans un wok. Faire revenir l'ail environ 10 secondes sans le laisser brunir.
2. Ajouter les pak-choï et remuer pendant 1 minute.
3. Ajouter la sauce soya et l'eau. Porter à ébullition. Cuire environ 5 minutes, en remuant souvent, jusqu'à ce que les pak-choï commencent à tomber et s'attendrissent.

VALEUR NUTRITIONNELLE PAR PORTION

Calories	18
Protéines	1 g
Matières grasses	1 g
Saturées	0 g
Cholestérol	0 mg
Glucides	2 g
Fibres	1 g
Sodium	196 mg
Potassium	274 mg

Bonne source : vitamine A ; vitamine C

LE MAÏS

Les grains de maïs fraîchement retranchés de leur épi rehaussent la saveur et ajoutent du croquant aux salades. Pour faire griller le maïs, placez les épis directement sur le gril très chaud après les avoir épluchés. Prenez soin de les retourner jusqu'à ce que les grains soient légèrement dorés.

Comme le maïs surgelé est déjà blanchi, si vous voulez en mettre dans une salade, il vous suffit de le faire décongeler. S'il entre dans la composition d'un plat qui devra être chauffé, vous n'avez pas à le faire décongeler.

Bien que vous puissiez aussi employer du maïs en conserve, j'estime que le maïs surgelé est supérieur, et il n'est pas aussi salé.

LE WOK

Le wok est d'un grand secours pour une cuisine réduite en matières grasses, car il permet de cuire les aliments dans très peu d'huile. Si vous en achetez un, choisissez-le grand ; vous aurez ainsi le loisir de remuer les aliments à votre guise. Prenez-en un muni de deux poignées et d'un couvercle, de sorte que vous pourrez l'utiliser pour la cuisine à l'étuvée. Assurez-vous que le wok soit vraiment très chaud avant d'y mettre à cuire des aliments.

Pour empêcher les aliments de coller, lavez le wok soigneusement avant usage. Remplissez-le d'abord à moitié d'une huile végétale au goût neutre. Chauffez-le ensuite sur la cuisinière et laissez-le refroidir à quelques reprises. Badigeonnez de temps en temps les parois qui ne baignent pas dans l'huile. Jetez l'huile et essuyez le wok. Par la suite, après usage, ne lavez le wok qu'à l'eau. Répétez ce traitement au besoin.

MAÏS GRILLÉ DU MARCHÉ DE CHICAGO

Au marché de Maxwell Street, à Chicago, j'ai eu le bonheur de déguster ce succulent maïs grillé. Ce marché vaut vraiment le détour : on se croirait à Mexico.

Le jus de lime est indispensable à la réussite de cette recette.

Donne 8 portions

8	épis de maïs	8
75 ml	mayonnaise allégée	1/3 tasse
50 ml	parmesan, râpé	1/4 tasse
25 ml	assaisonnement au chili	2 c. à soupe
8	quartiers de lime	8

1. Éplucher les épis de maïs. Les faire griller sur le barbecue à feu vif jusqu'à ce qu'ils soient légèrement dorés. (Vous pourriez également les faire bouillir.)

2. Badigeonner ensuite la mayonnaise sur les épis avec un pinceau. Mélanger le fromage et l'assaisonnement au chili, et saupoudrer le mélange sur les épis.

3. Servir avec un quartier de lime. Presser le jus de lime sur l'épi et déguster.

VALEUR NUTRITIONNELLE PAR PORTION

Calories	166
Protéines	4 g
Matières grasses	8 g
Saturées	2 g
Cholestérol	9 mg
Glucides	23 g
Fibres	3 g
Sodium	237 mg
Potassium	248 mg

Bonne source : thiamine ; acide folique

MACÉDOINE DE MAÏS PIQUANTE

Voici un plat de légumes qui est délicieux avec un pain de viande (page 313), du poulet ou du saumon grillé. Il est savoureux toute l'année, même s'il est fait à partir de maïs surgelé, et c'est une façon merveilleuse de mettre du soleil sur votre table au beau milieu de l'hiver.

Si vous n'appréciez pas les plats relevés, omettez la purée de piment chipolte.

Donne de 8 à 10 portions

10 ml	huile d'olive	2 c. à thé
1	oignon rouge, coupé en dés	1
2	gousses d'ail, hachées finement	2
2	poivrons rouges, épépinés et coupés en dés	2
15 ml	purée de piment chipolte (page 206), ou 1 piment jalapeño, haché (facultatif)	1 c. à soupe
2 l	maïs en grains frais ou surgelé	8 tasses
250 ml	bouillon de légumes maison (page 127), ou eau	1 tasse
375 g	pousses d'épinards fraîches, parées et hachées	3/4 lb
1 ml	poivre sel au goût	1/4 c. à thé
75 ml	coriandre fraîche ou persil frais, hachés	1/3 tasse

1. Chauffer l'huile dans une grande poêle antiadhésive profonde ou dans un faitout. Y mettre l'ail et l'oignon. Cuire à feu doux jusqu'à ce que l'oignon soit mou et qu'il dégage un arôme agréable, sans rôtir.
2. Ajouter les poivrons rouges et le piment chipolte. Cuire de 5 à 8 minutes, ou jusqu'à ce qu'ils soient tendres.
3. Incorporer le maïs et bien mélanger. Verser le bouillon et porter à ébullition. Réduire le feu et laisser mijoter 5 minutes. Incorporer les épinards et cuire de 2 à 3 minutes, ou jusqu'à ce qu'ils commencent à s'affaisser. Ajouter le poivre, le sel et la coriandre. Goûter et rectifier l'assaisonnement au besoin.

VALEUR NUTRITIONNELLE PAR PORTION	
Calories	182
Protéines	7 g
Matières grasses	2 g
Saturées	traces
Cholestérol	0 mg
Glucides	42 g
Fibres	6 g
Sodium	178 mg
Potassium	577 mg

Excellente source : vitamine A ; vitamine C ; acide folique
Bonne source : thiamine ; riboflavine ; niacine ; vitamine B6 ; fer

LA POLENTA

Lorsqu'on fait cuire la semoule de maïs dans l'eau, du lait ou un bouillon, on obtient une bouillie crémeuse appelée polenta, une sorte de gruau au maïs.

Faire cuire la polenta en remuant souvent à feu doux (ou, sans surveillance, dans un bain-marie). La polenta ordinaire prend environ 30 minutes à cuire, tandis que la polenta à cuisson rapide ne demande que 5 minutes de cuisson.

POLENTA CRÉMEUSE AU MAÏS ET À L'AIL RÔTI

J'ai expérimenté cette recette dans le cadre d'un cours sur la cuisine du Sud-Ouest et elle a connu un succès retentissant. Vous pouvez la servir comme plat d'accompagnement ou en plat principal avec une salade. Ce mets peut être préparé en une heure avant le service ; conservez-le alors au chaud dans un bain-marie. Si vous n'avez pas le temps de faire rôtir l'ail, ajoutez simplement une gousse émincée.

Donne de 8 à 10 portions

1,75 l	eau	7 tasses
4 ml	sel	3/4 c. à thé
5 ml	poivre	1 c. à thé
375 ml	semoule de maïs, ordinaire ou à cuisson rapide	1 1/2 tasse
1	bulbe d'ail rôti (page 80), en purée	1
250 ml	maïs en grains	1 tasse
25 ml	coriandre fraîche ou persil frais, hachés (facultatif)	2 c. à soupe
175 ml	lait, chaud	3/4 tasse

VALEUR NUTRITIONNELLE PAR PORTION

Calories	128
Protéines	4 g
Matières grasses	1 g
Saturées	traces
Cholestérol	2 mg
Glucides	27 g
Fibres	2 g
Sodium	320 mg
Potassium	135 mg

1. Mettre l'eau dans un faitout et porter à ébullition. Saler et poivrer. Incorporer lentement au fouet la semoule de maïs, en remuant constamment. Lorsque la préparation forme des bulles, réduire le feu et laisser cuire doucement 5 minutes pour la semoule de maïs à cuisson rapide, et 30 minutes pour la farine de maïs ordinaire. Remuer de temps en temps. Si la préparation devient trop épaisse, y verser un peu d'eau bouillante.

2. Ajouter la purée d'ail rôti et le maïs en grains, et cuire 5 minutes supplémentaires.

3. Incorporer la coriandre et assez de lait pour obtenir la consistance d'une purée de pommes de terre. Goûter et rectifier l'assaisonnement au besoin.

LÉGUMES D'HIVER GLACÉS À L'ÉRABLE ET AU GINGEMBRE

L'érable et le gingembre rehaussent tellement le goût des choux de Bruxelles que même ceux qui n'aiment pas ce légume l'apprécieront.

Donne 6 portions

10 ml	huile végétale	2 c. à thé
15 ml	gingembre frais, haché	1 c. à soupe
500 g	carottes, tranchées en diagonale	1 lb
500 g	choux de Bruxelles, parés et coupés en deux	1 lb
25 ml	sirop d'érable	2 c. à soupe
250 ml	bouillon de légumes maison (page 127), ou eau	1 tasse
2 ml	sel	1/2 c. à thé
1 ml	poivre	1/4 c. à thé

1. Chauffer l'huile à feu moyen dans une grande poêle antiadhésive profonde. Y mettre le gingembre et cuire quelques minutes, jusqu'à ce que le tout soit très odorant.

2. Ajouter les carottes et les choux de Bruxelles. Arroser de sirop d'érable et bien enrober en remuant.

3. Verser le bouillon de légumes, puis saler et poivrer. Porter à ébullition et cuire à découvert de 15 à 20 minutes, ou jusqu'à ce que le liquide se soit évaporé et que les légumes soient glacés.

VALEUR NUTRITIONNELLE PAR PORTION	
Calories	92
Protéines	2 g
Matières grasses	2 g
Saturées	traces
Cholestérol	0 mg
Glucides	19 g
Fibres	5 g
Sodium	254 mg
Potassium	431 mg

Excellente source : vitamine A ; vitamine C
Bonne source : vitamine B6 ; acide folique

LÉGUMES-RACINES RÔTIS

Il m'arrive de préparer ce plat uniquement avec des patates douces ou uniquement avec des pommes de terre. On peut également préparer le chou-fleur de cette façon. Le goût est alors très concentré. Faites rôtir les bouquets de 25 à 30 minutes.

Donne de 4 à 6 portions

500 g	pommes de terre Yukon Gold ou à cuire au four, pelées ou nettoyées	1 lb
500 g	patates douces, pelées	1 lb
1	grosse carotte, pelée ou nettoyée	1
1	panais, pelé	1
125 g	rutabaga, pelé	1/4 lb
20 ml	huile d'olive	4 c. à thé

2	gousses d'ail, émincées	2
25 ml	romarin frais, haché, ou 5 ml (1 c. à thé) de romarin séché	2 c. à soupe
2 ml	sel	1/2 c. à thé
2 ml	poivre	1/2 c. à thé
1 ml	flocons de piment fort (facultatif)	1/4 c. à thé

1. Couper les légumes en morceaux de 4 cm (1 1/2 po). Les mettre dans l'eau froide s'ils commencent à se décolorer. Bien les égoutter et les assécher en les épongeant.

2. Dans un grand bol, mélanger l'huile, l'ail, le romarin, le sel, le poivre et les flocons de piment fort. Retourner les légumes dans ce mélange.

3. Étendre les légumes sur une plaque tapissée de papier sulfurisé (en prenant deux feuilles au besoin). Cuire dans un four préchauffé à 220 °C (425 °F) de 45 à 55 minutes, ou jusqu'à ce que les légumes soient dorés et tendres. Remuer à quelques reprises en cours de cuisson.

PURÉE D'AUTOMNE

La purée de pommes de terre est un grand classique. Ajoutez-lui une touche spéciale en intégrant quelques légumes-racines !

Donne de 8 à 10 portions

500 g	pommes de terre Yukon Gold ou à cuire au four, pelées et coupées en morceaux	1 lb
250 g	panais, pelé et coupé en morceaux	1/2 lb
250 g	carottes, courges ou rutabagas, pelés et coupés en morceaux	1/2 lb
1 kg	patates douces, pelées et coupées en morceaux	2 lb
25 ml	huile d'olive	2 c. à soupe
5 ml	sel	1 c. à thé
1	petite botte de ciboulette	1

1. Déposer les pommes de terre, les panais et les carottes dans une grande casserole et les recouvrir d'eau froide. Porter à ébullition et cuire 10 minutes. Ajouter les patates douces et cuire de 10 à 15 minutes, ou jusqu'à ce qu'elles soient tendres. Bien égoutter les légumes.

2. Verser l'huile d'olive sur les légumes, ajouter le sel et réduire le tout en purée (si la purée est trop épaisse, ajouter un peu de lait chaud). Goûter et rectifier l'assaisonnement au besoin.

3. Déposer la purée dans un plat de service. Couper la ciboulette en tronçons d'environ 5 cm (2 po) et en garnir les légumes.

PURÉE DE CHOU-FLEUR

La purée de chou-fleur est de plus en plus populaire pour remplacer la purée de pommes de terre. Moins riche en glucides, elle n'en est pas moins délicieuse. Cette version de la purée de chou-fleur est inspirée d'une recette de Jane Langdon, la directrice de la Wine Country Cooking School, à Niagara-on-the-Lake.

Pour éviter que le chou-fleur se gorge d'eau, faites-le cuire à la vapeur dans très peu de liquide.

Donne 6 portions

1	chou-fleur moyen, d'environ 750 g (1 1/2 lb)	1
15 ml	margarine molle non hydrogénée, ou beurre non salé	1 c. à soupe
5 ml	sel	1 c. à thé
1 ml	poivre	1/4 c. à thé
45 ml	parmesan, râpé (facultatif)	3 c. à soupe
15 ml	persil frais, haché	1 c. à soupe

1. Couper le chou-fleur en bouquets. Le déposer dans une grande casserole et recouvrir d'environ 2,5 cm (1 po) d'eau. Couvrir et porter à ébullition. Réduire le feu et cuire de 15 à 20 minutes, ou jusqu'à ce que le chou-fleur soit très tendre.
2. Bien égoutter le chou-fleur, déposer les bouquets dans un robot culinaire et hacher quelques secondes (procéder en plusieurs étapes au besoin). Ajouter la margarine, le sel, le poivre et le parmesan. Hacher jusqu'à l'obtention d'une purée lisse. Garnir de persil.

CHOU ROUGE BRAISÉ AUX POMMES

Le chou rouge est un légume merveilleux, trop souvent négligé. Vous pouvez le servir cru sous forme de salade ou l'employer comme garniture. Lorsqu'il est cuit, sa saveur est douce et sucrée.

Choisissez une pomme qui résiste bien à la cuisson (la Golden Delicious, par exemple).

Donne 8 portions

10 ml	huile d'olive	2 c. à thé
2	oignons, tranchés finement	2

VALEUR NUTRITIONNELLE PAR PORTION

Calories	29
Protéines	1 g
Matières grasses	2 g
Saturées	traces
Cholestérol	0 mg
Glucides	2 g
Fibres	1 g
Sodium	423 mg
Potassium	76 mg

Bonne source : vitamine C

LE CHOU

Le chou contient peu de calories et représente une bonne source de vitamine C.

Le chou de Savoie ressemble au chou vert commun, mais sa couleur est plus vive et ses feuilles sont gaufrées. Le chou rouge ajoute de la couleur aux salades de chou traditionnelles. Le chou napa (appelé aussi « chou chinois ») a une forme allongée et un goût délicat. (Lorsque vous achetez un chou napa, assurez-vous que ses feuilles ne soient pas piquées de taches de moisissure.

Le pak-choï, un autre légume vert chinois, est lui aussi une espèce de chou. En général, on le sert cuit.

2	pommes, pelées et tranchées finement	2
1	chou rouge, haché, d'environ 1 kg (2 lb), soit 2 l (8 tasses)	1
25 ml	vinaigre de cidre, ou vinaigre de vin rouge	2 c. à soupe
25 ml	sirop d'érable	2 c. à soupe
250 ml	jus de pomme, ou cidre sel et poivre au goût	1 tasse
25 ml	persil frais, haché	2 c. à soupe

1. Chauffer l'huile à feu moyen-vif dans une grande poêle antiadhésive profonde. Y cuire les oignons et les pommes pendant 5 minutes, ou jusqu'à ce qu'ils soient tendres.

2. Ajouter le chou, le vinaigre, le sirop d'érable et le jus de pomme. Porter à ébullition. Cuire à couvert, à feu moyen, environ 25 minutes, ou jusqu'à ce que le chou soit tendre. Saler, poivrer et incorporer le persil.

PURÉE DE PATATES DOUCES À L'ÉRABLE

Les diètes à faible teneur en glucides ont eu le mérite d'inciter les gens à manger plus de grains entiers et de légumes comme la patate douce, un légume qui convient autant aux repas de fête qu'à ceux de tous les jours. J'aime servir cette purée avec le poisson à la sauce aux tomates cerises (page 255). Dresser un petit monticule de purée dans chaque assiette et y déposer des épinards et le poisson. Garnir de sauce aux tomates cerises.

Donne de 6 à 8 portions

1 kg	patates douces, pelées et coupées en morceaux	2 lb
25 ml	sirop d'érable	2 c. à soupe
25 ml	huile d'olive	2 c. à soupe
25 ml	jus d'orange	2 c. à soupe
5 ml	sel	1 c. à thé
25 ml	gingembre confit, haché finement (facultatif)	2 c. à soupe

1. Cuire les patates douces dans une grande casserole d'eau bouillante jusqu'à ce qu'elles soient tendres. Bien les égoutter et les réduire en une purée grossière.

2. Ajouter le sirop d'érable, l'huile, le jus d'orange et le sel. Réduire en une purée lisse. Incorporer le gingembre confit. Goûter et ajuster l'assaisonnement au besoin.

VALEUR NUTRITIONNELLE PAR PORTION

Calories	89
Protéines	2 g
Matières grasses	2 g
Saturées	0 g
Cholestérol	0 mg
Glucides	19 g
Fibres	4 g
Sodium	11 mg
Potassium	279 mg

Excellente source : vitamine C

VALEUR NUTRITIONNELLE PAR PORTION

Calories	174
Protéines	2 g
Matières grasses	5 g
Saturées	1 g
Cholestérol	0 mg
Glucides	31 g
Fibres	2 g
Sodium	405 mg
Potassium	224 mg

Excellente source : vitamine A
Bonne source : vitamine B6 ; vitamine C

3. Servir immédiatement ou mettre dans une poche à douille de pâtissier et disposer la purée en ruban ou en rosettes dans un plat allant au four. Cuire à 180 °C (350 °F) de 20 à 30 minutes, ou jusqu'à ce que la purée soit légèrement dorée et bien chaude.

POMMES DE TERRE CITRONNÉES
À LA FAÇON DE LYNN

Mon amie Lynn Saunders était ravie de me donner sa recette de pommes de terre. Si vous appréciez les plats très citronnés, ajoutez jusqu'à 125 ml (1/2 tasse) de jus de citron. Libre à vous aussi de remplacer le romarin par du thym ou de remplacer la moitié des pommes de terre par des patates douces, du céleri-rave ou du navet.

Servez ces pommes de terre avec du poulet, de l'agneau rôti ou de la dinde fumée.

Donne 8 portions

1,5 kg	pommes de terre Yukon Gold ou à cuire au four	3 lb
15 ml	romarin frais, haché, ou 2 ml (1/2 c. à thé) de romarin séché	1 c. à soupe
2 ml	sel	1/2 c. à thé
1 ml	poivre	1/4 c. à thé
375 ml	bouillon de légumes maison (page 127), ou eau	1 1/2 tasse
75 ml	jus de citron	1/3 tasse

1. Peler les pommes de terre ou les nettoyer à la brosse. Les couper en morceaux de 5 cm (2 po). Disposer les morceaux dans un plat d'une capacité de 3,5 l (14 tasses) (33 cm x 23 cm [13 po x 9 po]) allant au four et saupoudrer de romarin, de sel et de poivre.
2. Mélanger le bouillon de poulet et le jus de citron, puis verser ce mélange sur les pommes de terre. Cuire dans un four préchauffé à 200 °C (400 °F) de 1 1/2 heure à 2 heures, en remuant de temps à autre, jusqu'à ce que les pommes de terre soient tendres, que le dessus soit croustillant et que le liquide se soit évaporé presque complètement.

LES POMMES DE TERRE

Il existe plusieurs variétés de pommes de terre. Les pommes de terre Russet, Idaho, à peau rouge et Yukon Gold se prêtent bien à la préparation de la purée ou à la cuisson au four (entières ou en bâtonnets). Les pommes de terre nouvelles sont bonnes bouillies, étuvées ou en salade.

VALEUR NUTRITIONNELLE PAR PORTION

Calories	117
Protéines	3 g
Matières grasses	0 g
Saturées	traces
Cholestérol	0 mg
Glucides	26 g
Fibres	2 g
Sodium	158 mg
Potassium	147 mg

Bonne source:
vitamine B6

PURÉE DE POMMES DE TERRE AU BABEURRE

Bien que le babeurre soit pauvre en matières grasses, il possède une texture agréablement onctueuse. Chauffez-le doucement pour l'empêcher de tourner. Vous pouvez toujours le remplacer par du yogourt nature, mais la saveur acidulée du babeurre est inimitable. Pour un plat sans produit laitier, remplacez le babeurre par du bouillon de poulet ou du lait sans lactose.

Pour plus de saveur, remplacez les gousses d'ail par deux bulbes d'ail rôtis (page 80). Ajoutez l'ail rôti dans le babeurre et faire chauffer le tout.

Donne 4 ou 5 portions

1 kg	pommes de terre Yukon Gold ou à cuire au four, pelées et coupées en deux	2 lb
6	gousses d'ail, pelées et entières	6
125 ml	babeurre (page 436)	1/2 tasse
25 ml	huile d'olive (facultatif) sel et poivre au goût	2 c. à soupe
15 ml	ciboulette fraîche ou oignons verts, hachés	1 c. à soupe

1. Mettre les pommes de terre et l'ail dans une grande casserole et recouvrir d'eau froide. Porter à ébullition. Réduire le feu et cuire de 20 à 30 minutes, ou jusqu'à ce que les pommes de terre soient tendres. Bien égoutter.

2. Entre-temps, dans une petite casserole, chauffer le babeurre doucement afin qu'il ne se sépare pas.

3. Réduire les pommes de terre et l'ail en purée à l'aide du pilon ou du moulin à légumes avec le babeurre et l'huile. Saler et poivrer. Incorporer la ciboulette.

CASSEROLE DE POMMES DE TERRE FARCIES AU FOUR

Un plat facile à faire que l'on peut préparer à l'avance. Il suffit de réchauffer les pommes de terre au four juste avant de les servir. Choisissez des pommes de terre Yukon Gold, des Russet ou toute autre variété qui se prête bien à la cuisson au four. Pour un plat encore plus savoureux, émiettez deux tranches de bacon et ajoutez-les au fromage.

Donne 6 portions

3	grosses pommes de terre à cuire au four, d'environ 300 g (10 oz) chacune	3
250 ml	fromage de yogourt (page 420), ou crème sure allégée	1 tasse
2 ml	cumin moulu	1/2 c. à thé
3	oignons verts, hachés	3
2 ml	sel	1/2 c. à thé
1 ml	poivre	1/4 c. à thé
250 ml	cheddar fort, râpé	1 tasse

1. Nettoyer les pommes de terre à la brosse. Les placer sur une plaque à pâtisserie et cuire dans un four préchauffé à 200 °C (400 °F) pendant environ 1 1/2 heure, ou jusqu'à ce qu'elles soient tendres.

2. Couper les pommes de terre en deux dans le sens de la longueur et les déposer côte à côte, côté coupé vers le haut, dans un plat carré légèrement huilé de 2,5 l (10 tasses) (23 cm x 23 cm [9 po x 9 po]). Avec une fourchette, détacher délicatement la chair de la peau et l'émietter sans la retirer de la pelure.

3. Mélanger le fromage de yogourt et le cumin. Étendre le mélange sur les pommes de terre. Parsemer les oignons verts sur les pommes de terre, saler et poivrer. Écraser doucement les pommes de terre avec un pilon à purée sans vous inquiéter de la pelure. Saupoudrer le fromage râpé.

4. Cuire dans un four préchauffé à 200 °C (400 °F) de 20 à 30 minutes, ou jusqu'à ce que le tout soit bien chaud et que le fromage gratine.

Pommes de terre farcies

Brosser 3 grosses pommes de terre et les déposer sur une plaque à pâtisserie. Cuire dans un four préchauffé à 200 °C (400 °F) de 1 heure à 1 1/2 heure, ou jusqu'à ce que les pommes de terre soient très tendres. Les couper en deux dans le sens de la longueur et les vider à l'aide d'une cuillère en prenant soin de ne laisser que 5 mm à 1 cm (1/4 à 1/2 po) de chair sur la pelure.

Réduire la chair en purée avec 125 ml (1/2 tasse) de fromage de yogourt (page 420) ou de crème sure, 125 ml (1/2 tasse) de cheddar fort ou de fromage bleu émietté, 3 oignons verts hachés, 2 ml (1/2 c. à thé) de cumin moulu, 2 ml (1/2 c. à thé) de sel, et 1 ml (1/4 c. à thé) de poivre. Goûter et rectifier l'assaisonnement au besoin. Farcir les pelures avec la purée. Réchauffer au four préchauffé à 200 °C (400 °F) pendant 20 minutes, ou jusqu'à ce que le tout soit bien chaud.

Donne 6 portions.

PELURES DE POMMES DE TERRE AU FOUR

Couper la peau des pommes de terre cuites en fines lanières et les assaisonner de sel, de poivre, de condiments (poudre de cari, assaisonnement au chili ou autres) et d'un peu d'huile d'olive, si on le désire. Étendre sur une plaque et cuire dans un four préchauffé à 200 °C (400 °F) de 15 à 20 minutes, ou jusqu'à ce qu'elles soient très croustillantes. Remuer toutes les 5 minutes. Émietter et mettre sur les soupes, salades, ou laisser entières et servir comme croustilles salées.

VALEUR NUTRITIONNELLE PAR PORTION

Calories	169
Protéines	9 g
Matières grasses	4 g
Saturées	2 g
Cholestérol	13 mg
Glucides	25 g
Fibres	2 g
Sodium	317 mg
Potassium	511 mg

Bonne source : vitamine B6 ; calcium

FRITES AU FOUR À L'ISRAÉLIENNE

En Israël, les frites sont souvent enrobées d'un mélange d'herbes après la friture. Voici une version au four tout aussi délicieuse de ces frites à l'israélienne. Une recette qui convient bien aux pommes de terre grelots.

Donne 4 portions

1 kg	pommes de terre Yukon Gold ou à cuire au four, pelées et coupées en bâtonnets	2 lb
25 ml	huile d'olive, divisée en deux portions	2 c. à soupe
2 ml	sel, divisé en deux portions	1/2 c. à thé
1	gousse d'ail, émincée	1
25 ml	persil frais, haché	2 c. à soupe

VALEUR NUTRITIONNELLE PAR PORTION	
Calories	207
Protéines	4 g
Matières grasses	4 g
Saturées	1 g
Cholestérol	0 mg
Glucides	41 g
Fibres	3 g
Sodium	304 mg
Potassium	688 mg

Excellente source : vitamine B6

Bonne source : thiamine ; niacine ; vitamine C

1. Mélanger 15 ml (1 c. à soupe) d'huile et 1 ml (1/4 c. à thé) de sel et bien enrober les pommes de terre de la préparation. Tapisser une plaque à pâtisserie de papier sulfurisé et étendre les pommes de terre côte à côte. Cuire dans un four préchauffé à 220 °C (425 °F) de 35 à 40 minutes, ou jusqu'à ce qu'elles soient dorées, croustillantes et tendres au centre.

2. Dans un grand bol, mélanger le reste de l'huile, l'ail, le persil et le reste du sel. Incorporer ce mélange aux pommes de terre dès leur sortie du four.

RIZ FRIT À LA FAUX HUGH

Hugh Carpenter est un professeur invité très populaire à notre école de cuisine. Il aime faire précéder le nom des recettes qu'il réinterprète des mots « faux Hugh » (comme dans « faux Hugh poulet à la toscane »). Sa recette de riz frit se compose de plusieurs sauces. En préparant sa recette, j'ai oublié d'ajouter quelques-uns des ingrédients et j'ai mélangé les autres ensemble par erreur, mais le résultat fut tout à fait délicieux. Aussi ai-je baptisé cette recette en son honneur.

Donne 8 portions

375 ml	riz basmati	1 1/2 tasse
625 ml	eau	2 1/2 tasses
20 ml	huile d'olive, divisée en deux portions	4 c. à thé
2	œufs	2
1	petit oignon, haché	1
2	gousses d'ail, hachées finement	2

2	carottes, hachées	2
250 g	pointes d'asperges fines, très finement émincées	1/2 lb
50 ml	jus d'orange	1/4 tasse
25 ml	vin de riz	2 c. à soupe
25 ml	sauce aux huîtres	2 c. à soupe
15 ml	sauce aigre-douce thaïlandaise	1 c. à soupe
10 ml	huile de sésame grillé	2 c. à thé
3	oignons verts, émincés en diagonale	3

1. Déposer le riz dans une passoire et bien le rincer sous l'eau du robinet.

2. Déposer l'eau et le riz dans une casserole et porter à ébullition. Cuire à feu moyen-vif pendant environ 5 minutes. Couvrir, réduire le feu et laisser mijoter pendant 10 minutes. Aérer le riz à la fourchette et le laisser refroidir dans un grand bol.

3. Dans une grande poêle antiadhésive profonde, faire chauffer l'huile à feu moyen-vif. Battre les œufs et les faire cuire dans l'huile en remuant constamment. Retirer les œufs de la poêle et réserver.

4. Faire chauffer le reste de l'huile et y faire revenir les oignons et l'ail en remuant pendant environ 3 minutes, ou jusqu'à ce qu'ils soient tendres. Ajouter les carottes et les asperges et cuire quelques minutes, jusqu'à ce que leur couleur devienne plus brillante.

5. Ajouter le riz et les œufs et remuer jusqu'à ce que le tout soit chaud.

6. Mélanger le jus d'orange, le vin de riz, la sauce aux huîtres, la sauce aigre-douce et l'huile de sésame. Verser dans le riz et mélanger. Garnir d'oignons verts avant de servir.

RIZ FRIT À L'EDAMAME

Tout le monde aime les fèves de soya fraîches (edamame), les cuisiniers vont même jusqu'à les utiliser pour remplacer les haricots de Lima ou les pois dans de nombreuses recettes. Elles sont habituellement vendues surgelées, dans leur cosse ou écossées. Elles ont une grande valeur nutritive.

Voici un excellent moyen d'utiliser les restes de riz. Alors, la prochaine fois que vous en cuirez, faites-en un peu plus !

Donne 4 portions

15 ml	huile végétale	1 c. à soupe
2	gousses d'ail, émincées	2
1 l	riz à grains longs, cuit et refroidi	4 tasses

VALEUR NUTRITIONNELLE PAR PORTION

Calories	234
Protéines	5 g
Matières grasses	5 g
Saturées	1 g
Cholestérol	47 mg
Glucides	40 g
Fibres	2 g
Sodium	55 mg
Potassium	159 mg

Excellente source :
vitamine A
Bonne source :
acide folique

EDAMAME (FÈVES DE SOYA FRAÎCHES)
L'edamame se vend frais ou surgelé dans sa cosse. Faites-les cuire à l'eau bouillante pendant 5 minutes et égouttez bien. Salez. Écossez-les et grignotez-les pour tromper la faim.

On trouve aussi dans le commerce des fèves de soya écossées. Servez-en comme légume ou comme élément d'une macédoine tel le succotash (mélange de maïs et de haricots).

250 ml	edamames écossés, surgelés ou frais	1 tasse
25 ml	bouillon de poulet maison (page 127), ou eau	2 c. à soupe
10 ml	sauce aux huîtres	2 c. à thé
2	œufs, légèrement battus	2
10 ml	algues nori, hachées (facultatif)	2 c. à thé

<table>
<tr><td>
VALEUR NUTRITIONNELLE PAR PORTION
Calories 366
Protéines 15 g
Matières grasses 11 g
  Saturées 2 g
  Cholestérol 93 mg
Glucides 52 g
  Fibres 3 g
Sodium 60 mg
Potassium 447 mg
Excellente source :
acide folique
Bonne source : thiamine ;
niacine ; vitamine C ; fer
</td></tr>
</table>

1. Dans une grande poêle antiadhésive profonde ou dans un wok, faire chauffer l'huile à feu moyen-vif et y faire revenir l'ail jusqu'à ce qu'il soit odorant, soit environ 10 secondes. Ajouter le riz et séparer les grains avec le dos d'une cuillère. Incorporer les edamames et cuire de 2 à 3 minutes, ou jusqu'à ce que le riz soit chaud.

2. Remuer tout en versant le bouillon et la sauce aux huîtres sur le riz.

3. Creuser un puits au centre du riz. Y déposer les œufs battus et mélanger jusqu'à ce qu'ils commencent à prendre, soit environ 1 minute. Mélanger les œufs au riz.

4. Saupoudrer d'algues nori avant de servir.

RIZ COLLANT À LA CHINOISE

J'aime bien servir ce riz comme plat d'accompagnement. Vous pouvez lui ajouter de l'edamame (fèves de soya fraîches), des petits pois, des carottes en dés, des champignons shiitakes frais, des crevettes séchées, des saucisses barbecues chinoises ou des châtaignes d'eau. Toutefois, et de l'avis de Jenny Cheng, une de mes collègues de travail, cette version est la meilleure.

Ce riz est délicieux à l'heure du lunch comme repas léger ou enveloppé dans une feuille de laitue.

Donne de 6 à 8 portions

500 ml	riz collant	2 tasses
6 à 8	champignons shiitakes séchés	6 à 8
25 ml	huile végétale	2 c. à soupe
1	oignon, haché	1
250 ml	poulet cuit, coupé en dés	1 tasse
375 ml	bouillon de poulet maison (page 127), ou eau	1 1/2 tasse
25 ml	vin de riz	2 c. à soupe
25 ml	sauce soya	2 c. à soupe
5 ml	huile de sésame grillé	1 c. à thé
1 ml	poivre	1/4 c. à thé

1. Rincer le riz et le laisser tremper dans l'eau froide de 30 à 60 minutes.

2. Pendant ce temps, faire tremper les champignons dans l'eau chaude, de 30 à 60 minutes, ou jusqu'à ce qu'ils soient réhydratés. (Plus le champignon est épais, plus le temps de trempage sera long.) Bien égoutter les champignons, les rincer et les presser pour retirer l'excédent d'eau. Retirer les tiges, les couper en deux et les émincer.

3. Dans une grande casserole, faire chauffer l'huile à feu moyen-vif. Ajouter les oignons, les champignons et le poulet et cuire 5 minutes.

4. Bien égoutter le riz et l'ajouter dans la casserole. Bien mélanger. Cuire 1 minute.

5. Verser le bouillon, le vin de riz, la sauce soya et l'huile de sésame. Porter à ébullition. Ajouter le poivre. Couvrir, réduire le feu et laisser mijoter 20 minutes. Laisser reposer 15 minutes avant de servir. Goûter et rectifier l'assaisonnement au besoin.

VALEUR NUTRITIONNELLE PAR PORTION	
Calories	319
Protéines	9 g
Matières grasses	7 g
Saturées	1 g
Cholestérol	9 mg
Glucides	55 g
Fibres	1 g
Sodium	199 mg
Potassium	190 mg
Bonne source : niacine	

PILAF DE CÉRÉALES VARIÉES

Ce pilaf multigrain se démarque des pilafs traditionnels. Si vous ne trouvez pas tous les grains, contentez-vous d'une ou deux variétés. Je tiens cette idée de mon amie Mary Risley, qui dirige l'école Tante Marie School of Cooking, à San Francisco.

Donne de 4 à 6 portions

10 ml	huile végétale	2 c. à thé
1	oignon, haché	1
2	gousses d'ail, hachées finement	2
15 ml	assaisonnement au chili	1 c. à soupe
5 ml	cumin moulu	1 c. à thé
1 ml	poivre de Cayenne	1/4 c. à thé
125 ml	riz brun à grains longs, de préférence du riz basmati	1/2 tasse
125 ml	orge perlé	1/2 tasse
50 ml	quinoa, rincé	1/4 tasse
50 ml	riz Wehani	1/4 tasse
750 ml	bouillon de légumes maison, ou bouillon de poulet maison (page 127)	3 tasses
2	poivrons rouges de préférence grillés (page 165), épépinés, pelés et coupés en dés	2
15 ml	pignons rôtis (page 245)	1 c. à soupe
50 ml	coriandre fraîche ou persil frais, hachés	1/4 tasse

VALEUR NUTRITIONNELLE PAR PORTION	
Calories	344
Protéines	8 g
Matières grasses	7 g
Saturées	1 g
Cholestérol	0 mg
Glucides	66 g
Fibres	9 g
Sodium	57 mg
Potassium	577 mg
Excellente source :	
vitamine A ; vitamine C ;	
fer	
Bonne source : thiamine ;	
niacine ; vitamine B6 ;	
acide folique	

1. Chauffer l'huile dans une grande casserole. Y mettre l'oignon et l'ail et cuire à feu doux jusqu'à ce que l'oignon ramollisse. Incorporer l'assaisonnement au chili, le cumin et le poivre de Cayenne. Cuire environ 30 secondes, en remuant constamment, jusqu'à ce que l'oignon dégage un arôme agréable.

2. Ajouter le riz brun, l'orge, le quinoa et le riz Wehani. Bien mélanger.

3. Verser le bouillon et porter à ébullition. Réduire le feu, couvrir et laisser mijoter de 40 à 45 minutes, ou jusqu'à ce que le liquide ait été absorbé et que le riz soit tendre.

4. Incorporer les poivrons, les pignons et la coriandre. Goûter et rectifier l'assaisonnement au besoin.

RISOTTO
AUX CHAMPIGNONS SAUVAGES

Le risotto ne se prépare pas à l'avance, mais il vaut bien un petit effort. Préparez-le pour des invités qui vous sont familiers et qui resteront avec vous à la cuisine pendant que vous l'apprêtez. Il vaut mieux ne pas cuisiner des plats qui se préparent à la dernière minute en même temps que le risotto.

Le risotto est prêt lorsqu'il forme une masse crémeuse, mais les grains de riz ne doivent pas s'agglutiner. Servez-le sans délai dans des assiettes ou dans des bols chauds.

Donne 6 portions

15 g	champignons sauvages séchés	1/2 oz
375 ml	eau chaude	1 1/2 tasse
15 ml	huile d'olive	1 c. à soupe
1	oignon, haché	1
2	gousses d'ail, hachées finement	2
250 g	portobellos, nettoyés et tranchés, ou tout autre champignon sauvage ou ordinaire	1/2 lb
500 ml	riz à grains courts	2 tasses
1,5 l	bouillon de légumes maison (page 127) sel et poivre au goût	6 tasses
15 ml	huile à la truffe blanche (facultatif)	1 c. à soupe
25 ml	persil frais, haché	2 c. à soupe
50 ml	parmesan, râpé	1/4 tasse

1. Tremper les champignons séchés dans l'eau chaude. Les laisser reposer pendant 30 minutes, ou jusqu'à ce qu'ils soient réhydratés.

Les filtrer dans un tamis tapissé d'une mousseline et récupérer le liquide. Bien rincer les champignons et les hacher.

2. Chauffer l'huile à feu moyen dans une grande poêle profonde ou dans un faitout. Y faire sauter l'oignon et l'ail pendant environ 5 minutes, ou jusqu'à ce que l'oignon soit tendre.

3. Ajouter les champignons frais et cuire jusqu'à l'évaporation complète du liquide de cuisson.

4. Ajouter les champignons sauvages et cuire pendant quelques minutes. Incorporer le riz en remuant et laisser cuire quelques minutes.

5. Entre-temps, verser le bouillon et le liquide de trempage des champignons dans une casserole et laisser mijoter.

6. Verser 125 ml (1/2 tasse) de bouillon dans le riz. En remuant sans arrêt, cuire à feu moyen ou moyen-vif jusqu'à ce que tout le liquide soit absorbé. Puis, toujours en remuant, continuer d'ajouter du bouillon, à raison de 125 ml (1/2 tasse) à la fois, jusqu'à ce que le riz soit tendre. L'incorporation de tout le bouillon devrait prendre de 15 à 18 minutes, à compter du premier ajout de liquide. Ajouter davantage de bouillon, au besoin, ou ne pas l'incorporer au complet si le riz est tendre avant que tout le liquide soit utilisé. Le riz devrait être tout juste tendre.

7. Saler, poivrer et ajouter l'huile à la truffe, si on en utilise. Garnir de persil et de fromage. Servir immédiatement.

HUILE À LA TRUFFE BLANCHE

L'huile à la truffe blanche est une huile d'olive dans laquelle ont macéré des truffes blanches. Les truffes blanches (et noires) sont des champignons très parfumés qui poussent autour des racines de certains arbres, comme les chênes et les peupliers d'Italie et de France. Cette huile se vend dans les épiceries spécialisées. Conservez-la au réfrigérateur et utilisez-la rapidement, car elle perd sa saveur une fois que la bouteille est ouverte.

VALEUR NUTRITIONNELLE PAR PORTION

Calories	338
Protéines	12 g
Matières grasses	5 g
Saturées	2 g
Cholestérol	4 mg
Glucides	59 g
Fibres	2 g
Sodium	111 mg
Potassium	391 mg

Excellente source : niacine
Bonne source : vitamine B12

LE RIZ

Utilisez un riz à grains longs dans les pilafs et dans les plats où il est souhaitable que tous les grains demeurent séparés. Si vous voulez un riz collant, pour préparer un risotto ou du pouding au riz, optez pour un riz à grains courts.

Le riz brun possède davantage de valeurs nutritives que le riz blanc, car sa couche externe renferme du son, des fibres et des vitamines. Le temps de cuisson du riz brun est généralement plus long et son coût est plus élevé. Il ne se conserve pas aussi longtemps que le riz blanc. Achetez-le en petites quantités et conservez-le au réfrigérateur si vous ne l'employez pas rapidement.

Le riz basmati

Le riz basmati est un riz à grains longs aromatique provenant de l'Inde. Avant la cuisson, ce riz devrait être rincé à l'eau froide jusqu'à ce que l'eau ressorte transparente. On peut trouver dans le commerce du riz basmati brun ou blanc et, bien que les deux variétés soient excellentes, le riz blanc me semble plus aromatique. Les autres riz aromatiques, comme le riz au jasmin et le riz à l'arôme thaïlandais, sont également délicieux.

Le riz à risotto

Le risotto (qui signifie à la fois le mets et la méthode de cuisson) est un riz italien à grains courts. On trouve plusieurs variétés de riz à grains courts sur le marché, dont le Vialone (mon préféré), le Carnaroli ou l'Arborio. La texture du risotto doit être crémeuse, sans pour autant que les grains de riz s'agglutinent les uns aux autres.

Le riz collant

Le riz collant ou glutineux est très blanc et opaque (il est très collant, mais on s'y habitue). On le trouve dans les épiceries asiatiques. On le sert comme plat d'accompagnement ou comme garniture (page 377).

Le riz à sushi

Les grains courts de ce riz japonais ont tendance à s'agglutiner, ce qui le rend facile à façonner.

Le riz Wehani

Le riz Wehani est un riz brun qui ressemble en tout point au riz sauvage. Sa couche extérieure est ferme ; il est très moelleux et savoureux. On peut l'utiliser dans tous les plats qui demandent du riz brun ou du riz sauvage. On peut se le procurer dans les magasins d'aliments naturels et les épiceries fines.

La cuisson à la vapeur du riz Wehani demande deux fois plus d'eau que celle du riz ordinaire. Comptez de 40 à 50 minutes. Pour le cuire à grande eau, plongez-le dans l'eau bouillante et cuisez-le de 25 à 35 minutes, ou jusqu'à ce que les grains soient tendres. Égouttez-le bien dans une passoire.

Le riz sauvage

Le riz sauvage n'est pas un grain, mais une herbe. Une fois cuit, sa texture et sa saveur rappellent grandement celles du riz brun. Le riz sauvage met environ 50 minutes à cuire, mais rien ne vous empêche d'en préparer de grandes quantités et de congeler ce dont vous n'avez pas besoin dans l'immédiat. Non seulement il est savoureux dans les salades et les plats d'accompagnement, mais il l'est tout autant dans les poudings au riz et les crêpes.

RISOTTO À LA BETTERAVE

La couleur vibrante de ce risotto en fait un plat parfait pour un souper romantique, surtout si vous le cuisinez avec votre partenaire ! S'il vous en reste, ajoutez-y un œuf battu et façonnez de petites croquettes à partir de ce mélange (page 384).

Donne de 4 à 6 portions

500 g	betteraves rouges, nettoyées, non pelées	1 lb
15 ml	huile d'olive	1 c. à soupe
1	gros oignon, haché	1
2	gousses d'ail, hachées finement	2
500 ml	riz à grains courts (page 161)	2 tasses
1,25 l	bouillon de légumes maison, ou bouillon de poulet maison (page 127) sel et poivre au goût	5 tasses
25 ml	persil frais, haché	2 c. à soupe
125 ml	fromage de chèvre non affiné, émietté	1/2 tasse

1. Envelopper les betteraves dans une couche de papier d'aluminium. Les cuire dans un four préchauffé à 200 °C (400 °F) environ 1 heure, ou jusqu'à ce qu'elles soient tendres sous la pointe d'un couteau. Retirer les betteraves du papier d'aluminium, laisser tiédir pendant 5 minutes et les peler. Les couper en dés.

2. Chauffer l'huile à feu moyen dans une grande casserole anti-adhésive. Y faire sauter l'oignon et l'ail. Laisser cuire lentement 5 minutes. Ajouter le riz et enrober celui-ci d'oignon et d'huile.

3. Entre-temps, faire mijoter le bouillon dans une casserole jusqu'à légers bouillonnements.

4. Verser 125 ml (1/2 tasse) de bouillon dans le riz. Cuire, en remuant sans arrêt, jusqu'à l'absorption ou l'évaporation complète du liquide. Puis, toujours en remuant, ajouter au riz encore 125 ml (1/2 tasse) de bouillon. Attendre que le bouillon soit presque totalement absorbé avant de procéder à l'ajout suivant. L'incorporation de tout le bouillon devrait prendre de 15 à 20 minutes, à feu moyen ou moyen-vif. Ajouter davantage de bouillon, au besoin, ou ne pas l'incorporer au complet si le riz est tendre avant que tout le liquide soit utilisé. Le riz devrait être tout juste tendre.

5. Incorporer les betteraves un peu avant la fin de la cuisson du riz. Saler et poivrer. Garnir de persil et de fromage de chèvre.

VALEUR NUTRITIONNELLE PAR PORTION

Calories	539
Protéines	18 g
Matières grasses	10 g
Saturées	4 g
Cholestérol	10 mg
Glucides	93 g
Fibres	4 g
Sodium	173 mg
Potassium	658 mg

Excellente source :
niacine ; acide folique
Bonne source :
riboflavine ; vitamine B6 ; vitamine B12 ; fer

RISOTTO À L'ORGE ET AUX CHAMPIGNONS SAUVAGES

La texture de l'orge cuit rappelle beaucoup celle du risotto ; c'est donc une céréale qui se prête bien à la méthode de cuisson traditionnelle propre au risotto. Le temps de cuisson de l'orge est plus long que celui du riz : comptez de 30 à 40 minutes. Le risotto à l'orge demande moins d'attention, puisqu'il n'est pas nécessaire de le remuer constamment.

Ce risotto est très riche en fibres alimentaires. On le sert en entrée, comme plat d'accompagnement ou comme plat de résistance végétarien (dans ce cas, remplacez le bouillon de poulet par du bouillon de légumes).

Donne 4 portions

30 g	champignons sauvages déshydratés	1 oz
500 ml	eau chaude	2 tasses
15 ml	huile d'olive	1 c. à soupe
1	oignon, haché finement	1
2	gousses d'ail, hachées finement	2
250 ml	orge perlé	1 tasse
250 ml	vin blanc sec, ou bouillon de légumes maison (page 127)	1 tasse
1,5 l	bouillon de légumes maison, ou bouillon de poulet maison (page 127), très chaud sel et poivre au goût	6 tasses
125 ml	parmesan, râpé (facultatif)	1/2 tasse
25 ml	persil frais, haché	2 c. à soupe

VALEUR NUTRITIONNELLE PAR PORTION

Calories	199
Protéines	5 g
Matières grasses	3 g
Saturées	1 g
Cholestérol	1 mg
Glucides	37 g
Fibres	6 g
Sodium	41 mg
Potassium	430 mg

Excellente source : niacine
Bonne source : fer

1. Faire tremper les champignons sauvages 30 minutes dans l'eau chaude. Passer le liquide à travers plusieurs couches de papier essuie-tout et réserver. Rincer les champignons sous l'eau froide et les hacher.
2. Dans une grande poêle antiadhésive, faire chauffer l'huile à feu moyen. Y mettre l'oignon et l'ail. Cuire à feu doux environ 5 minutes, jusqu'à ce que l'oignon soit tendre et que le tout soit odorant. Ajouter l'orge et bien l'enrober d'oignon. Ajouter les champignons et mélanger.
3. Verser le vin en remuant sans arrêt. Cuire à feu moyen jusqu'à évaporation ou absorption complète du vin par l'orge. Ajouter le liquide de trempage des champignons et cuire, en remuant de temps à autre, jusqu'à ce qu'il soit absorbé.
4. Commencer à ajouter le bouillon de poulet, 250 ml (1 tasse) à la fois, en remuant souvent, à feu moyen. Ne pas verser une autre

quantité de liquide avant que l'orge soit de nouveau presque sec. Lorsque l'orge est tendre, après 30 à 40 minutes, cesser d'ajouter du bouillon, même s'il n'a pas été utilisé complètement.

5. Saler et poivrer au goût. Incorporer le parmesan et le persil. Servir immédiatement.

RISOTTO À LA COURGE

Si vos enfants n'aiment pas les courges, il est cependant probable qu'ils aimeront la courge musquée. Elle confère à ce risotto une texture et une saveur riche et complexe, et elle le colore de manière très attrayante.

Servez ce risotto en entrée, en plat principal ou en accompagnement de viande ou de poisson grillé ou rôti.

Donne de 6 à 8 portions

15 ml	huile d'olive	1 c. à soupe
2	poireaux, ou petits oignons, parés et coupés en dés	2
1	gousse d'ail, hachée finement	1
375 ml	riz à grains courts	1 1/2 tasse
500 ml	courge musquée, pelée et coupée en dés	2 tasses
1 l	bouillon de légumes maison, ou bouillon de poulet maison (page 127)	4 tasses
2 ml	poivre	1/2 c. à thé
25 ml	ciboulette fraîche ou oignons verts, hachés poivre et sel au goût	2 c. à soupe

1. Chauffer l'huile à feu moyen dans un faitout. Y mettre les poireaux et l'ail. Cuire à feu doux pendant environ 5 minutes, ou jusqu'à ce que le mélange dégage un arôme agréable, sans dorer.

2. Incorporer le riz et bien l'enrober d'huile. Ajouter la courge et bien mélanger.

3. Entre-temps, dans une casserole, chauffer le bouillon jusqu'à légers bouillonnements.

4. Verser dans le faitout 250 ml (1 tasse) de bouillon sur le riz. En remuant constamment, cuire à feu moyen ou moyen-vif jusqu'à ce que le bouillon se soit évaporé. Continuer à verser du bouillon à raison de 125 ml (1/2 tasse) à la fois. Toujours en remuant, cuire jusqu'à ce que le liquide soit absorbé avant de poursuivre. Après 15 minutes, goûter le riz afin de vérifier s'il est à point. Ajouter davantage de

---

CROQUETTES DE RISOTTO

Mélanger de 500 à 750 ml (2 à 3 tasses) de risotto cuit avec un œuf battu. Façonner des croquettes d'environ 7,5 cm (3 po) de diamètre et 2 cm (3/4 po) d'épaisseur. Dans une poêle antiadhésive, faire chauffer un peu d'huile d'olive. Y cuire les croquettes environ 5 minutes, de chaque côté, jusqu'à ce qu'elles soient croustillantes et dorées à l'extérieur et bien chaudes à l'intérieur. Pour une présentation plus élégante, tapisser des ramequins ou un moule à pain de papier sulfurisé, bien entasser le riz dans les ramequins et cuire au four préchauffé à 180 °C (350 °F) pendant 30 minutes.

Donne 3 ou 4 croquettes.

VALEUR NUTRITIONNELLE PAR PORTION

Calories	248
Protéines	4 g
Matières grasses	3 g
Saturées	1 g
Cholestérol	0 mg
Glucides	52 g
Fibres	2 g
Sodium	27 mg
Potassium	357 mg
Excellente source :	
vitamine A	

SALADE NIÇOISE AU SAUMON RÔTI (PAGE 154)

CRÊPES À LA RICOTTA ET AU CITRON (PAGE 398)

POIRES CARAMÉLISÉES AVEC CRÈME TIRAMISU (PAGE 463)

NIDS DE PÂTE FILO AVEC FRUITS HIVERNAUX CARAMÉLISÉS (PAGE 472)

GÂTEAU DES ANGES AU COULIS DE BAIES (PAGE 481)

bouillon, au besoin, ou ne pas l'incorporer au complet si le riz est tendre avant que tout le liquide soit utilisé. Saler et poivrer. Incorporer la ciboulette. Rectifier l'assaisonnement au besoin. Servir immédiatement.

Risotto au rapini

Cuire 500 g (1 lb) de rapini ou de brocoli haché dans une grande casserole d'eau bouillante pendant 5 minutes. Remplacer la courge par le rapini.

RIZ AUX PÂTES
ET AUX POIS CHICHES

Bien qu'il puisse sembler inhabituel de mettre des pâtes dans un riz pilaf, c'est une pratique assez courante dans les recettes du Moyen-Orient, et j'ai appris à en apprécier le goût et la texture. Il constitue un excellent plat de résistance végétarien.

Si vous utilisez du riz blanc, ajoutez 375 ml (1 1/2 tasse) de liquide et cuisez le riz de 15 à 20 minutes.

Donne de 4 à 6 portions

15 ml	huile d'olive	1 c. à soupe
1	oignon, tranché finement	1
250 ml	riz brun ou blanc, à grains longs	1 tasse
125 ml	spaghettis de blé entier, brisés	1/2 tasse
625 ml	bouillon de légumes maison, ou bouillon de poulet maison (page 127)	2 1/2 tasses
1	boîte de 540 ml (19 oz) de pois chiches, rincés et égouttés, ou 500 ml (2 tasses) de pois chiches, cuits	1
1 ml	poivre	1/4 c. à thé
	sel au goût	
25 ml	coriandre fraîche ou persil frais, hachés	2 c. à soupe

1. Dans une grande casserole antiadhésive, faire chauffer l'huile à feu moyen-vif. Y faire revenir l'oignon et cuire de 10 à 12 minutes, ou jusqu'à ce qu'il soit doré. Retirer l'oignon de la poêle. Réserver.

2. Déposer le riz et les pâtes et bien les enrober d'huile. Les faire revenir en remuant constamment pendant 2 minutes, ou jusqu'à ce qu'ils commencent à colorer.

3. Verser le bouillon et porter à ébullition. Réduire le feu, couvrir et laisser mijoter 15 minutes.

VALEUR NUTRITIONNELLE PAR PORTION	
Calories	404
Protéines	13 g
Matières grasses	6 g
Saturées	1 g
Cholestérol	0 mg
Glucides	74 g
Fibres	8 g
Sodium	287 mg
Potassium	344 mg

Excellente source : vitamine B6 ; acide folique
Bonne source : thiamine ; niacine ; fer

4. Ajouter les pois chiches et cuire à couvert de 5 à 10 minutes, jusqu'à ce que tout le liquide soit absorbé. Incorporer les oignons, poivrer et saler. Garnir de coriandre avant de servir.

COUSCOUS DU MOYEN-ORIENT

L'une de mes étudiantes, Mary Lou Taylor, m'a donné cette recette il y a plusieurs années et je l'ai vite adoptée. Mary Lou, qui est une excellente cuisinière, le sert avec des jarrets d'agneau, mais il est tout aussi délicieux avec du poulet.

Pour améliorer la présentation du plat, huiler légèrement six ramequins et remplissez-les de couscous. On peut les démouler à la dernière minute dans des plats de service ou les préparer à l'avance et les recouvrir d'aluminium. Avant le service, placez les ramequins dans un très grand plat allant au four, rempli d'eau très chaude (son niveau devrait atteindre la moitié de la hauteur des ramequins), et réchauffez-les dans un four préchauffé à 180 °C (350 °F) de 15 à 20 minutes avant de les démouler.

Donne de 6 à 8 portions

250 ml	couscous	1 tasse
250 ml	eau bouillante	1 tasse
15 ml	huile d'olive	1 c. à soupe
2	oignons verts, pelés	2
4 ml	cumin moulu	3/4 c. à thé
1 ml	curcuma	1/4 c. à thé
	une pincée de cannelle moulue	
250 ml	tomates italiennes en boîte, égouttées et hachées	1 tasse
45 ml	raisins secs	3 c. à soupe
25 ml	persil frais, haché	2 c. à soupe
25 ml	pistaches, hachées (facultatif)	2 c. à soupe

1. Mettre le couscous dans un plat carré de 2 l (8 tasses) (20 cm x 20 cm [8 po x 8 po]). Y verser l'eau bouillante. Bien couvrir de papier d'aluminium et laisser reposer 10 minutes, ou jusqu'à ce que le couscous soit prêt. Défaire légèrement à la fourchette.

2. Entre-temps, chauffer l'huile à feu moyen dans une grande poêle antiadhésive profonde. Y mettre les oignons verts et cuire 2 minutes à feu doux. Ajouter le cumin, le curcuma et la cannelle ; cuire 30 secondes.

VALEUR NUTRITIONNELLE PAR PORTION

Calories	143
Protéines	7 g
Matières grasses	2 g
Saturées	traces
Cholestérol	0 mg
Glucides	30 g
Fibres	5 g
Sodium	73 mg
Potassium	214 mg

3. Ajouter les tomates et cuire quelques minutes, jusqu'à l'obtention d'une pâte très épaisse. Ajouter les raisins secs, le persil, le couscous et les pistaches. Bien mélanger. Goûter et rectifier l'assaisonnement au besoin.

LE COUSCOUS ISRAÉLIEN

Le couscous israélien se compose de petites pâtes en forme de perles et sa texture rappelle celle de l'orge. Il se cuit dans l'eau bouillante comme des pâtes. On peut l'utiliser dans les soupes ou le servir avec des ragoûts ou des plats sautés à l'orientale en remplacement du riz.

COUSCOUS ISRAÉLIEN AVEC COURGE ET POIVRON

Le couscous israélien est l'un des ingrédients favoris des grands chefs. Si vous ne pouvez en trouver, utilisez des pâtes en petits grains comme l'orzo, du riz nature ou des petites pâtes à soupe.

Donne de 6 à 8 portions

15 ml	huile d'olive	1 c. à soupe
1	oignon, haché	1
2	gousses d'ail, hachées finement	2
5 ml	cumin moulu	1 c. à thé
375 ml	couscous israélien, ou orzo, soit environ 250 g (1/2 lb)	1 1/2 tasse
2	poivrons rouges, épépinés et coupés en dés	2
500 ml	courge musquée, coupée en dés	2 tasses
750 ml	bouillon de poulet maison (page 127), ou bouillon de poulet du commerce à teneur réduite en sodium, très chaud, sel et poivre au goût	3 tasses
75 ml	coriandre fraîche ou persil frais, hachés	1/3 tasse

1. Chauffer l'huile à feu moyen dans une grande poêle antiadhésive profonde. Y mettre l'oignon et l'ail. Cuire à feu doux de 5 à 8 minutes, ou jusqu'à ce que l'oignon soit doré.
2. Ajouter le cumin et le couscous. Faire dorer légèrement quelques minutes. Ajouter les poivrons rouges et la courge. Bien mélanger.
3. Verser le bouillon de poulet chaud et porter à ébullition. Réduire le feu, couvrir et laisser mijoter à feu doux de 10 à 14 minutes, ou jusqu'à ce que le couscous soit tendre. Goûter, puis saler et poivrer au besoin. Garnir de coriandre fraîche avant de servir.

VALEUR NUTRITIONNELLE PAR PORTION

Calories	237
Protéines	9 g
Matières grasses	4 g
Saturées	1 g
Cholestérol	1 mg
Glucides	42 g
Fibres	4 g
Sodium	21 mg
Potassium	384 mg

Excellente source : vitamine C
Bonne source : vitamine A ; niacine

CUISINER AU GOÛT DU CŒUR

LES BRUNCHES ET LES PETITS-DÉJEUNERS

PAMPLEMOUSSES CALYPSO

Servez-les en entrée à l'occasion d'un brunch ou d'un déjeuner, ou encore au dessert. J'aime les pamplemousses roses, mais on peut également se servir de pamplemousses blancs. Si vous ne voulez pas les faire flamber, contentez-vous de verser le rhum chaud sans l'allumer.

Donne 6 portions

3	pamplemousses roses	3	
125 ml	cassonade	1/2 tasse	
2 ml	cannelle moulue	1/2 c. à thé	
	une pincée de muscade moulue		
	une pincée de piment de la Jamaïque		
25 ml	rhum brun (facultatif)	2 c. à soupe	

1. Couper les pamplemousses en deux et en détacher les sections à l'aide d'un couteau à pamplemousse, sans les retirer du fruit. Mettre les pamplemousses sur une plaque à pâtisserie.

2. Mélanger la cassonade, la cannelle, la muscade et le piment de la Jamaïque. Étendre ce mélange sur la surface des demi-pamplemousses.

3. Immédiatement avant le service, préchauffer l'élément de grillage du four et cuire les pamplemousses de 3 à 5 minutes, ou jusqu'à ce que le sucre forme des bulles et que le fruit soit chaud.

4. Chauffer le rhum à feu doux dans une casserole. Lorsqu'il commence à bouillonner, le flamber et le verser aussitôt sur les pamplemousses, ou le verser tout simplement sans le flamber.

VALEUR NUTRITIONNELLE PAR PORTION

Calories	106
Protéines	1 g
Matières grasses	traces
Saturées	0 g
Cholestérol	0 mg
Glucides	27 g
Fibres	2 g
Sodium	6 mg
Potassium	222 mg

Excellente source :
vitamine C

MUESLI DES ROCHEUSES

Le muesli est l'un de mes petits-déjeuners préférés. Le muesli original, ou muesli Bircher, a été créé par un médecin suisse pour les patients de sa clinique de santé. Il a su rapidement gagner la faveur populaire, si bien que dans certains pays, notamment en Autriche, les tablettes des supermarchés en sont bien garnies.

Le muesli n'est peut-être pas très attrayant pour l'œil, mais il est délicieux. Cette recette est inspirée d'un muesli que j'ai dégusté au Royal Canadian Lodge de Banff, en Alberta.

Garnissez votre muesli de noix hachées, de bananes séchées, d'abricots séchés, de canneberges séchées ou de petits fruits frais.

Donne environ 1 l (4 tasses) ou 8 portions

500 ml	gros flocons d'avoine	2 tasses
125 ml	flocons d'orge	1/2 tasse
125 ml	lait	1/2 tasse
1	pomme, pelée et râpée	1
175 ml	jus d'orange	3/4 tasse
50 ml	miel	1/4 tasse
175 ml	yogourt nature faible en gras	3/4 tasse

1. Mélanger l'avoine, l'orge, le lait, la pomme, le jus d'orange et le miel. Réfrigérer toute la nuit ou jusqu'à une semaine.
2. Au moment de servir, incorporer le yogourt (ou ajouter le yogourt dans chaque bol).

VALEUR NUTRITIONNELLE PAR PORTION	
Calories	139
Protéines	3 g
Matières grasses	1 g
Saturées	traces
Cholestérol	1 mg
Glucides	30 g
Fibres	2 g
Sodium	10 mg
Potassium	164 mg

CÉRÉALES MAISON DE TYPE GRANOLA

De nos jours, on emploie indifféremment les termes muesli et granola, mais, traditionnellement, le muesli était un mélange de céréales humides, tandis que le granola – un terme utilisé à tort, puisque c'est une marque de commerce anglaise – désignait un mélange de céréales sèches.

Dans un grand bol, mélanger 1 l (4 tasses) de flocons d'avoine, 250 ml (1 tasse) d'amandes émincées, 125 ml (1/2 tasse) de noix de coco non sucrée, 125 ml (1/2 tasse) de graines de tournesol, 125 ml (1/2 tasse) de son de blé, et 2 ml (1/2 c. à thé) de cannelle.

Dans une casserole, mélanger 125 ml (1/2 tasse) de cassonade et 75 ml (1/3 tasse) de miel ou de sirop d'érable. Porter à ébullition. Incorporer au mélange à base de flocons d'avoine.

Mettre le mélange de céréales sur une grande plaque à pâtisserie tapissée de papier sulfurisé. Cuire le mélange dans un four préchauffé à 160 °C (325 °F) de 35 à 40 minutes, ou jusqu'à ce qu'il soit légèrement doré. Remuer et poursuivre la cuisson de 10 à 15 minutes supplémentaires. Défaire le mélange de céréales à la fourchette et le laisser refroidir. Incorporer 250 ml (1 tasse) de fruits séchés, hachés. Conserver dans un contenant hermétique.

Donne environ 1,5 l (6 tasses).

PAIN DORÉ RENVERSÉ À L'ANANAS

Il m'est difficile de trouver un mets qui plaise à tous les membres de ma famille, mais celui-ci recueille la faveur de tous. Heureux croisement entre le pain doré et le gâteau renversé à l'ananas, ce plat fera fureur à tout coup. Vous pouvez aussi utiliser d'autres sortes de fruits.

Prenez de l'avance et faites tremper le pain dans le mélange d'œufs toute la nuit au réfrigérateur. Disposez la cassonade et les ananas au fond du plat à l'avance.

Donne 8 portions

8	tranches de pain de blé entier ou de pain aux œufs, de 2 cm (3/4 po) d'épaisseur, avec ou sans la croûte	8
3	œufs	3
4	blancs d'œufs	4
375 ml	lait	1 1/2 tasse
50 ml	sucre cristallisé blanc	1/4 tasse
5 ml	vanille	1 c. à thé
1 ml	cannelle	1/4 c. à thé
15 ml	margarine molle non hydrogénée, ou beurre non salé	1 c. à soupe
175 ml	cassonade	3/4 tasse
8	tranches d'ananas en conserve, soit 1 boîte de 398 ml (14 oz)	8

1. Déposer les tranches de pain sur une grande plaque peu profonde.
2. Dans un bol, battre les œufs et les blancs d'œufs avec le lait, le sucre, la vanille et la cannelle. Verser le mélange sur le pain. Tourner le pain et le laisser tremper 10 minutes ou toute la nuit au réfrigérateur.
3. Badigeonner de margarine le fond d'un plat d'une capacité de 3,5 l (14 tasses) (33 cm x 23 cm [13 po x 9 po]) allant au four. Parsemer uniformément le fond du plat de cassonade, en la pressant bien au fond. Disposer les tranches d'ananas côte à côte sur la cassonade. Déposer une tranche de pain trempée sur chaque tranche d'ananas.
4. Cuire dans un four préchauffé à 180 °C (350 °F) de 30 à 40 minutes, ou jusqu'à ce que le pain soit gonflé et doré. Retirer du four et laisser tiédir pendant 5 minutes.
5. Pour servir, démouler le tout dans une grande assiette et partager en carrés.

VALEUR NUTRITIONNELLE PAR PORTION	
Calories	276
Protéines	9 g
Matières grasses	6 g
Saturées	2 g
Cholestérol	97 mg
Glucides	48 g
Fibres	2 g
Sodium	245 mg
Potassium	265 mg

Bonne source : thiamine ; vitamine B12

PAIN DORÉ AU FOUR

J'aime cuire le pain doré au four plutôt que de le frire. Il est possible de le préparer à l'avance en mettant tout simplement le pain à tremper au réfrigérateur toute la nuit, mais vous pouvez également le préparer le matin même, en le laissant tremper une quinzaine de minutes (pour ma part, je le prépare à la dernière minute).

Servez les tranches de pain doré avec du sirop d'érable, des fruits ou du fromage de yogourt crémeux et sucré (page 420).

Donne 6 portions

4	œufs	4
8	blancs d'œufs	8
375 ml	lait	1 1/2 tasse
25 ml	sucre cristallisé blanc	2 c. à soupe
10 ml	vanille	2 c. à thé
2 ml	cannelle	1/2 c. à thé
12	tranches de pain aux raisins de 1 cm (1/2 po) d'épaisseur, ou de pain brioché torsadé de blé entier, ou de pain de blé entier	12
15 ml	margarine molle non hydrogénée, ou beurre non salé	1 c. à soupe

1. Dans un grand plat peu profond, battre les œufs avec les blancs d'œufs, le lait, le sucre, la vanille et la cannelle. (Le mélange peut être passé au tamis si on le désire.)

2. Tremper le pain dans le mélange et le retourner afin de bien l'en enrober. Laisser les tranches tremper au moins 15 minutes ou toute une nuit au réfrigérateur.

3. Tapisser des plaques à pâtisserie de papier sulfurisé et badigeonner de margarine ou d'huile. Disposer le pain en une seule couche sur le papier. Parsemer de noix de margarine ou de beurre.

4. Cuire dans un four préchauffé à 190 °C (375 °F) de 25 à 30 minutes, jusqu'à ce que les tranches soient dorées et gonflées (on peut les retourner après 15 minutes si on le désire).

VALEUR NUTRITIONNELLE PAR PORTION (2 TRANCHES)

Calories	276
Protéines	16 g
Matières grasses	8 g
Saturées	2 g
Cholestérol	149 mg
Glucides	37 g
Fibres	5 g
Sodium	370 mg
Potassium	411 mg

Excellente source : riboflavine

Bonne source : niacine ; vitamine B12

CRÊPES FINLANDAISES NAPPÉES DE SAUCE AUX FRAISES

J'ai eu le bonheur de déguster ces crêpes au restaurant Scandinavian Home de Thunder Bay. Je ne pensais pas être capable de reproduire la sauce aux fraises, jusqu'à ce que je découvre qu'il s'agissait simplement de fraises surgelées dans le sirop. Cette recette est de Betty Carpick, qui m'avait invitée à participer à une campagne de financement locale pour la Northern Research Foundation.

Ma famille adore ces crêpes moelleuses et savoureuses.

Donne 10 crêpes

3	œufs	3
125 ml	farine tout usage	1/2 tasse
50 ml	farine de blé entier	1/4 tasse
375 ml	lait	1 1/2 tasse
15 ml	sucre cristallisé blanc	1 c. à soupe
25 ml	huile végétale, divisée en deux portions	2 c. à soupe
2 ml	sel	1/2 c. à thé
300 g	fraises surgelées dans le sirop, décongelées, ou sauce aux petits fruits (page 481)	10 oz

1. Au robot culinaire, pulvériser les œufs, les farines, le lait, le sucre, 20 ml (4 c. à thé) d'huile et le sel. Mélanger jusqu'à consistance lisse. Laisser reposer la pâte 30 minutes.

2. Badigeonner le reste de l'huile au fond d'une poêle antiadhésive de 23 cm (9 po) et faire chauffer à feu moyen. Verser 75 ml (1/3 tasse) de pâte à crêpe dans la poêle et, par des mouvements d'ondulation, bien en recouvrir le fond. Cuire de 2 à 3 minutes, ou jusqu'à ce que la pâte soit prise. Le fond de la crêpe devrait être légèrement doré. Retourner la crêpe et la cuire de 1 à 2 minutes, ou jusqu'à ce qu'elle soit dorée. Retirer la crêpe de la poêle et la rouler lâchement, le plus beau côté à l'extérieur (il s'agit généralement du premier qui a cuit). Garder au chaud, au four, à 100 °C (200 °F), jusqu'à ce que la pâte soit entièrement cuite. Badigeonner de nouveau la poêle d'un peu d'huile, au besoin.

3. Servir les crêpes avec les fraises décongelées.

VALEUR NUTRITIONNELLE PAR CRÊPE	
Calories	127
Protéines	4 g
Matières grasses	5 g
Saturées	1 g
Cholestérol	57 mg
Glucides	17 g
Fibres	1 g
Sodium	155 mg
Potassium	120 mg
Bonne source : vitamine C	

CRÊPES AUX BANANES ET À LA CANNELLE

J'ai eu la chance de faire quelques visites à La Nouvelle-Orléans et au cours de ma dernière visite, Thomas Mann, un des joailliers les plus brillants de la ville, m'a invitée pour le petit-déjeuner. Nous avons dégusté ces crêpes. Servez-les avec du sirop d'érable ou de la cannelle sucrée. Vous pourriez également faire des crêpes miniatures de 5 à 7 cm (2 à 3 po) de diamètre et les empiler. Pour des crêpes plus nourrissantes, ajoutez à la pâte 125 ml (1/2 tasse) de noix de macadamia ou de pacanes hachées.

Donne 6 grandes crêpes

175 ml	farine tout usage	3/4 tasse
175 ml	farine de blé entier	3/4 tasse
50 ml	cassonade	1/4 tasse
10 ml	levure chimique	2 c. à thé
5 ml	cannelle moulue	1 c. à thé
2 ml	bicarbonate de soude	1/2 c. à thé
2 ml	sel	1/2 c. à thé
2	œufs	2
500 ml	babeurre (page 436)	2 tasses
5 ml	vanille	1 c. à thé
15 ml	huile végétale, divisée en deux portions	1 c. à soupe
3	bananes mûres, grossièrement écrasées	3

1. Dans un grand bol, mélanger les farines, la cassonade, la levure chimique, la cannelle, le bicarbonate et le sel.

2. Dans un autre bol, battre les œufs avec le babeurre, la vanille et 10 ml (2 c. à thé) d'huile. Incorporer les bananes.

3. Verser les ingrédients liquides dans les ingrédients secs et bien mélanger jusqu'à l'obtention d'une pâte épaisse. Éviter de trop mélanger. Il se peut que la pâte contienne des grumeaux.

4. Dans une poêle antiadhésive, faire chauffer le reste de l'huile à feu moyen. Étendre environ 175 ml (3/4 tasse) au fond de la poêle. Les crêpes devraient avoir environ 15 cm (6 po) de diamètre. Cuire de 2 à 3 minutes de chaque côté, ou jusqu'à ce que des bulles se forment à la surface. Répéter l'opération jusqu'à ce qu'il ne reste plus de pâte.

VALEUR NUTRITIONNELLE PAR CRÊPE

Calories	277
Protéines	9 g
Matières grasses	5 g
Saturées	1 g
Cholestérol	65 mg
Glucides	50 g
Fibres	3 g
Sodium	393 mg
Potassium	486 mg

Bonne source : thiamine ; riboflavine ; niacine ; vitamine B6 ; acide folique ; calcium

CRÊPES AUX BLEUETS
ET AUX GRAINES DE LIN

Ces crêpes sont tout aussi nutritives que délicieuses, car elles contiennent de la graine de lin (ce qui prouve bien que les plats qui sont bons pour la santé peuvent aussi être savoureux).

Les graines de lin sont très périssables, c'est pourquoi il est préférable de les conserver au congélateur et de les moudre en petites quantités dans un moulin à café ou à épices. J'aime la texture des graines de lin, entières ou légèrement moulues, c'est pourquoi j'en ajoute à mes plats lorsque c'est possible.

Si vous avez des petits fruits surgelés, ne les décongelez pas. Déposez-les au centre de la crêpe avant de la retourner. De cette façon, votre crêpe ne sera pas entièrement bleue.

Servez-les avec du sirop d'érable ou une sauce aux bleuets.

Donne 16 crêpes

175 ml	farine de blé entier	3/4 tasse
125 ml	farine tout usage	1/2 tasse
125 ml	graines de lin moulues	1/2 tasse
50 ml	sucre cristallisé blanc	1/4 tasse
10 ml	levure chimique	2 c. à thé
2 ml	bicarbonate de soude	1/2 c. à thé
1 ml	cannelle moulue	1/4 c. à thé
1 ml	sel	1/4 c. à thé
15 ml	graines de lin entières ou grossièrement moulues (facultatif)	1 c. à soupe
2	œufs	2
300 ml	babeurre (page 436)	1 1/4 tasse
15 ml	huile végétale, divisée en deux portions	1 c. à soupe
500 ml	bleuets	2 tasses

1. Dans un grand bol, mélanger les farines, les graines de lin moulues, le sucre, la levure chimique, le bicarbonate de soude, la cannelle, le sel et les graines de lin.

2. Dans un autre bol, battre l'œuf avec le babeurre et 10 ml (2 c. à thé) d'huile. Verser dans les ingrédients secs et mélanger.

3. Dans une grande poêle antiadhésive, faire chauffer le reste de l'huile à feu moyen. Étendre 50 ml (1/4 tasse) de pâte à crêpes dans la poêle. Déposer quelques bleuets sur la pâte et exercer une pression pour les faire pénétrer dans la pâte. Cuire de 2 à 3 minutes, ou jusqu'à ce que la pâte ne soit plus luisante. Retourner et cuire de 1 à 2 minutes, ou

SAUCE AUX BLEUETS ET À L'ÉRABLE

Cette sauce se sert chaude ou froide avec des crêpes, des gaufres, sur de la crème glacée ou un gâteau des anges.

Dans une poêle, mélanger 1 l (4 tasses) de bleuets, 250 ml (1 tasse) de jus de canneberge, 25 ml (2 c. à soupe) de sirop d'érable, 5 ml (1 c. à thé) de zeste de citron et 1 ml (1/4 c. à thé) de cannelle moulue. Porter à ébullition, réduire le feu et cuire à feu doux environ 5 minutes, jusqu'à ce que les bleuets soient tendres.

Dans un petit bol, mélanger 25 ml (2 c. à soupe) de fécule de maïs et 25 ml (2 c. à soupe) d'eau froide.

Verser la fécule de maïs dans la sauce aux bleuets et cuire de 1 à 2 minutes, jusqu'à épaississement.

Donne environ 1 l (4 tasses).

VALEUR NUTRITIONNELLE PAR CRÊPE

Calories	101
Protéines	3 g
Matières grasses	3 g
Saturées	1 g
Cholestérol	24 mg
Glucides	15 g
Fibres	2 g
Sodium	139 mg
Potassium	109 mg

jusqu'à ce que la crêpe soit cuite. Répéter l'opération jusqu'à ce qu'il ne reste plus de pâte.

CRÊPES À L'AVOINE D'INA

Selon Ina Pinkey, une bonne crêpe est une crêpe qui peut se manger nature, sans sirop ou garniture. Et elle le sait d'expérience, puisqu'on fait la file pour déguster ses crêpes, à son restaurant de la rue Randolph West, à Chicago. J'y ai savouré une crêpe nommée Heavenly Hot et une crêpe à l'avoine avec du babeurre et de la cassonade, ma préférée. Bien qu'elles soient délicieuses nature, je les aime particulièrement avec du sirop d'érable.

Ina met du beurre dans ses crêpes, mais libre à vous d'utiliser de l'huile.

Donne 12 crêpes

175 ml	gros flocons d'avoine	3/4 tasse
550 ml	babeurre (page 436)	2 1/4 tasses
1	œuf	1
25 ml	cassonade	2 c. à soupe
45 ml	huile végétale, divisée en deux portions	3 c. à soupe
125 ml	farine tout usage	1/2 tasse
125 ml	farine de blé entier	1/2 tasse
5 ml	bicarbonate de soude	1 c. à thé
2 ml	sel	1/2 c. à thé

VALEUR NUTRITIONNELLE PAR CRÊPE

Calories	116
Protéines	4 g
Matières grasses	4 g
Saturées	1 g
Cholestérol	17 mg
Glucides	16 g
Fibres	1 g
Sodium	258 mg
Potassium	131 mg

1. Mélanger les flocons d'avoine et le babeurre, couvrir et réfrigérer durant une nuit.

2. Dans un grand bol, battre l'œuf avec la cassonade et 15 ml (1 c. à soupe) d'huile.

3. Dans un autre bol, mélanger les farines, le bicarbonate de soude et le sel. Incorporer les ingrédients secs, y compris les flocons d'avoine, dans les ingrédients liquides. Il en résultera une pâte assez épaisse.

4. Dans une grande poêle antiadhésive, faire chauffer le reste de l'huile à feu moyen. Verser 125 ml (1/4 tasse) de pâte dans la poêle (les crêpes auront environ 10 cm (4 po de diamètre). Cuire de 3 à 4 minutes, ou jusqu'à la formation de bulles à la surface. Répéter l'opération jusqu'à ce qu'il ne reste plus de pâte.

CRÊPES SOUFFLÉES
À LA POMME CARAMÉLISÉE

Cette crêpe est tellement bonne qu'on peut même la servir comme dessert. De plus, sa préparation est très rapide. Servez-la chaude ou froide et, pour faire changement, essayez des poires plutôt que des pommes. Si vous ne disposez pas d'une poêle antiadhésive avec une poignée isolante, transférez les pommes dans un plat d'une capacité de 2 l (8 tasses) (28 cm x 18 cm [11 po x 7 po]) et versez-y le mélange à base d'œufs avant de mettre le plat au four.

Choisissez des pommes qui ne se déforment pas à la cuisson : la D jaune, la Fuji et la Braeburn sont parmi mes préférées.

Donne 6 portions

45 ml	margarine molle non hydrogénée, ou beurre non salé	3 c. à soupe
3	pommes, pelées et tranchées finement	3
75 ml	cassonade	1/3 tasse
2 ml	cannelle moulue	1/2 c. à thé
3	œufs	3
25 ml	sucre cristallisé blanc	2 c. à soupe
125 ml	lait	1/2 tasse
125 ml	farine tout usage	1/2 tasse
15 ml	sucre à glacer, tamisé	1 c. à soupe

1. Faire fondre la margarine dans une poêle antiadhésive de 25 cm (10 po) allant au four. Retirer la moitié du beurre de la poêle et réserver.

2. Mettre les pommes, la cassonade et la cannelle dans la poêle et cuire 5 minutes.

3. Pendant ce temps, mélanger la margarine réservée, les œufs, le sucre, le lait et la farine.

4. Verser la pâte sur les pommes et cuire dans un four préchauffé à 220 °C (425 °F) de 20 à 25 minutes, ou jusqu'à ce que la crêpe soit dorée et gonflée.

5. Retirer la poêle du four et la secouer afin d'en détacher les pommes. Renverser délicatement dans un grand plat. Saupoudrer de sucre à glacer. Servir la crêpe coupée en pointes.

VALEUR NUTRITIONNELLE PAR PORTION	
Calories	237
Protéines	5 g
Matières grasses	9 g
Saturées	2 g
Cholestérol	94 mg
Glucides	36 g
Fibres	2 g
Sodium	122 mg
Potassium	193 mg

Bonne source :
vitamine B12

CRÊPES À LA RICOTTA ET AU CITRON

Il est merveilleux de commencer la journée avec le goût citronné de ces crêpes, mais elles sont si légères et délicates qu'elles sont un délice à tout moment de la journée. Au moment de servir, vous pouvez, si vous le voulez, saupoudrer les crêpes d'un peu de sucre à glacer passé au tamis.

Donne 6 portions (environ 20 crêpes de 7,5 cm [3 po] de diamètre)

250 ml	ricotta allégée	1 tasse
3	jaunes d'œufs	3
125 ml	farine tout usage	1/2 tasse
50 ml	sucre cristallisé blanc	1/4 tasse
10 ml	zeste de citron, râpé	2 c. à thé
	une pincée de muscade moulue	
15 ml	margarine molle non hydrogénée, ou beurre non salé, fondus	1 c. à soupe
4	blancs d'œufs	4
75 ml	jus de citron	1/3 tasse
50 ml	sucre à glacer, tamisé	1/4 tasse

VALEUR NUTRITIONNELLE PAR PORTION	
Calories	194
Protéines	10 g
Matières grasses	7 g
Saturées	2 g
Cholestérol	120 mg
Glucides	24 g
Fibres	traces
Sodium	118 mg
Potassium	120 mg
Bonne source : riboflavine ; vitamine B12	

1. Dans un grand bol, battre au fouet la ricotta avec les jaunes d'œufs, la farine, le sucre, le zeste de citron, la muscade et la margarine fondue.

2. Dans un autre bol, battre les blancs d'œufs jusqu'à ce qu'ils soient légers et mousseux. Incorporer un tiers des blancs d'œufs dans la pâte à base de ricotta. Y incorporer délicatement le reste des blancs.

3. Chauffer à feu moyen une grande poêle antiadhésive. Verser la pâte dans la poêle à grosses cuillerées, en l'étendant légèrement avec le dos de la cuillère. Cuire environ 2 minutes de chaque côté, ou jusqu'à ce que les crêpes soient à point.

4. Dans une casserole, chauffer le jus de citron et incorporer le sucre à glacer. Badigeonner les crêpes de ce mélange.

CRÊPES AUX ÉPICES AVEC COMPOTE DE POIRES

Ces crêpes, qui ont le goût du pain d'épices, sont succulentes au petit-déjeuner ou à l'occasion d'un brunch. Elles demandent toutefois un peu plus d'attention lors de la cuisson, puisqu'elles ont tendance à brûler. Réduisez la chaleur dès les premiers signes. Servez-les avec du sirop d'érable et un peu de jus de citron ou avec de la compote de poires. Essayez la compote de poires avec vos crêpes préférées, avec de la crème glacée ou avec une pointe de gâteau des anges.

Pour faire de jolies petites crêpes à servir à l'occasion d'un brunch, n'utilisez que 5 ml (1 c. à thé) de pâte par crêpe et cuisez-les 1 minute de chaque côté. Cuire la compote jusqu'à ce qu'elle soit assez épaisse pour la tartiner entre deux petites crêpes. Saupoudrer d'un peu de sucre à glacer.

Donne 6 portions

Compote de poires

2	poires, pelées et coupées en dés	2
125 ml	jus d'orange	1/2 tasse
25 ml	cassonade	2 c. à soupe
15 ml	gingembre confit, haché	1 c. à soupe

Crêpes aux épices

175 ml	farine tout usage	3/4 tasse
175 ml	farine de blé entier	3/4 tasse
25 ml	sucre cristallisé blanc	2 c. à soupe
5 ml	bicarbonate de soude	1 c. à thé
2 ml	gingembre moulu	1/2 c. à thé
2 ml	cannelle moulue	1/2 c. à thé
	une pincée de muscade moulue	
	une pincée de piment de la Jamaïque	
	une pincée de clous de girofle moulus	
	une pincée de sel	
500 ml	babeurre (page 436)	2 tasses
2	œufs	2
25 ml	mélasse	2 c. à soupe
25 ml	huile végétale, divisée en deux portions	2 c. à soupe
15 ml	zeste d'orange	1 c. à soupe

1. Pour préparer la compote, mélanger les poires, le jus d'orange, la cassonade et le gingembre confit dans une grande poêle antiadhésive. Couvrir et cuire à feu moyen-vif, de 5 à 10 minutes, ou jusqu'à ce que les poires soient tendres. Poursuivre la cuisson à découvert pendant 5 minutes, ou jusqu'à épaississement.

2. Pour préparer les crêpes, mélanger les farines, le sucre, le bicarbonate de soude, le gingembre, la cannelle, la muscade, le piment de la Jamaïque, le clou de girofle et le sel dans un grand bol.

VALEUR NUTRITIONNELLE PAR PORTION	
Calories	304
Protéines	9 g
Matières grasses	8 g
Saturées	1 g
Cholestérol	65 mg
Glucides	52 g
Fibres	4 g
Sodium	324 mg
Potassium	497 mg

Bonne source : thiamine ; riboflavine ; niacine ; acide folique ; fer

3. Dans un autre bol, battre le babeurre, les œufs, la mélasse, 20 ml (4 c. à thé) d'huile et le zeste d'orange. Verser le tout dans les ingrédients secs et mélanger.

4. Dans une grande poêle antiadhésive, faire chauffer le reste de l'huile à feu moyen. Déposer la pâte par cuillerée dans la poêle chaude. Cuire de 2 à 3 minutes, ou jusqu'à ce que la surface soit sèche et qu'il s'y forme des bulles. Retourner et cuire 1 minute (bien surveiller la cuisson, car les crêpes ont tendance à brûler).

LE GINGEMBRE

Le gingembre est un ingrédient exquis utilisé sous différentes formes dans bon nombre de recettes.

Le gingembre frais

Recherchez les racines fermes à la peau lisse et conservez-les à la température ambiante, dans un endroit ouvert. Pour prolonger la durée de conservation, ajoutez des morceaux de gingembre pelés dans un bocal contenant du xérès, du vin de riz, du brandy ou de la vodka ; ils devraient s'y garder indéfiniment. Cet alcool parfumé remplace agréablement le vin de riz dans les sautés à l'orientale.

J'ai l'habitude de le peler avant usage (à moins que la recette ne demande de le retirer du plat avant le service).

Pour hacher du gingembre frais, tranchez-le très finement, empilez les tranches, puis tranchez de nouveau dans l'autre sens, et encore une fois dans un autre sens.

Pour râper du gingembre, continuez de hacher jusqu'à ce qu'il soit très fin ou hachez-le au robot culinaire (hachez quelques secondes, arrêtez le robot et répétez jusqu'à ce que le gingembre soit râpé).

Le gingembre confit

On le prépare en cuisant des racines de gingembre dans un sirop de sucre. Les morceaux sont ensuite enrobés de sucre. Il est délicieux tel quel, dans les muffins et dans les pains sucrés.

Le gingembre moulu

Il est utilisé en pâtisserie. Bien qu'il n'ait pas du tout le même goût que le gingembre frais, on peut, dans certaines préparations, remplacer 15 ml (1 c. à soupe) de gingembre frais par 5 ml (1 c. à thé) de gingembre moulu.

Le gingembre mariné

Le gingembre mariné (parfois appelé gingembre rose ou gingembre à sushi) se présente en tranches très fines. On peut s'en procurer dans les épiceries japonaises et orientales, ou encore dans les poissonneries. En règle générale, le gingembre mariné de culture biologique est légèrement jaune.

FRITTATA À LA MODE TEX-MEX

Une frittata est un mélange d'omelette ouverte et de quiche sans croûte. J'aime commencer la cuisson de la frittata sur la cuisinière et la terminer au four. Si vous n'avez pas de poêle allant au four, il suffit de verser le mélange d'œufs et de légumes dans un plat de Pyrex d'une capacité de 2 l (8 tasses) (20 cm [8 po]) beurré, et de cuire la frittata dans un four chauffé à 180 °C (350 °F) de 30 à 40 minutes.

Servez-la chaude ou à la température ambiante (ou même froide). Passez les restes dans des sandwiches ou coupez-les en dés et utilisez-les comme garniture dans les soupes ou les salades.

Donne 6 portions

20 ml	huile d'olive, divisée en deux portions	4 c. à thé
1	oignon, coupé en dés	1
1	pomme de terre, pelée et coupée en dés	1
1	piment jalapeño, épépiné et haché finement, ou 15 ml (1 c. à table) de purée de piment chipolte (page 206) (facultatif)	1
250 ml	maïs en grains	1 tasse
75 ml	coriandre fraîche, basilic frais, ciboulette fraîche ou aneth frais, hachés, divisés en deux portions	1/3 tasse
4	œufs	4
4	blancs d'œufs	4
50 ml	eau	1/4 tasse
5 ml	sel	1 c. à thé
2	tomates, épépinées et hachées	2
250 ml	chou rouge, ou radicchio, hachés	1 tasse
125 ml	fromage de chèvre, ou féta, émietté	1/2 tasse

1. Chauffer 10 ml (2 c. à thé) d'huile à feu moyen-vif dans une poêle antiadhésive de 25 cm (10 po) de diamètre allant au four. Ajouter l'oignon, la pomme de terre et le piment jalapeño. Cuire de 10 à 15 minutes, jusqu'à ce que la pomme de terre commence à s'attendrir. Ajouter le maïs et 50 ml (1/4 tasse) de coriandre et cuire 1 minute.

2. Pendant ce temps, dans un grand bol, fouetter ensemble les œufs et les blancs d'œufs, l'eau et le sel. Incorporer le mélange de légumes aux œufs.

3. Essuyer la poêle. Versez 10 ml (2 c. à thé) d'huile dans la poêle et chauffer à feu moyen-vif. Ajouter le mélange à base d'œufs et cuire de 3 à 5 minutes, ou jusqu'à ce que la base de la frittata fige. Transférer

VALEUR NUTRITIONNELLE PAR PORTION	
Calories	181
Protéines	11 g
Matières grasses	9 g
Saturées	3 g
Cholestérol	148 mg
Glucides	15 g
Fibres	2 g
Sodium	512 mg
Potassium	336 mg

Bonne source :
vitamine A ; riboflavine ; acide folique ; vitamine B12

dans un four préchauffé à 180 °C (350 °F) et laisser cuire de 15 à 20 minutes, ou jusqu'à ce que la base de la frittata soit légèrement dorée et que les œufs soient pris.

4. Servir directement de la poêle à l'assiette ou détacher les bords et la glisser délicatement dans une grande assiette de service. Garnir de tomates, de chou, de fromage et de la coriandre restante. Servir découpée en pointes.

CHAPEAUX DE PORTOBELLOS FARCIS AUX ŒUFS ET À LA SALSA

J'aime utiliser les gros chapeaux de champignons comme petits plats « mangeables ». Ajoutez 1 cuillerée de vinaigre à l'eau des œufs pochés pour favoriser la coagulation des blancs. Les restes de champignons peuvent être hachés et ajoutés à une garniture de sandwiches ou à une salade.

Donne 6 portions

6	portobellos de 10 cm (4 po) de diamètre	6
20 ml	huile d'olive, divisée en deux portions	4 c. à thé
15 ml	romarin frais, haché, ou 2 ml (1/2 c. à thé) de romarin séché	1 c. à soupe
15 ml	thym frais, haché, ou 2 ml (1/2 c. à thé) de thym séché	1 c. à soupe
2 ml	sel	1/2 c. à thé
2 ml	poivre	1/2 c. à thé
3	tomates italiennes, épépinées et coupées en dés	3
1	gousse d'ail, émincée	1
1/2	petit oignon, haché finement	1/2
1	piment jalapeño, épépiné et haché finement	1
50 ml	basilic frais ou coriandre fraîche, hachés	1/4 tasse
6	œufs	6
3	muffins anglais, coupés en deux	3

1. Enlever les tiges des portobellos et les réserver pour les utiliser en plats sautés, soupes ou salades grillées. À l'aide d'une petite cuillère, enlever très délicatement les lamelles des champignons.

2. Dans un petit bol, mélanger 10 ml (2 c. à thé) d'huile d'olive, le romarin, le thym, le sel et le poivre. Badigeonner les chapeaux des champignons de ce mélange.

3. Disposer les chapeaux côte à côte sur une plaque à pâtisserie. Les cuire dans un four préchauffé à 200 °C (400 °F) de 10 à 15 minutes, ou jusqu'à ce qu'ils soient à point.

4. Pendant ce temps, préparer la salsa. Mélanger dans un petit bol les tomates, l'ail, l'oignon, le piment jalapeño et le basilic.

5. Chauffer l'huile restante dans une grande poêle antiadhésive. Ajouter la salsa et cuire 1 ou 2 minutes, ou jusqu'à ce qu'elle soit chaude.

6. Pocher les œufs à l'eau bouillante, de 3 à 5 minutes, dans une grande casserole profonde, ou jusqu'à ce que les blancs soient fermes et que les jaunes soient encore un peu fluides. Repêcher les œufs à l'écumoire et bien les égoutter. Les déposer sur un plateau tapissé d'essuie-tout et parer les bords.

7. Pendant ce temps, faire griller les muffins anglais. Déposer chaque chapeau de champignon sur une moitié de muffin. Garnir chaque chapeau d'un œuf et napper de salsa.

VALEUR NUTRITIONNELLE PAR PORTION	
Calories	198
Protéines	12 g
Matières grasses	10 g
Saturées	2 g
Cholestérol	215 mg
Glucides	19 g
Fibres	4 g
Sodium	345 mg
Potassium	408 mg

Excellente source :
riboflavine ; niacine
Bonne source :
vitamine B12 ;
acide folique ; fer

SOUFFLÉ ROULÉ AU SAUMON FUMÉ

Ce plat spectaculaire fera de vous un cordon-bleu (garnissez le plat de tranches de citron et de brins d'aneth frais). Vous pouvez remplacer le saumon par du prosciutto ou du jambon ordinaire tranché finement, ou même utiliser de la salade de poulet, du thon ou du saumon.

On sert ce soufflé à la température ambiante ou froid ; préparez-le la veille et réfrigérez-le. Pour un hors-d'œuvre délicieux à l'heure du brunch, tranchez-le.

Donne de 10 à 12 portions

500 ml	lait froid	2 tasses
125 ml	farine tout usage	1/2 tasse
2 ml	sel	1/2 c. à thé
2 ml	poivre	1/2 c. à thé
	une pincée de muscade, râpée	
1 ml	sauce piquante au piment	1/4 c. à thé
25 ml	aneth frais, ciboulette fraîche,	2 c. à soupe
	ou oignons verts frais, hachés	
4	jaunes d'œufs	4
7	blancs d'œufs, soit 250 ml (1 tasse)	7
2 ml	crème de tartre	1/2 c. à thé
50 ml	parmesan, râpé	1/4 tasse

375 ml	fromage de yogourt (page 420), ou crème sure allégée	1 1/2 tasse
15 ml	moutarde au miel	1 c. à soupe
250 g	saumon fumé, tranché finement	8 oz
45 ml	ciboulette fraîche ou oignons verts frais, hachés	3 c. à soupe

1. Huiler légèrement une plaque à pâtisserie de 45 cm x 28 cm (17 po x 11 po). La tapisser de papier sulfurisé. Huiler légèrement le papier.

2. Dans une grande casserole, fouetter le lait avec la farine jusqu'à homogénéité. Porter le mélange à lente ébullition en remuant fréquemment. Le retirer du feu et incorporer le sel, le poivre, la muscade, la sauce piquante au piment et l'aneth.

3. Battre les jaunes dans un petit bol. Leur ajouter un peu du mélange à base de lait chaud, puis verser les jaunes d'œufs battus dans la casserole.

4. Mettre les blancs d'œufs dans un grand bol. Ajouter la crème de tartre et battre en neige opaque et ferme. Incorporer le quart des blancs d'œufs dans la sauce, pour l'alléger. Incorporer ensuite le reste de blancs d'œufs, puis le parmesan.

5. Étendre le mélange sur la plaque à pâtisserie préparée et le cuire dans un four préchauffé à 200 °C (400 °F) de 15 à 18 minutes, ou jusqu'à ce qu'il soit ferme, sans être trop cuit. Le laisser tiédir pendant 10 minutes.

6. Entre-temps, mélanger dans un bol de taille moyenne le fromage de yogourt et la moutarde. Goûter et ajouter plus de moutarde au besoin.

7. Renverser le soufflé sur un linge propre. Enlever délicatement le papier. Étendre le mélange à base de fromage de yogourt sur le soufflé. Disposer les tranches de saumon fumé côte à côte sur le fromage de yogourt. Il se peut que le saumon ne recouvre pas entièrement la surface du fromage. Garnir de ciboulette.

8. En vous aidant du linge, rouler délicatement le soufflé en commençant par un bord long. Déposer le roulé délicatement sur un plateau de service ovale ou rectangulaire.

VALEUR NUTRITIONNELLE PAR PORTION

Calories	155
Protéines	15 g
Matières grasses	6 g
Saturées	2 g
Cholestérol	101 mg
Glucides	11 g
Fibres	0 g
Sodium	456 mg
Potassium	282 mg

Excellente source :
vitamine B12

Bonne source : niacine ;
riboflavine ; calcium

TACOS DE CREVETTES ET MAYONNAISE AUX PIMENTS CHIPOLTES

Cette recette est inspirée d'un hors-d'œuvre que j'ai dégusté lors d'une de nos escapades à la station de tourisme de Playa del Carmen, à Mexico. On nous a servi ces petits tacos en hors-d'œuvre et à l'heure du brunch (comptez deux tacos par personne).

Donne 8 tacos

500 g	crevettes, cuites et coupées en dés	1 lb
50 ml	mayonnaise allégée	1/4 tasse

LES TORTILLAS

Les tortillas de farine blanche et les tortillas de maïs ne sont pas toujours interchangeables, mais elles sont toutes deux excellentes. Les deux types se congèlent bien. Ayez-en toujours sous la main au congélateur.

Les tortillas de farine blanche sont vendues partout, de nos jours, et elles peuvent être utilisées telles quelles ou cuites. Elles font d'excellentes bases pour les pizzas et les hors-d'œuvre roulés. On les utilise traditionnellement pour préparer les fajitas et les quesadillas. Pour un goûter plus léger, remplacez le pain par des tortillas dans les sandwiches grillés au fromage.

Les tortillas de maïs cuites au four remplacent agréablement les croustilles (page 62) ou le pain. Elles sont excellentes pour préparer les tacos et les enchiladas.

15 ml	purée de piment chipolte (page 206), ou 1 piment jalapeño, épépiné et haché	1 c. à soupe
50 ml	coriandre fraîche, hachée	1/4 tasse
8	tortillas de farine de blé entier ou ordinaire, de 20 cm (8 po) de diamètre	8
1/2	avocat, pelé et dénoyauté	1/2
	le jus d'une lime	
8	petites feuilles de laitue romaine	8

1. Dans un grand bol, mélanger les crevettes, la mayonnaise, le piment chipolte et la coriandre.

2. Faire chauffer une poêle (sans corps gras) à feu moyen. Y déposer les tortillas, une à la fois, et les cuire de 10 à 20 secondes de chaque côté. (Vous pouvez également les envelopper dans du papier d'aluminium et les mettre au four à 350 °C [180 °F] pendant 10 minutes.)

3. Couper l'avocat en 8 tranches et les badigeonner de jus de lime.

4. Déposer les tortillas sur un plan de travail. Déposer le mélange de crevettes sur le tiers inférieur de la tortilla, ajouter 1 tranche d'avocat et 1 feuille de laitue. Rouler serré.

QUICHE AU BROCOLI ET AU CHEDDAR AVEC UNE CROÛTE DE POMMES DE TERRE

Si vous n'aimez pas préparer de la pâte à tarte, si vous hésitez à faire de la quiche parce que vous trouvez que la pâte est riche en matières grasses ou si vous raffolez des pommes de terre, cette quiche est pour vous.

Donne 6 portions

Croûte

500 g	pommes de terre Yukon Gold ou à cuire au four, soit environ 2, pelées et coupées en morceaux de 2,5 cm (1 po)	1 lb
50 ml	lait	1/4 tasse
2 ml	sel	1/2 c. à thé
15 ml	huile d'olive	1 c. à soupe

Garniture

500 ml	brocoli, cuit et haché grossièrement, ou 1 paquet de 300 g (10 oz) de fleurs de brocoli, décongelées, égouttées et hachées	2 tasses
250 ml	cheddar allégé, râpé, d'environ 175 g (6 oz)	1 tasse
3	œufs	3
250 ml	lait	1 tasse
2 ml	sel	1/2 c. à thé
2 ml	poivre	1/2 c. à thé
	une pincée de muscade râpée	
2	oignons verts, hachés	2

1. Cuire les pommes de terre dans une casserole remplie d'eau bouillante pendant environ 20 minutes, ou jusqu'à ce qu'elles soient tendres. Bien les égoutter et les réduire en purée avec le lait et le sel. (La quantité obtenue devrait être environ 500 ml (2 tasses). Goûter et rectifier l'assaisonnement au besoin.

2. Badigeonner d'un peu d'huile d'olive un moule à tarte profond de 23 cm (9 po) de diamètre. Foncer le moule de pommes de terre écrasées en exerçant une pression. Badigeonner de l'huile restante.

3. Cuire dans un four préchauffé à 190 °C (375 °F) de 20 à 35 minutes, ou jusqu'à ce que les pommes de terre soient légèrement dorées et croustillantes. Réduire le feu à 180 °C (350 °F).

4. Disposer le brocoli et le fromage dans la croûte de pommes de terre.

5. Dans un bol de taille moyenne, battre ensemble les œufs, le lait, le sel, le poivre et la muscade. Verser sur le brocoli et le fromage. Garnir d'oignons verts.

6. Cuire au four de 25 à 30 minutes, ou jusqu'à ce que le contenu de la quiche soit légèrement gonflé et doré, et qu'il commence à se figer en son centre. Laisser tiédir pendant 10 minutes avant de servir.

VALEUR NUTRITIONNELLE PAR PORTION	
Calories	214
Protéines	11 g
Matières grasses	12 g
Saturées	6 g
Cholestérol	117 mg
Glucides	16 g
Fibres	2 g
Sodium	573 mg
Potassium	403 mg

Excellente source : vitamine B12

Bonne source : vitamine A ; riboflavine ; niacine ; vitamine C ; acide folique ; calcium

SOUFFLÉ AU FROMAGE DE CHÈVRE ET AUX FINES HERBES

Vous craignez de préparer un soufflé ? N'hésitez plus, ce soufflé est pour vous. À la différence du soufflé traditionnel, il se prépare dans un plat peu profond, si bien que vos invités n'y verront que du feu, même s'il s'affaisse au sortir du four !

Attendez toujours l'arrivée des invités avant de mettre un soufflé au four et servez-le rapidement, avant qu'il ne s'affaisse. (Dégonflé,

Il existe autant de variétés de fromage de chèvre qu'il y a de fromages au lait de vache. La plupart des recettes présentées dans ce livre se composent de fromage de chèvre frais ou non affiné. Le goût de ce fromage s'adoucit lorsqu'on le combine à d'autres ingrédients ou lorsqu'il est chauffé.

Ce fromage a une teneur élevée en matières grasses, mais vous pouvez préparer une tartinade moins riche en le mélangeant avec du fromage cottage allégé ou du fromage de yogourt crémeux (page 420).

son goût est encore délicieux, mais il perd de son panache !) Ce plat est merveilleux servi seul, avec une sauce tomate ou avec une sauce aux poivrons rouges grillés.

Donne 8 portions

500 ml	lait froid	2 tasses
125 ml	farine tout usage	1/2 tasse
1	gousse d'ail, émincée	1
15 ml	thym frais, haché, ou 2 ml (1/2 c. à thé) de thym séché	1 c. à soupe
15 ml	romarin frais, haché, ou 2 ml (1/2 c. à thé) de romarin séché	1 c. à soupe
25 ml	persil frais, haché	2 c. à soupe
2 ml	sel	1/2 c. à thé
2 ml	poivre	1/2 c. à thé
1 ml	muscade moulue	1/4 c. à thé
1 ml	poivre de Cayenne	1/4 c. à thé
4	jaunes d'œufs	4
90 g	fromage de chèvre ou féta, émietté, soit 125 ml (1/2 tasse)	3 oz
60 g	ricotta allégée, égouttée et émiettée, soit 75 ml (1/3 tasse)	2 oz
7	blancs d'œufs	7
15 ml	parmesan, râpé	1 c. à soupe

1. Dans une casserole, battre le lait et la farine jusqu'à consistance lisse. Ajouter l'ail et porter lentement à ébullition, en remuant fréquemment.

2. Incorporer le thym, le romarin, le persil, le sel, le poivre, la muscade et le poivre de Cayenne. Retirer du feu.

3. Battre les jaunes d'œufs, les réchauffer en y incorporant un peu de mélange de lait chaud et les verser dans la casserole en remuant.

4. Incorporer le fromage de chèvre et la ricotta. Goûter la sauce (elle devrait être bien relevée).

5. Dans un grand bol en acier inoxydable ou en verre, battre les blancs d'œufs jusqu'à ce qu'ils forment des pics. Incorporer un quart des blancs dans la sauce afin de l'éclaircir, puis plier délicatement les restes des blancs dans la sauce.

6. Déposer avec soin, à la cuillère, la préparation de soufflé dans un plat peu profond et légèrement huilé de 3 l (12 tasses) (30 cm x 20 cm [12 po x 8 po]). Parsemer de parmesan et mettre dans un four

préchauffé à 220 °C (425 °F). Réduire immédiatement la température
à 200 °C (400 °F) et cuire le soufflé de 20 à 25 minutes, ou jusqu'à ce
qu'il soit doré et bien gonflé. Servir aussitôt sorti du four.

LES FINES HERBES FRAÎCHES

Pendant des années, seuls les restaurateurs pouvaient se procurer des herbes fraîches. Voilà peut-être pourquoi les gens avaient souvent l'impression que les plats préparés à la maison avaient beaucoup moins de goût qu'au restaurant.

On recommande souvent d'employer trois fois plus d'herbes fraîches que d'herbes séchées, mais je ne suis pas d'accord avec cette règle. Lorsque j'ai des fines herbes fraîches sous la main, comme du persil, du basilic, de l'aneth, de la coriandre, de la menthe et de la sauge (la sauge fraîche est beaucoup plus douce que la sauge séchée), j'en emploie de grandes quantités, mais je suis très parcimonieuse dans l'emploi des herbes séchées. J'utilise avec finesse certaines herbes fraîches dont le goût est plus puissant, comme le thym, l'origan, l'estragon et le romarin.

Lavez les fines herbes fraîches délicatement, asséchez-les bien, enveloppez-les d'un chiffon et conservez-les dans un contenant hermétique au réfrigérateur. Consommez-les rapidement et ne les ajoutez qu'à la fin de la préparation, de sorte que la cuisson ne vienne pas altérer leur goût délicat. Certaines herbes fraîches supportent bien la congélation (mais pas toutes). Bien que je les préfère fraîches, on trouve également sur le marché des pâtes d'herbes fraîches.

HACHIS DE PATATES DOUCES AU FOUR

Cette recette transforme littéralement un hachis traditionnel en un plat surprenant. Servez-le avec des muffins anglais grillés au blé entier.

Donne 6 portions

15 ml	huile d'olive	1 c. à soupe
1	oignon, haché	1
2	gousses d'ail, émincées finement	2
1	piment jalapeño, épépiné et haché finement, ou 15 ml (1 c. à soupe) de purée de piment chipolte (page 206) (facultatif)	1
1	grosse patate douce, pelée et coupée en dés, soit environ 750 ml (3 tasses)	1
125 ml	eau	1/2 tasse
250 ml	maïs en grains	1 tasse
125 g	jambon fumé maigre, ou dinde fumée, ou poulet fumé, coupé en dés	1/4 lb
5 ml	sel	1 c. à thé
2 ml	poivre	1/2 c. à thé

6	œufs	6
125 ml	mozzarella fumée ou cheddar, râpés, d'environ 60 g (2 oz)	1/2 tasse
25 ml	coriandre fraîche ou persil frais, hachés	2 c. à soupe

1. Dans une grande poêle antiadhésive profonde, faire chauffer l'huile à feu moyen. Ajouter l'oignon, l'ail et le jalapeño, et cuire quelques minutes, ou jusqu'à ce qu'ils soient odorants. Ajouter les dés de patate douce et l'eau. Cuire de 10 à 15 minutes, ou jusqu'à ce que l'eau soit complètement évaporée et que les patates soient tendres.

2. Ajouter le maïs, le jambon, le sel et le poivre. Cuire quelques minutes supplémentaires.

3. Déposer le mélange dans un plat peu profond légèrement huilé de 1,5 l (6 tasses) allant au four, ou dans une assiette à tarte. (On peut également utiliser des ramequins individuels.) Casser les œufs côte à côte sur les légumes. Saupoudrer le fromage sur le dessus.

4. Cuire au four préchauffé à 180 °C (350 °F) de 15 à 20 minutes, ou jusqu'à ce que le fromage soit fondu et que les jaunes soient légèrement coulants. Garnir de coriandre.

TOFU BROUILLÉ AUX OIGNONS ET AUX CHAMPIGNONS

J'aime le tofu lorsqu'il est cuisiné à l'orientale, mais, à ma grande surprise, j'ai adoré ce plat brouillé sans œufs. La recette me vient de mes amis Mitchell et Leslie Davis. Lorsqu'ils m'ont confié que c'était leur plat au tofu préféré, j'ai tenu absolument à en faire l'essai, car je me fie à leur goût. Si vous êtes à la recherche d'un mets qui vous fera apprécier le tofu, voici votre chance.

Donne 4 portions

500 g	tofu ferme	1 lb
10 ml	huile végétale	2 c. à thé
1	oignon, haché	1
250 g	champignons, parés et tranchés, soit environ 750 ml (3 tasses)	1/2 lb
15 ml	sauce soya poivre au goût	1 c. à soupe
25 ml	oignons verts ou ciboulette fraîche, hachés	2 c. à soupe

1. Défaire le tofu en morceaux dans un bol. Le mettre dans une passoire et jeter le liquide qui s'en écoulerait.

2. Chauffer l'huile à feu moyen-vif dans une grande poêle antiadhésive. Y faire sauter l'oignon jusqu'à ce qu'il soit bien doré, soit environ de 8 à 10 minutes. Ajouter les champignons et laisser cuire environ 5 minutes, ou jusqu'à ce que le liquide de cuisson se soit évaporé. Retirer les champignons et l'oignon, et réserver.

3. Mettre le tofu dans la poêle. Le cuire en remuant jusqu'à ce qu'il libère son liquide et que celui-ci s'évapore, ce qui devrait prendre entre 10 et 15 minutes. Le tofu aura l'apparence d'œufs brouillés.

4. Remettre l'oignon et les champignons dans la poêle, et mouiller de sauce soya. Poursuivre la cuisson pendant environ 5 minutes, ou jusqu'à ce que la poêle soit sèche et que le tofu prenne de la couleur. Goûter et poivrer au besoin. Garnir d'oignon vert.

VALEUR NUTRITIONNELLE PAR PORTION	
Calories	110
Protéines	8 g
Matières grasses	6 g
Saturées	1 g
Cholestérol	0 mg
Glucides	5 g
Fibres	2 g
Sodium	261 mg
Potassium	450 mg

PIZZA DU PETIT-DÉJEUNER

Voici un des mets les plus spectaculaires que j'aie servi à l'occasion d'un brunch. Son allure est étonnante. Cette recette autorise un nombre incalculable de variantes. Pourquoi ne pas faire l'essai du prosciutto ou de la truite fumée en fines tranches pour remplacer le saumon fumé, ou encore omettre les œufs ? Servez chaud ou froid.

Donne 8 portions

1	croûte à pizza de blé entier ou ordinaire, cuite, de 30 cm (12 po), ou une foccacia de 40 cm x 20 cm (15 po x 8 po)	1
250 ml	fromage de yogourt crémeux (page 420), ou yogourt épais faible en gras	1 tasse
15 ml	moutarde au miel	1 c. à soupe
50 ml	ciboulette fraîche ou oignons verts, hachés, divisés en deux portions	1/4 tasse
25 ml	aneth frais ou persil frais, hachés	2 c. à soupe
4	œufs	4
6	blancs d'œufs	6
50 ml	eau	1/4 tasse
2 ml	sel	1/2 c. à thé
2 ml	poivre, divisé en deux portions	1/2 c. à thé
15 ml	huile végétale, ou beurre non salé	1 c. à soupe
175 g	saumon fumé, coupé en fines tranches	6 oz

VALEUR NUTRITIONNELLE PAR PORTION	
Calories	255
Protéines	18 g
Matières grasses	8 g
Saturées	2 g
Cholestérol	115 mg
Glucides	27 g
Fibres	2 g
Sodium	700 mg
Potassium	279 mg
Excellente source : vitamine B12	
Bonne source : riboflavine	

1. Réchauffer la croûte à pizza 10 minutes dans un four préchauffé à 180 °C (350 °F).

2. Entre-temps, mélanger le fromage de yogourt, la moutarde, 25 ml (2 c. à soupe) de ciboulette et l'aneth. Réserver.

3. Dans un autre bol, battre les œufs, les blancs d'œufs, l'eau, le sel et 1 ml (1/4 c. à thé) de poivre jusqu'à homogénéité.

4. Chauffer l'huile dans une grande poêle antiadhésive et y mettre le mélange à base d'œufs. Cuire et remuer délicatement jusqu'à la formation de grumeaux, tout en s'assurant que la préparation demeure humide.

5. Répandre le mélange à base de yogourt sur la croûte chaude. Y déposer les œufs à la cuillère. Disposer le saumon fumé sur les œufs. Saupoudrer du reste de poivre et de ciboulette. Couper en pointes ou en carrés. Servir chaud ou tiède.

SANDWICH POUR LE PETIT-DÉJEUNER

Les sandwiches grillés sont très en vogue en ce moment. Voici une recette délicieuse qui se prépare en un clin d'œil. Ce sandwich fait partie de mes petits-déjeuners préférés avec le bagel grillé tartiné de fromage à la crème.

Donne 1 sandwich

1	bagel de blé entier	1
1	œuf	1
1 ml	poivre	1/4 c. à thé
1	tranche de dinde fumée, ou de jambon Forêt-Noire	1
25 ml	cheddar allégé ou mozzarella fumée, râpés sauce piquante au goût	2 c. à soupe

1. Trancher le bagel en deux.

2. Casser l'œuf dans une poêle légèrement huilée et cuire à feu moyen pendant environ 2 minutes, de chaque côté, ou jusqu'à ce que le blanc soit pris et que le jaune soit encore un peu coulant. Saupoudrer de poivre. Couvrir au besoin en cours de cuisson ; le blanc de l'œuf sera ainsi plus ferme et le jaune sera coulant à point.

3. Déposer l'œuf sur une moitié du bagel. Recouvrir de la tranche de dinde fumée et saupoudrer de fromage. Ajouter quelques gouttes de sauce piquante (au goût). Recouvrir de l'autre moitié du bagel.

4. Griller le sandwich dans une « grillette », ou encore dans une poêle cannelée ou dans une poêle antiadhésive en pressant fermement sur le dessus du bagel avec une spatule lourde pour permettre au fromage de fondre. Retourner le sandwich et continuer à exercer une pression. Cuire de 1 à 2 minutes, de chaque côté, ou jusqu'à ce que le fromage soit fondu et le pain doré.

CRÈME BRÛLÉE

Si vous aimez la crème brûlée, vous aimerez cette recette.

Remplir des ramequins de crème anglaise épaisse. Déposer environ 50 ml (1/4 tasse) de framboises ou de bleuets frais sur chaque ramequin. Étendre sur les fruits environ 125 ml (1/2 tasse) de fromage de yogourt (page 420). Saupoudrer de 15 ml (1 c. à soupe) de sucre cristallisé blanc. Mettre à griller au four de 1 à 2 minutes, en surveillant constamment, jusqu'à ce que le sucre fonde, puis brunisse. Laisser reposer quelques minutes, jusqu'à ce que la couche de sucre se solidifie, puis servir. (Vous pourriez également utiliser un petit chalumeau plutôt que de les mettre sous le gril.)

BARRES AUX CÉRÉALES ET AU BEURRE D'ARACHIDE

Ces carrés au beurre d'arachide sont succulents au petit-déjeuner, à l'heure du brunch ou comme collation. Cette recette est une adaptation d'une recette de Lyane Hutton, la chef pâtissière du Valemount Lodge, en Colombie Britannique, où j'ai donné des cours de cuisine après une journée de marche en montagne. Ce fut une expérience inoubliable.

Donne environ 40 barres

50 ml	graines de sésame, grillées	1/4 tasse
500 ml	céréales de riz soufflé	2 tasses
500 ml	gros flocons d'avoine, grillés (page 475)	2 tasses
50 ml	noix de coco, râpée	1/4 tasse
50 ml	graines de tournesol	1/4 tasse
50 ml	graines de citrouille	1/4 tasse
50 ml	amandes émincées, grillées	1/4 tasse
50 ml	canneberges séchées	1/4 tasse
125 ml	miel	1/2 tasse
125 ml	beurre d'arachide	1/2 tasse

LES GRAINES DE SÉSAME

Les graines de sésame seront deux fois plus savoureuses si on se donne la peine de les faire griller avant de les ajouter à un plat. Il suffit de les mettre dans une poêle, sans aucun corps gras, et de les faire sauter à feu moyen-vif, en remuant souvent, jusqu'à ce qu'elles soient légèrement grillées. On peut aussi les étendre dans une assiette à tarte en verre et les faire griller au four à micro-ondes, à haute intensité, de 30 à 60 secondes.

Les graines de sésame noires ont une saveur puissante et sont souvent utilisées en cuisine japonaise. On ne doit pas les griller.

Conservez les graines de sésame nature ou rôties au congélateur.

| 75 ml | huile végétale | 1/3 tasse |
| 125 ml | cassonade | 1/2 tasse |

1. Dans un grand bol, mélanger les graines de sésame, les céréales de riz, les flocons d'avoine, la noix de coco, les graines de tournesol, les graines de citrouille, les amandes et les canneberges.

2. Dans une casserole, mélanger le miel, le beurre d'arachide, l'huile et la cassonade, et faire fondre à feu doux. Verser dans les ingrédients secs et bien mélanger.

3. Étendre le mélange, en le pressant bien, dans un plat allant au four de 3,5 l (14 tasses) (33 cm x 23 cm [13 po x 9 po]) tapissé d'une pellicule plastique. Réfrigérer au moins 2 heures ou toute la nuit. Couper en barres.

THÉ À LA MENTHE

Le thé à la menthe est à la fois relaxant et revigorant. En fait, on pourrait en boire à longueur de journée. Avant de préparer une infusion, réchauffez toujours la théière. Il suffit de verser de l'eau bouillante dans le récipient et de laisser reposer quelques minutes. Jetez l'eau et faites ensuite l'infusion.

Donne 8 portions

20 ml	thé vert chinois (*gunpowder*, par exemple)	4 c. à thé
25 ml	sucre cristallisé blanc	2 c. à soupe
1	petite botte de menthe fraîche	1
1 l	eau bouillante	4 tasses

1. Mettre le thé, le sucre et la menthe dans une théière préalablement ébouillantée.

2. Verser l'eau bouillante dans la théière. Couvrir et laisser infuser de 3 à 4 minutes. Verser dans les tasses en filtrant, ou dans une autre théière si vous ne le servez pas immédiatement.

TISANE AU ROMARIN ET AU CITRON

Quand un membre de ma famille souffre d'un mal de gorge, d'un rhume ou d'une laryngite, je lui prépare cette tisane. J'ajoute parfois 15 ml (1 c. à soupe) de gingembre frais haché. Elle est riche en vitamine C, elle apaise la gorge et, en plus, elle est savoureuse. J'en bois même lorsque je me porte bien, et me porte encore mieux !

Donne 3 ou 4 portions

1	citron	1
2	brins de romarin frais, ou 15 ml (1 c. à soupe) de romarin séché	2
50 ml	miel	1/4 tasse
750 ml	eau	3 tasses

VALEUR NUTRITIONNELLE PAR PORTION	
Calories	89
Protéines	0 g
Matières grasses	0 g
Saturées	0 g
Cholestérol	0 mg
Glucides	24 g
Fibres	0 g
Sodium	8 mg
Potassium	33 mg

1. Rouler le citron sur le plan de travail, en l'écrasant, de façon à en extraire le maximum de jus à l'intérieur. Le couper en deux et extraire son jus. Réserver le jus et mettre les deux moitiés de citron dans une casserole de taille moyenne.

2. Mettre le romarin, le miel et l'eau dans la casserole. Porter à ébullition et laisser mijoter à feu doux pendant 10 minutes. Filtrer l'infusion, puis jeter les écorces de citron et le romarin. Ajouter le jus de citron à la tisane.

THÉ INDIEN ÉPICÉ (TCHAÏ)

C'est au cours d'un voyage dans l'Ouest que j'ai entendu parler pour la première fois du *tchaï*. On me l'a d'abord servi en guise de bienvenue dans un restaurant indien de Vancouver. Aujourd'hui, de nombreux cafés offrent du *tchaï latte*, et on peut aussi acheter du *tchaï* en sachets et en sirop. Cependant, c'est cette version maison que je préfère.

Donne 8 portions

4	sachets de thé Darjeeling, ou 20 ml (4 c. à thé) de feuilles de thé	4
10	clous de girofle entiers	10
10	graines de cardamome broyées	10
2	bâtons de cannelle brisés	2
1	anis étoilé	1
25 ml	miel	2 c. à soupe
500 ml	eau bouillante	2 tasses
500 ml	lait	2 tasses

VALEUR NUTRITIONNELLE PAR PORTION	
Calories	49
Protéines	2 g
Matières grasses	1 g
Saturées	1 g
Cholestérol	5 mg
Glucides	8 g
Fibres	0 g
Sodium	38 mg
Potassium	184 mg

1. Mettre le thé, les clous de girofle, la cardamome, la cannelle, l'anis étoilé, le miel et l'eau dans une grande casserole. Porter à ébullition. Laisser mijoter à feu doux pendant 5 minutes.

2. Verser le lait et chauffer, sans le faire bouillir. Filtrer le mélange et servir dans des tasses.

Tchaï latte

Utilisez 750 ml (3 tasses) d'eau bouillante. Ne versez pas le lait dans l'infusion. Faites chauffer le lait dans une casserole et le faire mousser à l'aide d'un appareil à produire de la mousse. Si vous n'en avez pas, faites mousser le lait froid au mélangeur et chauffez-le ensuite. Saupoudrez la surface de la boisson d'un peu de cannelle et de muscade.

CITRONNADE AUX FRAISES

Cette boisson rafraîchissante peut se préparer à partir de fraises fraîches ou surgelées. Les bleuets, les mûres et les framboises donnent de bons résultats également. Utilisez du jus de citron fraîchement pressé.

Donne de 6 à 8 portions

500 ml	fraises	2 tasses
250 ml	sucre cristallisé blanc	1 tasse
250 ml	jus de citron	1 tasse
750 ml	eau minérale gazéifiée	3 tasses
500 ml	glaçons	2 tasses

1. Réunir dans une casserole les fraises et le sucre. Porter à ébullition et laisser cuire 5 minutes à feu doux. Filtrer le liquide, en exerçant une pression sur la pulpe pour en extraire le maximum de jus. Laisser refroidir.

2. Verser le jus de citron et la purée de fraises dans un pichet, avec l'eau minérale gazéifiée et les glaçons.

VALEUR NUTRITIONNELLE PAR PORTION

Calories	149
Protéines	traces
Matières grasses	traces
Saturées	0 g
Cholestérol	0 mg
Glucides	39 g
Fibres	1 g
Sodium	3 mg
Potassium	107 mg
Bonne source : vitamine C	

CIDRE CHAUD

Accueillez vos invités par une froide soirée d'hiver avec ce cidre chaud et ils ne vous oublieront jamais. Si vous souhaitez préparer une boisson alcoolisée, ajoutez au cidre 75 ml (1/3 tasse) de rhum brun, de brandy ou d'alcool de pomme avant de servir.

Donne de 6 à 8 portions

1 l	cidre non sucré	4 tasses
1	bâton de cannelle, brisé en deux	1
3	clous de girofle entiers	3
5	grains de piment de la Jamaïque entiers	5

VALEUR NUTRITIONNELLE PAR PORTION

Calories	104
Protéines	0 g
Matières grasses	0 g
Saturées	0 g
Cholestérol	0 mg
Glucides	29 g
Fibres	0 g
Sodium	5 mg
Potassium	201 mg

4	grains de poivre entiers	4
1 ml	muscade moulue	1/4 c. à thé
25 ml	miel	2 c. à soupe

1. Dans une grande casserole, mettre le cidre, la cannelle, les clous de girofle, les grains de piment de la Jamaïque, les grains de poivre, la muscade et le miel. Chauffer à feu doux pendant 10 minutes. Goûter et rectifier l'assaisonnement, en ajoutant un peu plus de miel au besoin. Filtrer (facultatif).

BOISSON-SALADE DE FRUITS À L'EUROPÉENNE

Voici une boisson nutritive et rafraîchissante qui se déguste au cœur de l'été. C'est en Europe que ma belle-fille Fara a découvert ces boissons si colorées et si rafraîchissantes qu'on présente là-bas à la fois avec une cuillère et une paille.

J'aime bien servir cette boisson-salade à l'occasion d'un brunch, dès que se pointent les premiers invités. Je verse la préparation dans des verres à vin et j'y ajoute souvent un soupçon de liqueur d'orange ou de rhum.

Donne 8 portions

1/4	melon d'eau sans pépins, coupé en morceaux de 2,5 cm (1 po), soit 1 l (4 tasses)	1/4
3	kiwis, pelés et coupés en morceaux, soit 250 ml (1 tasse)	3
500 ml	fraises, coupées en quatre	2 tasses
1/2	cantaloup, coupé en morceaux, soit 375 ml (1 1/2 tasse)	1/2
500 ml	soda au citron, ou limonade, ou soda au gingembre	2 tasses

1. Mettre le melon d'eau, les kiwis, les fraises et le cantaloup dans un grand bol, puis mélanger.
2. Pour chaque portion, déposer environ 250 ml (1 tasse) de salade de fruits dans un grand verre. Y verser le soda au citron. Enfoncer une paille dans chaque verre et laisser les saveurs se marier environ 10 minutes au réfrigérateur. Servir froid.

VALEUR NUTRITIONNELLE PAR PORTION	
Calories	89
Protéines	1 g
Matières grasses	1 g
Saturées	0 g
Cholestérol	0 mg
Glucides	22 g
Fibres	2 g
Sodium	13 mg
Potassium	343 mg
Excellente source: vitamine C	

BOISSON AUX FRUITS TROPICAUX

Cette boisson est si dense que vous pouvez la présenter en guise de dessert. Dans un verre avec une paille, c'est un excellent rafraîchissement. Ajoutez 125 ml (1/4 tasse) de jus de plus si vous le servez comme boisson. Ayez toujours des glaçons sous la main pour le préparer.

VALEUR NUTRITIONNELLE POUR 1 GRAND VERRE	
Calories	151
Protéines	2 g
Matières grasses	1 g
Saturées	traces
Cholestérol	0 mg
Glucides	39 g
Fibres	3 g
Sodium	5 mg
Potassium	482 mg

Excellente source :
vitamine C
Bonne source :
vitamine A ; vitamine B6 ; acide folique

Donne 2 grands verres ou 4 portions de dessert

1	banane	1
125 ml	fraises, coupées en tranches	1/2 tasse
125 ml	mangue, coupée en cubes	1/2 tasse
125 ml	jus d'orange	1/2 tasse
15 ml	miel	1 c. à soupe
15 ml	jus de citron	1 c. à soupe

1. Couper la banane. Étendre la banane, les fraises et la mangue sur une plaque à pâtisserie et mettre au congélateur au moins 2 heures.

2. Mettre les fruits congelés dans le robot culinaire ou le mélangeur. Verser le jus d'orange, le miel et le jus de citron. Réduire en une purée homogène.

3. Goûter et ajouter plus de miel au besoin. Servir dans des coupes à dessert avec une cuillère, ou dans un verre avec une paille.

CUISINER POUR UNE OU DEUX PERSONNES

Il n'a jamais été aussi facile de bien manger lorsque l'on vit seul ou à deux. Tandis que le marché des familles ne cesse de rétrécir, celui des célibataires, des personnes divorcées, des gens qui n'ont pas d'enfants, des veufs et des veuves, et enfin des parents dont les enfants ont quitté le nid gagne du terrain. Les grands restaurants, qui semblaient autrefois ignorer les personnes seules, leur réservent maintenant des tables collectives et les supermarchés, qui ne vendaient que des paquets familiaux, offrent maintenant des mets préparés ainsi que des légumes et des fruits en petits emballages. On vend maintenant des minicafetières, de petites mijoteuses et des poêles pour cuisiner en petites quantités.

Voici quelques conseils pour faire la cuisine lorsque l'on est seul...

- Les plats à la mijoteuse et les plats braisés comme l'osso bucco (page 346), les bouts de côtes (page 310) et le jarret d'agneau (page 338) demandent plusieurs heures de cuisson, c'est pourquoi il est avantageux de les préparer en grandes quantités et de les mettre à congeler en portions individuelles.
- Toutes les fois que vous cuisinez, doublez la recette et utilisez les restes pour faire un autre plat. Par exemple : utilisez les restes de bifteck ou de poulet dans une salade, un sauté, des quesadillas, ou utilisez les restes de bœuf ou de crevettes pour préparer une soupe ou des tacos.
- De temps en temps, offrez-vous un petit extra qui se cuisine rapidement comme un bifteck de thon, une côtelette de veau ou un morceau de filet mignon.

YOGOURT FRAPPÉ AUX FRUITS

Quand le temps vous manque, ce yogourt fait un délicieux petit-déjeuner minute. Si vous voulez prendre votre temps, comme à l'occasion d'un brunch, montez-vous un bar de boissons frappées aux fruits. Disposez tous les ingrédients séparément dans des bols et laissez les invités préparer leur propre mélange : toutes les combinaisons sont permises ! Ne sucrez qu'au besoin.

Donne 2 portions

1	banane mûre	1
125 ml	fraises, coupées en deux	1/2 tasse
125 ml	mangue, coupée en cubes	1/2 tasse
125 ml	ananas, coupé en cubes	1/2 tasse
125 ml	yogourt nature, jus de fruits, ou lait	1/2 tasse
250 ml	glaçons	1 tasse

1. Peler et couper la banane, puis la mettre dans le mélangeur. Ajouter les fraises, la mangue, l'ananas et le yogourt. Réduire en purée.
2. Ajouter la glace et mélanger jusqu'à ce qu'elle soit bien broyée et que la boisson soit mousseuse. Servir dans de grands verres avec une paille.

VALEUR NUTRITIONNELLE POUR 1 GRAND VERRE

Calories	148
Protéines	4 g
Matières grasses	2 g
Saturées	1 g
Cholestérol	4 mg
Glucides	32 g
Fibres	3 g
Sodium	47 mg
Potassium	540 mg

Excellente source : vitamine C ; vitamine B6
Bonne source : vitamine A ; riboflavine ; vitamine B12

LES MANGUES

Si vous le pouvez, achetez les mangues jaunes de variété Alfonso, car elles sont plus sucrées et moins fibreuses que les autres.

Pour découper une mangue : tailler une petite tranche à la base et au sommet de la manque et tenez-la à la verticale sur une planche à découper. Pelez-la et coupez-la au ras du noyau afin d'obtenir un morceau ovale le plus grand possible, sans entamer le noyau. Procédez de la même façon de l'autre côté.

FROMAGE DE YOGOURT

Mon amie Cynthia m'a un jour rendu visite alors que je préparais du fromage de yogourt. Elle n'en crut pas ses papilles. Je lui ai dit qu'il fallait y goûter pour comprendre à quel point c'était délicieux et elle a acquiescé en disant : « Certaines préparations gagnent à être goûtées, plutôt que d'être jugées selon leur recette. »

Bon nombre de mes élèves sont surpris de constater à quel point le fromage de yogourt est onctueux et succulent, même préparé à partir de yogourt allégé à 1 %. On peut l'employer dans de

VALEUR NUTRITIONNELLE POUR 15 ML (1 C. À SOUPE)

Calories	15
Protéines	2 g
Matières grasses	traces
Saturées	traces
Cholestérol	2 mg
Glucides	1 g
Fibres	0 g
Sodium	13 mg
Potassium	46 mg

TREMPETTE OU TARTINADE AU FROMAGE DE YOGOURT

Mélangez 250 ml (1 tasse) de fromage de yogourt ferme, 2 gousses d'ail émincées, 15 ml (1 c. à soupe) des herbes fraîches suivantes : persil, ciboulette ou oignons verts, et estragon ou aneth. Si vos herbes sont séchées, comptez plutôt 2 ml (1/2 c. à thé) de chaque herbe. Salez et poivrez, et ajoutez un trait de sauce piquante au piment. Si vous la servez comme trempette, ajoutez un peu de lait ou de yogourt ordinaire.

Donne environ 250 ml (1 tasse).

GARNITURE À DESSERT AU FROMAGE DE YOGOURT

Mélangez 375 ml (1 1/2 tasse) de fromage de yogourt et 45 ml (3 c. à soupe) de cassonade ou de sucre à glacer, ou encore de miel ou de sirop d'érable. Incorporez 5 ml (1 c. à thé) de vanille, de zeste d'orange râpé ou 2 ml (1/2 c. à thé) de cannelle moulue.

Donne 375 ml (1 1/2 tasse).

nombreuses recettes à la place de la crème sure et de la crème à fouetter (il ne se fouette pas, mais on peut l'incorporer aux sauces à dessert). Bien qu'il soit possible de le remplacer par un yogourt épais, le fromage de yogourt ne contient ni agent épaississant ni gélatine, et il a, à mon avis, une texture et un goût beaucoup plus naturels. Pour sa préparation, assurez-vous de prendre du yogourt nature ne contenant ni agent stabilisant, ni gélatine, ni agent épaississant (choisissez un yogourt qui se couvre d'une couche de liquide une fois entamé).

Il peut remplacer la crème sure ou le fromage à la crème dans les trempettes et les tartinades, ou servir de garniture pour les soupes et les pommes de terre au four. Il peut aussi se substituer à la mayonnaise dans les sandwiches et les sauces à salade, ou être mélangé avec du sucre, du miel ou du sirop d'érable pour donner une garniture à dessert. Utilisez du fromage de yogourt ferme en remplacement du fromage à la crème dans les tartinades et sur les bagels au saumon fumé.

Au moment de l'impression de ce livre, certains fabricants de yogourt ont commencé à faire du yogourt pressé. Ce type de yogourt est un bon substitut au fromage de yogourt ferme (assurez-vous qu'il soit faible en matières grasses).

Donne 375 ml (1 1/2 tasse)

| 750 ml | yogourt nature faible en matières grasses | 3 tasses |

1. Tapisser une passoire d'une mousseline, d'un essuie-tout ou d'un filtre à café (on trouve sur le marché des passoires à yogourt, un outil efficace et rapide qui permet d'éviter les dégâts). Mettre au-dessus d'un bol.
2. Mettre le yogourt dans la passoire et le recouvrir d'une pellicule plastique. Laisser reposer 3 heures ou toute la nuit au réfrigérateur. (Laisser reposer 3 heures pour une consistance moyenne, ou toute la nuit, pour obtenir la consistance ferme qui ressemble à celle du fromage à la crème). Utilisez l'eau du yogourt pour cuire le riz, comme on le fait au Moyen-Orient (ou faites comme moi : conservez le liquide dans un bocal pour utilisation ultérieure en prenant soin d'inscrire la date et jetez-le deux semaines plus tard ! Conservez le fromage de yogourt au réfrigérateur dans un contenant hermétique pendant environ une semaine.

Muffins aux bleuets et aux graines de lin
Carrés gloire du matin
Muffins aux canneberges
Muffins aux bleuets et au son
Muffins miniatures à la semoule de maïs et aux petits
    fruits
Muffins aux graines de pavot et au citron
Popovers de blé entier
Pain aux bananes
Pain de maïs au cheddar
Pain de maïs fumé aux poivrons et au maïs
Scones au maïs à la mode tex-mex
Biscuits à l'asiago
Scones aux flocons d'avoine et au babeurre
Biscuits au babeurre et au poivre noir
Pain à la bière et au romarin
Pain aux céréales Red River
Pain irlandais au carvi
Pain aux grains de l'Afrique du Sud

Petits pains sucrés à la pomme de terre
Challah de blé entier au miel et aux raisins secs
Pain multigrain au yogourt
Pain au miel
Roulés au muesli

CUISINER AU GOÛT DU CŒUR

LES PAINS

MUFFINS AUX BLEUETS ET AUX GRAINES DE LIN

Les bleuets, les graines de lin et l'avoine sont d'excellents aliments pour la santé. Si vos bleuets sont congelés, ajoutez-les à la pâte sans les faire décongeler.

Je conserve mes graines de lin au congélateur et je les mouds à la dernière minute pour qu'elles ne perdent pas leurs propriétés.

Donne 12 muffins

375 ml	farine tout usage	1 1/2 tasse
250 ml	farine de blé entier	1 tasse
125 ml	graines de lin, moulues ou écrasées	1/2 tasse
5 ml	levure chimique	1 c. à thé
5 ml	bicarbonate de soude	1 c. à thé
	une pincée de sel	
1	œuf	1
75 ml	huile végétale	1/3 tasse
250 ml	babeurre (page 436)	1 tasse
175 ml	cassonade	3/4 tasse
500 ml	bleuets	2 tasses

Garniture (facultatif)

50 ml	cassonade	1/4 tasse
50 ml	farine tout usage	1/4 tasse
75 ml	gros flocons d'avoine	1/3 tasse
2 ml	cannelle moulue	1/2 c. à thé
25 ml	beurre non salé, fondu, ou huile végétale	2 c. à soupe

1. Dans un grand bol, mélanger les farines, les graines de lin, la levure chimique, le bicarbonate de soude et le sel.

2. Dans un autre bol, mélanger l'œuf, l'huile, le babeurre et la cassonade.

3. Verser les ingrédients liquides dans les ingrédients secs et bien mélanger. Incorporer les bleuets et mélanger. Remplir 12 moules à muffins antiadhésifs ou doublés de moules en papier (une cuillère à crème glacée fait de l'excellent travail).

4. Pour préparer la garniture, mélanger la cassonade, la farine, les flocons d'avoine, la cannelle et le beurre fondu. Répartir le mélange sur les muffins.

5. Cuire au four préchauffé à 200 °C (400 °F) pendant 25 minutes, ou jusqu'à ce qu'un cure-dent inséré au centre d'un muffin en ressorte propre.

L'ART DE MÉLANGER LES INGRÉDIENTS SECS

Lorsqu'on mélange des ingrédients secs pour les pains rapides, les muffins ou les gâteaux, on peut tamiser tous les ingrédients secs ensemble, en prenant soin de bien les mélanger par la suite. Ou encore, on peut placer uniquement les ingrédients qui ont tendance à former des grumeaux (le bicarbonate de soude, la levure, le sucre à glacer et le cacao) dans un petit tamis et les tamiser sur la farine et les autres ingrédients.

VALEUR NUTRITIONNELLE PAR MUFFIN

Calories	305
Protéines	6 g
Matières grasses	11 g
Saturées	2 g
Cholestérol	21 mg
Glucides	47 g
Fibres	4 g
Sodium	185 mg
Potassium	230 mg

Bonne source : thiamine ; acide folique ; fer

LES FRUITS SÉCHÉS

Bien que les fruits séchés soient hautement caloriques, ils ne contiennent pas de matières grasses et peuvent, grâce à leur saveur concentrée, enrichir grandement le goût des plats. Ils sont fantastiques dans les muffins, les pains et les pilafs.

Les pruneaux, les abricots, les raisins, les dattes, les figues, les cerises, les canneberges, les bleuets, les pommes et les poires comptent au nombre des fruits séchés que l'on trouve sur le marché.

VALEUR NUTRITIONNELLE PAR CARRÉ

Calories	171
Protéines	4 g
Matières grasses	7 g
Saturées	1 g
Cholestérol	12 mg
Glucides	28 g
Fibres	5 g
Sodium	170 mg
Potassium	270 mg

Bonne source :
vitamine A ; thiamine

CARRÉS GLOIRE DU MATIN

Comme petit-déjeuner ou collation, ces carrés ont la faveur populaire. Ils se prêtent aussi très bien à la congélation. Pour varier, faites-les cuire dans 12 grands moules à muffins.

Donne 16 carrés

375 ml	farine de blé entier	1 1/2 tasse
375 ml	céréales de son	1 1/2 tasse
50 ml	graines de sésame rôties (page 414)	1/4 tasse
15 ml	levure chimique	1 c. à soupe
5 ml	cannelle	1 c. à thé
5 ml	piment de la Jamaïque (facultatif)	1 c. à thé
2 ml	bicarbonate de soude	1/2 c. à thé
	une pincée de sel	
1	œuf	1
125 ml	cassonade	1/2 tasse
175 ml	babeurre (page 436), ou yogourt faible en matières grasses	3/4 tasse
75 ml	huile végétale	1/3 tasse
25 ml	mélasse ou miel	2 c. à soupe
375 ml	carottes, râpées	1 1/2 tasse
125 ml	dattes, hachées, ou raisins secs	1/2 tasse

1. Dans un grand bol, mélanger la farine, les céréales de son, les graines de sésame, la levure, la cannelle, le piment de la Jamaïque, le bicarbonate de soude et le sel.

2. Dans un autre bol, battre au fouet l'œuf avec la cassonade, le babeurre, l'huile et la mélasse.

3. Incorporer le mélange à base d'œuf dans le mélange à base de farine et remuer jusqu'à ce que la farine soit humectée. Ajouter les carottes et les dattes.

4. Étendre le mélange dans un plat allant au four d'une capacité de 2,5 l (10 tasses) (23 cm x 23 cm [9 po x 9 po]) et cuire dans un four préchauffé à 180 °C (350 °F) de 30 à 35 minutes, ou jusqu'à ce que le centre reprenne rapidement sa forme lorsqu'on y fait une légère pression. Laisser refroidir et découper en carrés.

MUFFINS AUX CANNEBERGES

Il est révolu le temps où les canneberges ne servaient qu'à confectionner la sauce aux canneberges pour accompagner la dinde. Elles entrent maintenant dans la préparation des muffins, des pains et des biscuits. Elles constituent une excellente source d'antioxydants.

Donne 12 muffins

250 ml	farine tout usage	1 tasse
250 ml	farine de blé entier	1 tasse
15 ml	levure chimique	1 c. à soupe
	une pincée de sel	
1	œuf	1
150 ml	sucre cristallisé blanc	2/3 tasse
250 ml	lait	1 tasse
50 ml	huile végétale	1/4 tasse
25 ml	zeste de citron ou d'orange, râpé	2 c. à soupe
375 ml	canneberges	1 1/2 tasse
50 ml	cassonade	1/4 tasse
5 ml	cannelle moulue	1 c. à thé

1. Dans un bol, mélanger les farines, la levure chimique et le sel.

2. Dans un grand bol, battre l'œuf, le sucre, le lait, l'huile et le zeste de citron.

3. Ajouter les ingrédients secs dans les ingrédients liquides et remuer jusqu'à l'obtention d'un mélange homogène. Incorporer les canneberges.

4. À l'aide d'une cuillère, déposer la pâte dans 12 grands moules à muffins huilés ou doublés de moules en papier.

5. Dans un petit bol, mélanger la cassonade et la cannelle. Saupoudrer sur les muffins. Cuire de 20 à 25 minutes dans un four préchauffé à 200 °C (400 °F), ou jusqu'à ce qu'un cure-dent inséré au centre d'un muffin en ressorte propre.

LES CANNEBERGES

On trouve sur le marché des canneberges fraîches, surgelées ou déshydratées. Si vous utilisez des canneberges surgelées dans les pâtisseries, ne les décongelez pas avant de les mettre dans la pâte. Les canneberges surgelées ont l'avantage de ne pas répandre leur jus dans la pâte.

Utilisez des canneberges fraîches ou surgelées dans les muffins ou dans la sauce aux canneberges (page 307). Les canneberges déshydratées peuvent être consommées comme friandise ou employées à la place des raisins dans les muffins, les pains et les pilafs.

VALEUR NUTRITIONNELLE PAR MUFFIN

Calories	195
Protéines	4 g
Matières grasses	6 g
Saturées	1 g
Cholestérol	16 mg
Glucides	34 g
Fibres	2 g
Sodium	83 mg
Potassium	118 mg

MUFFINS AUX BLEUETS ET AU SON

J'ai connu mon amie Evelyn Zabloski alors qu'elle possédait le café le plus couru de Banff. Aujourd'hui, alors qu'elle est à la tête du Evelyn's Memory Lane, à High River, en Alberta, où elle propose de savoureuses crèmes glacées maison, elle prépare encore personnellement les plus délicieux muffins, scones, biscuits, tartes et gâteaux.

Cette recette me rappelle les muffins qu'elle sert dans son établissement. Ils se conservent bien et sauront vous dépanner si la fringale s'empare de vous en voiture ou dans le métro. Si vous utilisez des bleuets surgelés, incorporez-les à la pâte lorsqu'ils sont encore congelés.

Donne 18 gros muffins

500 ml	farine tout usage	2 tasses
175 ml	farine de blé entier	3/4 tasse
375 ml	son de blé	1 1/2 tasse
175 ml	cassonade	3/4 tasse
20 ml	levure chimique	4 c. à thé
10 ml	bicarbonate de soude	2 c. à thé
1	œuf, ou 2 blancs d'œufs	1
125 ml	mélasse	1/2 tasse
50 ml	huile végétale	1/4 tasse
500 ml	babeurre (page 436), ou yogourt faible en matières grasses	2 tasses
375 ml	bleuets frais, ou surgelés	1 1/2 tasse

VALEUR NUTRITIONNELLE PAR MUFFIN	
Calories	185
Protéines	4 g
Matières grasses	4 g
Saturées	1 g
Cholestérol	13 mg
Glucides	36 g
Fibres	4 g
Sodium	225 mg
Potassium	266 mg

1. Dans un bol, bien mélanger les farines, le son de blé, la cassonade, la levure chimique et le bicarbonate de soude.

2. Dans un grand bol, bien mélanger l'œuf, la mélasse, l'huile et le babeurre.

3. Incorporer les ingrédients secs aux ingrédients liquides et remuer jusqu'à ce qu'ils soient mouillés. Ajouter rapidement les bleuets.

4. Déposer à la cuillère cette pâte dans 18 grands moules à muffins antiadhésifs, légèrement huilés ou doublés de moules de papier. Cuire dans un four préchauffé à 190 °C (375 °F) durant 25 minutes, ou jusqu'à ce qu'un cure-dent inséré au centre d'un muffin en ressorte propre.

MUFFINS MINIATURES À LA SEMOULE DE MAÏS ET AUX PETITS FRUITS

La semoule de maïs confère à ces muffins une texture très agréable et un aspect brillant et ensoleillé. Pour varier, remplacez les framboises ou les bleuets par des canneberges ou des cerises fraîches ou séchées. Si vous employez des fruits surgelés, utilisez-les congelés.

Donne 24 muffins miniatures ou 12 muffins de taille moyenne

375 ml	farine tout usage	1 1/2 tasse
175 ml	semoule de maïs	3/4 tasse
125 ml	sucre cristallisé blanc	1/2 tasse
15 ml	zeste de citron, râpé	1 c. à soupe
20 ml	levure chimique	4 c. à thé
	une pincée de sel	
250 ml	framboises ou bleuets frais, ou surgelés	1 tasse
2	blancs d'œufs, ou 1 œuf entier	2
250 ml	lait	1 tasse
50 ml	huile végétale	1/4 tasse
5 ml	vanille	1 c. à thé
25 ml	sucre à gros cristaux	2 c. à soupe

1. Dans un bol, mélanger la farine, la semoule de maïs, le sucre, le zeste de citron, la levure chimique et le sel. Dans un autre bol, enrober les fruits avec 25 ml (2 c. à soupe) de ce mélange.

2. Dans un grand bol, bien mélanger les blancs d'œufs, le lait, l'huile et la vanille.

3. Dans le grand bol, ajouter les ingrédients secs aux ingrédients liquides et remuer jusqu'à ce qu'ils soient bien mélangés. Incorporer les fruits très délicatement.

4. Déposer la pâte à la cuillère dans des moules à muffins antiadhésifs légèrement huilés ou doublés de moules de papier. Saupoudrer de gros cristaux de sucre. Cuire dans un four préchauffé à 200 °C (400 °F), de 15 à 25 minutes dans le cas de muffins miniatures, ou de 25 à 30 minutes pour des muffins de taille moyenne, jusqu'à ce qu'ils soient légèrement dorés.

VALEUR NUTRITIONNELLE PAR MUFFIN MINIATURE	
Calories	94
Protéines	2 g
Matières grasses	3 g
Saturées	traces
Cholestérol	0 mg
Glucides	16 g
Fibres	1 g
Sodium	53 mg
Potassium	44 mg

MUFFINS AUX GRAINES DE PAVOT ET AU CITRON

Il est possible de cuire la pâte dans un moule de 2 l (8 tasses) (23 cm x 12 cm [9 po x 5 po]) de 45 à 50 minutes.

Donne 12 gros muffins

625 ml	farine tout usage	2 1/2 tasses
15 ml	levure chimique	1 c. à soupe
4 ml	bicarbonate de soude	3/4 c. à thé
1 ml	sel	1/4 c. à thé
50 ml	huile végétale	1/4 tasse
125 ml	sucre cristallisé blanc	1/2 tasse
2	œufs	2
375 ml	babeurre (page 436), ou yogourt faible en matières grasses	1 1/2 tasse
50 ml	graines de pavot	1/4 tasse
25 ml	zeste de citron	2 c. à soupe

Sirop

75 ml	jus de citron	1/3 tasse
75 ml	sucre cristallisé blanc	1/3 tasse

1. Dans un bol, bien mélanger la farine, la levure chimique, le bicarbonate de soude et le sel.

2. Dans un grand bol, battre ensemble l'huile, le sucre, les œufs, le babeurre, les graines de pavot et le zeste de citron.

3. Ajouter les ingrédients secs aux ingrédients liquides et bien mélanger.

4. Remplir à la cuillère 12 grands moules antiadhésifs, légèrement huilés ou doublés de moules en papier. Cuire au four préchauffé à 200 °C (400 °F) de 20 à 25 minutes, ou jusqu'à ce qu'un cure-dent inséré au centre du muffin en ressorte propre.

5. Pendant ce temps, porter à ébullition dans une petite casserole le jus de citron et le sucre. Laisser refroidir quelques minutes.

6. Avec une brochette, piquer le dessus des muffins à quelques endroits. Verser le sirop sur les muffins. Les laisser reposer avant de les démouler.

VALEUR NUTRITIONNELLE PAR MUFFIN	
Calories	232
Protéines	5 g
Matières grasses	7 g
Saturées	1 g
Cholestérol	37 mg
Glucides	37 g
Fibres	1 g
Sodium	229 mg
Potassium	117 mg

POPOVERS DE BLÉ ENTIER

Les popovers sont délicieux à l'heure du lunch ou du brunch. Servez-les bien chauds au sortir du four. Les popovers miniatures font de délicieux amuse-gueule. Il suffit de les cuire 20 minutes et de les farcir d'hoummos ou de la tartinade de votre choix.

Donne 12 popovers

250 ml	farine tout usage	1 tasse	
250 ml	farine de blé entier	1 tasse	
5 ml	sel	1 c. à thé	
500 ml	lait	2 tasses	
4	œufs	4	
125 ml	cheddar allégé, râpé	1/2 tasse	

1. Préchauffer le four à 180 °C (350 °F). Déposer les moules à muffins vides dans le four pendant qu'il chauffe.

2. Dans un grand bol, mélanger les farines et le sel.

3. Dans une casserole, faire chauffer le lait à 52 °C (125 °F). Dans un bol, casser les œufs et y incorporer le lait chaud.

4. Verser le mélange de lait et d'œufs dans les ingrédients secs et mélanger. (Mélanger brièvement sans essayer de défaire tous les petits grumeaux.)

5. Lorsque les moules sont chauds, les vaporiser d'enduit végétal. Verser environ 75 ml (1/3 tasse) de pâte dans chaque moule. Saupoudrer de fromage. Cuire de 30 à 35 minutes, ou jusqu'à ce que les muffins soient gonflés et dorés. Servir chaud.

VALEUR NUTRITIONNELLE PAR POPOVER	
Calories	132
Protéines	7 g
Matières grasses	4 g
Saturées	2 g
Cholestérol	69 mg
Glucides	17 g
Fibres	2 g
Sodium	265 mg
Potassium	140 mg

PAIN AUX BANANES

Voici un pain délicieux, rapide à réaliser et faible en matières grasses que l'on peut aussi cuire en muffins. Il suffit de partager la pâte entre 12 moules à muffins et de cuire au four environ 20 minutes.

Pour cette recette, vous pouvez utiliser uniquement de la farine de blé entier, ou de la farine tout usage, mais je préfère un mélange des deux.

Donne 1 petit pain (12 tranches)

250 ml	bananes très mûres, écrasées, soit 2 bananes de taille moyenne	1 tasse
125 ml	yogourt nature faible en matières grasses	1/2 tasse
5 ml	bicarbonate de soude	1 c. à thé

1	œuf, ou 2 blancs d'œufs	1
175 ml	cassonade	3/4 tasse
50 ml	huile végétale	1/4 tasse
5 ml	vanille	1 c. à thé
250 ml	farine tout usage	1 tasse
125 ml	farine de blé entier	1/2 tasse
5 ml	levure chimique	1 c. à thé
	une pincée de sel	

1. Dans un petit bol, mélanger les bananes, le yogourt et le bicarbonate de soude.

2. Dans un autre bol, bien mélanger l'œuf, la cassonade, l'huile et la vanille.

3. Dans un grand bol, bien mélanger les farines, la levure chimique et le sel.

4. Mélanger la préparation à base de banane et la préparation à base d'huile. Verser le tout dans le grand bol contenant les ingrédients secs et remuer jusqu'à l'obtention d'une préparation humide.

5. Mettre la pâte dans un moule à pain antiadhésif d'une capacité de 1,5 l (6 tasses) (20 cm x 10 cm [8 po x 4 po]), légèrement huilé ou tapissé de papier sulfurisé. Cuire dans un four préchauffé à 180 °C (350 °F) de 50 à 60 minutes, ou jusqu'à ce que le centre du pain reprenne rapidement sa forme lorsqu'on y fait une légère pression.

VALEUR NUTRITIONNELLE PAR TRANCHE	
Calories	178
Protéines	3 g
Matières grasses	5 g
Saturées	1 g
Cholestérol	18 mg
Glucides	30 g
Fibres	1 g
Sodium	136 mg
Potassium	182 mg

PAIN DE MAÏS AU CHEDDAR

Tout le monde peut préparer ce pain de maïs. Il est facile à faire et il emplit la maison d'un parfum alléchant. Que demander de plus ?

Remplacez le cheddar par votre fromage à pâte ferme préféré ou, pour une touche spéciale, par de la mozzarella fumée. Pour en faire des muffins, il suffit de partager la pâte entre 12 moules à muffins et de cuire au four environ 20 minutes.

Les restes de pain de maïs sont délicieux dans les farces.

Donne 16 carrés

250 ml	farine tout usage	1 tasse
250 ml	farine de maïs	1 tasse
45 ml	sucre cristallisé blanc	3 c. à soupe
15 ml	levure chimique	1 c. à soupe
2 ml	sel	1/2 c. à thé
175 ml	cheddar allégé, râpé	3/4 tasse
2	œufs	2

| 250 ml | lait | 1 tasse |
| 45 ml | huile d'olive | 3 c. à soupe |

1. Dans un grand bol, mélanger la farine tout usage, la farine de maïs, le sucre, la levure chimique et le sel. Incorporer le fromage.

2. Dans un autre bol, mélanger les œufs, le lait et l'huile.

3. Verser les ingrédients liquides dans les ingrédients secs et bien mélanger.

4. Verser la pâte dans un plat carré antiadhésif de 2 l (8 tasses) (20 cm [8 po]), légèrement huilé, ou tapissé de papier sulfurisé. Cuire au four préchauffé à 200 °C (400 °F) pendant 25 minutes, ou jusqu'à ce que le pain soit doré.

VALEUR NUTRITIONNELLE PAR CARRÉ	
Calories	125
Protéines	4 g
Matières grasses	5 g
Saturées	1 g
Cholestérol	28 mg
Glucides	16 g
Fibres	1 g
Sodium	182 mg
Potassium	64 mg

PAIN DE MAÏS FUMÉ AUX POIVRONS ET AU MAÏS

Le maïs grillé, les poivrons grillés et le fromage fumé font l'originalité de ce pain. Cependant, vous pouvez vous faciliter la vie en utilisant du maïs en grains, des poivrons crus et du cheddar ordinaire.

Pour faire griller le maïs, déposez les épis directement sur le gril très chaud après les avoir épluchés. Prenez soin de les retourner jusqu'à ce que les grains commencent à dorer et à éclater. Pour détacher les grains de l'épi, brisez celui-ci en deux, placez un segment en position verticale sur une planche à découper (face coupée orientée vers le bas) et raclez les grains au couteau, de haut en bas.

Donne 12 portions

375 ml	farine tout usage	1 1/2 tasse
375 ml	semoule de maïs	1 1/2 tasse
45 ml	sucre cristallisé blanc	3 c. à soupe
15 ml	levure chimique	1 c. à soupe
5 ml	sel	1 c. à thé
2 ml	bicarbonate de soude	1/2 c. à thé
2	œufs	2
300 ml	babeurre (page 436), ou yogourt nature faible en matières grasses	1 1/4 tasse
45 ml	huile d'olive	3 c. à soupe
250 ml	grains de maïs grillés, soit 2 épis	1 tasse
1	poivron rouge grillé (page 165), pelé et coupé en dés, soit 125 ml (1/2 tasse)	1
250 ml	mozzarella fumée, râpée	1 tasse

VALEUR NUTRITIONNELLE PAR PORTION	
Calories	233
Protéines	8 g
Matières grasses	7 g
Saturées	2 g
Cholestérol	45 mg
Glucides	34 g
Fibres	2 g
Sodium	384 mg
Potassium	152 mg

1. Dans un grand bol, bien mélanger la farine, la semoule de maïs, le sucre, le sel, la levure chimique et le bicarbonate de soude.

2. Dans un autre bol, battre les œufs avec le babeurre et l'huile. Incorporer les ingrédients humides dans la farine et mélanger.

3. Ajouter délicatement le maïs, le poivron et la mozzarella.

4. Mettre la pâte dans un plat allant au four d'une capacité de 3 l (12 tasses) (30 cm x 20 cm [12 po x 8 po]) légèrement huilé. Cuire dans un four préchauffé à 190 °C (375 °F) de 40 à 45 minutes, ou jusqu'à ce que le pain soit bien doré et que son centre reprenne rapidement sa forme lorsqu'on y fait une légère pression. Laisser reposer 10 minutes avant de découper en carrés.

SCONES AU MAÏS À LA MODE TEX-MEX

Ces biscuits salés sont tout simplement extraordinaires. Servez-les en guise de collation, avec la soupe ou lors d'un repas d'inspiration tex-mex.

Les scones restants peuvent être émiettés et utilisés dans les farces, comme panure pour le poulet ou pour garnir les plats cuits au four.

Donne 12 scones

250 ml	farine tout usage	1 tasse
250 ml	farine de blé entier	1 tasse
45 ml	semoule de maïs	3 c. à soupe
15 ml	levure chimique	1 c. à soupe
15 ml	sucre cristallisé blanc	1 c. à soupe
5 ml	cumin moulu	1 c. à thé
2 ml	sel	1/2 c. à thé
2 ml	poivre	1/2 c. à thé
50 ml	margarine molle non hydrogénée, ou beurre non salé, froids	1/4 tasse
125 ml	mozzarella fumée, Monterey Jack ou cheddar, râpés	1/2 tasse
1	piment jalapeño, épépiné et haché finement, ou 15 ml (1 c. à soupe) de purée de piment chipolte (page 206)	1
250 ml	babeurre (page 436), divisé en deux portions	1 tasse
15 ml	graines de cumin ou de carvi	1 c. à soupe

1. Dans un grand bol, mélanger les farines, la semoule de maïs, la levure chimique, le sucre, le cumin moulu, le sel et le poivre. À l'aide d'un coupe-pâte, ou en travaillant avec les doigts, incorporer la margarine dans la farine de manière à obtenir une poudre à l'apparence de fine chapelure.

2. Incorporer le fromage et le piment jalapeño. Verser 225 ml (7/8 tasse) de babeurre sur le mélange. Travailler la pâte avec les doigts jusqu'à ce qu'elle soit molle et souple.

3. Presser la pâte dans un plat rond antiadhésif allant au four de 20 cm (8 po), légèrement huilé, ou y esquisser les lignes de partage de 12 pointes. Badigeonner la surface des 25 ml (2 c. à soupe) de babeurre restants et saupoudrer de graines de cumin.

4. Cuire la pâte dans un four préchauffé à 220 °C (425 °F) de 20 à 25 minutes, ou jusqu'à ce qu'elle soit bien dorée et bien cuite. Démouler et laisser refroidir sur une grille métallique. Partager en pointes.

Scones sucrés au maïs

Omettre le fromage, le cumin et le poivre. Ajouter 25 ml (2 c. à soupe) de sucre supplémentaires et 15 ml (1 c. à soupe) de zeste de citron. Saupoudrer les scones de 15 ml (1 c. à soupe) de sucre en gros cristaux avant de cuire.

LA LEVURE CHIMIQUE
Comme le bicarbonate de soude, la levure chimique favorise la levée des pâtes. Elle se conserve environ un an (si elle bouillonne lorsqu'on y verse de l'eau bouillante, c'est qu'elle est encore active). Comptez environ 5 ml (1 c. à thé) par tasse de farine. Une fois les ingrédients liquides ajoutés à la préparation, il faut la mettre au four sans délai. Conservez la levure chimique dans un endroit sec, dans un contenant hermétique.

BISCUITS À L'ASIAGO

Ces délicieux petits biscuits à la cuillère sont parfaits pour un brunch, l'heure du thé ou la collation, en plus d'être faciles à préparer.

Donne 16 biscuits

500 ml	farine tout usage	2 tasses
250 ml	farine de blé entier	1 tasse
25 ml	sucre cristallisé blanc	2 c. à soupe
15 ml	levure chimique	1 c. à soupe
5 ml	bicarbonate de soude	1 c. à thé
75 ml	margarine molle non hydrogénée, ou beurre non salé, froids	1/3 tasse
150 ml	asiago, cheddar ou mozzarella fumée, râpés	2/3 tasse
425 ml	babeurre (page 436)	1 3/4 tasse

1. Dans un grand bol, réunir les farines, le sucre, la levure chimique et le bicarbonate de soude. Bien mélanger. (Si la levure chimique ou le bicarbonate de soude présentent des grumeaux, les tamiser.)

VALEUR NUTRITIONNELLE PAR BISCUIT	
Calories	151
Protéines	5 g
Matières grasses	6 g
Saturées	2 g
Cholestérol	5 mg
Glucides	21 g
Fibres	1 g
Sodium	240 mg
Potassium	91 mg

MARGARINE
OU BEURRE ?

Les recettes du présent ouvrage ne requièrent que des quantités minimes de matières grasses, parce qu'une saine alimentation doit être faible en gras, notamment en gras saturés. Certaines des recettes donnent le beurre comme substitut à la margarine molle. Bien des gens préfèrent le goût du beurre ; si vous choisissez le beurre, vous devriez savoir que la quantité de matières grasses demeurera la même dans la recette mais que la nature des gras sera différente. Ainsi, une portion de 10 ml (2 c. à thé) contient :

	Margarine molle	Beurre
Calories :	70	70
Matières grasses totales :	8 g	8 g
Saturées :	2 g	5 g

VALEUR NUTRITIONNELLE PAR SCONE

Calories	170
Protéines	4 g
Matières grasses	6 g
Saturées	2 g
Cholestérol	0 mg
Glucides	26 g
Fibres	2 g
Sodium	252 mg
Potassium	141 mg

2. Incorporer la margarine au mélange de farines jusqu'à l'obtention d'une poudre à l'apparence de chapelure. Incorporer le fromage râpé.

3. Verser le babeurre sur le mélange de farines et remuer jusqu'à la formation d'une pâte grossière.

4. Déposer la pâte par cuillerée sur une plaque à pâtisserie tapissée de papier sulfurisé pour obtenir 16 monticules. Cuire les biscuits dans un four préchauffé à 220 °C (425 °F) de 12 à 15 minutes, ou jusqu'à ce qu'ils soient légèrement dorés.

LE CHOIX D'UNE MARGARINE

Toutes les margarines ne s'équivalent pas. Voici ce à quoi il faut prêter attention lorsque vous en choisissez une.

- Choisissez une margarine molle que l'on peut tartiner et que l'on vend dans un contenant rigide, et non celle vendue en bâton on en brique.
- Choisissez une margarine non hydrogénée, qui contient moins de gras saturés et sans gras trans.
- Choisissez une margarine dont l'étiquette porte des informations nutritionnelles.

SCONES AUX FLOCONS D'AVOINE ET AU BABEURRE

Les scones maison sont très différents de ceux que l'on sert dans les cafés et les pâtisseries. Ils sont plus tendres et plus légers (même lorsqu'on les prépare avec de la farine de blé entier), en autant, bien entendu, que vous les mangiez le jour même.

Donne 12 scones

175 ml	farine de blé entier	3/4 tasse
175 ml	farine tout usage	3/4 tasse
45 ml	sucre cristallisé blanc	3 c. à soupe
5 ml	levure chimique	1 c. à thé
2 ml	bicarbonate de soude	1/2 c. à thé
2 ml	sel	1/2 c. à thé
75 ml	margarine molle non hydrogénée, ou beurre non salé, froids	1/3 tasse
250 ml	gros flocons d'avoine	1 tasse
125 ml	raisins de Corinthe ou autres raisins secs	1/2 tasse
125 ml	babeurre (page 436)	1/2 tasse
15 ml	sucre à glacer	1 c. à soupe

1. Dans un grand bol, mélanger les farines, le sucre, la levure chimique, le bicarbonate de soude et le sel.

2. Incorporer la margarine dans le mélange de farine en la découpant en petits morceaux.

3. Incorporer au mélange les flocons d'avoine et les raisins de Corinthe. Verser le babeurre sur la préparation et en former une boule. Éviter de trop pétrir.

4. Abaisser délicatement la pâte sur une surface enfarinée jusqu'à une épaisseur d'environ 2,5 cm (1 po). Découper des cercles de 5 cm (2 po) de diamètre. Récupérer les retailles et continuer d'en découper des cercles jusqu'à épuisement de la pâte.

5. Déposer les scones sur une plaque à pâtisserie tapissée de papier sulfurisé. Cuire dans un four préchauffé à 190 °C (375 °F) de 17 à 20 minutes, ou jusqu'à ce que les scones soient gonflés et dorés. Laisser refroidir sur une grille. Saupoudrer du sucre à glacer sur les scones.

BISCUITS AU BABEURRE ET AU POIVRE NOIR

Ces biscuits sont irrésistibles. On peut les servir avec une tartinade, une soupe ou un plat en sauce comme les crevettes grillées. Ils sont délicieux servis frais, chauds ou tièdes. De plus, ils se congèlent facilement.

Donne environ 10 biscuits

250 ml	farine tout usage	1 tasse
250 ml	farine de blé	1 tasse
25 ml	farine de maïs	2 c. à soupe
15 ml	levure chimique	1 c. à soupe
5 ml	sucre cristallisé blanc	1 c. à thé
5 ml	poivre noir, moulu grossièrement	1 c. à thé
2 ml	sel	1/2 c. à thé
45 ml	margarine molle non hydrogénée, ou beurre non salé, froids	3 c. à soupe
225 ml	babeurre (page 436)	7/8 tasse

Garniture

25 ml	babeurre	2 c. à soupe
15 ml	farine de maïs	1 c. à soupe
2 ml	poivre noir, moulu grossièrement	1/2 c. à thé
2 ml	sucre cristallisé blanc	1/2 c. à thé
	une pincée de sel	

LE BABEURRE ET LE LAIT SUR

À cause de son nom et de sa texture, bien des gens croient que le babeurre est riche en matières grasses, mais il s'agit en fait d'un sous-produit de la fabrication du beurre, par conséquent, il est très pauvre en gras. De nos jours, on le fabrique industriellement. Il contient environ 1 % de matières grasses. Sa texture crémeuse et son goût agréable en font un ingrédient de choix dans la confection des crêpes, des pâtisseries et des gaufres.

Si vous n'avez pas de babeurre sous la main, remplacez-le par du yogourt, de la crème sure ou du lait sur. Pour faire du lait sur, verser 15 ml (1 c. à soupe) de jus de citron dans une tasse à mesurer et y verser du lait de manière à obtenir 250 ml (1 tasse) de liquide. Laisser reposer 10 minutes avant de l'utiliser (des grumeaux se formeront, ce qui est normal).

PAIN À L'AIL

Coupez une baguette en tranches de 2,5 cm (1 po) d'épaisseur sans détacher complètement les tranches les unes des autres.

Dans un petit bol, mélangez 25 ml (2 c. à soupe) d'huile d'olive, 3 gousses d'ail émincées, 5 ml (1 c. à thé) de romarin ou de thym frais (ou 2 ml [1/2 c. à thé] séché), 2 ml (1/2 c. à thé) de gros sel et 1 ml (1/4 c. à thé) de poivre. À l'aide d'un pinceau à dorure, badigeonnez les tranches de pain de cette huile aromatisée. Enveloppez le pain dans du papier d'aluminium et cuire au four préchauffé à 180 °C (350 °F) pendant 15 minutes. Développez-le et faites-le cuire encore 5 minutes au four.

1. Dans un grand bol, mélanger les farines, la farine de maïs, la levure chimique, le sucre, le poivre et le sel.

2. Incorporer la margarine dans la farine en la coupant jusqu'à ce que le mélange ressemble à de la chapelure fraîche.

3. Verser le babeurre sur le mélange et pétrir de façon à obtenir une pâte grossière. Pétrir doucement pendant 5 secondes.

4. Abaisser délicatement la pâte sur une surface enfarinée jusqu'à une épaisseur d'environ 2 cm (3/4 po). Découper en cercles de 7,5 cm (3 po). Mettre sur une plaque à pâtisserie légèrement saupoudrée de farine de maïs, ou tapissée de papier sulfurisé.

5. Pour préparer la garniture, badigeonner légèrement les biscuits de babeurre. Mélanger la farine de maïs, le poivre, le sucre et le sel. En saupoudrer la surface des biscuits.

6. Cuire les biscuits dans un four préchauffé à 220 °C (425 °F) pendant 15 minutes, ou jusqu'à ce qu'ils soient légèrement dorés.

PAIN À LA BIÈRE ET AU ROMARIN

Les pains à la bière ont un parfum et une saveur incomparables. J'avais l'habitude de confectionner ce pain avec de la farine préparée (à laquelle on a ajouté du sel et de la levure chimique), mais il est parfois difficile de se la procurer, c'est pourquoi j'ai choisi de faire ce pain avec de la farine tout usage. Utilisez votre bière préférée pour cette recette.

Donne 1 petit pain

375 ml	farine de blé entier	1 1/2 tasse
375 ml	farine tout usage	1 1/2 tasse
45 ml	sucre cristallisé blanc	3 c. à soupe
15 ml	levure chimique	1 c. à soupe
7 ml	sel	1 1/2 c. à thé
15 ml	romarin frais, haché, ou 2 ml (1/2 c. à thé) de romarin séché	1 c. à soupe
375 ml	bière	1 1/2 tasse

Garniture

5 ml	huile d'olive	1 c. à thé
5 ml	romarin frais, haché, ou 1 ml (1/4 c. à thé) de romarin séché	1 c. à thé
1 ml	gros sel	1/4 c. à thé

1. Dans un grand bol, mélanger les farines, le sucre, la levure chimique, le sel et le romarin. Incorporer la bière et remuer jusqu'à la formation d'une pâte.

2. Mettre la pâte dans un moule à pain antiadhésif, d'une capacité de 1,5 l (6 tasses) (20 cm x 10 cm [8 po x 4 po]), légèrement huilé ou tapissé de papier sulfurisé.

3. Badigeonner le dessus du pain d'huile d'olive. Saupoudrer de romarin et de sel.

4. Cuire le pain dans un four préchauffé à 180 °C (350 °F) environ 80 minutes, ou jusqu'à ce qu'un thermomètre inséré au centre indique 88 °C (190 °F).

VALEUR NUTRITIONNELLE PAR TRANCHE	
Calories	98
Protéines	3 g
Matières grasses	1 g
Saturées	0 g
Cholestérol	0 mg
Glucides	21 g
Fibres	2 g
Sodium	296 mg
Potassium	67 mg

PAIN AUX CÉRÉALES RED RIVER

Les céréales Red River étaient les préférées de ma mère. Aussi, quand je prépare ce pain, je ne manque pas de penser à elle. Ces céréales sont en plus un produit canadien dont nous pouvons être fiers : elles sont délicieuses. Si vous ne trouvez pas de céréales Red River, remplacez-les par des flocons d'avoine ou par des céréales aux cinq grains.

Ce pain est très nourrissant et quelque peu costaud, alors, surtout, ne vous attendez pas à un goûter léger et moelleux !

Donne 2 pains

250 ml	céréales Red River	1 tasse
500 ml	eau bouillante	2 tasses
45 ml	miel	3 c. à soupe
15 ml	huile végétale	1 c. à soupe
5 ml	sel	1 c. à thé
15 ml	sucre cristallisé blanc	1 c. à soupe
125 ml	eau chaude	1/2 tasse
2	sachets de levure sèche, soit 25 ml (2 c. à soupe)	2
375 ml	farine de blé entier	1 1/2 tasse
750 ml	farine tout usage (ou davantage au besoin)	3 tasses
125 ml	son de blé	1/2 tasse

1. Mélanger les céréales, l'eau bouillante, le miel, l'huile et le sel. Laisser reposer 20 minutes, ou jusqu'à ce que le mélange soit tiède.

2. Dissoudre le sucre dans l'eau chaude et y saupoudrer la levure. Laisser reposer 10 minutes, ou jusqu'à ce que le mélange double de volume.

3. Dans un grand bol, mélanger la farine de blé entier, 375 ml (1 1/2 tasse) de farine tout usage et le son. Bien mélanger.

4. Remuer la levure avant de l'ajouter au mélange de céréales. Incorporer dans les ingrédients secs. Si la pâte est trop collante, ajouter un peu de farine tout usage jusqu'à ce que la pâte soit très molle sans trop adhérer aux doigts. Pétrir 10 minutes à la main sur une surface enfarinée, ou 5 minutes dans un mélangeur de pâte électrique, ou encore 1 minute dans le robot culinaire.

5. Déposer la pâte dans un bol huilé et la retourner de façon à l'enrober d'huile de toutes parts. Couvrir d'une pellicule plastique huilée et mettre à lever dans un endroit tiède-chaud. Laisser doubler de volume, ce qui prendra environ 1 1/2 heure.

6. Donner un coup au centre de la pâte pour l'abaisser, la diviser en deux et former deux pains. Mettre dans deux moules huilés de 2 l (8 tasses) (23 cm x 13 cm [9 po x 5 po]) et couvrir d'une pellicule transparente huilée. Laisser lever la pâte jusqu'à ce qu'elle double de volume, soit pendant 1 heure environ.

7. Cuire de 35 à 45 minutes dans un four préchauffé à 200 °C (400 °F), ou jusqu'à ce qu'un thermomètre inséré au centre du pain indique 88 °C (190 °F).

VALEUR NUTRITIONNELLE PAR TRANCHE (1/16 DE PAIN)	
Calories	93
Protéines	3 g
Matières grasses	1 g
Saturées	traces
Cholestérol	0 mg
Glucides	19 g
Fibres	2 g
Sodium	74 mg
Potassium	58 mg

PAIN IRLANDAIS AU CARVI

Ce pain rapide est parfait avec un repas ou comme collation. Pour varier, parfumez-le avec 5 ml (1 c. à thé) de romarin séché, de graines de cumin ou d'anis.

Donne 16 portions

375 ml	farine tout usage	1 1/2 tasse
250 ml	farine de blé entier	1 tasse
25 ml	sucre cristallisé blanc	2 c. à soupe
7 ml	levure chimique	1 1/2 c. à thé
2 ml	bicarbonate de soude	1/2 c. à thé
2 ml	sel	1/2 c. à thé
75 ml	raisins de Corinthe ou autres raisins secs	1/3 tasse
15 ml	graines de carvi	1 c. à soupe
1	œuf	1
300 ml	babeurre (page 436)	1 1/4 tasse
45 ml	huile végétale	3 c. à soupe

1. Dans un grand bol, mélanger les farines, le sucre, la levure chimique, le bicarbonate et le sel. Bien mélanger.

2. Incorporer les raisins et les graines de carvi dans le mélange de farines.

3. Dans un autre bol, mélanger l'œuf, le babeurre et l'huile. Verser les ingrédients liquides sur le mélange de farines et mélanger délicatement de façon à obtenir une pâte grossière.

4. Mettre la pâte dans un moule à charnière d'une capacité de 2,5 l (10 tasses) ou 23 cm (9 po) tapissé de papier sulfurisé. Cuire de 50 à 55 minutes dans un four préchauffé à 180 °C (350 °F), ou jusqu'à ce qu'un thermomètre inséré au centre indique 88 °C (190 °F).

VALEUR NUTRITIONNELLE PAR PORTION	
Calories	119
Protéines	4 g
Matières grasses	3 g
Saturées	traces
Cholestérol	14 mg
Glucides	19 g
Fibres	2 g
Sodium	157 mg
Potassium	108 mg

PAIN AUX GRAINS DE L'AFRIQUE DU SUD

Lors de ma visite au Cap, j'ai constaté que les grains étaient beaucoup utilisés en cuisine, notamment dans les pains et les salades. J'ai eu le bonheur de déguster ce délicieux pain aux grains. Après avoir tâtonné pour en trouver la recette, j'ai joint Phillippa Cheifitz, une chroniqueuse culinaire et auteure de livre de cuisine du Cap, et elle m'a transmis la recette de ce pain sensationnel.

Donne 1 gros pain

15 ml	sucre cristallisé blanc	1 c. à soupe
625 ml	eau chaude, divisée en deux portions	2 1/2 tasses
1	sachet de levure sèche, soit 15 ml (1 c. à soupe)	1
75 ml	mélasse	1/3 tasse
15 ml	huile végétale	1 c. à soupe
500 ml	farine de blé entier	2 tasses
250 ml	gros flocons d'avoine	1 tasse
125 ml	farine de seigle	1/2 tasse
125 ml	son de blé	1/2 tasse
50 ml	germe de blé	1/4 tasse
50 ml	graines de tournesol	1/4 tasse
50 ml	graines de sésame	1/4 tasse
50 ml	graines de pavot	1/4 tasse
50 ml	graines de lin, écrasées ou moulues, ou un mélange des deux	1/4 tasse
20 ml	sel casher, ou 15 ml (1 c. à soupe) de sel fin	4 c. à thé
45 ml	graines mélangées	3 c. à soupe

1. Dans une tasse à mesurer en verre d'une capacité de 500 ml (2 tasses), mélanger le sucre et 125 ml (1/2 tasse) d'eau chaude. Saupoudrer la levure et laisser reposer 10 minutes, ou jusqu'à ce que la levure double de volume.

2. Pendant ce temps, mélanger le reste de l'eau avec la mélasse et l'huile.

3. Dans un grand bol, mélanger la farine de blé entier, les flocons d'avoine, la farine de seigle, le son de blé, le germe de blé, les graines de tournesol, les graines de sésame, les graines de pavot, les graines de lin et le sel.

4. Lorsque la levure a levé, l'incorporer dans la préparation de mélasse. Verser ensuite la préparation de mélasse dans les ingrédients secs. Mélanger jusqu'à l'obtention d'une pâte assez liquide.

5. Verser la pâte dans un moule à pain beurré de 2,5 l (10 tasses) (23 cm x 13 cm [9 po x 5 po]) tapissé de papier sulfurisé. Déposer les graines mélangées sur le dessus et presser pour qu'elles pénètrent légèrement dans la pâte. Couvrir d'une pellicule plastique (ne pas couvrir trop serré) et laisser lever la pâte dans un endroit tiède pendant environ 1 heure, ou jusqu'à ce que la pâte atteigne le sommet du plat.

6. Cuire au four préchauffé à 180 °C (350 °F) pendant 1 heure. Démouler le pain sur une grille et le remettre dans le four fermé pendant 15 minutes.

VALEUR NUTRITIONNELLE PAR TRANCHE (1/8 DE PAIN)	
Calories	168
Protéines	6 g
Matières grasses	6 g
Saturées	1 g
Cholestérol	0 mg
Glucides	26 g
Fibres	5 g
Sodium	201 mg
Potassium	286 mg

Bonne source : thiamine ; acide folique ; fer

PETITS PAINS SUCRÉS À LA POMME DE TERRE

Les pommes de terre et leur eau de cuisson donnent un pain très moelleux et très tendre, à la fine saveur de levure. Cette recette a été mise au point par mon amie et collègue Linda Stephen, qui donne les cours de boulangerie à mon école. Pour obtenir un goût suave, ajoutez aux ingrédients secs 5 ml (1 c. à thé) de graines d'anis, de cumin, de carvi ou de fenouil.

Donne 18 petits pains

500 g	pommes de terre Yukon Gold ou à cuire au four, soit 2 grosses	1 lb
5 ml	sucre cristallisé blanc	1 c. à thé
2	sachets de levure sèche, soit 25 ml (2 c. à soupe)	2
10 ml	sel	2 c. à thé

25 ml	huile végétale	2 c. à soupe
50 ml	miel	1/4 tasse
2	œufs	2
500 ml	farine tout usage	2 tasses
500 ml	farine de blé entier	2 tasses

1. Peler les pommes de terre et les couper en gros morceaux. Les mettre dans une casserole et recouvrir d'eau. Porter à ébullition, réduire le feu et cuire jusqu'à ce qu'elles soient tendres.

2. Laisser égoutter les pommes de terre en réservant 250 ml (1 tasse) d'eau de cuisson. Réduire les pommes de terre en purée et réserver.

3. Dans un petit bol, dissoudre le sucre dans 125 ml (1/2 tasse) d'eau de cuisson des pommes de terre chaude. Saupoudrer de levure. Laisser reposer 10 minutes, ou jusqu'à ce que la levure double de volume.

4. Dans un grand bol, mélanger le sel et l'huile dans 125 ml (1/2 tasse) d'eau de cuisson chaude. Ajouter le miel, les œufs et la purée de pommes de terre. Remuer jusqu'à consistance homogène. Ajouter la levure.

5. Dans un autre bol, mélanger les deux farines. Ajouter 500 ml (2 tasses) de farine dans le liquide et bien mélanger. La pâte devrait être très collante. Ajouter le reste de la farine (et plus encore, au besoin) de manière à obtenir une pâte moite et non pas collante. Pétrir 10 minutes à la main sur une surface enfarinée, ou 5 minutes dans un mélangeur de pâte électrique, ou encore 1 minute dans le robot culinaire.

6. Déposer la pâte dans un bol légèrement huilé et la retourner afin de l'enrober d'huile de toutes parts. Couvrir d'une pellicule de plastique huilée. Mettre dans un endroit chaud pendant 1 heure, ou jusqu'à ce que la pâte double de volume.

7. Donner un coup au centre de la pâte pour l'abaisser. Diviser en 18 parts et rouler chacune en boule. Mettre la moitié des boules dans un moule à charnière de 23 cm (9 po), ou dans un plat de cuisson rond, légèrement huilé. Déposer les autres boules en un second étage. Couvrir avec ampleur d'une pellicule de plastique et laisser lever la pâte de 40 à 60 minutes, ou jusqu'à ce qu'elle double de volume.

8. Cuire dans un four préchauffé à 200 °C (400 °F), de 25 à 30 minutes, ou jusqu'à ce qu'un thermomètre inséré au centre du pain indique 88 °C (190 °F). Retirer les deux étages de pains du moule et laisser refroidir sur des grilles. Pour servir, séparer les neuf pains de chaque étage.

VALEUR NUTRITIONNELLE PAR PAIN	
Calories	153
Protéines	5 g
Matières grasses	3 g
Saturées	traces
Cholestérol	21 mg
Glucides	29 g
Fibres	3 g
Sodium	269 mg
Potassium	171 mg

L'UTILISATION DE LA LEVURE

La levure est un organisme vivant, et c'est ce qui explique sans doute pourquoi bien des gens craignent de s'en servir (ne risque-t-on pas de la tuer ? !). Toutefois, son emploi est facile. Il suffit de se rappeler que la levure prospère dans une douce chaleur. L'eau dans laquelle on la dissout et l'endroit où on la laisse mousser ne devraient être ni trop froids ni trop chauds.

La levure se présente sous plusieurs formes : sèche, en tablette et à dissolution rapide ou ordinaire. Un sachet de levure correspond tout juste à une cuillerée à table et suffit pour environ 1,25 l (5 tasses) de farine dans une recette de pain. Je préfère la levure en tablette (fraîche), car elle lève un peu plus vite et a meilleur goût. J'en achète alors une bonne quantité que je congèle. Toutefois, elle est parfois un peu difficile à trouver et elle est très périssable. Enfin, dissolvez-la toujours dans l'eau chaude avant usage.

Je teste toujours ma levure en la dissolvant dans un peu d'eau chaude sucrée, pour voir si elle est encore active. Cette eau devrait être à une température se situant entre 43 °C et 50 °C (110 °F et 120 °F). Si la levure ne produit pas de mousse, c'est qu'elle est inactive ou que l'eau est trop chaude. N'utilisez pas de levure inactive : si elle ne lève pas dans l'eau, elle ne lèvera pas dans le pain non plus.

CHALLAH DE BLÉ ENTIER AU MIEL ET AUX RAISINS SECS

Ma grand-mère, Jenny Soltz, avait l'art de faire d'excellents pains. Elle avait 11 enfants et très peu d'argent. Elle présentait ses challahs dans les concours locaux de pâtisseries et gagnait toujours suffisamment de farine pour nourrir sa famille durant l'hiver. Elle avait l'habitude de tresser ses pains et de les cuire par deux dans un grand moule carré. Le pain levait et atteignait le bord du moule, ce qui donnait un pain aussi joli que délicieux.

Pour les Juifs, le challah est un pain réservé aux grandes occasions, et il est servi chaque semaine à l'occasion du sabbat. Cette variante légèrement épicée remplit la maison d'un arôme enivrant, mais si vous désirez un challah nature, omettez les épices.

Donne 1 gros pain

250 ml	eau chaude	1 tasse
15 ml	sucre cristallisé blanc	1 c. à soupe
1	sachet de levure sèche, soit 15 ml (1 c. à soupe)	1
1	œuf	1
50 ml	miel	1/4 tasse

25 ml	huile végétale	2 c. à soupe
5 ml	sel	1 c. à thé
500 ml	farine de blé entier	2 tasses
250 ml	farine tout usage	1 tasse
2 ml	cannelle moulue	1/2 c. à thé
	une pincée de muscade moulue	
	une pincée de clous de girofle moulus	
	une pincée de gingembre moulu	
50 ml	raisins secs (facultatif)	1/4 tasse

Glaçure

25 ml	œuf battu	2 c. à soupe
	une pincée de sel	
15 ml	graines de sésame	1 c. à soupe

1. Dans un grand bol, mélanger l'eau chaude et le sucre. Saupoudrer la levure sur l'eau et laisser reposer 10 minutes. Le mélange devrait mousser et doubler de volume.

2. Entre-temps, dans un autre bol, mélanger l'œuf, le miel, l'huile et le sel.

3. Dans un grand bol, bien mélanger la farine de blé entier, 125 ml (1/2 tasse) de farine tout usage, la cannelle, la muscade, le clou de girofle et le gingembre.

4. Lorsque la solution de levure a doublé de volume, la remuer et l'ajouter au mélange à base d'œuf. Ajouter à la farine et mélanger jusqu'à la formation d'une pâte collante. Ajouter la farine tout usage jusqu'à ce que la pâte prenne la forme d'une boule et puisse être pétrie (ajouter davantage de farine au besoin). Pétrir 10 minutes à la main sur une surface enfarinée, ou 5 minutes dans un mélangeur de pâte électrique, ou encore 1 minute dans le robot culinaire.

5. Déposer la pâte dans un bol huilé, couvrir d'une pellicule transparente huilée et mettre à lever dans un endroit chaud. Laisser doubler de volume, ce qui prendra environ 1 heure. Donner un coup au centre de la pâte pour l'abaisser et y incorporer les raisins secs en pétrissant.

6. Pour tresser la pâte, la couper en trois parts égales. Rouler chaque morceau de pâte de façon à former un cordon de 30 cm (12 po) de longueur. Pincer ensemble une extrémité des trois cordons de pâte et les tresser. Déposer le pain tressé dans un moule à pain carré (pour obtenir un pain à sandwich) ou sur une plaque à pâtisserie, préalablement huilés ou tapissés de papier sulfurisé.

VALEUR NUTRITIONNELLE PAR TRANCHE (1/16 DE PAIN)	
Calories	126
Protéines	4 g
Matières grasses	3 g
Saturées	traces
Cholestérol	22 mg
Glucides	22 g
Fibres	2 g
Sodium	152 mg
Potassium	91 mg

LES ÉPICES

Les épices sont les graines, l'écorce et les racines de certaines plantes. Lorsque vous utilisez une épice pour la première fois, allez-y avec parcimonie, au cas où vous n'aimeriez pas son goût. Il existe des combinaisons classiques comme la muscade avec les épinards, ou la cannelle avec les pommes. Suivez votre instinct et essayez vos propres combinaisons. Les épices parfument les plats et permettent ainsi de réduire leur teneur en gras et en sodium.

Les épices moulues perdent rapidement leur saveur (dans l'année qui suit leur mouture), il est donc préférable de les acheter en petites quantités, ou de les acheter entières et de les moudre au fur et à mesure avec un pilon et un mortier ou dans un moulin à épices ou à café.

Conservez les épices dans un lieu frais et sec.

---

7. Couvrir la pâte avec ampleur d'une pellicule de plastique huilée et laisser lever la pâte dans un endroit tiède pendant environ 45 minutes, ou jusqu'à ce qu'elle double de volume.

8. Pour préparer la glaçure, mélanger l'œuf et une pincée de sel. Badigeonner légèrement le pain de ce mélange. Saupoudrer de graines de sésame.

9. Cuire 25 minutes dans un four préchauffé à 180 °C (350 °F). Réduire la température à 160 °C (325 °F) et poursuivre la cuisson encore 25 minutes, ou jusqu'à ce qu'un thermomètre inséré au centre du pain indique 88 °C (190 °F).

PAIN MULTIGRAIN AU YOGOURT

Si vous aimez les pains qui sortent de l'ordinaire, essayez celui-ci. J'adore vraiment le goût très subtil et l'arôme de réglisse de l'anis. Ce pain fait de bonnes rôties et se prête aussi très bien à la cuisson de pains à hot-dogs ou à hamburgers (cuire au four de 25 à 35 minutes).

Donne 2 pains

125 ml	gros flocons d'avoine	1/2 tasse
125 ml	farine de maïs	1/2 tasse
375 ml	eau bouillante	1 1/2 tasse
50 ml	miel ou cassonade	1/4 tasse
7 ml	sel	1 1/2 c. à thé
15 ml	huile végétale	1 c. à soupe
2 ml	graines d'anis entières, ou moulues (facultatif)	1/2 c. à thé

10 ml	sucre cristallisé blanc	2 c. à thé
125 ml	eau chaude	1/2 tasse
2	sachets de levure sèche, soit 25 ml (2 c. à soupe)	2
500 ml	farine de blé entier	2 tasses
500 ml	farine tout usage	2 tasses
125 ml	son de blé	1/2 tasse
125 ml	son d'avoine	1/2 tasse
250 ml	yogourt nature faible en gras	1 tasse

Glaçure

| 25 ml | œuf battu | 2 c. à soupe |
| 1 ml | sel | 1/4 c. à thé |

1. Dans un grand bol, mélanger les flocons d'avoine et la farine de maïs. Y incorporer l'eau bouillante, le miel, l'huile, le sel et l'anis. Remuer afin de diluer le miel et de dissoudre le sel. Laisser la préparation refroidir 20 minutes, ou jusqu'à ce qu'elle soit tiède.

2. Dissoudre le sucre dans l'eau chaude. Saupoudrer la levure à la surface. Laisser reposer 10 minutes, ou jusqu'à ce que le volume double et que le mélange commence à mousser.

3. Dans un autre bol, mélanger la farine de blé entier, 250 ml (1 tasse) de farine tout usage, le son de blé et le son d'avoine.

4. Lorsque la solution de levure est prête, la remuer et la verser dans le mélange de flocons d'avoine. Incorporer le yogourt et les ingrédients secs. Ajouter davantage de farine tout usage au besoin, afin d'obtenir une pâte molle et souple, qui ne colle pas aux doigts.

5. Pétrir la pâte 10 minutes à la main, sur une surface enfarinée, ou 5 minutes dans un mélangeur de pâte électrique, ou encore 1 minute dans le robot culinaire.

6. Mettre la pâte dans un bol huilé et la retourner afin de l'enrober d'huile de toutes parts. Couvrir d'une pellicule plastique huilée et laisser lever dans un endroit chaud pendant 60 à 90 minutes, ou jusqu'à ce que la pâte double de volume.

7. Donner un coup au centre de la pâte pour l'abaisser et la diviser en deux. La former de façon qu'elle puisse entrer dans deux moules à pain d'une capacité de 2 l (8 tasses) (23 cm x 13 cm [9 po x 5 po]). Huiler les moules ou les tapisser de papier sulfurisé. Y mettre la pâte. Couvrir d'une pellicule transparente huilée et laisser lever de 45 à 60 minutes, ou jusqu'à ce que la pâte double de volume.

LE SON

Le son de blé (fibres insolubles) favorise la régularité intestinale, alors que le son d'avoine (fibres solubles) aide à normaliser les taux sanguins de sucre et de cholestérol. Vous pouvez toujours ajouter un peu de son de blé aux pains et aux muffins, car il n'absorbe pas beaucoup de liquide. Si vous avez l'intention d'inclure du son d'avoine à une recette, réduisez la proportion des autres ingrédients secs (par exemple, la farine).

J'utilise du son de blé naturel dans mes muffins, mais des céréales du déjeuner à base de son peuvent aussi faire l'affaire.

VALEUR NUTRITIONNELLE PAR TRANCHE (1/16 DE PAIN)

Calories	93
Protéines	3 g
Matières grasses	1 g
Saturées	traces
Cholestérol	5 mg
Glucides	19 g
Fibres	2 g
Sodium	134 mg
Potassium	97 mg

8. Mélanger l'œuf et le sel et badigeonner les pains de ce mélange. Cuire de 45 à 55 minutes dans un four préchauffé à 200 °C (400 °F), ou jusqu'à ce qu'un thermomètre inséré au centre du pain indique 88 °C (190 °F). Retirer les pains immédiatement et laisser refroidir sur des grilles.

PAIN AU MIEL

Ce pain est semblable au challah, mais il contient moins d'œufs, moins de beurre et moins d'huile. On peut utiliser ce pain pour faire du pain doré, préparer un pouding au pain ou des sandwiches.

Donne 1 gros pain

250 ml	eau chaude	1 tasse
15 ml	sucre cristallisé blanc	1 c. à soupe
1	sachet de levure sèche, soit 25 ml (1 c. à soupe)	1
1	œuf	1
50 ml	miel	1/4 tasse
50 ml	huile végétale	1/4 tasse
5 ml	sel	1 c. à thé
500 ml	farine de blé entier	2 tasses
500 ml	farine tout usage	2 tasses
125 ml	raisins secs (facultatif)	1/2 tasse

Glaçure

1	blanc d'œuf	1
1 ml	sel	1/4 c. à thé
15 ml	graines de sésame	1 c. à soupe

1. Dans un petit bol, dissoudre le sucre dans l'eau chaude. Y saupoudrer la levure et laisser reposer au moins 10 minutes. Le mélange devrait mousser et doubler de volume.

2. Pendant ce temps, dans un autre bol, mélanger les œufs, le miel, l'huile et le sel.

3. Dans un grand bol, mélanger la farine de blé entier et 250 ml (1 tasse) de farine tout usage.

4. Lorsque la levure a doublé de volume, la remuer et l'incorporer au mélange à base d'œufs. Ajouter ce nouveau mélange aux farines et bien mélanger à la main, au robot culinaire ou dans un mélangeur robuste. La pâte devrait être très collante. Ajouter de la farine jusqu'à ce que la pâte prenne la forme d'une boule et qu'elle soit pétrissable. Pétrir la pâte de 5 à 10 minutes à la main sur une surface enfarinée,

ou de 3 à 5 minutes dans un mélangeur de pâte électrique, ou encore 1 minute dans le robot culinaire.

5. Déposer la pâte dans un bol huilé et la tourner pour l'enduire entièrement d'huile. Couvrir d'une pellicule de plastique huilée et laisser lever de 60 à 90 minutes dans un endroit chaud. La pâte devrait doubler de volume.

6. Donner un coup au centre de la pâte pour l'abaisser et y incorporer les raisins en pétrissant. Abaisser la pâte, la plier en trois et la rouler bien serrée. (Ou diviser la pâte en trois parts égales, rouler ensuite en cordon, puis tresser.) Déposer le pain dans un moule à pain de 2 l (8 tasses) (23 cm x 13 cm [9 po x 5 po]) tapissé de papier sulfurisé. Couvrir avec ampleur d'une pellicule plastique huilée et laisser lever pendant 1 heure.

VALEUR NUTRITIONNELLE PAR TRANCHE (1/18 DE PAIN)	
Calories	146
Protéines	4 g
Matières grasses	4 g
Saturées	traces
Cholestérol	10 mg
Glucides	25 g
Fibres	2 g
Sodium	171 mg
Potassium	86 mg

LES BEURRES DE FRUITS

Utilisez ces tartinades sans matières grasses comme telles, ou avec du fromage de yogourt (page 420), sur des rôties ou des bagels.

Beurre de pommes

Peler six grosses pommes, en retirer le cœur et les couper en morceaux. (Si vous avez un moulin à légumes, faites-les cuire avec la pelure et le cœur, puis moulinez-les entières une fois cuites.) Les faire cuire et les réduire en purée dans un mélangeur ou un robot culinaire.

Dans une grande casserole ou dans un faitout, mélanger les pommes avec 125 g (1/4 lb) de pommes séchées en tranches (environ 375 ml [1 1/2 tasse]), 500 ml (2 tasses) de jus de pomme, 15 ml (1 c. à soupe) de cannelle, 1 ml (1/4 c. à thé) de piment de la Jamaïque, et 1 ml (1/4 c. à thé) de clous de girofle moulus. Porter à ébullition, réduire le feu, couvrir et laisser mijoter 20 minutes, ou jusqu'à épaississement de la préparation. Découvrir et cuire jusqu'à ce que le mélange soit très épais. Réduire en purée.

Donne environ 500 ml (2 tasses).

Beurre de poires

Peler et enlever le trognon de 8 grosses poires, puis les couper en morceaux. (Si vous avez un moulin à légumes, faites-les cuire avec la pelure et le cœur, puis moulinez-les entières une fois cuites.)

Dans une casserole, mélanger la chair des poires avec 125 ml (1/2 tasse) de jus de poire et 1 ml (1/4 c. à thé) de muscade ou de cannelle. Porter à ébullition, réduire le feu, couvrir et laisser mijoter 20 minutes, ou jusqu'à épaississement de la préparation. Découvrir et cuire jusqu'à ce que le mélange soit très épais. Réduire en purée.

Donne environ 375 ml (1 1/2 tasse).

7. Pour préparer la glaçure, mélanger les œufs et le sel et badigeonner le pain de ce mélange. Saupoudrer les graines de sésame sur le pain. Cuire dans un four préchauffer à 180 °C (350 °F) pendant 25 minutes. Réduire la température à 160 °C (325 °F), puis poursuivre la cuisson encore 25 minutes, ou jusqu'à ce qu'un thermomètre inséré au centre du pain indique 88 °C (190 °F).

ROULÉS AU MUESLI

J'adore les petits pains au muesli qu'on trouve dans les pâtisseries européennes. En plus d'être délicieux, ils sont composés d'ingrédients sains. Voici ma version de ces pains. Vous pouvez également les cuire en miche.

Donne 16 roulés

5 ml	sucre cristallisé blanc	1 c. à thé
425 ml	eau chaude, divisée en deux portions	1 3/4 tasse
1	sachet de levure sèche, soit 15 ml (1 c. à soupe)	1
375 ml	farine de blé entier	1 1/2 tasse
375 ml	farine tout usage	1 1/2 tasse
5 ml	sel	1 c. à thé
50 ml	miel	1/4 tasse
25 ml	huile végétale	2 c. à soupe
125 ml	raisins secs	1/2 tasse
125 ml	gros flocons d'avoine	1/2 tasse
75 ml	noisettes ou pacanes, hachées	1/3 tasse
75 ml	graines de tournesol	1/3 tasse
15 ml	graines de sésame	1 c. à soupe
5 ml	graines de carvi	1 c. à thé

Glaçure

15 ml	miel	1 c. à soupe
15 ml	eau chaude	1 c. à soupe
15 ml	flocons d'avoine	1 c. à soupe

1. Dissoudre le sucre dans 125 ml (1/2 tasse) d'eau chaude. Saupoudrer de levure. Laisser reposer 10 minutes, ou jusqu'à ce que la levure double de volume.

2. Entre-temps, mélanger dans un bol la farine de blé entier, 175 ml (3/4 tasse) de farine tout usage et le sel.

3. Dans un grand bol, mélanger le reste de l'eau chaude, le miel et l'huile.

4. Remuer la solution de levure et la mélanger à l'eau contenant le miel. Y incorporer le mélange de farines et ajouter de la farine tout usage jusqu'à l'obtention d'une pâte très molle. Pétrir 10 minutes à la main sur une surface enfarinée, ou 5 minutes dans un mélangeur de pâte électrique, ou encore 1 minute dans le robot culinaire.

5. Incorporer les raisins, les flocons d'avoine, les noisettes, les graines de tournesol, de sésame et de carvi. Ajouter davantage de farine au besoin. La pâte devrait être molle, sans être collante.

6. Déposer la pâte dans un grand bol huilé et la retourner pour bien l'enrober d'huile de toutes parts. Couvrir avec ampleur d'une pellicule plastique. Laisser lever dans un endroit chaud pendant 1 heure, ou jusqu'à ce que la pâte double de volume.

7. Donner un coup au centre de la pâte pour l'abaisser et la diviser en deux portions. Étirer la pâte de manière à pouvoir rouler chaque moitié en une bûchette d'environ 5 cm (2 po) de diamètre. Couper les bûchettes en tronçons de 7,5 cm (3 po). Les mettre sur une plaque à pâtisserie tapissée de papier sulfurisé. Couvrir légèrement d'une pellicule transparente huilée et laisser lever jusqu'à ce que la pâte double de volume, soit environ 45 minutes.

8. Pour préparer la glaçure, mélanger le miel et l'eau chaude et badigeonner légèrement les roulés de ce mélange. Disperser les flocons d'avoine sur le dessus. Cuire de 20 à 25 minutes dans un four chauffé à 180 °C (350 °F), ou jusqu'à ce qu'un thermomètre inséré au centre d'un roulé indique 88 °C (190 °F).

VALEUR NUTRITIONNELLE PAR SPIRALE	
Calories	179
Protéines	5 g
Matières grasses	6 g
Saturées	1 g
Cholestérol	0 mg
Glucides	30 g
Fibres	3 g
Sodium	150 mg
Potassium	161 mg

Bonne source : acide folique

LA PRÉPARATION DU PAIN

Deux conseils de panification ont grandement amélioré la qualité de mon pain. Retenez d'abord qu'il n'est pas toujours nécessaire d'ajouter toute la farine demandée et ensuite, utilisez un thermomètre pour être certain de sortir le pain du four au bon moment. Je sais par expérience que les bons vieux conseils ne fonctionnent pas, comme taper le pain pour voir s'il sonne creux – certains pains sonnent toujours creux, alors que d'autres sonnent toujours pleins. Je l'ai appris à la dure, alors que je préparais un grand challah pour Rosh Hashanah, le jour de l'An juif. Il a été servi alors que son centre n'était pas cuit... La plupart de mes invités ont été déçus. J'ai alors demandé conseil à mon ami Mitchell Davis, qui m'a recommandé d'utiliser un thermomètre. Le pain est prêt lorsque la température au centre du pain est de 88 °C (190 °F).

CUISINER
AU GOÛT
DU CŒUR

LES DESSERTS

PALACSINTA AU CITRON

Les palacsintas au citron sont des crêpes hongroises. Garnies de citron, elles sont délicieuses au petit-déjeuner, au dessert ou à l'heure du brunch. Pour varier, essayez-les avec de la confiture ou du jambon.

J'aime faire des crêpes très fines comme ma mère les faisait. Je verse et j'étends 125 ml (1/2 tasse) de pâte dans la poêle, puis je verse immédiatement l'excédent (autrement dit la pâte qui n'a pas adhéré à la poêle) dans le bol de pâte afin d'obtenir une crêpe très fine. J'utilise cette méthode héritée de ma mère, mais vous pourriez tout aussi bien mettre moins de pâte.

Il est possible de préparer les crêpes à l'avance et de les mettre à congeler. Empilez-les en les séparant d'une feuille de papier ciré, ainsi vous pourrez en décongeler une ou deux à la fois et remettre la pile au congélateur.

Si vous n'avez pas de poêle à crêpe, utilisez tout simplement une petite poêle antiadhésive.

Donne 6 portions

Crêpes

3	œufs	3
175 ml	farine tout usage	3/4 tasse
175 ml	lait	3/4 tasse
15 ml	sucre cristallisé blanc	1 c. à soupe
15 ml	huile végétale	1 c. à soupe

Garniture

75 ml	sucre cristallisé blanc	1/3 tasse
75 ml	jus de citron	1/3 tasse
25 ml	Limoncello ou liqueur d'orange	2 c. à soupe
25 ml	sucre à glacer, tamisé	2 c. à soupe

1. Pour préparer les crêpes, battre les œufs, incorporer la farine, puis le lait. Incorporer le sucre en battant. Si vous avez le temps, couvrir et laisser reposer la pâte au moins 1 heure au réfrigérateur.

2. Faire chauffer l'huile à feu moyen dans une poêle antiadhésive de 20 cm (8 po) de diamètre. Verser l'excédent d'huile dans la pâte et mélanger. Remettre la poêle sur le feu.

3. Verser 50 à 75 ml (1/4 à 1/3 tasse) de pâte dans la poêle. Faire des mouvements d'ondulation avec la poêle afin de bien étendre la pâte jusqu'au bord. Cuire quelques minutes, ou jusqu'à ce que le côté en contact avec la poêle soit doré. Retourner la crêpe et cuire environ

VALEUR NUTRITIONNELLE PAR PORTION	
Calories	190
Protéines	6 g
Matières grasses	5 g
Saturées	1 g
Cholestérol	94 mg
Glucides	30 g
Fibres	1 g
Sodium	46 mg
Potassium	112 mg
Bonne source :	
vitamine B12 ;	
acide folique	

30 secondes. (Le deuxième côté n'est jamais aussi joli que le premier.) Répéter l'opération jusqu'à ce qu'il ne reste plus de pâte. Vous devriez obtenir de 6 à 8 crêpes.

4. Déposer les crêpes sur leur plus beau côté (le premier). Les saupoudrer de sucre cristallisé et les arroser de jus de citron. Les rouler ou les plier en quatre. Pour les servir à la température ambiante : les arroser de liqueur (facultatif) et saupoudrer de sucre à glacer. Pour les servir chaudes, les déposer sur une plaque à pâtisserie tapissée de papier sulfurisé et les mettre à réchauffer au four à 180 °C (350 °F) pendant 10 minutes. Les arroser d'un peu de liqueur et les faire flamber (page 281) (facultatif). Les saupoudrer d'un peu de sucre à glacer avant de servir.

ORANGES À LA MAROCAINE

Un plat d'agrumes et de fruits séchés qui fait un excellent dessert après un repas copieux. Coupez les oranges et les pamplemousses en tranches ou divisez-les en quartiers.

L'eau de fleur d'oranger est vendue dans les épiceries fines et les épiceries arabes. Elle est très parfumée et s'utilise en petites quantités.

Donne 8 portions

4	grosses oranges, d'environ 375 g (3/4 lb) chacune	4
2	pamplemousses roses, d'environ 375 g (3/4 lb) chacun	2
	quelques gouttes d'eau de fleur d'oranger (facultatif)	
3	dattes séchées, dénoyautées et tranchées	3
3	figues séchées, tranchées	3
3	abricots séchés, tranchés	3
25 ml	pistaches, hachées	2 c. à soupe

1. Couper le dessus et le fond des oranges et des pamplemousses, afin de les poser à plat sur une planche à découper. Les peler à vif (retrancher la pelure et la peau blanche) au couteau (du haut vers le bas). Couper les oranges en tranches et les déposer dans un plat de service. En tenant les pamplemousses au-dessus d'un bol pour récupérer le jus, lever les suprêmes entre les membranes et les déposer sur les oranges. Presser le jus qui reste dans les membranes au-dessus d'un bol (vous devriez en obtenir environ 125 ml (1/2 tasse).

2. Verser l'eau de fleur d'oranger dans le bol de jus et en arroser les fruits.

3. Garnir le plat avec les dattes, les figues et les abricots. Saupoudrer de pistaches.

ANANAS FRAIS FLAMBÉ

La meilleure méthode pour faire flamber un plat est d'allumer l'alcool au moment même où il commence à s'évaporer. Utilisez une allumette très longue (celle que l'on utilise pour allumer un feu de foyer) et tenez-la près de la poêle, juste après avoir verser l'alcool. Moins il y aura de liquide dans la poêle, plus la poêle sera chaude et plus l'alcool s'évaporera rapidement et s'enflammera. Soyez très prudent et reculez-vous. Si l'alcool ne s'enflamme pas, votre ananas n'en sera pas moins délicieux, c'est pourquoi il est inutile de vous obstiner si vous ne parvenez pas à le flamber.

Servez-le avec un sorbet à la mangue.

Donne 8 portions

1	ananas frais, pelé, sans le cœur et coupé en 8 tranches	1
15 ml	margarine molle non hydrogénée, ou beurre non salé	1 c. à soupe
125 ml	cassonade	1/2 tasse
50 ml	jus d'ananas ou d'orange	1/4 tasse
25 ml	Kahlua (liqueur de café), ou café fort	2 c. à soupe
25 ml	rhum brun, ou liqueur d'orange	2 c. à soupe

1. Déposer les tranches d'ananas sur des essuie-tout pour les assécher.

2. Faire fondre la margarine à feu moyen-vif dans une grande poêle antiadhésive. Ajouter les tranches d'ananas et les cuire de 1 à 2 minutes de chaque côté, ou jusqu'à ce qu'elles soient légèrement dorées.

3. Saupoudrer la cassonade sur les ananas et la laisser fondre. Ajouter le jus d'ananas et le Kahlua, puis porter à ébullition. Cuire 2 minutes.

4. Ajouter le rhum et flamber, en gardant vos distances (pour plus d'information sur l'art de flamber les plats, reportez-vous à la page 281).

VALEUR NUTRITIONNELLE PAR PORTION	
Calories	115
Protéines	traces
Matières grasses	1 g
Saturées	traces
Cholestérol	0 mg
Glucides	24 g
Fibres	1 g
Sodium	25 mg
Potassium	116 mg

BANANES FLAMBÉES

Il existe plusieurs variantes de ce dessert, mais je préfère de loin celle qui comprend de la cannelle, de la muscade et du piment de la Jamaïque. Je la sers souvent lorsque des gens arrivent à l'improviste, car j'ai toujours les ingrédients requis à portée de la main. Pour un dessert plus étoffé, servez les bananes flambées avec du yogourt glacé à la vanille ou avec du fromage de yogourt crémeux sucré (page 420) ou du yogourt ferme. Si vous pouvez trouver des bananes naines, laissez-les entières ; elles produiront un effet très esthétique.

Donne de 6 à 8 portions

125 ml	cassonade	1/2 tasse
75 ml	jus d'ananas	1/3 tasse
2 ml	cannelle moulue	1/2 c. à thé
1 ml	muscade moulue	1/4 c. à thé
1 ml	piment de la Jamaïque	1/4 c. à thé
8	bananes	8
50 ml	rhum brun	1/4 tasse

VALEUR NUTRITIONNELLE PAR PORTION

Calories	234
Protéines	2 g
Matières grasses	1 g
Saturées	traces
Cholestérol	0 mg
Glucides	56 g
Fibres	3 g
Sodium	7 mg
Potassium	689 mg

Excellente source : **vitamine B6**

1. Dans une grande poêle antiadhésive, mettre la cassonade, le jus d'ananas, la cannelle, la muscade et le piment de la Jamaïque. Bien mélanger et chauffer à feu moyen-vif jusqu'à ce que le mélange bouille et soit homogène.
2. Peler les bananes et les couper en deux ou en quatre, dans le sens de la longueur. Les mettre dans la poêle contenant le mélange de sucre. Cuire environ 3 minutes, jusqu'à ce que les bananes soient bien chaudes.
3. Verser le rhum. Lorsque le mélange commence à grésiller, le flamber (page 281). Si le mélange ne s'enflamme pas, ne pas s'inquiéter ; la saveur n'en sera pas altérée.

CROQUANT AUX POIRES

Si vous aimez la croustade aux pommes, vous aimerez sans doute ce dessert exquis qui se fait en un tournemain.

J'utilise des poires Bosc ou Bartlett. Je les achète quelques jours à l'avance afin qu'elles soient à point. Si vous n'avez pas de poires sous la main, utilisez des pommes.

Donne 6 portions

4	poires, pelées, sans le cœur, et coupées en morceaux	4
175 ml	farine tout usage	3/4 tasse
125 ml	cassonade	1/2 tasse
75 ml	margarine molle non hydrogénée, ou beurre non salé, froids	1/3 tasse
15 ml	sucre en gros cristaux	1 c. à soupe

1. Étendre les morceaux de poire dans un plat allant au four de 2 à 2,5 l (8 à 10 tasses) ou de ,20 cm ou 23 cm (8 po ou 9 po) légèrement huilé.
2. Dans un grand bol ou au robot culinaire, mélanger la farine et la cassonade. Couper la margarine dans le mélange jusqu'à ce qu'elle soit réduite en petits morceaux.
3. Verser la préparation sur les poires. Saupoudrer de gros cristaux de sucre. Cuire au four préchauffé à 180 °C (350 °F) de 50 à 60 minutes, ou jusqu'à ce que le dessus soit croustillant et que les poires soient très tendres.

VALEUR NUTRITIONNELLE PAR PORTION	
Calories	278
Protéines	2 g
Matières grasses	11 g
Saturées	1 g
Cholestérol	0 mg
Glucides	46 g
Fibres	3 g
Sodium	144 mg
Potassium	210 mg

SALADE DE FRUITS À LA FAÇON MARGARITA

Pour une version alcoolisée de cette délicieuse salade de fruits, remplacez le soda au gingembre par de la tequila, et le jus d'orange par de la liqueur d'orange. Vous pouvez aussi utiliser d'autres fruits, comme des framboises ou des bleuets.

Réduits en purée, les restes donnent une excellente boisson !

Donne de 8 à 10 portions

3	oranges	3
1 l	fraises	4 tasses
2	kiwis	2
1	petit ananas	1
1	mangue mûre	1
75 ml	concentré de jus de lime, ou mélange pour margarita sans alcool	1/3 tasse
75 ml	jus d'orange	1/3 tasse
75 ml	soda au gingembre	1/3 tasse

1. Enlever au couteau le sommet et la base de chaque orange. Poser une orange à la fois sur une planche à découper et retrancher la pelure

VALEUR NUTRITIONNELLE PAR PORTION	
Calories	126
Protéines	2 g
Matières grasses	1 g
Saturées	traces
Cholestérol	0 mg
Glucides	32 g
Fibres	4 g
Sodium	3 mg
Potassium	392 mg
Excellente source : vitamine C	
Bonne source : acide folique	

> **LA CUISINE AU VIN ET AUX LIQUEURS**
>
> Le vin et les liqueurs peuvent rehausser la saveur des plats. J'ai toujours sous la main du cognac, du brandy, du rhum brun ou de la liqueur d'orange. Lorsque la recette exige une liqueur de fruit (framboise, melon, etc.), il est généralement possible de la remplacer par de la liqueur d'orange.
>
> Le brandy, le cognac, le rhum et les liqueurs n'ont pas besoin d'être réfrigérés après l'ouverture, mais les vins s'oxyderont rapidement une fois ouverts. Conservez les bouteilles entamées au réfrigérateur et utilisez-les dans les deux jours. Si vous prévoyez utiliser le vin uniquement pour la cuisson, versez une cuillerée ou deux d'huile d'olive dans la bouteille. L'huile, qui flottera à la surface du vin, empêchera l'air d'y pénétrer (le vin ainsi traité peut se conserver un mois ou deux).
>
> Lorsque vous choisissez un vin pour cuisiner, optez toujours pour un vin sec, à moins d'indication contraire.

et la peau blanche du fruit, du sommet à la base, de manière à exposer les quartiers à vif. En travaillant au-dessus d'un grand bol pour récupérer les jus, détacher les quartiers des membranes.

2. Équeuter les fraises et les couper en 2 ou en 4, selon leur taille. Peler les kiwis et les couper en 6 ou 8 morceaux. Couper l'ananas en morceaux. Peler la mangue et la couper en morceaux. Mélanger tous les fruits ensemble.

3. Mélanger le concentré de jus de lime, le jus d'orange et le soda au gingembre dans un petit bol. Verser sur les fruits et remuer. Laisser mariner pendant 1 heure à la température ambiante, ou plus longtemps au réfrigérateur.

FRAISES ENROBÉES DE CHOCOLAT

Ces fraises semblent plus riches en gras qu'elles ne le sont. Elles sont recouvertes d'une très fine couche de chocolat, ce qui en fait une gâterie tout à fait acceptable, même dans l'optique Cœur atout[MC]. Voici quelques conseils pour leur préparation.

- Utilisez des fraises très fraîches et du chocolat de première qualité. Pour ma part, j'utilise du chocolat européen. Lorsqu'un plat ne contient que deux ingrédients, il vaut mieux qu'ils soient d'excellente qualité.
- Asséchez bien les fraises dans un essuie-tout ou un linge avant de les tremper dans le chocolat.
- Si les queues des fraises sont bien conservées, laissez-les en place et servez-vous-en pour tenir les fruits au moment du

trempage. Si elles ne sont pas belles, équeutez les fruits. Trempez le bout large des fraises dans le chocolat, en les tenant par l'extrémité pointue.

- Le chocolat haché fond de façon plus uniforme que le chocolat en gros morceaux.

- Versez le chocolat fondu dans un contenant plus profond que large pour faciliter le trempage. Vous aurez possiblement plus de chocolat qu'il ne vous en faudra, mais vous pourrez le faire fondre de nouveau ou l'utilisez dans sa forme solide. Et puis, je ne crois pas qu'il y ait matière à s'inquiéter avec les « restes » de chocolat !

- Assurez-vous que vos ustensiles et vos bols sont parfaitement secs quand vous manipulez ou faites fondre du chocolat ; la moindre trace d'eau peut faire prendre le chocolat, le rendre mat et dur.

- Ne succombez pas à la tentation d'ajouter au chocolat une liqueur ou tout autre aromatisant liquide, vous provoqueriez la solidification du chocolat (les chocolatiers professionnels utilisent parfois des huiles aromatisantes qui permettent d'éviter ce problème). Certains injectent une liqueur dans les fruits, mais personnellement, je les préfère nature, surtout quand j'utilise un chocolat de qualité !

- Si votre chocolat se fige, réchauffez-le avec 15 ml (1 c. à soupe) d'huile végétale et remuez jusqu'à ce qu'il retrouve son homogénéité.

- Ne préparez pas vos fraises au chocolat trop à l'avance, pour éviter que les queues se fanent et que les fraises deviennent molles et détrempent le chocolat. Préparez-les quelques heures seulement avant de les servir.

LE CHOCOLAT

J'utilise du chocolat noir dans la préparation des desserts (chocolat mi-amer ou mi-sucré). Le chocolat mi-amer a une saveur plus intense et contient moins de sucre. Le chocolat qui contient au moins 70 % de cacao est riche en antioxydants. En petite quantité, il est excellent pour la santé. Le chocolat se conserve dans un endroit frais environ 1 an.

Donne 20 fruits chocolatés

| 20 | fraises de taille moyenne, de préférence avec les queues | 20 |
| 250 g | chocolat mi-amer ou mi-sucré, haché | 1/2 lb |

1. Nettoyer et assécher les fraises.

2. Faire fondre le chocolat dans un bol placé au-dessus d'une casserole d'eau portée à lente ébullition. On peut aussi faire fondre le chocolat en le chauffant à intensité moyenne au four à micro-ondes. Dès que le chocolat a quelque peu fondu, le retirer de la source de chaleur et le remuer pour parachever la fonte. Cette manœuvre empêche le chocolat de brûler.

VALEUR NUTRITIONNELLE PAR FRAISE	
Calories	32
Protéines	1 g
Matières grasses	2 g
Saturées	1 g
Cholestérol	0 mg
Glucides	4 g
Fibres	1 g
Sodium	0 mg
Potassium	60 mg

3. Transférer le chocolat dans une tasse à mesurer d'une capacité de 250 ml (1 tasse) pour faciliter le trempage. Tremper les fraises partiellement dans le chocolat et les déposer sur une plaque à pâtisserie tapissée de papier ciré. Laisser figer au réfrigérateur pendant environ 30 minutes.

FRAISES AU VINAIGRE BALSAMIQUE

Je ne me lasse jamais de ces fraises aromatisées d'un ingrédient mystère, le vinaigre balsamique. Et vous ne vous lasserez certainement jamais de préparer ce dessert, car il ne demande qu'une minute ! Assurez-vous d'employer un vinaigre balsamique de bonne qualité.

Si vous n'avez pas de vinaigre balsamique, utilisez du vinaigre de framboise ou du jus de citron ; ce sera tout aussi délicieux. Servez les fraises telles quelles ou dans une coupe formée d'un demi-cantaloup.

Donne 6 portions

1 l	fraises	4 tasses
45 ml	sucre cristallisé blanc	3 c. à soupe
45 ml	vinaigre balsamique	3 c. à soupe

1. Rincer les fraises et les assécher en les épongeant. Les parer et les couper en deux ou en quatre, selon leur taille.
2. Saupoudrer les fraises de sucre et les asperger de vinaigre. Remuer délicatement et laisser mariner environ 10 minutes avant de servir.

VALEUR NUTRITIONNELLE PAR PORTION	
Calories	55
Protéines	1 g
Matières grasses	traces
Saturées	0 g
Cholestérol	0 mg
Glucides	14 g
Fibres	2 g
Sodium	1 mg
Potassium	173 mg
Excellente source :	
vitamine C	

PAVÉ DE FRUITS ET DE BAIES ASSORTIES

J'ai entendu parler pour la première fois de cet assortiment de fruits et de baies dit « bumbleberry », lorsque j'ai dégusté une tarte aux « bumbleberries » à l'Île-du-Prince-Édouard, la patrie de *Anne... la maison aux pignons verts*. Le « bumbleberry » n'est pas un fruit proprement dit, mais un mélange de fruits dont la composition semble varier d'un cuisinier à l'autre.

Pour cette recette, vous pouvez prendre des fruits frais ou surgelés. L'hiver, je prépare le pavé avec des canneberges, des pommes et des poires.

Donne de 8 à 10 portions

500 g	rhubarbe, coupée en dés, soit environ 1 l (4 tasses)	1 lb
2	pommes, pelées, sans le cœur, et coupées en dés, soit environ 750 ml (3 tasses)	2
250 ml	framboises	1 tasse
250 ml	bleuets	1 tasse
125 ml	sucre cristallisé blanc	1/2 tasse
45 ml	farine tout usage	3 c. à soupe

Appareil

250 ml	farine tout usage	1 tasse
125 ml	farine de blé entier	1/2 tasse
45 ml	sucre cristallisé blanc	3 c. à soupe
10 ml	levure chimique	2 c. à thé
75 ml	margarine molle non hydrogénée, ou beurre non salé, froids	1/3 tasse
1	œuf	1
175 ml	babeurre (page 436)	3/4 tasse
25 ml	sucre à glacer, tamisé	2 c. à soupe

1. Dans un grand bol, mélanger la rhubarbe, les pommes, les framboises, les bleuets, le sucre et la farine. Verser dans un plat d'une capacité de 3 l (12 tasses) (30 cm x 20 cm [12 po x 8 po]) allant au four.

2. Pour préparer la garniture, mélanger dans un grand bol les farines, le sucre et la levure chimique. Incorporer la margarine aux ingrédients secs à l'aide d'un coupe-pâte ou en travaillant avec les doigts (ou encore au robot culinaire).

3. Fouetter l'œuf avec le babeurre. Incorporer l'œuf au mélange de farines et remuer pour obtenir une pâte molle. Déposer la pâte sur les fruits en huit grandes cuillerées, en laissant les bords libres, afin que les fruits puissent prendre de l'expansion à la cuisson.

4. Cuire dans un four préchauffé à 190 °C (375 °F) de 45 à 50 minutes, ou jusqu'à ce que la garniture soit dorée et que les fruits bouillonnent. Garnir de sucre à glacer avant de servir.

Pavé de pêches

Remplacer la rhubarbe, les pommes et les baies par 8 pêches en tranches et ajouter 2 ml (1/2 c. à thé) de cannelle moulue.

VALEUR NUTRITIONNELLE PAR PORTION	
Calories	300
Protéines	5 g
Matières grasses	9 g
Saturées	1 g
Cholestérol	28 mg
Glucides	52 g
Fibres	5 g
Sodium	202 mg
Potassium	315 mg

POIRES CARAMÉLISÉES AVEC CRÈME TIRAMISU

Le tiramisu est un magnifique dessert italien qui a le défaut d'être très riche. Dans cette recette, j'ai fait une crème qui rappelle les saveurs du tiramisu et je l'ai mariée à des poires au merveilleux goût de caramel. Pour réaliser un tiramisu authentique, vous devriez utiliser du mascarpone, mais ici, j'ai préféré la saveur et la légèreté de la ricotta.

Garnir de brins de menthe fraîche.

Donne 8 portions

4	poires fermes mais mûres, de préférence Bartlett ou Bosc	4
150 ml	sucre cristallisé blanc	2/3 tasse
25 ml	gingembre confit, haché	2 c. à soupe
1	citron, tranché finement	1

Crème tiramisu

125 ml	ricotta allégée, égouttée au besoin	1/2 tasse
25 ml	sucre cristallisé blanc	2 c. à soupe
10 ml	rhum brun, liqueur de café, ou café très fort	2 c. à thé
2 ml	vanille	1/2 c. à thé
25 ml	chocolat mi-sucré ou mi-amer, haché	2 c. à soupe
25 ml	sucre à glacer, tamisé	2 c. à soupe

1. Couper les poires en deux dans le sens de la longueur. Retirer le cœur à l'aide d'une cuillère parisienne (servant à faire de petites boules).

2. Saupoudrer de sucre le fond d'une grande poêle pouvant contenir toutes les poires côte à côte. Cuire le sucre à découvert, à feu moyen-vif, jusqu'à ce qu'il commence à dorer, sans le laisser brûler.

3. Ajouter les poires dans la poêle, face coupée vers le bas. Parsemer de gingembre et disposer les tranches de citron sur les poires. Réduire le feu et laisser cuire lentement, pendant 10 minutes environ. Couvrir. Retirer du feu et laisser reposer au moins 30 minutes, ou jusqu'à ce que les poires soient refroidies.

4. Pendant ce temps, préparer la crème en mélangeant dans un petit bol la ricotta, le sucre, le rhum et la vanille.

5. Mettre le chocolat haché dans une passoire pour retirer toute la « poussière » de chocolat ; cette manœuvre a pour but d'éviter la coloration de la ricotta. Incorporer les morceaux de chocolat dans la crème.

6. Pour servir, déposer une moitié de poire, face coupée vers le haut, dans chaque assiette. Mettre un peu de crème dans chaque moitié de fruit. Arroser la poire et l'assiette du sirop formé durant la cuisson. Disposer une tranche de citron cuit sur chaque poire et saupoudrer de sucre à glacer.

POIRES POCHÉES
AU JUS DE GRENADE

Il y a quelques années, j'avais du mal à me procurer du jus de grenade, mais il est beaucoup plus facile à trouver aujourd'hui. La grenade est un fruit très riche en antioxydants.

Donne 12 portions

6	poires, fermes mais mûres	6
250 ml	jus de grenade	1 tasse
250 ml	vin rouge, ou jus de canneberge	1 tasse
250 ml	eau	1 tasse
125 ml	sucre cristallisé blanc	1/2 tasse
1	bâton de cannelle	1
25 ml	pépins de grenade fraîche (facultatif)	2 c. à soupe

1. Peler les poires, les couper en deux, retirer le cœur et les pépins (la cuillère parisienne donne de bons résultats).

2. Dans une grande casserole ou dans une poêle profonde, porter à ébullition le jus de grenade, le vin et l'eau. Remuer en ajoutant le sucre et le bâton de cannelle. Ajouter les poires et cuire doucement à découvert de 20 à 30 minutes, ou jusqu'à tendreté. Retourner les poires en milieu de cuisson. Retirer les poires de la poêle et réserver.

3. Remettre la poêle sur le feu et laisser réduire les jus à découvert, à feu moyen-vif, pendant environ 10 minutes, ou jusqu'à ce que le liquide devienne sirupeux et qu'il n'en reste que 175 ml (3/4 tasse).

4. Couper les poires en tranches en les laissant attachées à la queue, de façon à les disposer en éventail dans l'assiette. Verser un peu de sauce sur chaque demi-poire et garnir de pépins de grenade. Servir chaud, à la température ambiante, ou froid.

VALEUR NUTRITIONNELLE PAR PORTION	
Calories	92
Protéines	0 g
Matières grasses	traces
Saturées	0 g
Cholestérol	0 mg
Glucides	23 g
Fibres	2 g
Sodium	4 mg
Potassium	112 mg

LA GRENADE

La grenade est l'un des fruits mentionnés dans la Bible ; ses nombreuses graines en ont fait un symbole de fertilité. On dit que la grenade compte 613 pépins, soit le nombre de commandements que doivent respecter les Juifs. Ce nombre représente également la quantité de bonnes actions que nous devrions faire durant une année.

Pour ouvrir une grenade facilement (et pour limiter les éclaboussures), il suffit de couper le dessus et le fond de la grenade, de la poser à plat, et de la couper en quatre. Plonger les quartiers un à un dans un grand bol d'eau fraîche et extraire les pépins (ils flotteront à la surface et ne vous éclabousseront pas).

Pour préparer du jus de grenade frais (vous obtiendrez environ 75 ml [1/3 tasse] de jus par fruit), réduire les pépins en purée et passer ensuite la purée au tamis pour filtrer les pépins ou encore couper le fruit en deux et le passer au presse-agrumes.

TREMPETTE DE YOGOURT ET SALSA DE PÊCHES

J'adore servir une assiette de fruits pour le dessert, mais je suis toujours à la recherche de quelque chose qui pourrait la rendre un peu spéciale. Servez une série de fruits frais avec une ou deux sauces à trempette, l'une faite à partir de fromage de yogourt et l'autre à base de fruits. Assurez-vous d'employer des fruits bien mûrs pour obtenir un maximum de saveurs. Cette trempette de yogourt constitue une bonne garniture pour d'autres types de desserts.

Pour raffiner la présentation, vous pouvez tremper des biscottis (pages 495 et 499) dans ces sauces avec les fruits.

Donne 250 ml (1 tasse) de trempette et 500 ml (2 tasses) de salsa

Trempette de yogourt pour fruits

250 ml	fromage de yogourt crémeux (page 420), ou yogourt épais	1 tasse
25 ml	cassonade	2 c. à soupe
15 ml	rhum ou liqueur d'orange (facultatif)	1 c. à soupe
5 ml	vanille	1 c. à thé

Salsa de pêches

2	grosses pêches, prunes ou mangues bien mûres, pelées et coupées en dés	2
6	fraises, parées et coupées en dés, ou 125 ml (1/2 tasse) de framboises	6
25 ml	marmelade d'oranges	2 c. à soupe

VALEUR NUTRITIONNELLE POUR 15 ML (1 C. À TABLE) DE TREMPETTE	
Calories	22
Protéines	2 g
Matières grasses	traces
Saturées	traces
Cholestérol	2 mg
Glucides	3 g
Fibres	0 g
Sodium	14 mg
Potassium	52 mg

VALEUR NUTRITIONNELLE POUR 15 ML (1 C. À TABLE) DE SALSA	
Calories	8
Protéines	traces
Matières grasses	0 g
Saturées	0 g
Cholestérol	0 mg
Glucides	2 g
Fibres	traces
Sodium	0 mg
Potassium	24 mg

15 ml	rhum ou liqueur d'orange (facultatif)	1 c. à soupe
15 ml	menthe fraîche, hachée (facultatif)	1 c. à soupe
	une pincée de cannelle moulue	
	une pincée de piment de la Jamaïque	
	une pincée de gingembre moulu	
	une pincée de muscade moulue	

1. Pour préparer la trempette, battre ensemble au fouet le fromage de yogourt, la cassonade, le rhum et la vanille. (Une réduction en purée risque de rendre la préparation trop liquide.)

2. Pour préparer la salsa de pêches, mélanger les pêches, les fraises, la marmelade, le rhum, la menthe et les épices. Réduire légèrement en purée, à l'aide d'un pilon, jusqu'à ce que la préparation soit ferme.

POUDING CRÉMEUX AU RIZ

Jamais je n'aurais pu imaginer à quel point la recette de pouding au riz serait devenue populaire. Après la première publication de cette recette, on m'a écrit pour me dire qu'elle correspondait à une vieille recette familiale perdue. On m'a même raconté qu'elle avait sauvé couple ! Je présume que c'est là l'une des fonctions des bonnes recettes.

Prenez une grande casserole lourde pour ce plat et ne vous inquiétez pas, même en mettant tout le liquide prescrit, le dessert finira par épaissir ! Bien qu'on puisse réussir ce pouding avec toutes les sortes de riz, le riz blanc à grains courts permet d'obtenir la texture la plus crémeuse, et c'est la variété que j'utilise toujours. Si vous utilisez du riz brun, assurez-vous que ce soit du riz à grains courts, autrement le pouding pourrait ne pas être tendre et onctueux.

Si vous aimez bien la crème brûlée, versez le pouding au riz refroidi dans un plat peu profond allant au four et saupoudrez-le de cassonade tamisée. Déposez le dessert sous l'élément de grillage du four jusqu'à ce que la cassonade fonde (en surveillant l'opération de près).

Donne 8 portions

250 ml	eau	1 tasse
125 ml	riz, de préférence à grains courts	1/2 tasse
75 ml	sucre cristallisé blanc	1/3 tasse
5 ml	fécule de maïs	1 c. à thé
	une pincée de sel	
1,25 ml	lait	5 tasses
	une pincée de muscade moulue	

VALEUR NUTRITIONNELLE PAR PORTION	
Calories	173
Protéines	6 g
Matières grasses	3 g
Saturées	2 g
Cholestérol	11 mg
Glucides	31 g
Fibres	1 g
Sodium	77 mg
Potassium	288 mg
Bonne source : riboflavine ; calcium	

50 ml	raisins secs	1/4 tasse
5 ml	vanille	1 c. à thé
15 ml	cannelle	1 c. à soupe

1. Mettre l'eau à bouillir dans une grande casserole. Ajouter le riz, couvrir et porter à ébullition de nouveau. Réduire le feu et laisser mijoter 15 minutes, ou jusqu'à absorption complète de l'eau.

2. Dans un bol, mélanger le sucre, la fécule de maïs et le sel. Y incorporer en fouettant 250 ml (1 tasse) de lait. Remuer jusqu'à homogénéité.

3. Ajouter le mélange de sucre et le reste du lait au riz cuit. Bien mélanger. Ajouter la muscade et les raisins secs. Porter à ébullition en remuant.

4. Couvrir, réduire le feu au minimum et laisser mijoter de 1 à 1 1/2 heure, ou jusqu'à ce que la préparation soit très crémeuse. Remuer de temps en temps, en prenant garde de ne pas laisser la préparation bouillir.

5. Incorporer la vanille. Transférer le pouding dans un bol de service et saupoudrer de cannelle. Servir chaud ou froid.

POUDING BRÛLÉ AU RIZ SAUVAGE

Voici un mariage de pouding au riz et de crème brûlée. La crème brûlée est un dessert très populaire, mais très riche. Dans cette version, on épaissit le riz au moyen d'un flan onctueux au lieu des jaunes d'œufs et de la crème. Pour un simple pouding au riz, omettez la couche de sucre et servez avec une sauce aux petits fruits (page 481) ou votre sauce aux fruits préférée. Le meilleur moyen de faire la crème brûlée est d'utiliser un petit chalumeau, mais il est également possible de faire caraméliser la crème brûlée sous le gril du four jusqu'à ce que le sucre soit fondu et légèrement bruni.

Donne 8 portions

125 ml	riz sauvage	1/2 tasse
125 ml	riz brun ou blanc, à grains courts	1/2 tasse
4	œuf	4
75 ml	cassonade	1/3 tasse
25 ml	sirop d'érable	2 c. à soupe
10 ml	vanille	2 c. à thé
1 ml	cannelle	1/4 c. à thé
500 ml	lait	2 tasses

LE BAIN-MARIE

Le dispositif dont il est question dans la recette ressemble à un bain-marie, mais il s'utilise au four. Il maintient la température de cuisson uniforme, ce qui garantit l'onctuosité. Je dépose mon plat de pouding dans un plus grand plat que je remplis d'eau bouillante à mi-hauteur du plat de pouding. (Cette méthode est plus simple que celle qui consiste à déposer le plat de pouding dans un plat d'eau bouillante.)

| 75 ml | raisins secs, cerises séchées, canneberges séchées, ou abricots séchés, hachés | 1/3 tasse |

Garniture

| 125 ml | cassonade ou sucre cristallisé blanc | 1/2 tasse |

1. Dans une grande casserole remplie d'eau bouillante, cuire le riz sauvage et le riz brun à découvert de 40 à 50 minutes, ou jusqu'à ce qu'il soit très tendre. Le riz devrait être à point, avec des grains éclatés. Bien égoutter.

2. Dans un grand bol, fouetter les œufs, la cassonade, le sirop d'érable, la vanille, la cannelle et le lait. Incorporer le riz et les fruits séchés.

3. Verser la préparation dans un plat allant au four, d'une capacité de 2,5 l (10 tasses) (23 cm [9 po]), légèrement huilé. Cuire dans un bain-marie (voir l'encadré de la page 467) dans un four préchauffé à 180 °C (350 °F) de 45 à 50 minutes, ou jusqu'à ce que le pouding soit figé. Laisser refroidir si on le désire (ce pouding peut être servi chaud ou très froid).

4. Immédiatement avant le service, saupoudrer le flan de cassonade, puis presser délicatement pour qu'elle y colle. Passer sous le gril du four juste assez longtemps pour que la cassonade fonde et que la surface devienne dorée (ou utiliser un petit chalumeau).

VALEUR NUTRITIONNELLE PAR PORTION	
Calories	301
Protéines	8 g
Matières grasses	3 g
Saturées	1 g
Cholestérol	83 mg
Glucides	63 g
Fibres	1 g
Sodium	61 mg
Potassium	305 mg
Bonne source : riboflavine	

REMPLACER LES LIQUEURS ET LE VIN DANS LES PLATS

La plupart du temps, il est possible de remplacer les boissons alcoolisées par un ingrédient non alcoolisé. Souvenez-vous que différents substituts sont utilisés pour différentes raisons, et que l'utilisation d'un ingrédient de remplacement ne donnera jamais le même résultat qu'avec l'ingrédient original.

- Vin blanc : remplacez-le par du bouillon de poulet ou du jus de légumes dans les plats salés, et par du jus de raisin ou du jus de pomme, d'orange ou d'ananas dans les desserts.
- Vin rouge : remplacez-le par du bouillon de bœuf ou du jus de tomate dans les plats salés, et par des jus de fruits rouges dans les desserts.
- Marsala, madère ou porto : dans les plats salés, utilisez du bouillon ou du jus de légumes, et dans les desserts, des concentrés de jus de fruits.
- Liqueurs de fruits : remplacez-les par du concentré de jus de fruits, du zeste d'agrumes ou de la vanille.
- Cognac, brandy ou rhum : remplacez-les par des concentrés de jus de fruits ou des bouillons concentrés dans les plats salés, ou encore par des purées de fruits ou des jus concentrés dans les desserts.

COMPOTE DE POMMES PRÉFÉRÉE DE RAY

Mon mari, Ray, est un amateur de compote de pommes. Depuis qu'il a goûté à ma compote, il ne veut rien d'autre. Il aime que sa compote soit simplement écrasée au moulin à légumes plutôt que passée au mélangeur.

Pour la cuisson, je préfère les pommes qui ont beaucoup de saveur (les Spy, Braeburn, Golden Delicious ou Fuji). Les pommes croustillantes sont moins adaptées à la cuisson parce qu'elles contiennent souvent beaucoup d'eau et ont tendance à être acides.

Donne 1,5 l (6 tasses)

3 kg	pommes, soit environ 10 à 12	6 lb
175 ml	cassonade	3/4 tasse
10 ml	cannelle moulue	2 c. à thé

1. Peler les pommes, retirer les cœurs et les couper en morceaux. Déposer les morceaux dans une grande casserole ou dans un faitout. Ajouter la cassonade et la cannelle.

2. Couvrir et cuire à feu doux de 15 à 20 minutes, ou jusqu'à ce que les pommes soient presque tendres. (Jeter un coup d'œil toutes les 5 minutes pour vérifier si elles collent ou si elles brûlent.) La préparation doit être très juteuse.

3. Découvrir et cuire doucement jusqu'à ce que le liquide s'évapore et que les pommes soient très tendres (la compote épaissira). Écraser les pommes avec un moulin à légumes.

COMPOTE DE FRUITS SÉCHÉS

En Amérique du Nord, les pruneaux sont souvent consommés au petit-déjeuner pour leurs vertus médicinales, tandis qu'en Europe, notamment en Italie et en France, ils entrent dans la préparation de nombreux desserts.

Vous pouvez servir cette compote seule ou avec du fromage de yogourt (page 420). Elle peut également garnir un gâteau simple, accompagner des coupes de meringue ou de pâte filo (page 76), farcir des crêpes ou servir de base dans un croquant ou une tourte aux fruits. C'est là une compote originale et très savoureuse qui peut se préparer avec vos fruits séchés préférés.

LE MARSALA

Le marsala est un vin fortifié qui se conserve de 1 à 2 mois après ouverture. Pour la cuisine, optez pour un marsala très sec. Vous pouvez également vous servir d'autres vins sucrés, comme le Santo, le vin de glace, le madère, le porto ou même une liqueur.

Donne environ 500 ml (2 tasses)

250 ml	pruneaux	1 tasse
250 ml	abricots séchés	1 tasse
50 ml	cerises séchées	1/4 tasse
50 ml	gingembre confit, haché	1/4 tasse
250 ml	marsala, ou jus d'orange	1 tasse
50 ml	jus de citron	1/4 tasse
125 ml	sirop d'érable, miel ou cassonade	1/2 tasse
250 ml	eau	1 tasse

1. Mettre les pruneaux, les abricots, les cerises, le gingembre, le marsala, le jus de citron, le sirop d'érable et l'eau dans une casserole. Porter à ébullition.

2. Réduire le feu et laisser mijoter à feu doux de 10 à 15 minutes, ou jusqu'à ce que les fruits soient tendres. Servir chaud ou froid.

VALEUR NUTRITIONNELLE POUR 125 ML (1/2 TASSE)	
Calories	375
Protéines	3 g
Matières grasses	traces
Saturées	0 g
Cholestérol	0 mg
Glucides	90 g
Fibres	9 g
Sodium	28 mg
Potassium	1273 mg
Excellente source : fer	
Bonne source :	
vitamine A ; vitamine B6	

NAPPAGE AUX PETITS FRUITS

J'ai un jour commandé un yogourt aux petits fruits alors que je prenais mon petit-déjeuner au Kingfisher Spa de Courtenay, à Vancouver. On m'a servi un ramequin de yogourt nature onctueux recouvert d'un nappage aux petits fruits d'un beau rouge profond. En plongeant ma cuillère dans le yogourt, le nappage a dessiné de jolies volutes dans le blanc immaculé du yogourt. Un vrai régal pour les yeux et le palais. Dès le midi, j'en ai commandé un autre pour le dessert. À mon grand étonnement, il s'agissait d'un produit commercial, aussi ai-je décidé de reproduire ce délicieux nappage à la maison. Je le déguste avec de la crème glacée, des crêpes, du pain doré, du gâteau des anges ou la meringue.

Donne environ 500 ml (2 tasses)

1 l	fraises	4 tasses
375 ml	bleuets	1 1/2 tasse
250 ml	framboises	1 tasse
50 ml	jus de canneberge ou de grenade	1/4 tasse
25 ml	sucre cristallisé blanc	2 c. à soupe

1. Dans une casserole, mélanger les fraises, les bleuets, les framboises, le jus de canneberge et le sucre. Porter à ébullition. Réduire le feu et laisser mijoter 5 minutes.

2. Passer les fruits au moulin à légumes (moulinette) et les remettre dans la casserole. (Si vous n'avez pas de moulin à légumes, passez-les au mélangeur ou au robot culinaire et égouttez-les ensuite dans

VALEUR NUTRITIONNELLE POUR 15 ML (1 C. À SOUPE)	
Calories	16
Protéines	0 g
Matières grasses	1 g
Saturées	0 g
Cholestérol	0 mg
Glucides	4 g
Fibres	1 g
Sodium	1 mg
Potassium	45 mg

LES PETITS FRUITS

Les baies fraîches doivent être traitées avec soin et utilisées rapidement. Conservez-les dans des contenants plats et larges plutôt que dans des contenants profonds, où elles risquent d'être écrasées et de pourrir. Éviter d'utiliser des baies très mûres pour faire de la confiture, car elles contiennent moins de pectine et, par conséquent, elles épaississent moins lors de la cuisson. Utilisez-les plutôt dans les sauces, cuisez-les au four ou faites-les pocher.

Pour congeler les baies, disposez-les en une seule couche sur une plaque à pâtisserie tapissée de papier ciré ; congelez-les ainsi et transférez-les ensuite dans des sacs ou des contenants. Ainsi, elles demeureront séparées les unes des autres et vous pourrez en prélever la quantité qui vous convient. Les baies congelées perdent leur texture en décongelant ; ne les employez donc que si elles doivent être cuites ou réduites en purée dans une sauce. On peut acheter les baies congelées dans leur sirop, mais je préfère les baies surgelées sans sucre.

Lorsque vous utilisez des petits fruits surgelés dans les muffins ou dans les pâtisseries, ne les faites pas décongeler, ajoutez-les tels quels à la pâte.

---

une passoire, si vous souhaitez retirer les graines.) Porter à ébullition, réduire le feu et laisser mijoter doucement pendant 10 minutes, ou jusqu'à ce que la sauce épaississe légèrement, sans pour autant être compacte. Vous devriez obtenir environ 500 ml (2 tasses).

3. Réfrigérer ou conserver au congélateur. Le nappage se conserve au moins 2 semaines au réfrigérateur.

GÂTEAU DE PÂTE FILO AUX AMANDES ET À LA CANNELLE

Un dessert d'origine marocaine aussi joli à regarder que délicieux. Préparez la pâte filo à l'avance et garnissez-la de fromage de yogourt juste avant de servir pour que le gâteau reste bien croustillant.

Donne 12 portions

175 ml	amandes entières, grillées (page 496)	3/4 tasse
75 ml	sucre cristallisé blanc	1/3 tasse
50 ml	beurre non salé, fondu	1/4 tasse
25 ml	eau	2 c. à soupe
8	feuilles de pâte filo, soit environ 250 g (1/2 lb)	8
2 ml	cannelle moulue	1/2 c. à thé
500 ml	fromage de yogourt (page 420)	2 tasses

125 ml	sucre à glacer, tamisé		1/2 tasse
10 ml	vanille		2 c. à thé

Garniture

15 ml	sucre à glacer, tamisé		1 c. à soupe

1. Hacher les amandes et les mélanger dans un petit bol avec le sucre cristallisé. Dans un autre bol, mélanger l'eau et le beurre fondu.

2. Dérouler la pâte filo et la recouvrir d'une pellicule plastique et d'un linge humide. Déposer une feuille de pâte sur une plaque à pâtisserie, la badigeonner de beurre fondu, étendre des amandes sucrées. Recouvrir d'une autre feuille de pâte filo, la badigeonner du mélange de beurre et étendre des amandes sucrées. Répéter la même opération sur trois autres plaques à pâtisserie. Cuire au four préchauffé à 190 °C (375 °F) de 5 à 8 minutes, ou jusqu'à ce que la pâte soit croustillante et dorée.

3. Ajouter la cannelle au reste des amandes sucrées.

4. Dans un bol, mélanger le fromage de yogourt, le sucre à glacer et la vanille.

5. Déposer une pile de pâtes filos cuites sur un plat de service. Y étendre un tiers du fromage de yogourt. Garnir avec un quart du mélange amandes-cannelle-sucre. Déposer une deuxième pile de pâtes filos sur le premier étage et répéter les opérations du premier étage. Poursuivre jusqu'à ce que tous les ingrédients soient utilisés.

6. Pour servir, couper en carrés avec un grand couteau de chef. Saupoudrer de sucre à glacer avant de servir.

VALEUR NUTRITIONNELLE PAR PORTION	
Calories	237
Protéines	7 g
Matières grasses	11 g
Saturées	4 g
Cholestérol	14 mg
Glucides	29 g
Fibres	1 g
Sodium	150 mg
Potassium	277 mg
Bonne source : riboflavine ; vitamine B12 ; calcium	

NIDS DE PÂTE FILO AVEC FRUITS HIVERNAUX CARAMÉLISÉS

Voici une recette que j'ai publiée dans un article paru dans le magazine *Bon Appétit*, consacré aux desserts créés par des professeurs de cuisine nord-américains. Les petits nids sont non seulement jolis, mais ils sont savoureux. Vous pouvez servir les fruits chauds ou à la température ambiante.

Les restes de fruits peuvent être servis tels quels ou sur du gruau, au petit-déjeuner. Ils peuvent aussi accompagner du porc ou du canard rôti, être réduits en purée ou même hachés finement et consommés en confiture. On peut également les servir avec du yogourt glacé, du gâteau des anges ou dans des paniers de pâte filo (page 76).

Donne 8 portions

Nids de pâte filo

8	feuilles de pâte filo	8
50 ml	beurre non salé, fondu	1/4 tasse
50 ml	eau	1/4 tasse
75 ml	chapelure sèche	1/3 tasse
50 ml	sucre cristallisé blanc	1/4 tasse

Fruits hivernaux caramélisés

250 ml	sucre cristallisé blanc	1 tasse
2	pommes, pelées, sans le cœur et tranchées	2
2	poires, pelées, sans le cœur et tranchées	2
375 ml	fruits séchés mélangés (abricots, pruneaux, figues, cerises, canneberges, etc.)	1 1/2 tasse
25 ml	gingembre confit, coupé en dés	2 c. à soupe
250 ml	porto, xérès, vin sucré, jus d'orange ou jus de pomme	1 tasse
250 ml	thé fort ou tisane	1 tasse
25 ml	jus de citron	2 c. à soupe

Garniture de fromage de yogourt parfumé

125 ml	fromage de yogourt (page 420), ou yogourt épais faible en gras	1/2 tasse
5 ml	extrait de vanille, ou 15 ml (1 c. à soupe) de rhum brun ou de liqueur d'orange	1 c. à thé

1. Pour confectionner des nids de pâte filo, tapisser deux plaques à pâtisserie de papier sulfurisé. Ouvrir l'emballage de pâte filo et protéger le contenu d'une feuille de plastique (un sac de plastique peut faire l'affaire). Recouvrir ce plastique d'un linge humide.

2. Mélanger dans un petit bol le beurre fondu et l'eau. Dans un autre bol, mélanger la chapelure et le sucre.

3. Placer une feuille de pâte filo sur la surface de travail. La badigeonner d'un peu du mélange de beurre. Saupoudrer de chapelure et de sucre. Plier la feuille en trois, dans le sens de la longueur. La badigeonner de nouveau du mélange beurre-eau et saupoudrer de chapelure.

4. Pour former les nids, maintenir environ le quart d'une feuille de pâte filo en place sur une plaque à pâtisserie ; cette partie servira de fond. Enrouler le reste autour du fond pour former un nid. Celui-ci aura une apparence improvisée (vous pourriez faire le premier et le

cuire pour voir quelle apparence il aura). Procéder de même jusqu'à l'obtention de 8 nids.

5. Cuire les nids dans un four préchauffé à 200 °C (400 °F) pendant 8 minutes. Réduire le feu à 180 °C (350 °F) et prolonger la cuisson de 5 à 8 minutes, ou jusqu'à ce que les nids soient croustillants et dorés. Laisser refroidir.

6. Pendant ce temps, pour préparer les fruits caramélisés, mettre le sucre dans une grande poêle profonde à fond épais. Cuire à feu moyen-vif, en surveillant l'opération de près, jusqu'à ce que le sucre commence à dorer. Ne pas remuer.

7. Ajouter les pommes et les poires. Cuire les fruits de 5 à 8 minutes, ou jusqu'à ce qu'ils produisent du jus. Ne pas s'inquiéter si le caramel devient collant, car il fondra. Ajouter les fruits séchés, le gingembre, le porto, le thé et le jus de citron. Porter à ébullition. Laisser mijoter à feu doux de 10 à 15 minutes, ou jusqu'à ce que les fruits soient tendres. Le jus devrait être épais.

8. Préparer la garniture en mélangeant le yogourt et la vanille dans un petit bol.

9. Pour servir, faire tomber quelques gouttes du jus des fruits sur le pourtour de l'assiette, poser un nid sur le jus et déposer les fruits en son centre, à la cuillère. Garnir chaque portion d'un peu de fromage de yogourt parfumé.

Nids de pâte filo et glace à la mangue
Garnir les nids d'une boule de glace à la mangue. Saupoudrer d'un peu de sucre à glacer et garnir de fraises fraîches.

STRUDEL AUX POMMES
Pour rehausser la saveur de l'avoine, faites griller les flocons sur une plaque à pâtisserie, dans un four chauffé à 180 °C (350 °F), pendant 10 minutes. Le mélange à base de pommes peut servir de garniture à tarte.

Pour économiser du temps, préparez ce strudel à l'avance et conservez-le au congélateur. Il se congèle cuit, ou non, et se conserve environ un mois. Avant de le servir, réchauffez-le au four à 190 °C (375 °F) de 40 à 45 minutes. Pour cuire un strudel congelé, doublez le temps de cuisson. S'il commence à brunir, recouvrez-le d'une feuille d'aluminium et réduisez le feu à 180 °C (350 °F).

Servez-le avec du fromage de yogourt sucré (page 420), de la crème glacée à la vanille ou du yogourt glacé.

VALEUR NUTRITIONNELLE PAR PORTION

Calories	428
Protéines	5 g
Matières grasses	8 g
Saturées	4 g
Cholestérol	17 mg
Glucides	84 g
Fibres	5 g
Sodium	175 mg
Potassium	477 mg

Bonne source : fer

VALEUR NUTRITIONNELLE PAR PORTION

Calories	273
Protéines	4 g
Matières grasses	6 g
Saturées	2 g
Cholestérol	8 mg
Glucides	52 g
Fibres	3 g
Sodium	131 mg
Potassium	354 mg

Bonne source : thiamine ; fer

LES POMMES

Nous avons tous notre variété de pomme préférée, mais il faut savoir que certaines variétés sont meilleures pour la cuisson. Optez pour une pomme riche en goût, plutôt que pour une pomme croquante, car celles-ci ont tendance à perdre leur forme sous l'effet de la chaleur. Par exemple, la chair de la McIntosh est délicieuse et croquante, mais elle ne conserve pas sa forme à la cuisson. Je préfère la Golden Delicious pour la cuisson ; elle n'est pas ma préférée pour manger telle quelle parce qu'elle n'est pas très croquante, mais elle convient parfaitement à la cuisson. La Spy, l'Empire, l'Idared, la Fuji, la Braeburn et la Royal Gala résistent très bien à la chaleur.

Donne de 8 à 10 portions

4	pommes, pelées, sans le cœur et hachées	4
250 ml	gros flocons d'avoine, grillés	1 tasse
125 ml	cassonade	1/2 tasse
50 ml	gingembre confit, haché, ou canneberges séchées	1/4 tasse
5 ml	cannelle	1 c. à thé
	une pincée de muscade, râpée	
	une pincée de piment de la Jamaïque	
25 ml	beurre non salé, fondu	2 c. à soupe
45 ml	eau	3 c. à soupe
75 ml	chapelure sèche	1/3 tasse
25 ml	noix, grillées et hachées finement	2 c. à soupe
25 ml	sucre cristallisé blanc	2 c. à soupe
6	feuilles de pâte filo	6

1. Dans un grand bol, réunir les pommes, l'avoine, la cassonade, le gingembre, la cannelle, la muscade et le piment de la Jamaïque. Bien mélanger.

2. Dans un petit bol, mélanger le beurre fondu et l'eau. Dans un autre bol, mélanger la chapelure, les noix et le sucre.

3. Étendre une feuille de papier sulfurisé dans un grand plat allant au four. Y déposer une feuille de pâte filo. (Recouvrir le reste de la pâte filo d'une pellicule plastique et d'un linge humide pour l'empêcher de sécher.) Badigeonner du mélange de beurre et d'eau, et saupoudrer de chapelure. Procéder de même jusqu'à l'épuisement de toutes les feuilles de pâte filo.

4. Étendre le mélange à base de pommes dans le sens du côté le plus long de la pâte. Rouler. Pratiquer des entailles peu profondes, en diagonale, à la surface du strudel, pour en faciliter le partage après la cuisson. Badigeonner de beurre la surface de la pâte.

5. Cuire dans un four préchauffé à 190 °C (375 °F) de 40 à 45 minutes, ou jusqu'à ce que les pommes soient très tendres et que la pâte soit dorée et légère. Servir le strudel chaud ou à la température ambiante.

TARTE AUX POMMES EN PÂTE FILO

Cette recette est l'une de mes plus populaires. Non seulement elle est très jolie à regarder, mais elle est délicieuse et facile à préparer. Pour une tarte croustillante, déposer une pierre à pizza ou une plaque à pâtisserie au four pendant qu'il préchauffe, et y déposer la tarte pour la cuire.

Donne de 10 à 12 portions

6	pommes, pelées, sans le cœur et tranchées, soit environ 1,5 kg (3 lb)	6
125 ml	cassonade	1/2 tasse
50 ml	farine tout usage	1/4 tasse
2 ml	cannelle moulue	1/2 c. à thé
	une pincée de muscade moulue	
50 ml	chapelure sèche	1/4 tasse
25 ml	sucre cristallisé blanc	2 c. à soupe
10	feuilles de pâte filo	10
75 ml	margarine molle non hydrogénée, ou beurre non salé, fondus	1/3 tasse
25 ml	sucre à glacer	2 c. à soupe

1. Mélanger les pommes, la cassonade, la farine, la cannelle et la muscade. Réserver.

2. Dans un petit bol, mélanger la chapelure et le sucre.

3. En prenant une seule feuille de pâte filo à la fois (recouvrir les autres d'une pellicule plastique et d'un linge humide pour les empêcher de sécher), badigeonner légèrement la pâte de margarine fondue et d'eau et y saupoudrer le mélange de chapelure. Plier la feuille en deux, dans le sens de la longueur, et badigeonner encore. Déposer l'un des bouts étroits de la feuille de pâte pliée au centre d'un moule à charnière d'une capacité de 3 l (12 tasses) (25 cm [10 po] de diamètre). Laisser pendre l'autre bout par-dessus le bord du moule. Saupoudrer de chapelure.

4. Reprendre ces opérations avec le reste des feuilles, et les faire se chevaucher légèrement dans le moule pour constituer le fond de la tarte. Laisser dépasser une bonne quantité de pâte autour du moule. Le fond du moule devrait être recouvert à partir du centre.

5. Déposer la garniture sur la pâte. Replier les feuilles de façon à recouvrir la garniture complètement. Le dessus devrait avoir un aspect irrégulier. Badigeonner le dessus de margarine diluée.

6. Cuire 15 minutes dans un four préchauffé à 200 °C (400 °F). Réduire la température à 180 °C (350 °F) et cuire encore de 50 à 55 minutes, ou jusqu'à ce que les pommes soient tendres sous la pointe d'un couteau. Laisser refroidir au moins 15 minutes avant de démouler. Saupoudrer de sucre à glacer avant de servir.

VALEUR NUTRITIONNELLE PAR PORTION	
Calories	257
Protéines	3 g
Matières grasses	7 g
Saturées	1 g
Cholestérol	0 mg
Glucides	47 g
Fibres	3 g
Sodium	267 mg
Potassium	186 mg

PAVLOVA ROULÉE
AUX FRUITS DE LA PASSION

À première vue, il paraît impossible de rouler une meringue, mais prenez-en ma parole, c'est possible. La saveur acidulée et rafraîchissante des fruits de la Passion fait merveille dans cette meringue, mais si vous ne parvenez pas à vous en procurer, utilisez des kiwis. Dans les deux cas, coupez les fruits en deux et prélevez la chair avec une cuillère. Les fruits de la Passion se vendent également en conserve ou surgelés (vous aurez besoin d'environ 50 ml [1/4 tasse] de fruits en conserve ou surgelés).

Donne 10 portions

5	blancs d'œufs	5
175 ml	sucre cristallisé blanc	3/4 tasse
15 ml	vinaigre blanc	1 c. à soupe
5 ml	extrait de vanille	1 c. à thé
25 ml	fécule de maïs	2 c. à soupe
15 ml	sucre à glacer, tamisé	1 c. à soupe
250 ml	fromage de yogourt (page 420)	1 tasse
50 ml	sucre à glacer	1/4 tasse
2	fruits de la Passion, ou kiwis	2
500 ml	fraises fraîches, tranchées	2 tasses
	brins de menthe	

1. Dans un grand bol en verre ou en acier inoxydable, battre les blancs d'œufs en neige. Incorporer progressivement le sucre et battre les blancs d'œufs jusqu'à ce qu'ils soient fermes et brillants. Ajouter le vinaigre et la vanille. Tamiser la fécule de maïs au-dessus des blancs et incorporer avec soin (en pliant les blancs).

2. Étendre la meringue sur une plaque à pâtisserie de 40 cm x 25 cm (15 po x 10 po) tapissée de papier sulfurisé. Cuire au four préchauffé à 160 °C (325 °F) de 10 à 12 minutes, ou jusqu'à ce que la meringue soit gonflée et légèrement dorée. Laisser refroidir. Saupoudrer 15 ml (1 c. à soupe) de sucre à glacer. Passer la lame d'un couteau autour du plat pour décoller la meringue et la démouler sur une feuille de papier sulfurisé.

3. Pour préparer la garniture, mélanger le fromage de yogourt et 50 ml (1/4 tasse) de sucre à glacer. Étendre sur la meringue.

4. Couper les fruits de la Passion en deux, retirer la chair à la cuillère et la déposer sur le fromage de yogourt. Rouler sur le sens de la longueur en utilisant le papier sulfurisé pour vous aider.

5. Réfrigérer jusqu'au moment de servir. Couper en tranches et garnir de fraises et de brins de menthe.

PAVLOVA AUX FRUITS ET AUX FLEURS

Ce dessert est d'une beauté incroyable et, de surcroît, il est faible en matières grasses. Le truc, pour réussir une belle pavlova, consiste à bien battre les blancs d'œufs, à ajouter le vinaigre dans la meringue au dernier moment et à la cuire jusqu'à ce qu'elle soit croquante à l'extérieur et tendre comme de la guimauve à l'intérieur.

Si les petits fruits ne sont pas de saison, utilisez des mangues, des fruits de la Passion, des bananes, ou encore des pommes ou des poires caramélisées (page 463). Vous pouvez confectionner des pavlovas individuelles, ou donner à la meringue la forme de paniers, et la cuire jusqu'à ce qu'elle soit ferme. Vous pouvez aussi remplacer le fromage de yogourt par du yogourt glacé ou du sorbet ramolli, mais dans ce cas, assurez-vous de servir le dessert immédiatement !

Donne 8 portions

4	blancs d'œufs	4
250 ml	sucre cristallisé blanc	1 tasse
10 ml	vinaigre blanc	2 c. à thé
375 ml	fromage de yogourt (page 420)	1 1/2 tasse
25 ml	miel ou sucre à glacer	2 c. à soupe
5 ml	extrait de vanille	1 c. à thé
1 l	petits fruits frais	4 tasses
	fleurs comestibles fraîches	

1. Dans un grand bol en acier inoxydable ou en verre, battre les blancs d'œufs en neige.

2. Incorporer progressivement le sucre aux blancs d'œufs et battre jusqu'à ce qu'ils soient fermes. Ajouter le vinaigre.

3. Tracer un cercle de 30 cm (12 po) de diamètre sur un morceau de papier sulfurisé et le déposer sur une plaque à pâtisserie. Déposer le blanc d'œuf à l'intérieur du cercle et l'étendre. Cuire 2 heures dans un four préchauffé à 140 °C (275 °F). Retirer du four et laisser refroidir. Congeler si on ne l'utilise pas immédiatement.

4. Pendant ce temps, mélanger dans un petit bol le fromage de yogourt, le miel et la vanille.

LES FLEURS COMESTIBLES

Si vous vous procurez des fleurs comestibles, utilisez-les pour garnir les salades, les soupes et les desserts. Vous pouvez cultiver vos propres fleurs ou les acheter d'un cultivateur pratiquant la culture biologique (assurez-vous qu'elles ont été cultivées sans pesticides). Plusieurs variétés de fleurs sont comestibles, dont les roses, les capucines, les marguerites, les soucis, les impatientes, les fleurs de ciboulette, les fleurs de courgette et les pensées.

VALEUR NUTRITIONNELLE PAR PORTION

Calories	189
Protéines	7 g
Matières grasses	2 g
Saturées	1 g
Cholestérol	5 mg
Glucides	39 g
Fibres	2 g
Sodium	68 mg
Potassium	291 mg

Excellente source :
vitamine C
Bonne source :
riboflavine ; vitamine B12

5. Juste avant de servir, étendre le mélange à base de yogourt sur la meringue. Garnir de petits fruits et de fleurs comestibles. Servir immédiatement.

GÂTEAU DES ANGES AUX AMANDES AVEC ABRICOTS À LA CANNELLE

Le gâteau des anges est un dessert de choix pour les personnes qui font attention à leur santé, mais qui apprécient les desserts. Il s'agit d'un dessert classique dont la teneur en matières grasses est faible et qui se compose d'ingrédients non transformés. Le fait de faire tiédir les blancs d'œufs leur confère une texture très légère et augmente leur rendement, ce qui permet d'en employer moins. Si vous n'avez pas de malaxeur fixe, utilisez un malaxeur à main.

Vous pouvez facilement remplacer les amandes par d'autres noix ou simplement omettre les noix. Le gâteau peut être servi accompagné de fruits hivernaux (page 472) en remplacement des abricots. Les abricots peuvent également être servis sur du sorbet, dans des coupes de pâte filo (page 76) ou avec du yogourt.

Donne de 12 à 16 portions

250 ml	farine à pâtisserie	1 tasse
375 ml	sucre cristallisé blanc, divisé en deux portions	1 1/2 tasse
50 ml	amandes rôties, hachées finement	1/4 tasse
375 ml	blancs d'œufs, soit environ 12	1 1/2 tasse
5 ml	crème de tartre	1 c. à thé
	une pincée de sel	
5 ml	vanille	1 c. à thé
2 ml	extrait d'amande	1/2 c. à thé
5 ml	zeste de citron, râpé	1 c. à thé

Abricots à la cannelle

500 ml	eau	2 tasses
150 ml	miel ou sucre cristallisé blanc	2/3 tasse
2	bâtons de cannelle, brisés en morceaux	2
50 ml	amaretto, liqueur d'orange, ou concentré de jus d'orange	1/4 tasse
375 ml	abricots séchés, soit environ 40	1 1/2 tasse
15 ml	jus de citron	1 c. à soupe

Sauce au yogourt (facultatif)

125 ml	fromage de yogourt (page 420), ou yogourt nature épais, faible en gras	1/2 tasse
15 ml	miel	1 c. à soupe
15 ml	amaretto, liqueur d'orange, ou concentré de jus d'orange	1 c. à soupe

1. Dans un grand bol, tamiser la farine et 175 ml (1 tasse) de sucre. Incorporer les amandes.

2. Mettre les blancs d'œufs, la crème de tartre et le sel dans le grand bol d'un batteur électrique. Dans une casserole de taille moyenne, amener quelques tasses d'eau à léger bouillonnement et poser le bol contenant les blancs d'œufs au-dessus de la casserole. Remuer jusqu'à ce que les blancs d'œufs soient légèrement réchauffés, ce qui devrait prendre de 3 à 5 minutes. Sans attendre, commencer à battre les blancs d'œufs au batteur jusqu'à ce qu'ils soient mousseux et opaques. Toujours en battant, incorporer le reste de sucre. Battre jusqu'à la formation de pics mous. Incorporer la vanille et l'extrait d'amande.

3. Incorporer en pliant le mélange à base de farine dans les blancs d'œufs, en trois étapes. Incorporer le zeste de citron. Déposer délicatement la pâte à la cuillère dans un moule à gâteau des anges d'une capacité de 4 l (16 tasses) (25 cm [10 po]), de préférence avec un fond amovible.

4. Cuire dans un four préchauffé à 180 °C (350 °F) de 40 à 45 minutes, ou jusqu'à ce qu'une sonde à gâteau en ressorte propre et que le dessus du gâteau reprenne sa forme quand on le presse délicatement. Renverser le gâteau sur une grille métallique et le laisser refroidir dans le moule. Pour démouler le gâteau, détacher les côtés à l'aide d'un couteau fin. Détacher la base à l'aide d'une spatule ou d'un couteau (si le moule est équipé d'un fond amovible, retirer les côtés puis détacher le fond à l'aide d'un couteau).

5. Pendant ce temps, préparer les abricots. Dans une grande casserole, porter l'eau, le miel et la cannelle à ébullition. Ajouter la liqueur et laisser cuire 5 minutes. Ajouter les abricots et laisser cuire de 15 à 20 minutes, ou jusqu'à ce que les fruits soient mous et tendres. Ajouter le jus de citron et laisser cuire encore 1 minute. Retirer les bâtons de cannelle ou prévenir les invités de ne pas les manger (ils font une très jolie garniture). Si le sirop épaissit trop en refroidissant, ajouter un peu d'eau très chaude.

VALEUR NUTRITIONNELLE PAR PORTION	
Calories	271
Protéines	5 g
Matières grasses	2 g
Saturées	traces
Cholestérol	0 mg
Glucides	61 g
Fibres	2 g
Sodium	55 mg
Potassium	309 mg

6. Pour préparer la sauce au yogourt, mélanger le fromage de yogourt, le miel et la liqueur dans un petit bol. Si le mélange est trop épais pour pouvoir s'écouler, l'éclaircir d'un peu de lait. Pour décorer les assiettes avec la sauce, mettre le yogourt dans une bouteille de plastique souple ou le verser à la cuillère. Servir le gâteau accompagné d'abricots, de jus et de quelques touches de yogourt.

Gâteau des anges aux brisures de chocolat

Ajouter 50 ml (1/4 tasse) de chocolat au lait ou de chocolat noir haché aux amandes. Omettre le zeste de citron.

LE MOULIN À LÉGUMES (MOULINETTE)

Le bon vieux moulin à légumes, l'ancêtre du robot culinaire, est l'un de mes ustensiles de cuisine préférés. Je m'en sers pour réduire en purée fruits et légumes en une seule opération (sauce tomate, compote, coulis de framboises), ou pour faire de la purée de pommes de terre.

GÂTEAU DES ANGES AU COULIS DE BAIES

Voici le gâteau préféré de ma fille ; elle adore tout autant le préparer que le déguster.

Ce gâteau supporte bien la congélation. On peut le servir avec une sauce aux petits fruits, des fruits frais et du fromage de yogourt sucré (page 420) ou du sorbet. Faites-le cuire dans un moule à cheminée ou dans un moule spécialement conçu pour le gâteau des anges, et rappelez-vous que pour obtenir un gâteau des anges qui monte bien et qui a une texture légère, il faut battre les blancs d'œufs dans les règles de l'art.

Le coulis de baies constitue en soi un dessert fabuleux (il suffit d'utiliser plus de fruits), mais il peut également être servi comme sauce. On peut le servir avec des meringues ou dans des bols avec un peu de fromage de yogourt sucré sur le dessus. Pour la purée, je prends souvent des framboises surgelées, car les framboises fraîches sont tellement délicieuses que je préfère les manger nature. Un moulin à légumes (un appareil classique relativement peu coûteux) permettra de réduire les framboises en purée et d'en éliminer les graines en même temps. Si vous vous servez d'un mélangeur ou d'un robot culinaire, vous devrez ensuite passer la purée au tamis, si vous désirez vous débarrasser des graines.

Si vous utilisez des baies surgelées non sucrées, vous devrez peut-être ajouter un peu de sucre.

Donne de 12 à 16 portions

375 ml	sucre cristallisé blanc, divisé en deux portions	1 1/2 tasse
250 ml	farine à gâteau ou à pâtisserie	1 tasse
375 ml	blancs d'œufs, soit environ 12	1 1/2 tasse

5 ml	crème de tartre	1 c. à thé
	une pincée de sel	
15 ml	jus de citron ou concentré de jus d'orange	1 c. à soupe
5 ml	vanille	1 c. à thé
5 ml	zeste de citron ou d'orange, râpé	1 c. à thé

Coulis de baies

1	paquet de 300 g (10 oz) de framboises surgelées	1
25 ml	liqueur d'orange ou de framboise (facultatif)	2 c. à soupe
500 ml	fraises fraîches, parées et coupées en quatre	2 tasses
250 ml	framboises fraîches	1 tasse
250 ml	bleuets frais	1 tasse

1. Tamiser le sucre avec 125 ml (1/2 tasse) de farine.

2. Dans le grand bol d'un mélangeur électrique, déposer les blancs d'œufs, la crème de tartre, le sel et le jus de citron.

3. Dans une casserole moyenne, faire chauffer quelques tasses d'eau et déposer le bol contenant les blancs d'œufs au-dessus de la casserole. Remuer jusqu'à ce que les blancs soient légèrement réchauffés, soit de 3 à 5 minutes. Dès ce moment, battre les œufs avec le mélangeur. Incorporer lentement le reste du sucre en battant constamment. Les blancs devraient être à la fois fermes et très légers. Incorporer la vanille et le zeste de citron.

4. Incorporer délicatement le mélange de farine et de sucre en trois ajouts. Ne pas trop mélanger la préparation afin de ne pas faire s'affaisser les blancs d'œufs.

5. Déposer la pâte très délicatement (à la cuillère ou en versant) dans un moule à cheminée d'une capacité de 4 l (16 tasses) (25 cm [10 po]). Cuire le gâteau au four préchauffé à 180 °C (350 °F) de 40 à 45 minutes, ou jusqu'à ce que la sonde à gâteau en ressorte propre, et que la surface du gâteau reprenne sa forme lorsqu'on la presse légèrement.

6. Pendant ce temps, faire décongeler les framboises. Si elles sont dans leur sirop, les laisser égoutter en réservant le liquide. Réduire les baies en purée en les passant au moulin à légumes, au mélangeur ou au robot culinaire. Ajouter assez de sirop réservé pour obtenir un coulis mi-épais. Verser la liqueur et incorporer délicatement les framboises, les fraises et les bleuets.

VALEUR NUTRITIONNELLE PAR PORTION	
Calories	182
Protéines	5 g
Matières grasses	traces
Saturées	0 g
Cholestérol	0 mg
Glucides	41 g
Fibres	4 g
Sodium	50 mg
Potassium	221 mg
Bonne source : vitamine C	

7. Renverser le moule sur une grille et laisser refroidir le gâteau ainsi pendant 1 heure. Pour démouler le gâteau, passer la lame d'un couteau le long des parois. S'il s'agit d'un moule à charnière, détacher le fond à l'aide d'un couteau. Si le moule est en une seule pièce, se servir d'une spatule ou d'un couteau pour détacher le fond. Ne vous inquiétez pas si le gâteau semble affaissé, il reprendra fort probablement sa forme. Servir accompagné de coulis de baies.

Gâteau des anges cappuccino

Ajouter 20 ml (4 c. à thé) de café soluble et 1 ml (1/4 c. à thé) de cannelle au mélange de farine. Ajouter 1 ml (1/4 c. à thé) d'extrait d'amande aux blancs d'œufs avec la vanille.

Gâteau des anges et crème tiramisu

Couper le gâteau en deux horizontalement, étendre la crème tiramisu (page 463) sur une moitié de gâteau. Déposer l'autre moitié par-dessus. Saupoudrer de sucre à glacer.

GÂTEAU DES ANGES CHOCOLATÉ ET SAUCE AU CHOCOLAT

Ce gâteau a un goût de chocolat subtil, mais très satisfaisant. Servez-le tel quel ou avec la sauce au chocolat. Il peut également être servi avec un coulis de framboises. Pour obtenir un gâteau au goût de moka, ajouter 15 ml (1 c. à soupe) de café soluble au mélange de farine.

Donne de 12 à 16 portions

425 ml	sucre cristallisé blanc, divisé en deux portions	1 3/4 tasse
250 ml	farine à pâtisserie	1 tasse
75 ml	cacao	1/3 tasse
375 ml	blancs d'œufs, soit environ 12	1 1/2 tasse
5 ml	crème de tartre	1 c. à thé
	une pincée de sel	
5 ml	extrait de vanille	1 c. à thé

Sauce au chocolat

175 g	chocolat doux-amer ou mi-sucré, haché	6 oz
25 ml	cacao	2 c. à soupe
45 ml	sirop de maïs	3 c. à soupe

COULIS DE FRAMBOISES

Ce coulis accompagne à merveille les gâteaux, les meringues, les sorbets et la crème glacée.

Décongeler deux paquets de 300 g (10 oz) de framboises surgelées. Les laisser égoutter en récupérant le jus. Réduire les fruits en purée avec 25 ml (2 c. à soupe) de sucre. Passer au tamis pour retirer les graines. Pour un coulis plus lisse, passer les fruits au moulin à légumes (les graines seront automatiquement retirées). Incorporer 25 ml (2 c. à soupe) de liqueur d'orange ou de framboise (ou 15 ml [1 c. à soupe]) de concentré de jus d'orange) et une quantité suffisante du jus réservé pour obtenir une sauce. (Si vos framboises sont déjà sucrées, omettez le sucre ou ajoutez du jus de citron.)

Donne environ 500 ml (2 tasses).

125 ml	eau	1/2 tasse
5 ml	vanille	1 c. à thé

1. Tamiser 175 ml (3/4 tasse) de sucre avec la farine et le cacao.

2. Dans le grand bol d'un mélangeur électrique, déposer les blancs d'œufs, la crème de tartre et le sel. Dans une casserole moyenne, faire chauffer quelques tasses d'eau et déposer le bol au-dessus de la casserole. Remuer jusqu'à ce que les blancs soient légèrement réchauffés, soit de 3 à 5 minutes. Dès ce moment, battre les œufs avec le mélangeur électrique. Incorporer lentement le reste du sucre en battant constamment. Incorporer l'extrait de vanille.

3. Incorporer en pliant à la spatule le mélange de farine réservé dans les blancs d'œufs, en trois ajouts. En évitant de trop mélanger, s'assurer que la pâte est exempte de grumeaux de farine.

4. Mettre délicatement la pâte dans un moule à cheminée d'une capacité de 4 l (16 tasses) (25 cm [10 po]). Cuire dans un four préchauffé à 180 °C (350 °F) de 45 à 50 minutes, ou jusqu'à ce que la sonde à gâteau en ressorte sèche et propre.

5. Pour préparer la sauce au chocolat, mélanger le chocolat, le cacao, le sirop de maïs et l'eau dans une casserole, et cuire à feu moyen en remuant constamment, jusqu'à homogénéité. Retirer du feu et incorporer la vanille. Laisser refroidir.

6. Renverser le moule à gâteau sur une grille et laisser refroidir pendant 1 heure. Démouler le gâteau délicatement en passant un couteau le long des parois et de la cheminée du moule. Trancher le gâteau et l'arroser de sauce.

VALEUR NUTRITIONNELLE PAR PORTION	
Calories	255
Protéines	6 g
Matières grasses	7 g
Saturées	4 g
Cholestérol	0 mg
Glucides	49 g
Fibres	2 g
Sodium	80 mg
Potassium	1 mg

GÂTEAU RENVERSÉ AUX FRAMBOISES

Vous pouvez préparer des gâteaux renversés avec toutes sortes de fruits, mais en été, rien n'égale les petits fruits. Utilisez des framboises, des mûres, des bleuets, des fraises ou un mélange de tous ces fruits. L'hiver, achetez des petits fruits surgelés.

Donne 8 portions

25 ml	beurre non salé	2 c. à soupe
150 ml	cassonade	2/3 tasse
500 ml	framboises fraîches	2 tasses
75 ml	huile végétale	1/3 tasse
250 ml	sucre cristallisé blanc	1 tasse

1	œuf	1
2	blancs d'œufs	2
15 ml	zeste d'orange, râpé	1 c. à soupe
5 ml	vanille	1 c. à thé
375 ml	farine tout usage	1 1/2 tasse
7 ml	levure chimique	1 1/2 c. à thé
2 ml	bicarbonate de soude	1/2 c. à thé
250 ml	babeurre (page 436), ou yogourt nature faible en gras	1 tasse

1. Mettre le beurre dans un plat allant au four d'une capacité de 1,5 l (6 tasses) (20 cm [8 po]) et le mettre dans un four préchauffé à 180 °C (350 °F) de 3 à 5 minutes pour le faire fondre. Saupoudrer le beurre de cassonade et bien l'étendre. Répartir les framboises sur la cassonade.

2. Battre l'huile et le sucre dans un grand bol. Ajouter l'œuf, les blancs d'œufs le zeste d'orange et la vanille.

3. Dans un autre bol, mélanger la farine, la levure chimique et le bicarbonate de soude.

4. Incorporer le mélange à base de farine dans le mélange à base d'œufs en alternance avec le babeurre, jusqu'à homogénéité.

5. Verser la pâte à la cuillère sur les framboises et l'étendre. Cuire au four de 35 à 40 minutes, ou jusqu'à ce que le gâteau reprenne sa forme quand on exerce une pression du doigt en son centre. Laisser refroidir sur une grille métallique pendant 5 minutes. Démouler dans un plat de service.

VALEUR NUTRITIONNELLE PAR PORTION

Calories	373
Protéines	5 g
Matières grasses	13 g
Saturées	3 g
Cholestérol	35 mg
Glucides	60 g
Fibres	2 g
Sodium	174 mg
Potassium	188 mg

Bonne source : acide folique

GÂTEAU GLACÉ AU CITRON ET À LA MERINGUE

Garni de raisins glacés, ce gâteau a fière allure, mais il ne faut pas tarder à le servir, car les raisins perdent leur lustre givré rapidement. Ne retirez les raisins du congélateur qu'au moment de servir.

Donne de 10 à 12 portions

375 ml	sucre cristallisé blanc, divisé en deux portions	1 1/2 tasse
25 ml	fécule de maïs	2 c. à soupe
6	blancs d'œufs	6
1 ml	crème de tartre	1/4 c. à thé
5 ml	vanille	1 c. à thé

Garniture au citron

75 ml	fécule de maïs	1/3 tasse
300 ml	sucre cristallisé blanc	1 1/4 tasse
2	œufs	2
250 ml	jus de citron	1 tasse
150 ml	jus d'orange	2/3 tasse
25 ml	zeste de citron, râpé	2 c. à soupe
500 ml	ricotta allégée, battue en purée homogène	2 tasses

Finition

sucre à glacer, tamisé

1. Tapisser deux plaques à pâtisserie de papier sulfurisé et tracer sur chaque plaque quatre cercles de 20 cm (8 po) de diamètre.

2. Pour préparer la meringue, mélanger dans un petit bol 175 ml (3/4 tasse) de sucre avec la fécule de maïs et réserver.

3. Mettre les blancs d'œufs dans un grand bol d'acier inoxydable ou de verre. Ajouter la crème de tartre. Fouetter les blancs d'œufs au malaxeur électrique jusqu'à ce qu'ils commencent à devenir opaques. Toujours en battant, incorporer le reste de sucre jusqu'à ce que les œufs soient blancs, opaques et fermes. Incorporer la vanille et le mélange de sucre et de fécule.

4. Déposer la meringue à la cuillère ou à la poche à douille de pâtissier sur les cercles tracés sur le papier sulfurisé. Lisser la surface des meringues. Cuire les meringues dans un four préchauffé à 150 °C (300 °F) pendant environ 1 heure, ou jusqu'à ce qu'elles soient sèches. Laisser refroidir complètement.

5. Pendant ce temps, préparer la garniture. Dans une grande casserole, bien mélanger la fécule de maïs et le sucre. En battant au fouet, incorporer les œufs, le jus de citron, le jus d'orange et le zeste de citron. Porter à ébullition et cuire lentement, tout en remuant, jusqu'à ce que la préparation épaississe. Verser dans un grand bol et laisser tiédir (déposer le bol dans un contenant plus grand rempli d'eau glacée pour refroidir la crème plus rapidement). Incorporer la ricotta battue en purée.

6. Assembler en déposant une meringue dans un moule à charnière de 23 cm (9 po) de diamètre. Tailler la meringue au besoin, car elle peut avoir gonflé à la cuisson. Étendre le tiers de la garniture sur la meringue. Placer une autre meringue sur ce premier étage et y étendre un autre tiers de la garniture. Mettre en place la troisième meringue et y étendre le reste de la garniture. Briser la quatrième meringue (celle

VALEUR NUTRITIONNELLE PAR PORTION	
Calories	330
Protéines	9 g
Matières grasses	4 g
Saturées	2 g
Cholestérol	58 mg
Glucides	67 g
Fibres	traces
Sodium	108 mg
Potassium	166 mg
Bonne source : vitamine B12	

qui est la moins jolie) en morceaux et les disperser à la surface du gâteau. Laisser prendre pendant quelques heures au congélateur.

7. Retirer le gâteau de son moule et laisser reposer environ 30 minutes avant de servir. Saupoudrer de sucre à glacer.

L'ART DE BATTRE LES BLANCS D'ŒUFS

Pour battre des blancs d'œufs selon les règles de l'art, le bol et le fouet utilisés doivent être absolument exempts de toute matière grasse (même un tout petit peu de jaune d'œuf ou d'huile sur les batteurs peut empêcher les blancs de monter complètement). Lorsque vous séparez les blancs des jaunes, assurez-vous qu'aucune partie du jaune ne se mêle aux blancs. Si un peu de jaune passait malgré tout dans les blancs, essayez de l'enlever à l'aide d'une moitié de coquille d'œuf; celle-ci attirera le jaune à la manière d'un aimant.

Il est préférable de séparer chaque œuf à part, dans un bol propre, pour ensuite verser le jaune avec les jaunes et le blanc avec les blancs.

Bien qu'il ne soit pas indispensable, un bol en cuivre permet d'obtenir de très bons résultats. Il se produit une réaction entre le bol et les batteurs qui stabilise les blancs. Prenez soin de nettoyer le bol avec du sel et du vinaigre avant d'y déposer les blancs.

Si vous n'avez pas de bol en cuivre, utilisez tout simplement un bol d'acier inoxydable ou de verre. Avant de battre les blancs, ajoutez 1 ml (1/4 c. à thé) de crème de tartre ou 5 ml (1 c. à thé) de jus de citron pour 4 blancs, afin de les stabiliser. N'ajoutez pas de sucre dans les blancs avant qu'ils soient opaques. Lorsqu'ils sont parvenus à ce point, ajoutez alors le sucre très progressivement.

Sortez les œufs du réfrigérateur pour qu'ils soient à la température ambiante afin de les monter en neige.

Évitez de trop battre les blancs. Ils doivent être légers et aériens, et non pas secs.

Quand vous incorporez des blancs d'œufs battus dans un mélange plus lourd, commencez par ajouter un quart des blancs pour l'alléger. Ajoutez ensuite le reste des œufs délicatement. Il importe peu que vous ajoutiez les blancs dans un mélange ou que vous versiez un mélange dans les blancs. Utilisez toujours le plus grand bol.

On peut maintenant se procurer des blancs d'œufs en carton dans la section des produits laitiers des supermarchés et des épiceries spécialisées. Étant donné que ces blancs sont pasteurisés, on ne peut les battre en neige (comme on le fait, par exemple, pour le gâteau des anges et les meringues), mais on peut les utiliser pour les frittatas, les omelettes et beaucoup de pâtisseries.

GÂTEAU AUX CAROTTES

Le gâteau aux carottes est un dessert classique très apprécié. Préparez-le dans un seul moule (25 cm [10 po]) ou dans deux moules (20 cm [8 po]), et faites-les cuire de 25 à 30 minutes. Garnissez-le d'une couche de glaçage au fromage à la crème ou de garniture à la ricotta.

Donne 16 portions

4	œufs	4
375 ml	cassonade	1 1/2 tasse
150 ml	huile végétale	2/3 tasse
250 ml	farine tout usage	1 tasse
250 ml	farine blé entier	1 tasse
10 ml	levure chimique	2 c. à thé
2 ml	bicarbonate de soude	1/2 c. à thé
5 ml	cannelle moulue	1 c. à thé
1 ml	muscade moulue	1/4 c. à thé
	une pincée de sel	
500 ml	carottes, soit environ 4, râpées finement et bien tassées	2 tasses
175 ml	ananas, broyés et bien égouttés	3/4 tasse
175 ml	raisins secs, ou noix hachées	3/4 tasse

1. Dans un grand bol, battre les œufs et la cassonade au mélangeur électrique jusqu'à l'obtention d'un mélange très léger. Incorporer l'huile en battant.

2. Dans un autre grand bol, mélanger les farines tamisées avec la levure chimique, le bicarbonate de soude, la cannelle, la muscade et le sel. Incorporer ce mélange sec dans le mélange d'œufs et de sucre. Bien mélanger. Incorporer les carottes, les ananas et les raisins.

3. Déposer la pâte à la cuillère dans un moule à cheminée ou dans un moule couronne légèrement huilé ou vaporisé d'enduit végétal. Cuire dans un four préchauffé à 180 °C (350 °F) de 45 à 50 minutes, ou jusqu'à ce qu'un cure-dent inséré au centre en ressorte propre. Laisser refroidir 10 minutes avant de démouler.

GARNITURE À LA RICOTTA

Mélanger 125 g (1/4 lb) de ricotta allégée (soit environ 125 ml (1/2 tasse) avec 750 ml (3 tasses) de sucre à glacer et 5 ml (1 c. à thé) de vanille. Mélanger jusqu'à consistance lisse.

Donne environ 500 ml (2 tasses).

GLAÇAGE AU FROMAGE À LA CRÈME

Battre 125 g (1/4 lb) de fromage à la crème allégé avec environ 625 ml (2 1/2 tasses) de sucre à glacer, 5 ml (1 c. à thé) de vanille, et 15 ml (1 c. à soupe) de zeste d'orange. Au besoin, ajouter plus de sucre à glacer jusqu'à l'obtention de la consistance souhaitée.

Donne environ 250 ml (1 tasse).

VALEUR NUTRITIONNELLE PAR PORTION

Calories	276
Protéines	4 g
Matières grasses	12 g
Saturées	1 g
Cholestérol	47 mg
Glucides	41 g
Fibres	2 g
Sodium	103 mg
Potassium	221 mg

Excellente source : vitamine A

GÂTEAU AUX POMMES EXPRESS

Même si la préparation des gâteaux exige beaucoup de temps, celui-ci s'exécute assez rapidement pour être fait à la dernière minute. Faites-le en premier, ainsi dès que vous aurez préparé le reste du repas puis mangé, le gâteau sera prêt à servir. Non seulement il est facile et rapide à préparer, mais il est savoureux.

Donne 12 morceaux

1	œuf	1
125 ml	sucre cristallisé blanc	1/2 tasse
75 ml	huile végétale	1/3 tasse
45 ml	jus d'orange ou de pomme	3 c. à soupe
5 ml	vanille	1 c. à thé
175 ml	farine tout usage	3/4 tasse
5 ml	levure chimique	1 c. à thé
	une pincée de sel	
75 ml	cassonade	1/3 tasse
5 ml	cannelle moulue	1 c. à thé
3	pommes, pelées et tranchées	3

1. Dans un grand bol, battre l'œuf avec le sucre jusqu'à ce que le mélange soit épais et léger. Incorporer l'huile, le jus de fruits et la vanille en battant.

2. Dans un autre bol, mélanger la farine, la levure chimique et le sel. Incorporer dans le mélange liquide et mélanger jusqu'à un début d'homogénéité.

3. Mélanger la cassonade et la cannelle.

4. Disposer les pommes au fond d'un moule légèrement huilé d'une capacité de 2 l (8 tasses) (20 cm [8 po]) de diamètre. Les saupoudrer de la moitié du mélange cassonade-cannelle. Étendre la pâte uniformément sur le dessus. Saupoudrer du reste de cassonade.

5. Cuire dans un four préchauffé à 180 °C (350 °F) de 35 à 40 minutes, ou jusqu'à ce que le gâteau se détache légèrement des parois du moule. Laisser refroidir 10 minutes avant de servir.

VALEUR NUTRITIONNELLE PAR MORCEAU	
Calories	165
Protéines	1 g
Matières grasses	7 g
Saturées	1 g
Cholestérol	18 mg
Glucides	26 g
Fibres	1 g
Sodium	29 mg
Potassium	76 mg

GÂTEAU AU FROMAGE À L'ANCIENNE

Le gâteau au fromage est un dessert très apprécié, mais il a le défaut d'être très riche. En voici une version plus légère, mais tout aussi délicieuse.

Donne 24 carrés

Croûte

250 ml	biscuits Graham, émiettés	1 tasse
1 ml	cannelle	1/4 c. à thé
50 ml	margarine molle non hydrogénée, ou beurre non salé, fondus	1/4 tasse

Appareil

375 g	fromage à la crème allégé	12 oz
375 g	ricotta allégée	12 oz
250 ml	sucre cristallisé blanc	1 tasse
3	œufs	3
125 ml	crème sure allégée	1/2 tasse
25 ml	farine tout usage	2 c. à soupe
5 ml	vanille	1 c. à thé

Garniture

250 ml	crème sure allégée	1 tasse
25 ml	sucre cristallisé blanc	2 c. à soupe
2 ml	extrait de vanille	1/2 c. à thé
12	fraises fraîches, coupées en deux	12

1. Pour préparer la croûte, mélanger les biscuits Graham émiettés avec la cannelle et la margarine fondue. Étendre le mélange en pressant bien au fond d'un plat allant au four d'une capacité de 3 l (12 tasses) (30 cm x 20 cm [12 po x 8 po]).

2. Pour préparer l'appareil, battre dans un grand bol le fromage à la crème avec la ricotta et le sucre jusqu'à consistance légère. Incorporer les œufs, la crème sure, la farine et l'extrait de vanille, et mélanger jusqu'à consistance lisse. Verser sur la croûte et cuire au four préchauffé à 180 °C (350 °F) de 30 à 35 minutes, ou jusqu'à ce que la préparation soit prise.

3. Pendant ce temps, préparer la garniture en mélangeant la crème sure, le sucre et la vanille. Étendre sur le gâteau chaud et remettre au four 5 minutes. Laisser refroidir complètement.

4. Réfrigérer jusqu'à ce que le gâteau soit ferme. Couper en carrés et garnir de moitiés de fraises.

VALEUR NUTRITIONNELLE PAR CARRÉ	
Calories	143
Protéines	6 g
Matières grasses	6 g
Saturées	2 g
Cholestérol	32 mg
Glucides	16 g
Fibres	traces
Sodium	180 mg
Potassium	45 mg

MERINGUES AUX FRAISES

Une meringue parfaite doit être croustillante et sèche, mais cette recette est délicieuse lorsque la meringue est un peu élastique. En fait, qu'elle soit croustillante ou élastique, votre dessert sera réussi.

Si vous décidiez de laisser vos meringues au four toute la nuit, surtout n'allez pas rallumer votre four pour une autre utilisation sans les retirer auparavant !

Donne 6 portions

Meringues

3	blancs d'œufs	3
1 ml	crème de tartre	1/4 c. à thé
125 ml	sucre cristallisé blanc	1/2 tasse
2 ml	vanille	1/2 c. à thé

Appareil

500 ml	fraises, tranchées	2 tasses
45 ml	sucre cristallisé blanc, divisé en deux portions	3 c. à soupe
375 ml	fromage de yogourt (page 420), ou yogourt ferme faible en gras	1 1/2 tasse
15 ml	liqueur d'orange ou de rhum (facultatif)	1 c. à soupe

Garniture

25 ml	sucre à glacer, tamisé	2 c. à soupe
6	fraises entières	6
6	brins de menthe fraîche	6

VALEUR NUTRITIONNELLE PAR PORTION

Calories	185
Protéines	8 g
Matières grasses	2 g
Saturées	1 g
Cholestérol	6 mg
Glucides	35 g
Fibres	1 g
Sodium	80 mg
Potassium	318 mg

Excellente source : vitamine C ; vitamine B12

Bonne source : riboflavine ; calcium

1. Dans un grand bol, préparer les meringues en battant les blancs d'œufs avec la crème de tartre jusqu'à l'obtention d'un mélange léger. Incorporer graduellement 125 ml (1/2 tasse) de sucre et battre jusqu'à la formation de pics fermes. Incorporer la vanille.

2. Tracer 12 cercles de 7,5 cm (3 po) de diamètre sur une plaque à pâtisserie tapissée de papier sulfurisé. Étendre le mélange à l'intérieur des cercles. Avec le dos d'une cuillère mouillée, creuser légèrement le centre de chaque meringue.

3. Placer les meringues dans un four préchauffé à 190 °C (375 °F) mais l'éteindre immédiatement. Laisser reposer au four 6 heures, ou pendant toute une nuit.

4. Pour préparer l'appareil, mélanger les fraises tranchées avec 15 ml (2 c. à soupe) de sucre et laisser mariner de 30 à 60 minutes.

5. Tout juste avant de servir, mélanger le fromage de yogourt avec 25 ml (2 c. à soupe) de sucre et la liqueur.

6. Placer une meringue par assiette de service. Déposer le yogourt à la cuillère et garnir de fraises tranchées. Mettre une autre meringue sur le dessus de chacune et saupoudrer de sucre à glacer. Garnir de fraises entières et de menthe fraîche. Servir immédiatement.

CARRÉS AU CHOCOLAT DE NICK MALGIERI

Nick Malgieri, l'auteur de *Chocolate* et de bien d'autres livres magnifiques sur les desserts, détient le secret de recettes fabuleuses. J'ai déjà dit qu'il valait mieux manger la moitié d'un carré au vrai chocolat plutôt qu'un tas de carrés sans matières grasses, mais les carrés au chocolat de Nick, bien que faibles en gras, sont absolument délicieux. De plus, ils se congèlent très bien.

Donne 16 carrés

250 ml	farine tout usage	1 tasse
125 ml	cacao	1/2 tasse
5 ml	levure chimique	1 c. à thé
2 ml	sel	1/2 c. à thé
25 ml	beurre non salé, à la température ambiante	2 c. à soupe
375 ml	sucre cristallisé blanc	1 1/2 tasse
2	blancs d'œufs	2
125 ml	compote de pommes non sucrée	1/2 tasse
5 ml	vanille	1 c. à thé

1. Tamiser ensemble la farine, le cacao, la levure chimique et le sel, puis mélanger le tout dans un bol.

2. Dans un grand bol, battre ensemble le beurre et le sucre. Fouetter en incorporant les blancs d'œufs, la compote de pommes et la vanille.

3. Incorporer le mélange à base de farine dans le mélange beurre-compote et mélanger un peu en remuant.

4. Tapisser de papier sulfurisé le fond d'un moule carré allant au four, d'une capacité de 2 l (8 tasses) (20 cm [8 po]). Verser la pâte dans le moule. Cuire dans un four préchauffé à 180 °C (350 °F) de 35 à 40 minutes, ou jusqu'à ce que le gâteau soit ferme. Laisser refroidir dans le moule, puis découper en carrés.

Carrés au chocolat aux cerises séchées
Ajouter à la pâte 125 ml (1/2 tasse) de cerises séchées.

LE CACAO

Le cacao est du chocolat non sucré, réduit en poudre, dont on a retiré la majeure partie du beurre de cacao. Bien qu'il ne puisse remplacer le chocolat ordinaire dans bien des recettes, il confère aux desserts un goût de chocolat marqué et riche, tout en apportant une quantité minime de gras.

VALEUR NUTRITIONNELLE PAR CARRÉ

Calories	129
Protéines	2 g
Matières grasses	2 g
Saturées	1 g
Cholestérol	4 mg
Glucides	27 g
Fibres	1 g
Sodium	116 mg
Potassium	40 mg

CARRÉS AUX DATTES

Un dessert indémodable dont on ne se lasse pas. Ces carrés se congèlent facilement ; vous n'avez donc pas à les manger en une seule fois !

Donne 25 carrés

Appareil aux dattes

500 g	dattes, hachées	1 lb
50 ml	sucre cristallisé blanc	1/4 tasse
375 ml	eau	1 1/2 tasse
15 ml	jus de citron	1 c. à soupe

Base et garniture

125 ml	margarine molle non hydrogénée, ou beurre non salé	1/2 tasse
175 ml	cassonade	3/4 tasse
45 ml	sucre cristallisé blanc	3 c. à soupe
250 ml	farine tout usage	1 tasse
250 ml	gros flocons d'avoine	1 tasse
1 ml	bicarbonate de soude	1/4 c. à thé

1. Hacher les dattes (le meilleur moyen est de les couper avec des ciseaux de cuisine). Vous devriez en obtenir environ 750 ml (3 tasses).
2. Pour préparer l'appareil aux dattes, mélanger dans une casserole les dattes, le sucre, l'eau et le jus de citron. Porter à ébullition. Réduire le feu et laisser mijoter de 10 à 15 minutes, en remuant fréquemment, ou jusqu'à épaississement de la préparation. Laisser refroidir.
3. Pour préparer la base et la garniture, mélanger dans un grand bol la margarine, la cassonade et le sucre. Bien mélanger.
4. Dans un autre bol, bien mélanger la farine, les flocons d'avoine et le bicarbonate. Incorporer le mélange de farine dans la margarine. (La préparation aura une texture sablonneuse.)
5. Presser les deux tiers du mélange à base de farine au fond d'un plat carré allant au four d'une capacité de 2,5 l (10 tasses) (23 cm [9 po]) préalablement huilé ou tapissé de papier sulfurisé. Étendre le mélange de dattes sur le dessus. Saupoudrer du reste de mélange à base de farine.
6. Cuire dans un four préchauffé à 180 °C (350 °F) de 25 à 30 minutes, ou jusqu'à ce que le dessus soit légèrement doré. Laisser refroidir et découper en carrés.

VALEUR NUTRITIONNELLE PAR CARRÉ

Calories	151
Protéines	1 g
Matières grasses	4 g
Saturées	1 g
Cholestérol	0 mg
Glucides	29 g
Fibres	2 g
Sodium	63 mg
Potassium	160 mg

BISCUITS À L'AVOINE ET À L'ABRICOT

Immédiatement après avoir dégusté ces succulents biscuits au marché Granville de Vancouver, je me suis précipitée à la maison pour en préparer.

Donne 36 biscuits

175 ml	margarine molle non hydrogénée, ou beurre non salé, à la température ambiante	3/4 tasse
175 ml	cassonade	3/4 tasse
125 ml	sucre cristallisé blanc	1/2 tasse
1	œuf	1
25 ml	eau	2 c. à soupe
5 ml	vanille	1 c. à thé
175 ml	farine de blé entier	3/4 tasse
4 ml	bicarbonate de soude	3/4 c. à thé
1 ml	sel	1/4 c. à thé
750 ml	gros flocons d'avoine	3 tasses
375 ml	abricots séchés, hachés	1 1/2 tasse

1. Battre la margarine jusqu'à consistance légère. Ajouter la cassonade, le sucre, l'œuf, l'eau et la vanille. Mélanger.

2. Dans un grand bol, mélanger la farine, le bicarbonate de soude et le sel. Incorporer les flocons d'avoine.

3. Incorporer les ingrédients secs aux ingrédients liquides. Ajouter les abricots. Remuer.

4. Déposer la pâte sur des plaques à pâtisserie tapissées de papier sulfurisé par cuillerée de 20 ml (4 c. à thé). Aplatir les biscuits et les cuire dans un four préchauffé à 180 °C (350 °F) de 12 à 15 minutes, ou jusqu'à ce que les bords soient croustillants et le centre moelleux. Laisser refroidir sur une grille.

VALEUR NUTRITIONNELLE PAR BISCUIT	
Calories	123
Protéines	2 g
Matières grasses	5 g
Saturées	1 g
Cholestérol	5 mg
Glucides	20 g
Fibres	2 g
Sodium	99 mg
Potassium	169 mg

BISCUITS AUX AMANDES

Cette recette est de mon amie montréalaise Gwen Berkowitz. Ils sont tout simplement délicieux, en plus d'être faibles en gras et faciles à préparer.

Donne environ 30 biscuits

2	blancs d'œufs	2
125 ml	sucre cristallisé blanc	1/2 tasse

2 ml	vanille (facultatif)	1/2 c. à thé
750 ml	amandes effilées	3 tasses

1. Dans un grand bol, mélanger (ne pas battre) les blancs avec le sucre et l'extrait de vanille. Incorporer les amandes.

2. Déposer le mélange à biscuits par cuillerée à thé sur une plaque à pâtisserie tapissée de papier sulfurisé. Cuire au four préchauffé à 180 °C (350 °F) pendant environ 20 minutes, ou jusqu'à ce que les biscuits soient bien dorés. Éteindre le four, ouvrir la porte et laisser les biscuits reposer au four pendant 10 minutes.

MERINGUE D'HUBERT AUX NOISETTES, CUITE DEUX FOIS

Cette recette de meringue de style biscotti au bon goût de noisettes est du chef Hubert Aumeier.

Donne 36 biscuits

4	blancs d'œufs	4
175 ml	sucre cristallisé blanc	3/4 tasse
175 ml	farine tout usage	3/4 tasse
175 ml	noisettes, grillées et moulues	3/4 tasse

1. Dans un grand bol, battre les blancs jusqu'à ce qu'ils soient légers. Incorporer graduellement le sucre.

2. Dans un autre bol, mélanger la farine et les noisettes. Incorporer avec soin dans les blancs battus.

3. Déposer la pâte dans un moule à pain de 2 l (8 tasses) (23 cm x 13 cm [9 po x 5 po]) tapissé de papier sulfurisé. Cuire au four préchauffé à 150 °C (300 °F) pendant 35 minutes. Laisser refroidir 1 heure.

4. Démouler. Couper en tranches très fines (le plus mince possible) et déposer les biscuits côte à côte sur une plaque à pâtisserie tapissée de papier sulfurisé. Cuire au four préchauffé à 150 °C (300 °F) de 10 à 12 minutes, ou jusqu'à ce qu'ils soient bien dorés et croustillants. Retourner une fois à la mi-cuisson.

LES NOIX

Bien que les noix ne contiennent pas de cholestérol, la plupart sont très riches en matières grasses et doivent être consommées avec modération. Si vous utilisez des noix dans la cuisine, assurez-vous qu'elles soient fraîches. Dans la mesure du possible, goûtez-les avant de les acheter. Les noix ont tendance à rancir ; congelez donc toutes les noix que vous n'utilisez pas sur-le-champ. Les noix rancissent particulièrement rapidement. Lorsque j'ai le choix, j'opte pour les noix californiennes, parce qu'elles sont récoltées rapidement et qu'elles se conservent facilement au réfrigérateur. Si je ne peux en trouver, je les remplace souvent par des pacanes.

Plusieurs personnes sont allergiques aux noix, c'est pourquoi il est prudent de demander à l'avance si l'un de vos invités a des allergies. Si vous ne pouvez mettre de noix dans vos plats, ou si vous ne voulez pas leur ajouter trop de matières grasses, remplacez-les par des céréales croustillantes, des raisins secs, des cerises ou des canneberges séchées.

Pour en intensifier la saveur, faites-les rôtir avant de vous en servir ; vous pourrez ainsi vous permettre d'en utiliser moins, car elles seront plus goûteuses. Étendez les noix en une seule couche sur une plaque à pâtisserie et faites-les griller dans un four préchauffé à 180 °C (250 °F) de 5 à 10 minutes, ou jusqu'à ce qu'elles soient légèrement colorées. Hachez-les ou broyez-les après les avoir fait griller.

BISCUITS À L'AVOINE ET AU CHOCOLAT

Ces biscuits semblent très riches, mais ne vous fiez pas aux apparences, ils sont faibles en gras. Pour moudre les flocons d'avoine, vous pouvez vous servir du robot culinaire ou du mélangeur.

Donne environ 34 biscuits

125 ml	margarine molle non hydrogénée, ou beurre non salé, à la température ambiante	1/2 tasse
125 ml	sucre cristallisé blanc	1/2 tasse
125 ml	cassonade	1/2 tasse
2	blancs d'œufs	2
2 ml	vanille	1/2 c. à thé
125 ml	farine tout usage	1/2 tasse
125 ml	farine de blé entier	1/2 tasse
300 ml	gros flocons d'avoine, moulus en farine	1 1/4 tasse
2 ml	levure chimique	1/2 c. à thé
2 ml	bicarbonate de soude	1/2 c. à thé
250 ml	cerises séchées ou raisins secs	1 tasse
125 ml	chocolat au lait, râpé, environ 60 g (2 oz)	1/2 tasse

VALEUR NUTRITIONNELLE PAR BISCUIT

Calories	92
Protéines	2 g
Matières grasses	4 g
Saturées	1 g
Cholestérol	0 mg
Glucides	14 g
Fibres	1 g
Sodium	62 mg
Potassium	76 mg

1. Dans un grand bol, battre la margarine, le sucre et la cassonade en crème légère. Incorporer les blancs d'œufs et la vanille.

2. Dans un autre bol, mélanger les farines, les flocons d'avoine, la levure chimique et le bicarbonate de soude. Bien mélanger.

3. Incorporer le mélange à base de farine au mélange à base de margarine. Ajouter les cerises et le chocolat.

4. À la cuillère, déposer la pâte sur des plaques à pâtisserie tapissées de papier sulfurisé et l'aplatir un peu. Cuire les biscuits dans un four préchauffé à 160 °C (325 °F) de 12 à 14 minutes, ou jusqu'à ce qu'ils soient légèrement dorés. Laisser refroidir sur une grille.

BISCUITS ÉPICÉS MOELLEUX

Cette recette est une adaptation des biscuits au gingembre de Marianne Saunders, une boulangère qui a pignon sur rue dans la ville de Calgary. Ce sont les meilleurs biscuits au gingembre que j'ai eu l'occasion de manger.

Donne environ 64 biscuits

125 ml	margarine molle non hydrogénée, ou beurre non salé, à la température ambiante	1/2 tasse
250 ml	sucre cristallisé blanc	1 tasse
1	œuf	1
50 ml	mélasse	1/4 tasse
20 ml	café fort	4 c. à thé
250 ml	farine tout usage	1 tasse
250 ml	farine de blé entier	1 tasse
5 ml	bicarbonate de soude	1 c. à thé
5 ml	cannelle moulue	1 c. à thé
5 ml	gingembre moulu	1 c. à thé
2 ml	clous de girofle moulus	1/2 c. à thé
125 ml	raisins secs	1/2 tasse
125 ml	abricots séchés, hachés	1/2 tasse
50 ml	gingembre confit, haché	1/4 tasse
25 ml	sucre cristallisé blanc	2 c. à soupe

1. Dans un grand bol, battre la margarine et le sucre jusqu'à l'obtention d'une crème légère. Incorporer l'œuf, la mélasse et le café en battant.

2. Dans un autre bol, mélanger les farines, le bicarbonate de soude, la cannelle, le gingembre et le clou de girofle.

3. Incorporer les ingrédients secs aux ingrédients liquides. Ajouter les raisins secs, les abricots et le gingembre. Remuer. Pétrir la pâte et réfrigérer de 1 à 2 heures.

4. Partager la pâte en huit morceaux égaux. Rouler chaque morceau en une bûchette d'environ 2,5 cm (1 po) de diamètre. Chaque bûchette doit mesurer environ 40 cm (16 po).

5. Déposer les bûchettes sur des plaques à pâtisserie tapissées de papier sulfurisé. Y exercer une légère pression. Cuire dans un four préchauffé à 180 °C (350 °F) de 8 à 10 minutes. Les bûchettes devraient être très moelleuses au toucher. Éviter de trop les cuire, sans quoi elles durciront.

6. Saupoudrer les bûches de sucre. Couper en diagonale, en tranches de 2,5 cm (1 po) d'épaisseur. Chaque bûchette devrait donner 7 ou 8 biscuits. Laisser tiédir sur des grilles.

VALEUR NUTRITIONNELLE PAR BISCUIT	
Calories	53
Protéines	1 g
Matières grasses	2 g
Saturées	traces
Cholestérol	3 mg
Glucides	10 g
Fibres	1 g
Sodium	39 mg
Potassium	69 mg

MERINGUES AU MOKA

Ces meringues sont très sèches et croustillantes. Les amateurs de chocolat pourront y ajouter un peu de chocolat haché.

Donne environ 60 biscuits

3	blancs d'œufs	3
1 ml	crème de tartre	1/4 c. à thé
150 ml	sucre cristallisé blanc, divisé en deux portions	2/3 tasse
2 ml	vanille	1/2 c. à thé
10 ml	fécule de maïs	2 c. à thé
15 ml	café soluble, réduit en poudre	1 c. à soupe
50 ml	noisettes ou amandes, grillées et hachées finement	1/4 tasse

1. Dans un grand bol en acier inoxydable ou en verre, battre les blancs d'œufs avec la crème de tartre jusqu'à l'obtention d'un mélange mousseux. Ajouter progressivement 75 ml (1/3 tasse) de sucre et battre jusqu'à l'obtention d'un mélange ferme. Incorporer la vanille.

2. Mélanger le reste du sucre avec la fécule de maïs, le café soluble et les noisettes. Incorporer aux blancs d'œufs battus.

3. Déposer la préparation de meringue par cuillerée sur des plaques à pâtisserie tapissées de papier sulfurisé, ou mettre le mélange dans une poche de pâtissier avec une douille étoilée et former des boules d'environ 4 cm (1 1/2 po) de diamètre.

> **LA CUISSON DES BISCUITS**
>
> Si vos biscuits ont tendance à brûler, emboîtez deux plaques à pâtisserie l'une dans l'autre et cuisez vos biscuits sur la plaque supérieure. Vous aurez ainsi un surcroît d'isolation.

VALEUR NUTRITIONNELLE PAR BISCUIT	
Calories	13
Protéines	traces
Matières grasses	traces
Saturées	0 g
Cholestérol	0 mg
Glucides	2 g
Fibres	0 g
Sodium	3 mg
Potassium	8 mg

4. Cuire dans un four préchauffé à 150 °C (300 °F) jusqu'à ce que les meringues soient sèches, soit de 25 à 30 minutes. Éteindre le four et laisser les biscuits refroidir au four. Le dessus devrait être sec et légèrement doré.

BISCOTTI À L'ESPRESSO

Le mot « biscotti » signifie « cuit deux fois ». Ces biscuits sont très durs. Aussi, pour les apprécier pleinement, il est préférable de les tremper dans du café, du thé ou un vin liquoreux. Pour créer ces biscottis, je me suis inspirée de la recette de Nick Malgieri, l'un des meilleurs professeurs de boulangerie et de pâtisserie de New York. J'ai eu la chance d'être son élève.

Donne environ 60 biscuits

500 ml	farine tout usage	2 tasses
150 ml	sucre cristallisé blanc	2/3 tasse
125 ml	amandes, finement moulues	1/2 tasse
15 ml	poudre de café espresso instantané	1 c. à soupe
2 ml	levure chimique	1/2 c. à thé
2 ml	bicarbonate de soude	1/2 c. à thé
2 ml	cannelle moulue	1/2 c. à thé
125 ml	amandes entières non blanchies	1/2 tasse
75 ml	miel	1/3 tasse
75 ml	café fort, chaud	1/3 tasse

Garniture

50 ml	sucre cristallisé blanc	1/4 tasse
2 ml	cannelle	1/2 c. à thé

VALEUR NUTRITIONNELLE PAR BISCUIT

Calories	45
Protéines	1 g
Matières grasses	1 g
Saturées	traces
Cholestérol	0 mg
Glucides	8 g
Fibres	traces
Sodium	12 mg
Potassium	25 mg

1. Dans un grand bol, mélanger la farine, le sucre, les amandes moulues, la poudre de café, la levure chimique, le bicarbonate de soude et la cannelle. Bien mélanger. Incorporer les amandes entières.

2. Dans un petit bol, mélanger le miel et le café fort. Incorporer dans le mélange de farine et mélanger jusqu'à l'obtention d'une pâte ferme.

3. Diviser la pâte en deux. Façonner deux bûchettes d'environ 40 cm (15 po) de longueur.

4. Déposer les bûchettes sur une plaque à pâtisserie tapissée de papier sulfurisé en les espaçant d'environ 5 cm (2 po). Cuire au four préchauffé à 180 °C (350 °F) pendant environ 30 minutes, ou jusqu'à ce qu'elles soient bien dorées et fermes. Assurez-vous qu'elles soient bien cuites avant de les sortir du four.

5. Laisser refroidir pendant environ 15 minutes. Déposer les bûchettes sur une planche à découper et les couper en diagonale, en tranches d'environ 1 cm (1/2 po) d'épaisseur.

6. Mélanger le sucre et la cannelle. Enrober chaque biscuit de ce mélange. Remettre les biscuits sur la plaque à pâtisserie et cuire 15 minutes supplémentaires, ou jusqu'à ce que les biscuits soient secs et légèrement dorés.

Cet ouvrage a été composé en Scala corps 10/13
et achevé d'imprimer au Canada en janvier 2007
sur les presses de Quebecor World,
Saint-Romuald (Québec).